D0832892

afgeschreven

Kathleen McGowan

# Het Jezus Mysterie

A.W. Bruna Uitgevers B.V., Utrecht

*Oorspronkelijke titel*
The Book of Love

This edition is published by arrangement with the original publisher, Simon & Schuster, Inc., New York.
*Vertaling*
Erica Feberwee
*Omslagbeeld*
Getty Images/Sir Anthony van Dyck
*Omslagontwerp*
Wil Immink Design


ISBN 978 90 229 9988 2
NUR 305

*Voor Easa*

*Nooit was de wereld zo waardig als op de dag dat het Hooglied,*
*het Lied der Liederen, de mens werd geschonken;*
*want alle geschriften zijn heilig,*
*maar het Hooglied is van al wat heilig is het heiligst.*

– Rabbi Akiva, eerste eeuw van onze jaartelling

No

Knock
In 1879 zagen veertien inwoners hier een heilig visioen.

GROOT-BRITTANNIË

Abdij gebouwd door Matilda van Toscane o
de geheime leringen van Het Boek der Liefc
onderdak te bieden en te beschermen.

Orval

BE

Het kanaal

Atlantische Oceaan

Woonplaats van Matilda tijdens haar huwelijk met Godfried met de Bult.

Sten

Chartres
Hier verrees de belangrijkste go
kathedraal ter wereld en beston
middeleeuwen een legendarisch
van de geest. Laatste rustplaat
Modesta de martelares.

Golf van Biskaje

FRANKRIJK

Hier ligt Berenger Sinclairs
Château des Pommes Bleues.

Montségur

Arques

PORTUGAL

Montserrat
Het plaatselijk klooster biedt driehonderd jaar lang heimelijk onderdak aan Het Boek der Liefde.

Fátima
Hier waren in 1917 drie herderskinderen getuige van de verschijning van Onze Lieve Vrouwe.

SPANJE

Middellan

0 50 100 kilometer

Oostzee

N
W
O
Z

DUITSLAND

Spiers
Hoofdzetel van Hendrik IV.

Vorms
n 1076 werd hier een synode
iden waarbij paus Gregorius VII
opgeroepen afstand te doen van
ambt en waarbij Matilda van
overspel werd beschuldigd.

Hier bracht Matilda van
Toscane haar jeugd door.

Mantua

Canossa
Het onneembare kasteel van Matilda's
familie waar Hendrik IV werd
gedwongen boete te doen.

Lucca
Florence
Geboorteplaats van Matilda en
duizend jaar lang de hoofdzetel
van de Orde van het Heilige Graf.

Rome

ITALIË

Salerno
Hier stierf paus Gregorius VII
in ballingschap.

e

Calabrië
Eerste zetel van de Orde van het Heilige Graf,
waar de traditie die afstamde van
de Heilige Lucas begon en voortleefde.

In den beginne schiep God de hemel en de aarde.

Maar God was niet één enkel wezen, Hij regeerde het universum niet alleen. Hij regeerde met Zijn metgezel, die Zijn geliefde was.

En aldus sprak God in het eerste boek van Mozes, genaamd Genesis: 'Laat Ons mensen maken naar Ons beeld, als Onze gelijkenis', daarbij sprekend tot Zijn wederhelft, Zijn vrouw. Want het wonder van de schepping bereikt zijn grootste volmaaktheid door de verbintenis van het mannelijke en het vrouwelijke. En de Heer God zeide: 'Zie, de mens is een van Ons geworden.'

En het boek van Mozes zegt: en God schiep de mens naar Zijn beeld; man en vrouw schiep Hij hen.

Hoe ware het mogelijk geweest dat God de vrouw naar Zijn beeld schiep, als Hij geen vrouwelijk beeld had gehad? Maar dat heeft Hij, en de eerste naam waaronder Ze werd gekend was Athiret, Zij Die op de Zee Loopt. En het zijn niet alleen de zeeën van onze aarde waarnaar wordt verwezen. Het is ook de zee van sterren, de band van licht die we de Melkweg noemen.

Ze loopt op de sterren, want Ze is de Koningin van de Hemel en de sterren zijn Haar domein.

En Ze werd gekend onder vele namen. Een van deze is Stella Maris, Ster van de Zee. Ze is de Meer Min, want Meer betekent zowel 'liefde' als 'zee', en dat is waarom het water vaak wordt gezien als een symbool van Haar barmhartige wijsheid.

Een ander symbool waarmee Ze wordt aangeduid, is een cirkel van sterren rond een centrale zon, het vrouwelijke dat met Haar liefde het mannelijke omhult. Waar dit symbool verschijnt, weet dan dat de geest van al wat goddelijk is in het vrouwelijke tegenwoordig is.

Later werd Athiret van de Zee en de Sterren bij de Hebreeërs bekend als Asherah, Onze Goddelijke Moeder, en de Heer werd El genaamd, Onze Hemelse Vader.

En zo was het dat El en Asherah hun grootse en heilige liefde wilden beleven in een meer expressieve, fysieke vorm en die zegen wilden delen met de kinderen die uit hun verbintenis zouden voortkomen. Iedere ziel die werd geschapen, kreeg een wederhelft, een gelijke met dezelfde kern. In het boek Genesis wordt dit verteld met de allegorie van Adams wederhelft die wordt geschapen uit zijn rib, zijn wezen, zodat zij vlees is van zijn vlees en been van zijn gebeente, geest van zijn geest.

En God zeide, zo wordt ons verteld door Mozes: 'En ze zullen tot één vlees zijn.'

Aldus werd de hieros gamos geschapen, het heilige huwelijk tussen vertrouwen en bewustzijn dat de geliefden verenigt tot Eén. Dit is ons heiligste geschenk van Onze Vader en Moeder in de hemel. Want wanneer we samenkomen in het bruidsvertrek, vinden we de goddelijke verbintenis waarvan El en Asherah wensten dat al hun aardse kinderen die zouden ervaren, in het licht van de zuivere vreugde en het wezen van de ware liefde.

Wie oren heeft om te horen, die hore.

– El en Asherah, en de Heilige Oorsprong van de Hieros Gamos
Uit *Het Boek der Liefde*
zoals bewaard gebleven in *Het Libro Rosso*

---

# Proloog

*La Beauce, Frankrijk*
*Het jaar Onzes Heren 390*

Langs de wanden van de grot verlichtten dikke kaarsen van bijenwas de plek van samenkomst. De kleine, dicht opeengepakte gemeenschap bad zacht maar vol devotie, onder leiding van de etherische verschijning naast het stenen altaar. Nadat ze het gebed had beëindigd, hield ze de gelovigen hun grootste schat voor: een eeuwenoud manuscript, in leer gebonden.

'*Het Boek der Liefde*. Het Ware Woord van Onze Heer.'

Het koperblonde haar van Vrouwe Modesta glansde in het kaarslicht terwijl ze het boek kuste en de gelovigen antwoordden.

'Wie oren heeft om te horen, die hore,' klonk het als uit één mond.

Er viel een eerbiedige stilte, alsof na de woorden uit het boek slechts zwijgen paste. Het stilzwijgen in de gewijde grot werd uiteindelijk verbroken door een jonge man, een devote en toegewijde volgeling, die Severinus heette.

'Hoe vergaat het onze broeder Potentianus?'

Toen Modesta antwoordde, klonk haar stem even kalm en lyrisch als tijdens haar gebed. 'Ik ben vandaag bij hem geweest in de gevangenis en ik heb hem wat brood kunnen brengen. Hij maakt het goed. Zijn geloof is onwankelbaar, zoals ook het onze dat moet zijn.'

Ondanks zijn inspanningen om de angst die in hem groeide te bedwingen, kon Severinus zijn stijgende opwinding niet beheersen. 'Hij maakt het goed, zegt u. Maar hoe lang nog? Rome doodt elke dag méér van de onzen op beschuldiging van ketterij. Uiteindelijk zullen ze ons allemaal ter dood brengen.'

Er klonk aarzelend, maar instemmend gemompel. Wijs en geduldig als ze was, liet Modesta echter nooit een gelegenheid voorbijgaan om haar kleine gemeenschap te onderwijzen in de waarheden die haar zo dierbaar waren.

'We leven inderdaad in een verdrietige tijd waarin de vervolgden de vervolgers zijn geworden. Na jarenlang te zijn gemarteld, keren de christenen zich nu wreed en meedogenloos tegen hun medegelovigen. Toch moeten we hen vergeven, want ze weten niet wat ze doen.'
Als om Modesta's woorden te bekrachtigen, klonk bij de ingang van de grot een scherp fluitsignaal. Te laat beseften de vrouwe en haar congregatie dat ze waren ontdekt door degenen voor wie ze zich schuilhielden.
Binnen enkele ogenblikken was de vreedzame, religieuze bijeenkomst veranderd in een chaos, toen gewapende mannen de enige toegang tot de grot binnenstormden en ontsnappen onmogelijk maakten. De soldaten waren identiek gekleed, in een donker gewaad waarvan de kap het hoofd volledig bedekte. Slechts een onheilspellende spleet verried de plek van de ogen. De aanvoerder van de groep trad naar voren en schoof zijn kap naar achteren. Op zijn hoofd droeg hij de tonsuur van een monnik, om zijn hals hing een zwaar houten kruis. Met een blik vol minachting op Modesta citeerde hij uit de brieven van Paulus, om uiting te geven aan zijn afkeuring van een vrouw als leider.
'"In de gemeente is het de vrouw niet vergund te spreken. Zij moet zwijgen." Vrouwe Modesta van La Beauce, u staat onder arrest wegens ketterij.'
De blik waarmee Modesta hem aankeek verried zowel kalmte als herkenning. 'Broeder Timotheüs. U komt voor mij, en ik zal met u meegaan. Maar laat deze onschuldige gelovigen ongemoeid.'
Wanhopig door het vooruitzicht dat ze hun leider zouden verliezen, sprong Severinus tussen haar en broeder Timotheüs. 'Laat haar met rust!'
De andere soldaten, wier gezicht nog schuilging onder hun kap, stortten zich op hem. Modesta maakte van de gelegenheid gebruik om het heilige boek achter haar rug te verbergen, waar het veilig was voor de blikken van haar aanklager. Ze besefte nog niet hoe groot het gevaar was voor haar volgelingen. Voor een vrouw die haar leven heeft gewijd aan liefde en barmhartigheid, is het moeilijk de geest van gewelddadige mannen te peilen.
De soldaten trokken hun wapens en aarzelden geen moment ze te gebruiken. Een dubbelzijdig zwaard boorde zich in het hart van Severinus; zijn levenssappen spoten uit de wond, zijn bloed kwam neer op de congregatie.
De grot werd in chaos gedompeld toen de resterende gelovigen probeerden te vluchten, plotseling volledig doordrongen van de gruwelijkheid van hun hachelijke situatie. Maar de weg werd versperd door het meedogenloze geweld van hun vervolgers, die geen genade kenden.
'Madeleine!'
Modesta zocht in het gewoel naar haar kind, maar het kleine meisje kwam

al aanrennen naar haar moeder die bij het altaar stond. Klein en tenger als ze was, leek Madeleine veel jonger dan haar acht jaar, en Modesta bad dat dit in haar voordeel zou zijn.
Ze moest haar kind zien te redden. Net als het boek. Terwijl ze het kind dicht tegen zich aan trok, verborg Modesta de kostbare schat in de plooien van Madeleines jurk, waarna ze de mantel van het kleine meisje er ter verdere bescherming omheen trok.
'Hou op! Hou op!' riep ze boven de chaos uit naar broeder Timotheüs. 'Ik ga mee. Ik smeek u: staakt het bloedvergieten!'
Maar het was al te laat. De soldaten hadden alle gelovigen afgeslacht, onschuldig bloed stroomde over de vloer van de grot. Broeder Timotheüs snoof vol weerzin terwijl hij over een bloederig lijk stapte voor zijn prooi gevangen te nemen.
'Spaar het leven van dit kind,' smeekte Modesta. 'U bent een man van God. U mag de kinderen niet straffen voor de zonden van de vaderen.'
'Is ze uw dochter?'
'Nee. Ze is van simpele boerenafkomst.'
Broeder Timotheüs deed een stap naar voren en krulde een donkerbruine haarlok van het kind om zijn vinger.
'Ze heeft niet het goddeloze haar dat het kenmerk is van uw soort. Had ze dat wel, dan zou ik haar eigenhandig doden. Maar een boerenmeid is de inspanning nauwelijks waard. Dus laat haar gaan.'
Met een minachtend gebaar keerde hij de vrouwen de rug toe om zijn blik over het bloedbad te laten gaan.
Modesta trok Madeleine tegen zich aan, terwijl het kleine meisje haar armpjes stijf langs haar lichaam hield, krampachtig het verborgen boek beschermend. Modesta besefte dat dit haar laatste momenten met haar dochter waren. 'Wees niet bang,' fluisterde ze het meisje in haar oor. 'De dag zal komen dat ik je opnieuw in mijn armen houd. Wees niet bang, Madeleine. De Tijd Keert Weder.'
Haastig kuste ze haar dochter en stuurde het meisje de grot uit. Met een tragische mengeling van moederlijke trots en onuitsprekelijk verdriet keek ze het rennende figuurtje na.

✿

'Ach liefste. Ik zou er alles voor geven om je niet hier in deze cel te zien.'
Potentianus omklemde de tralies die hem scheidden van zijn vrouw. De tijd in de gevangenis had zijn tol geëist. Hij was tot op het bot vermagerd,

zijn haren en zijn gezicht waren vuil. Toch was hij in Modesta's ogen de mooiste man van de wereld. Ze wilde dat ze hem kon aanraken, maar ze waren beiden geboeid, en de afstand die in de bedompte gevangenis tussen hen gaapte, was te groot.
'Maar we zijn in elk geval samen en dat is een zegen, onder alle omstandigheden. Wees niet bang voor de dood, mijn lief. We weten dat de dood niet het einde betekent, en dus hoeven we niet bang te zijn.'
Potentianus was wanhopig. 'Je mag het niet opgeven! Tenslotte ben je familie van bisschop Martinus van Tours. We kunnen een verzoek indienen om interventie. Hij heeft de macht om in te grijpen!'
Modesta slaakte een zucht van berusting. 'Mijn gezegende neef heeft geen ketterse levens kunnen redden, hoezeer hij ook zijn best heeft gedaan. De Kerk is vastbesloten zich van ons te ontdoen, en snel ook. Broeder Timotheüs zal erop toezien dat we morgen vóór zonsondergang dood zijn.'
'En wat zal er van onze Madeleine worden?'
'Haar leven is gespaard gebleven tijdens het bloedbad. Ik moest haar verloochenen en ontkennen dat ze ons kind was. Godzijdank heeft ze dezelfde kleur haar als jij, anders zou ons verdriet ondraaglijk zijn. Ze gaat naar mijn broer. Die zal haar beschermen, dat weet je.'
'En het boek? Is het veilig?'
'Madeleine heeft het onder haar mantel verborgen. Ze was heel dapper.'
In het schaarse licht van de kaarsen verried zijn gezicht bewondering. 'Ze lijkt op haar moeder. Door het boek te redden, heeft ze ons allemaal gered. Dankzij haar kan de prediking van de Weg worden voortgezet.'
Modesta knikte instemmend.
'Opnieuw is de waarheid gered door een kind, een meisje. Zo is het altijd geweest, en zo zal het altijd zijn.'

❂

Een sombere menigte had zich voor de terechtstelling verzameld op de eeuwenoude heuveltop, waar op het schavot een onheilspellend hakblok stond. Twee bijlen leunden er kruislings tegenaan.
Zij aan zij, met hun handen op de rug gebonden, ploeterden Modesta en Potentianus de helling op. Ze waren omringd door zwaarbewapende mannen met kappen over hun hoofd, die hen aanspoorden sneller te lopen. Modesta's weelderige haar was afgeknipt, ruw en ongelijk, zodat haar slanke hals kon worden blootgesteld aan de kling die haar hoofd van haar romp zou scheiden.

Potentianus keek naar haar met een hart dat overliep van liefde en verdriet. 'We zullen sterven zoals we hebben geleefd en gepredikt: samen.'
Modesta's blik weerspiegelde de zijne. 'En we zullen terugkomen om samen opnieuw te prediken. Zoals God het wil en op het tijdstip dat Hij bepaalt.'
Potentianus hield zijn pas in om hun kostbare tijd samen te verlengen. Zijn vrouw deed hetzelfde, om ook in deze momenten zo dicht mogelijk bij hem te zijn. Hij fluisterde een laatste verzoek.
'Wil je nog één keer voor me zingen?'
Modesta glimlachte naar hem. Het was het laatste aardse geschenk dat ze haar geliefde kon geven, en met haar lieflijke stem begon ze te zingen.

*Lang, lang heb ik u liefgehad,*
*altijd en eeuwig, ik vergeet u nimmermeer.*
*Altijd, altijd heb ik u liefgehad.*
*De genadige God heeft ons voor elkander bestemd.*

Terwijl de laatste klanken van het lied wegstierven, kwam uit de menigte een man naar voren. Een gespierde kerel met rood glanzend haar. In zijn armen hield hij Madeleine. Bij de aanblik van haar dochter verstijfde Modesta. Potentianus, die de blik van zijn vrouw had gevolgd, bleef op slag doodstil naast haar staan. Ze durfden het kind niet te erkennen, maar op dat moment voelde het kleine gezin zich verbonden door een intense band van liefde en verdriet om het afscheid.
Madeleine keek haar moeder aandachtig aan, met een wijsheid die ver uitsteeg boven de vermogens van een kind van acht. Toen knikte ze. Een zweem van een glimlach speelde om haar lippen. Haar moeder, ondanks het gruwelijke van de situatie vervuld met trots en opluchting, glimlachte terug, net toen een van de soldaten haar ruw naar achteren trok, naar het schavot. Modesta boog zich naar haar man.
'Onze beide schatten zijn veilig,' fluisterde ze.
Gewapende mannen gingen aan weerskanten van het hakblok staan om de gevangenen in de juiste positie te dwingen. Modesta stelde haar laatste vraag, luid en duidelijk genoeg om door de verzamelde menigte te worden gehoord.
'Nobele heren, wilt u ons een kort moment toestaan om samen te bidden?'
De bewakers keken naar de dreigende gestalte van broeder Timotheüs, die in afwachting van het spektakel niet stil kon blijven staan. Hij was in het nauw gedreven. Als man van de Kerk kon hij een dergelijk verzoek tot gebed niet weigeren.

'De Kerk is genadig en staat de ketters een kort gebed toe, om uiting te geven aan hun berouw.'
Modesta keerde zich naar haar man en hief voor het laatst haar gezicht naar hem op. Even bestond er geen schavot, geen bijl, geen gruwelijk onrecht. Even was er alleen liefde, terwijl ze in tedere eendracht het heiligste gebed zeiden van de leer die ze hadden gepredikt.

*'Ooit had ik je lief*
*net als vandaag*
*en ooit zal ik je opnieuw liefhebben.*
*De Tijd Keert Weder.'*

Modesta hief haar lippen naar die van haar geliefde voor een laatste, zachte kus.
'Zo is het wel genoeg!'
De woedende stem van broeder Timotheüs maakte een einde aan het moment. Driftig trokken de bewakers het paar uit elkaar en dwongen hen op de knieën, naast elkaar voor het blok.
Met de volmaakte kalmte die voortvloeide uit de wetenschap dat God op hen wachtte, legden Modesta en Potentianus hun hoofd op het hakblok. Ze bleven zacht samen bidden, tot de eerste bijl viel met een misselijkmakend geluid. De tweede volgde een moment later.
De menigte verroerde zich niet. De lucht was zwanger van een gevoel van rouw, van tragiek. Het spektakel was niet de triomfantelijke terechtstelling van ketters geworden waarop broeder Timotheüs had gehoopt. Hij liet zijn gevreesde dreigement over de hoofden schallen. 'Laat dit voor iedereen een waarschuwing zijn! Het Heilige Roomse Rijk gedoogt geen enkele vorm van ketterij!'
Na die harde, dreigende woorden verspreidde de menigte zich. De gezichten stonden ernstig. Het was maar al te duidelijk dat de inwoners van het stadje doodsbang waren. Broeder Timotheüs sloeg geen acht op hen, maar liep naar het hakblok om de beulen te instrueren.
'Verwijder elk spoor van de ketters! Het mag niet gebeuren dat ze als martelaren worden vereerd. Gooi hun stoffelijk overschot in de put. Het liefst stuurde ik ze rechtstreeks naar de hel, maar op die manier zijn ze al een eind op weg.'
Broeder Timotheüs wierp een lange, tevreden blik op Modesta's verminkte lichaam terwijl de beulen zich kweten van hun gruwelijke taak. Er verscheen een obsessieve blik op zijn gezicht toen hij onopvallend iets uit de zak van

zijn gewaad haalde: een lok van Modesta's stralende roodblonde haar.
Nu hun herderin dood was, zou hij de schapen moeiteloos onder controle kunnen houden.
Hij stopte de fetisj weer in zijn zak en liep dwars door de bloedplas op de plek waar Modesta's lichaam had gelegen, zonder nog een blik achterom te werpen.

# 1

*New York City*
*Heden*

Het bed in de hotelkamer in Manhattan, betaald door haar uitgever, was buitengewoon luxueus en comfortabel. Desondanks lag Maureen Paschal rusteloos te woelen en te draaien. Trouwens, haar dagen waren net zo rusteloos als haar nachten. Ze had al bijna twee jaar lang geen nacht meer doorgeslapen. Sinds de opeenvolging van bovennatuurlijke gebeurtenissen die uiteindelijk hadden geleid tot haar ontdekking van het geheime evangelie van Maria Magdalena, kende Maureen nauwelijks een moment van rust. 's Nachts noch overdag.
Wanneer ze het geluk had enkele uren achtereen weg te doezelen, werd ze geplaagd door dromen – sommige surrealistisch en symbolisch, andere levensecht en direct. In de meest verontrustende van deze zich herhalende dromen ontmoette ze Jezus Christus en sprak Hij cryptisch over haar belofte om op zoek te gaan naar een geheim boek, geschreven door Zijn goddelijke hand, dat Hij *Het Boek der Liefde* noemde. En ook wanneer ze niet sliep, werd Maureen achtervolgd door deze ervaringen in haar dromen. *Het Boek der Liefde* was tot op dat moment volledig ongrijpbaar gebleken. Er bestonden geen naspeurbare historische verwijzingen naar een dergelijk document, op een handvol vage legenden na die in de middeleeuwen in Frankrijk waren ontstaan, maar die inmiddels zo goed als verdwenen waren. Maureen had geen idee waar ze met haar zoektocht moest beginnen om haar belofte gestand te doen en zoiets ongrijpbaars te vinden. Ze zou niet eens met zekerheid kunnen zeggen wat dat íéts was. En tot op de dag van vandaag had de Heer geen enkele aanwijzing geopenbaard die haar zou kunnen helpen bij haar zoektocht.
Maureen bad elke avond vurig dat ze niet tekort zou schieten in deze opdracht en dat ze op de een of andere manier leiding zou ontvangen om het beginpunt te vinden van de ongetwijfeld vreemde reis die haar wachtte. De bovennatuurlijke gebeurtenissen van de afgelopen jaren

hadden tenslotte maar al te duidelijk bewezen dat ze werd omringd door goddelijk geïnspireerde magie. Ze zou alleen geduld moeten hebben, ze zou moeten blijven geloven, en ze zou moeten afwachten.
Die avond werden haar gebeden verhoord toen de eerste aanwijzing aan haar geopenbaard werd in de bizarre en surreële wereld van haar dromen.

❂

*De avondnevelen daalden grijs en zwaar op de oude ruïnes neer. Maureen liep er langzaam tussendoor, dicht als ze waren van de droom en de mist. Ze bevond zich in een heel oud klooster, of beter gezegd: in wat daarvan over was nadat het al eeuwenlang niet meer in gebruik was geweest. Een afbrokkelende muur rechts van haar was ooit een majestueus architecturaal meesterwerk geweest, met daarin nog zichtbaar de omtrek van een glas-in-loodraam in gotische stijl, in de vorm van een roos met zes bloembladeren. Het laatste daglicht dat door de boomtakken filterde, viel op de overblijfselen van het raam en onttrok de ruimte waarin Maureen zich bevond aan de schaduwen. Ze liep verder naar een reeks hoge, gotische bogen die nog overeind stonden, terwijl de muren die ze ooit hadden gestut reeds lang geleden in puin waren gevallen. De bogen waren eenzaam oprijzende overblijfselen van een verbleekte en vergane glorie. Ooit hadden ze deel uitgemaakt van een prachtig en majestueus kerkschip, maar inmiddels stonden ze kaal en alleen, als spookachtige deuropeningen naar het verleden.*
*De laatste lichtflarden leken haar te volgen, over de drempel, naar de ruïnes van een eeuwenoude binnenplaats. De iriserende schachten verlichtten een beeld van poreus steen, een madonna met kind in een nis van een uit keien opgetrokken muur.*
*Maureen liep naar het beeld toe en liet haar vingers teder en nieuwsgierig over het koele stenen gezicht van de lieftallige kleine madonna gaan, die zelf nauwelijks ouder leek dan een kind. Volgens de overlevering was de Heilige Maagd een prille tiener geweest toen ze zwanger werd, dus waarschijnlijk was een dergelijke kinderlijke manier van afbeelden niet ongebruikelijk. Toch leek deze madonna met haar raadselachtige, vluchtige glimlach eerder een meisje van een jaar of acht of negen, dat een zuigeling in haar armen hield. De beeltenis van het kind trof Maureen ook als ongebruikelijk. Het lachte ondeugend en leek zich te willen bevrijden uit de armen van het meisje. Het beeld leek meer op een ouder zusje dat probeerde haar kleine broertje vast te houden dan op een moeder met haar kind. Maureen stond nog over deze vreemde manier van afbeelden na te denken toen het beeld tot haar sprak, met de lieflijke stem van een jong meisje.*

*'Ik ben niet wie je denkt dat ik ben.'*
*In de hallucinogene, denkbeeldige wereld van de droom is het niet ongebruikelijk dat beelden kunnen praten, en zelfs giechelen, zoals dit beeld nu deed.*
*'Wie ben je dan wel?' vroeg Maureen.*
*Het kleine meisje giechelde opnieuw – of was het de zuigeling in haar armen? Het was onmogelijk te zeggen, omdat het geluid zich vermengde met het lage, dreunende galmen van een kerkklok die in de abdij werd geluid.*
*'Dat zul je snel genoeg weten,' sprak het kind. 'Er is veel dat ik je moet leren.'*
*Maureen bekeek het beeld aandachtig en richtte toen haar blik op de muur van de nis, op de vervallen stenen bogen en op de abdij waarvan deze deel uitmaakten. 'Waar zijn we?' vroeg ze.*
*Het kind gaf geen antwoord. Maureen liep verder, voorzichtig haar weg zoekend tussen struikgewas, onkruid en grote brokken steen. De maan kwam op, vol en stralend aan de steeds donkerder wordende hemel. Ze zag dat het maanlicht werd weerkaatst door wat eruitzag als een poel water, een eindje voor haar uit. Verlangend liep ze erheen, door de opening in een vervallen muur, over een afgebrokkelde drempel naar het wachtende water. Het was een put, zag ze, of een cisterne, zo groot dat verschillende mensen er tegelijk een bad in zouden kunnen nemen. Toen Maureen zich over de rand boog, om naar haar spiegelbeeld in het glinsterende water te kijken, werd ze zich bewust van een peilloze diepte: een gevoel dat de put heilig was en tot diep in de aarde reikte.*
*Toen klonk opnieuw de stem van het kleine meisje: 'In je spiegelbeeld zul je vinden wat je zoekt.'*
*Er ging een huivering door Maureens spiegelbeeld, en heel even zag ze daarin een ander gezicht dan het hare. Ze stak haar hand uit om het water aan te raken, en terwijl ze dat deed, gleed de koperen ring van haar vinger en viel in de put. Ze slaakte een kreet.*
*De ring was haar dierbaarste bezit, een eeuwenoud relikwie uit Jeruzalem dat haar als geschenk was gegeven tijdens haar zoektocht naar Maria Magdalena. De ring had de vorm en de afmetingen van een muntstuk, met de gegraveerde beeltenis van een eeuwenoude formatie van negen sterren in een cirkel rond een centrale zon. Het was een beeltenis die door de vroegste christenen was gedragen, om hen eraan te herinneren dat God altijd bij hen was, aansluitend op de regel uit het gebed van de Heer die luidt: 'Gelijk in de hemel alzo ook op aarde.' De ring was een stoffelijk symbool van Maureens recent gevonden geloof. Dat uitgerekend dat symbool onbereikbaar in de duistere diepte van het water was gevallen, was zowel een schok als een groot verlies.*
*Ze knielde voor de stenen rand van de put en probeerde wanhopig of ze een glimp van de ring kon opvangen ergens in de diepte. Maar het was zinloos.*

*Haar gevoel had haar niet bedrogen: de put wás peilloos diep. Toen ze zich langzaam oprichtte, werd haar aandacht getrokken door een plotselinge glinstering. Er schitterde iets in het water. Onder luid gespetter sprong een soort forel – stralend, met gouden schubben – uit het water, en verdween weer in de diepte. Maureen wachtte gespannen af of de opmerkelijke vis zich opnieuw zou laten zien. Weer klonk er gespetter, het water week uiteen, en de forel sprong omhoog. In slow motion, leek het deze keer. Uit de bek van de vis stak haar koperen ring.*

*Maureen hield haar adem in toen de vis zich naar haar toekeerde en de ring haar richting uit spuwde. Ze stak haar hand uit, en de ring kwam veilig neer in de palm van haar hand. Onmiddellijk sloot ze haar vingers er strak omheen en drukte de ring tegen haar hart, dankbaar dat ze hem had teruggekregen van de magische vis, die onmiddellijk was weggedoken naar de diepte van de put. Het water werd weer stil, de magie was verdwenen.*

*Terwijl ze de ring weer aan haar rechterhand schoof, tuurde Maureen voor een laatste keer ingespannen in de put om te zien of zich in dit vreemde klooster nog meer wonderen zouden voordoen. Het water was zo glad als een spiegel, maar toen verscheen er een vluchtige rimpeling aan het oppervlak, en er verspreidde zich een gouden gloed over de put en het gebied eromheen. Terwijl ze in het water keek, zag Maureen dat daarin een beeld vorm begon te krijgen. Het beeld van een prachtige vallei, weelderig en groen, rijk aan bomen en bloemen. Uit de hemel viel een regen van gouden druppels, die alles in het visioen vergulddden. Het duurde niet lang of de vallei was gevuld met rivieren van goud en alle bomen en bloemen waren met goud bedekt. Uiteindelijk straalde alles om haar heen door de rijke, warme gloed van vloeibaar goud.*

*In de verte hoorde ze de meisjesachtige stem, dezelfde stem als van de schalkse, kleine madonna.*

*'Zoek je* Het Boek der Liefde? *Wees dan welkom in de Vallei van Goud. Want hier zul je vinden wat je zoekt.'*

*Het lieflijke gegiechel klonk nog eenmaal, terwijl het visioen verbleekte en Maureen terugkeerde naar de in duisternis gehulde ruïnes van een geheimzinnige abdij bij maanlicht. Het was het laatste geluid dat ze hoorde. Toen ging de wekker. Ze was terug in de eenentwintigste eeuw, in New York City, waar een nieuwe dag op het punt stond te beginnen.*

❁

Ontbijttelevisie is zwaar werk, waarvoor je sterk in je schoenen moet staan. Toen er om klokslag vier uur op de deur van Maureens hotelkamer werd geklopt, was dat de kapster annex visagiste die was ingehuurd om haar voor te bereiden op een interview in een van de populaire nationale ontbijtshows. Gelukkig had de kapster-visagiste er alle begrip voor dat Maureen slecht had geslapen en was ze zo verstandig geweest om voordat ze naar boven kwam de roomservice opdracht te geven koffie te brengen.

Maureen Paschal was in New York vanwege de publicatie van haar internationale bestseller *De Waarheid Tegen de Wereld: Het Geheime Evangelie volgens Maria Magdalena*. Het boek, gebaseerd op haar eigen levenservaringen, legde het verband tussen Maureens persoonlijke ontdekkingsreis en de vaak schokkende onthullingen over het leven van Maria Magdalena, als Jezus' meest geliefde discipel. Als ervaren journaliste en succesvol auteur van diverse non-fictietitels, had Maureen ervoor gekozen dit boek als fictie te schrijven, wat op zichzelf al aanleiding gaf tot controverse. De pers bleef sceptisch, om niet te zeggen spottend. Als dit verhaal was gebaseerd op feiten, waarom had ze dan gekozen voor de romanvorm?

Maureens antwoord op deze telkens terugkerende vraag was weliswaar eerlijk, maar onbevredigend voor de gretige internationale pers. In praatprogramma's over de hele wereld gaf ze antwoord op steeds dezelfde vragen en legde ze uit – zo geduldig als haar in toenemende mate getergde zenuwen dat toestonden – dat ze haar bronnen moest beschermen, ter wille van hun veiligheid en de hare. Wanneer ze vertelde hoe ze zelf gevaar had gelopen tijdens het zoeken naar deze eeuwenoude schat, werd ze in brede kring belachelijk gemaakt en werd haar verweten dat ze overdreef, zelfs loog met de bedoeling meer publiciteit te krijgen.

Door de mediahausse die was gevolgd op het verschijnen van *De Waarheid Tegen de Wereld*, had ze geen rustig moment meer gekend en was het volledig gedaan met haar privacy. Ze was blootgesteld aan elke vorm van publieke belangstelling – de goede, de slechte en de absoluut verschrikkelijke. Ze had zowel bijval gekregen voor haar moed als doodsbedreigingen ontvangen vanwege haar godslasterlijke beweringen, met zo ongeveer elke denkbare reactie daartussenin.

Desalniettemin had *De Waarheid Tegen de Wereld* over de hele wereld tot de verbeelding gesproken. Terwijl critici en vertegenwoordigers van de media merkten dat een aanval op Maureen sensationele kopij opleverde, had een groeiend lezerspubliek over de hele wereld enthousiast gereageerd op het verfrissend menselijke van het leven van Jezus, gezien door de ogen van Maria Magdalena. Maureen was er niet voor teruggedeinsd om vast te houden aan haar overtuiging dat Jezus en Maria Magdalena officieel man en vrouw waren geweest, dat ze samen kinderen hadden gekregen en dat ze samen hadden gepredikt – en dat niets van dat alles ook maar in enig opzicht afbreuk deed aan de goddelijkheid van Jezus. Tijdens haar onderzoek was Maureen bijna vermoord door de krachten die wilden dat de boodschap van dit evangelie geheim bleef, wat voor haar het overtuigende bewijs was van de authenticiteit van het document. Liefde, geloof, vergiffenis en gemeenschapszin vormden de hoekstenen van wat Jezus predikte, maar de aanvallen op haar boek, uit naam van het geloof, ontkenden of negeerden haar boodschap en richtten zich op de controversiële brenger daarvan. Toch stemde het Maureen gelukkig te kunnen constateren dat haar boek over de hele wereld populair bleek te zijn bij mannen en vrouwen die zich in de steek gelaten voelden door de traditionele religieuze instituten, die zich meer leken te richten op politiek, macht, economie en zelfs oorlog dan op spiritualiteit.

Maureen was tevreden over het boek en over het verhaal zoals ze het had verteld, en ze ontleende grote bevrediging aan de stortvloed van bijval in de vorm van brieven en e-mails van over de hele wereld. Elke brief waarin een lezer verklaarde dat hij of zij door Maria Magdalena de weg naar Jezus had teruggevonden, sterkte haar in haar overtuiging en haar geloof. Toch worstelde ze dagelijks met de verantwoordelijkheid om het ware verhaal van Maria Magdalena, zoals zij het had ontdekt, over te brengen op een manier die recht deed aan het materiaal, en om nog meer mensen te bereiken die sceptisch bleven. Dat was de reden dat ze had besloten die ochtend in het ontbijtprogramma te verschijnen.

Hoewel de promotietournee rond haar boek nogal een circus was geweest, had Maureen hogere verwachtingen van het interview dat ze die ochtend zou geven. De producers hadden hun huiswerk goed gedaan door haar van tevoren uitvoerig en deskundig te interviewen, en door zelfs een cameraploeg naar haar huis in Los Angeles te sturen voor achtergrondinformatie. Daardoor had Maureen in elk geval de hoop dat de gestelde vragen eerlijk en gefundeerd zouden zijn.

Ze werd niet teleurgesteld. Het interview werd afgenomen door een van de vaste presentatoren van het programma, een nationale persoonlijkheid die bekendstond om haar intelligentie en haar evenwichtigheid. Ze kon vasthoudend zijn, maar was altijd eerlijk. En ze had zich terdege in de zaak verdiept, wat indruk maakte op Maureen.

Bij wijze van aanloop naar het interview werden er foto's getoond van Maureen tijdens haar onderzoek naar het leven van Maria Magdalena – zoals op de Via Dolorosa in Jeruzalem, of op weg naar Montségur, de

burcht op een berg in het zuiden van Frankrijk. Die laatste foto vormde de inleiding tot de eerste vraag.
'Maureen, je schrijft over een verondersteld verloren geraakt evangelie van Maria Magdalena dat is ontdekt in het zuiden van Frankrijk, en over diverse cultussen in Frankrijk die geloven dat Maria Magdalena daar na de kruisiging haar toevlucht heeft gezocht. Toch ben je hier in Amerika aangevallen door Bijbelwetenschappers van naam en faam, die volhouden dat er geen enkel bewijs bestaat voor je beweringen. Ze blijven bij hun overtuiging dat er geen concrete bewijzen zijn voor de veronderstelling dat Maria Magdalena ooit in Frankrijk zou zijn geweest. Wat is je reactie daarop?'
Maureen was blij met de vraag. In kranten en tijdschriften kreeg de wetenschap altijd het laatste woord. Bijna alle artikelen die over haar waren geschreven sloten af met een academicus die haar met het gebruikelijke dedain van de wetenschap in diskrediet bracht door te zeggen dat er geen enkel concreet bewijs bestond, en dat de legenden rond de persoon van Maria Magdalena een wankeler fundament hadden dan de meeste sprookjes. Maureen besloot geen blad voor de mond te nemen nu ze eindelijk in de gelegenheid was haar critici via de televisie lik op stuk te geven.
'Als wetenschappers in hun ivoren torens op zoek gaan naar bewijzen, in de vorm van toegankelijke teksten in het Engels, die ze kunnen bestuderen in bibliotheken voorzien van airco, dan zullen ze die niet vinden. Het soort bewijzen dat ik heb gezocht, is organischer, menselijk, echt. Dit bewijsmateriaal is afkomstig van de mensen en de cultussen die deze verhalen "leven", waarmee ik bedoel dat deze verhalen deel uitmaken van hun dagelijkse rituelen. Zeggen dat deze tradities niet bestaan of er niet toe doen, is gevaarlijk – misschien zelfs xenofobisch en racistisch.'
'Dat liegt er niet om!' De presentatrice was duidelijk geschokt. 'Zijn dat geen erg harde woorden?'
'Nee. Het is hoog tijd dat dit wordt gezegd. In het zuiden van Frankrijk en in delen van Italië zijn hele gemeenschappen uitgeroeid omdat ze geloofden in precies datgene waarover ik in mijn boek schrijf. Dat waren mensen die geloofden dat ze de nazaten waren van Jezus en Maria, en die een prachtig zuivere vorm van het christelijk geloof beleden, waarvan ze beweerden dat die rechtstreeks afkomstig was van Jezus en dat Maria Magdalena hun deze na de Kruisiging had gebracht.'
'Je doelt op de katharen.'
'Precies. Kathaar komt van het Griekse woord voor "zuiverheid", omdat deze mensen de zuiverste christenen waren die de westerse wereld ooit

heeft gekend. En tijdens de enige kruistocht uitgeroepen tegen medechristenen, heeft de katholieke Kerk van de dertiende eeuw de katharen massaal afgeslacht. De inquisitie is in het leven geroepen om de katharen uit te roeien. De katharen moesten worden vernietigd, niet alleen omdat ze de waarheid kénden, ze wáren de waarheid ook. En laat er geen enkele twijfel over bestaan: het was puur een etnische zuivering. Een vorm van genocide. Harde woorden? Zeker. Maar het afslachten van een heel volk ís hard, en we kunnen ons niet langer verschuilen achter woorden die proberen dat te rechtvaardigen. De gevoelswaarde van het woord "kruistocht" maakt het als het ware aanvaardbaar om mensen te vermoorden, omdat het gebeurde in de naam van God. Laten we ophouden dat woord te gebruiken en zeggen wat het werkelijk was. Namelijk massamoord. Een holocaust.'

'Dus wanneer je moderne wetenschappers hoort beweren dat deze mensen nooit hebben bestaan, of dat de tradities van hun geloofsgemeenschap er niet toe doen...'

'Mijn hart breekt als ik denk dat zo'n verschrikkelijk kwaad het laatste woord heeft. Natúúrlijk bestaat er nog heel weinig concreet materiaal dat de aanwezigheid van Maria Magdalena in Frankrijk bewijst. Er zijn meer dan achthonderdduizend mensen afgeslacht om ervoor te zorgen dat er geen concreet bewijs zou overblijven, om ervoor te zorgen dat niemand ooit enig concreet bewijs zou kunnen vinden. De ergste bloedbaden vonden plaats op 22 juli 1209, en precies een jaar later, in 1210. 22 juli is de feestdag van Maria Magdalena, en dat is niet toevallig. In documenten van de inquisitie uit die tijd worden de bloedbaden beschreven als een "gerechtvaardigde vergeldingsmaatregel tegen deze mensen die geloven dat de hoer met Jezus getrouwd was".'

'En dat brengt me op de vraag die op ieders lippen brandt. Je beweert dat het verhaal dat je vertelt, over Jezus die getrouwd zou zijn geweest met Maria Magdalena, afkomstig is uit een verloren geraakt evangelie dat je recent hebt ontdekt in het zuiden van Frankrijk. Toch weiger je je bronnen prijs te geven of iets meer over dit geheimzinnige document los te laten. Wat moeten we daaruit opmaken? Je felste critici zeggen dat je het hele verhaal hebt verzonnen. Waarom zouden we je geloven wanneer je niet met bewijzen naar voren komt waaruit blijkt dat dit evangelie ook inderdaad bestaat?'

De vraag was keihard, maar belangrijk, en Maureen moest haar antwoord zorgvuldig formuleren. Wat ze de wereld nog niet kon vertellen, was de rest van het verhaal: dat het evangelie door haar neef, father Peter Healy, naar Rome was gebracht. Daar werkte Healy inmiddels samen met een Vaticaanse commissie, die onderzoek deed naar de authenticiteit van het evangelie. Tot de Kerk officieel uitspraak zou doen over het onschatbare document – en dat kon, gezien de explosieve inhoud en de implicaties voor het christendom, nog wel jaren duren – had Maureen ermee ingestemd niets te onthullen over de omstandigheden rond de ontdekking. In ruil daarvoor had ze toestemming gekregen haar versie van het verhaal van Maria Magdalena te vertellen, zonder bang te hoeven zijn voor represailles, op voorwaarde dat ze het voorlopig presenteerde als fictie. Het was een compromis waar ze niet omheen had gekund, maar waarvoor ze een hoge prijs betaalde. Ze voelde zich verwant met Cassandra, de profetes uit de Griekse legende: gedoemd om de waarheid te kennen en te vertellen, zonder ooit te worden geloofd.

Maureen haalde diep adem en beantwoordde de vraag zo goed als ze kon.

'Ik moet de mensen beschermen die me hebben geholpen bij de ontdekking. Bovendien is er nog veel meer informatie die uiteindelijk zal worden onthuld, en als ik toegang wil blijven houden tot die informatie, heb ik geen andere keus dan mijn bronnen geheim te houden. Dat is de reden dat ik dit boek heb moeten schrijven als fictie. Ik hoop dat het verhaal voor zich spreekt. Het is mijn taak als verteller om de ogen van het publiek te openen voor de mogelijkheid van een alternatieve versie van een van de grootste verhalen uit de geschiedenis van de mensheid. Daarom noem ik het ook *Het Grootste Verhaal dat Nooit Is Verteld*. En ik geloof oprecht dat het de waarheid is. Maar laat iedereen het lezen en het op zijn eigen merites beoordelen. Laat de lezer besluiten of het voelt als de waarheid.'

'Daar laten we het bij. Het besluit ligt bij de lezer.' De charmante blonde presentatrice hield een exemplaar van het boek omhoog. '*De Waarheid Tegen de Wereld*. En zo is het. Maureen Paschal, bedankt voor je komst. Ik zou nog uren met je kunnen doorpraten, maar ik ben bang dat onze tijd om is.'

Dat is het frustrerende van de televisie: dat er uren voorbereiding nodig zijn voor een item dat misschien drie of vier minuten duurt. Toch was Maureen tevreden dat ze kort maar krachtig haar standpunten had kunnen verdedigen, en ze was zowel de producers als de presentatrice dankbaar voor de eerlijke en intelligente manier waarop ze het onderwerp hadden behandeld.

Inmiddels was het pas kwart over zeven. Maureen was tot in de puntjes gekleed, gekapt, opgemaakt – en wilde niets liever dan weer naar bed.

Marie de Nègre bepaalt het tijdstip waarop de Voorzegde zal verschijnen, zij die is geboren uit het Lam Gods wanneer dag en nacht even lang zijn, zij die een kind is van de verrijzenis. Zij die het Sangre-el draagt zal de mogelijkheid krijgen om de Donkere Dag van de Schedel te aanschouwen. Zij zal de nieuwe Herderin worden en ons de Weg wijzen.

– De eerste profetie van L'Attendue, de Voorzegde,
uit de profetieën van Sara-Tamar
zoals bewaard gebleven in *Het Libro Rosso*

*Château des Pommes Bleues*
*Arques, Frankrijk*
*Heden*

Berenger Sinclair stond voor de kist met het artefact dat zijn enorme bibliotheek domineerde. De kist stond op een massieve stenen schouw, waarin geen vuur brandde nu de late lentewarmte eindelijk de rotsachtige heuvels van de Languedoc had bereikt. Lord Sinclair was een verwoed verzamelaar, een man die beschikte over de politieke macht en de financiële middelen om bijna alles waarop hij zijn oog liet vallen in zijn bezit te krijgen. Het voorwerp in deze kist vertegenwoordigde voor hem een grote waarde, niet alleen als bijdrage aan zijn omvangrijke collectie historische voorwerpen, maar bovendien als symbool voor zijn diep gekoesterde spirituele overtuigingen.
Bij oppervlakkige beschouwing had het een willekeurige middeleeuwse banier kunnen zijn, gerafeld en bijna onherkenbaar verbleekt. De bloedvlekken langs de randen waren verkleurd tot een modderige tint bruin, meer dan vijfenhalve eeuw nadat de strijder die de banier had gedragen ter dood was veroordeeld. De strijdster.
Bij nadere bestudering van de stof werd een rijk geborduurd motto zichtbaar, geblazoeneerd op een achtergrond van gouden Franse lelies. Een simpele, maar machtige verbinding van twee namen: JHESUS-MARIA. De dappere, visionaire strijdster die deze banier had gedragen, was ter dood veroordeeld wegens ketterij, om het leven gebracht op de brandstapel op

het marktplein van Rouen, in 1431. Terwijl de officiële verslagen van haar proces melding maakten van een reeks aanklachten die de toenmalige leiders van de Kerk in Frankrijk beter uitkwamen, vertegenwoordigde deze banier haar ware misdrijf: de overtuiging dat Jezus getrouwd was geweest met Maria Magdalena, de overtuiging dat hun nazaten onvoorwaardelijk recht hadden op de troon van Frankrijk, en de daaruit voortvloeiende overtuiging dat onder de juiste koning de oorspronkelijke en zuivere leer van het christendom in ere kon worden hersteld. Dat was de reden dat de namen met elkaar waren verbonden: het waren de namen van echtelieden, in de liefde en voor de wet samengevoegd.

Wat God heeft samengevoegd, scheide de mens niet. Jhesus-Maria.

Dit was de banier gedragen door Sainte Jeanne bij het beleg van Orléans, de standaard van de maagd van Lotharingen, het embleem van de visionaire soldaat die de wereld kende als Jeanne d'Arc. In de bodem van de kist was in goud een van de beroemdste citaten van de heilige gegraveerd. Voor een meisje van negentien was ze verbazingwekkend welsprekend geweest. En ongekend moedig.

*Ik ben niet bang... Hiervoor ben ik geboren. Liever zou ik sterven dan iets doen waarvan ik weet dat het indruist tegen Gods wil.*

Berenger Sinclair ging met zijn handen door zijn dikke, donkere haar terwijl hij in aandachtige overpeinzing voor het artefact stond. Op dagen als deze, wanneer hij moe en gespannen was, ging hij naar zijn bibliotheek, om eer te bewijzen aan dit dappere jonge meisje dat vervuld was geweest van zo'n groot geloof dat ze niets vreesde en alles offerde. Ze inspireerde hem, gaf hem kracht.

Hij voelde dat hij haar op een vreemde manier na stond, om redenen die nogal gecompliceerd lagen binnen zijn familie en zijn traditie. De geschiedenis leerde dat Jeanne was geboren op de zesde dag van januari, ook al wisten ingewijden binnen zijn ketterse cultus dat dit niet waar was. Jeannes werkelijke geboortedatum, de dag van de lente-evening, moest geheim worden gehouden om haar te beschermen tegen de gevaarlijke en waakzame ogen van de middeleeuwse Kerk. Om het nog preciezer uit te drukken: ze moest worden afgeschermd van hen die het oog gericht hielden op vrouwelijke nazaten van selecte Franse families die op of rond de lente-evening werden geboren. Zes januari was gekozen als een 'veilige' datum voor Jeannes geboorte. Op de liturgische kalender was het de dag van Driekoningen, de dag waarop het licht in de wereld komt. Dat wist

Berenger maar al te goed, want hij was zelf op die dag geboren.
Triest genoeg had het geheimhouden van haar geboortedag de kleine maagd van Lotharingen haar lot niet kunnen besparen. Voor sommigen is hun bestemming onontkoombaar. Jeanne had haar erfenis als dochter van een machtige profetie maar al te publiekelijk omhelsd.
De profetie – over *L'Attendue* in het Frans, wat zoveel betekende als 'de Voorzegde' – verwees naar een reeks vrouwen in de geschiedenis die naar voren zouden treden en de waarheid zouden behoeden en bewaren: de waarheid over Jezus en Maria Magdalena, en over de evangelies die ze hadden geschreven. Volgens de voorspelling zouden deze Voorzegden geboren worden binnen een bepaalde periode rond de lente-evening, afstammen van een specifieke bloedlijn, en gezegend zijn met heilige visioenen die hen naar de waarheid zouden leiden, en ieder naar haar eigen bestemming.
Als de Voorzegde van haar tijd had Sainte Jeanne de hoogste prijs betaald, zoals vele anderen voor en na haar.
En dat was de reden waarom hij vandaag hier was, in zijn bibliotheek, in contemplatie voor Jeannes kostbare artefact: omdat hij diep in zijn hart wist dat het tijd werd dat hij zijn erfenis omhelsde. Want dat was nóg iets wat hij met de dappere Jeanne gemeen had: hij had zijn eigen profetie te verwezenlijken. En hij wist dat God hem de uitzonderlijke middelen had gegeven om dat te doen; dat alle zegeningen die hem in zijn leven te beurt waren gevallen, erop gericht waren dat hij zijn belofte vervulde, op dit punt, op dit tijdstip in de geschiedenis. Dat had hij gedaan door Maureen te helpen bij haar zoektocht, door een cruciale rol te spelen bij de ontdekking van het schitterende, nog nooit vertelde verhaal van Maria Magdalena. Maar dat kostbare evangelie was nu buiten zijn bereik, in handen van de Kerk. Bovendien leek het erop dat ook Maureen buiten zijn bereik was. Terwijl hij wist dat hij het vermogen had haar te helpen bij haar laatste queeste, naar het tot dusverre onvindbare *Het Boek der Liefde*, was het duidelijk dat zij die mening niet met hem deelde.
Het was zijn eigen schuld dat Maureen hem niet bij haar zoektocht wilde betrekken. Nadat de Kerk het evangelie had opgeëist, had Berenger zich gedragen als een gevoelloze sukkel, en daar moest hij nu voor boeten.
Niet wetend wat zijn rol moest zijn, voelde hij zich stuurloos en alleen. Hoe complex en ondoorgrondelijk was de bestemming van een mens!
'Berenger, kan ik je even spreken?'
Hij keerde zich naar de deur en glimlachte toen hij de kolossale, rijzige gedaante van Roland Gelis zag, zijn beste vriend en naaste vertrouweling. Roland woonde al sinds zijn prilste jeugd op het chateau, waar zijn vader

majordomus was geweest bij Alistair Sinclair, Berengers grootvader en de vreeswekkende patriarch van de familie die met North Sea Oil een miljardenkapitaal had opgebouwd. De jongens waren samen grootgebracht met de tradities van *Pommes Bleues*, Frans voor 'Blauwe Appels'. De naam was een verwijzing naar de grote, ronde druiven van de streek, druiven die eeuwenlang de stamboom van Jezus en Maria Magdalena hadden gesymboliseerd. De verwijzing was afgeleid van het vers in Johannes 15: 'Ik ben de wijnstok, gij zijt de ranken'. Alle nazaten van Jezus en Maria Magdalena, zowel genetisch als spiritueel, waren ranken van de wijnstok. De Languedoc was een van de belangrijkste ketterse streken.

Hoewel de familie Gelis verschillende generaties voor de Sinclairs had gewerkt, was er geen sprake van onderdanigheid. Het geslacht Gelis had zijn eigen aanspraak op adeldom, een aanspraak die zorgvuldig geheim werd gehouden, zoals dat gold voor zoveel families in de Languedoc en de Midi-Pyreneeën, die hun eeuwenoude tradities waardig en met uitzonderlijke deugdzaamheid trouw bleven, zelfs wanneer ze aan de gruwelijkste vervolgingen werden onderworpen. De Gelis' waren van kathaarse afkomst, en ze waren zuiver.

'Natuurlijk, Roland. Kom binnen.'

Roland voelde onmiddellijk dat de Schot niet zichzelf was.

'Wat zit je dwars, broeder?'

Berenger schudde zijn hoofd. 'Niets. Alles.' Hij haalde diep adem en bekende enigszins beschaamd: 'Ik vrees dat ik zonder mijn herderin niet veel meer ben dan een verdwaald schaap.'

'Aha.' Roland begreep het meteen. Berenger had diep berouw getoond na het conflict met Maureen waardoor hun prille relatie in de knop was gebroken, voordat die de kans had gekregen op te bloeien. Vóór die uitbarsting hadden ze allemaal gedacht dat ze, na hun dramatische avonturen tijdens de zoektocht naar het verloren geraakte evangelie van Maria Magdalena, voorgoed onafscheidelijk waren: Berenger Sinclair en Maureen Paschal, Roland Gelis en Tamara Wisdom, Maureens beste vriendin en Rolands verloofde. Samen waren ze de Vier Musketiers, met elkaar verbonden door eer en een gemeenschappelijke missie: het verdedigen van de waarheid tegen de wereld. Ze hadden zelfs een houten plaquette boven de deur van de bibliotheek gespijkerd, met daarin de beroemde uitspraak van D'Artagnan gegraveerd:

EÉN VOOR ALLEN, ALLEN VOOR ÉÉN.

VOORWAAR, DAT IS ONS MOTTO!

Maar toen Maureen terugging naar Californië om aan haar boek te werken, kwam er de klad in hun intimiteit. Maureen werd volledig opgeslokt door haar verlangen om het verhaal van Maria Magdalena te vertellen, om hun avonturen tijdens de zoektocht naar het evangelie op schrift te zetten nu ze nog zo vers in haar geheugen lagen. Dat was haar opdracht, en Berenger kon niet anders dan haar daarom respecteren. Ze hadden haar allemaal met rust gelaten en gehoopt dat ze wanneer haar werk af was zou terugkeren naar het chateau. Maar sinds de verschijning van het boek had Maureen het drukker gekregen dan ooit. Ze had alleen tijd voor het werk dat Maria haar had gegeven.

En dan was Peter er ook nog.

Father Peter Healy was Maureens neef en naaste vertrouweling. Maar hij was bovendien de reden voor de barst in het fundament van de relatie tussen Berenger en Maureen. Peter was degene die het evangelie van Maria Magdalena had gestolen en naar het Vaticaan gebracht. Zijn verraad had hen allen diep geschokt, maar Maureen had Peter vrijwel onmiddellijk vergeven. Ze had hem zelfs verdedigd tegenover de anderen door te zeggen dat hij de stem van zijn hart had gevolgd, in de overtuiging dat hij de boodschap van Maria Magdalena daarmee de grootste dienst bewees. Berenger had echter het gevoel dat de loyaliteit van de priester eerder bij het Vaticaan lag dan bij Maureen en bij de waarheid die ze had ontdekt.

De gebeurtenissen die op de diefstal waren gevolgd, hadden Berenger Sinclair razend gemaakt. De Kerk had Maureen strenge beperkingen opgelegd ten aanzien van wat ze wel en niet mocht publiceren over de ontdekking van wat het Evangelie van Arques werd genoemd. Berenger nam het Peter hoogst kwalijk dat hij het onschatbare document aan het Vaticaan had overgedragen, waardoor hij Maureen tot dit compromis had gedwongen. Daarbij raakte hij in toenemende mate gefrustreerd door de afstand die hem scheidde van Maureen en geërgerd door wat voelde als haar blinde loyaliteit jegens Peter. In de meest verhitte discussie van hun hele relatie had Berenger in zijn machteloosheid Maureen beschuldigd van spirituele zwakheid omdat ze over zich heen liet lopen door Peter en zijn Kerk, die eropuit waren de waarheid in de doofpot te stoppen. Maureen was verpletterd geweest door zijn beschuldiging. De barst in hun relatie was een kloof geworden.

Toen hij Maureen Paschal voor het eerst ontmoette, geloofde Berenger Sinclair dat een lang en in toenemende mate wanhopig gekoesterde wens eindelijk in vervulling was gegaan: het vinden van een vrouw die zijn gelijke was. Maureen was zijn enige echte zielsverwant, de partner die niet alleen kon delen in zijn visioenen van een betere wereld, maar die ook de passie en de moed had om samen met hem de veranderingen te realiseren waarvan ze droomden. Er school een geweldige kracht in haar tengere lichaam, en net als hij beschikte ze over de bezieling van een Keltische krijger, die een ongebruikelijke natuurkracht vertegenwoordigde. Vandaar dat zijn beschuldiging van zwakheid haar tot in het diepst van haar ziel had geraakt, en niemand begreep dat beter dan hij. Het gebeurde regelmatig dat hij de Keltische aspecten van zijn aard berouwde, in het bijzonder wanneer zijn passie zich manifesteerde in de strijdlustige benadering waaraan zijn Schotse voorouders altijd de voorkeur hadden gegeven. Zijn DNA was een dubbelzijdig zwaard, net als dat van Maureen. Dat ze zo gelijk waren als het ging om hun erfenis en hun vuur, bleek zowel een zegen als een vloek terwijl ze probeerden een band te smeden. Als ze konden leren in harmonie samen te werken en hun gedeelde passies aan te wenden voor het werk en voor elkaar, waren ze in staat een onstuitbare energie te ontketenen waarmee ze de wereld in positieve zin konden veranderen. Maar dezelfde passies bezaten ook een uitzonderlijk destructief vermogen.

Dat Maureen liefdevol haar boek aan hem had opgedragen – en aan Tamara en Roland – was het enige wat sinds de ruzie die had geleid tot hun verwijdering een oprechte glimlach op het gezicht van Berenger Sinclair had kunnen toveren.

'Ik hoop vurig dat we Maureen spoedig zullen zien,' zei Roland geduldig en vriendelijk als altijd. 'En er is iets gebeurd waardoor ik denk dat het weleens sneller zou kunnen zijn dan we verwachtten.'

'Wat dan? Wat is er gebeurd?'

Roland glimlachte. 'Tamara heeft net een vreemd pakketje binnengekregen. Het is aan jou geadresseerd. Wacht maar even, dan komen we het brengen. En nu je hier toch bent...' Roland wees naar de overkant van de bibliotheek, naar de muur waarop – van de grond tot aan het plafond – de illustere stamboom van de familie Sinclair was geschilderd, een stamboom die ruim duizend jaar omspande. 'Kijk eens goed naar de stamboom van je familie.'

En zo geschiedde het dat de Koningin van het Zuiden bekend werd als de Koningin van Sheba, of beter gezegd: de Wijze Koningin van het Volk van Sabea. De naam die haar door haar ouders was gegeven, was Makeda, wat in haar moedertaal 'de vurige' betekende. Ze was behalve koningin ook priesteres, gewijd aan de zonnegodin die met haar stralen schoonheid en overvloed schonk aan het vreugdevolle volk dat bekendstond als de Sabeërs. 'Zij die haar krachtige stralen van gunst en voorspoed zendt' was hun aanduiding voor de zonnegodin, wier gemaal de maangod was, en hun kinderen waren de sterren.
Het volk van Sabea was wijzer dan de meeste andere volkeren en dankte aan zijn hemelse godheden de kennis van de invloed der sterren en de heiligheid der getallen. 'Het Volk van de Bouwers' werden de Sabeërs ook wel genoemd, en hun architecturale prestaties konden zich meten met de grootste werken van de Egyptenaren, zo verbazingwekkend waren hun kennis en kunde als het ging om het bouwen in steen. De koningin had diverse beroemde scholen gesticht waar architectuur en bouwkunde werden onderwezen, en de beeldhouwers die haar dienden, wisten een uitzonderlijke schoonheid te bereiken met hun beelden van goden en mensen. Het volk van de koningin was geletterd en toegewijd aan het geschreven woord en de glorie van het schrift. In haar rijk kwamen poëzie en zang tot grote bloei.
De Sabeërs waren een deugdzaam volk. Hun vurige zonnekoningin regeerde over haar rijk met warmte, licht en liefde, en zo kwam het dat haar volk zich kon koesteren in elke vorm van overvloed: liefde, vreugde, vruchtbaarheid en wijsheid, maar ook al het goud en alle edelstenen die een mens zich kon wensen. Omdat ze nooit twijfelden aan het voortbestaan van hun overvloed, kenden de Sabeërs ook nooit een dag van gebrek. Hun land was een gouden rijk, stralender dan alle andere.
Nu wilde het lot dat de grote koning Salomo bij monde van een profeet hoorde over deze ongeëvenaarde koningin Makeda. 'In een ver zuidelijk land regeert een vrouw die uw gelijke is, uw tegenhanger,' aldus de profeet. 'U zou veel van haar kunnen leren, en zij van u. Het is uw bestemming haar te ontmoeten.' Koning Salomo geloofde aanvankelijk niet dat zo'n vrouw kon bestaan, maar zijn nieuwsgierigheid dreef hem ertoe haar een uitnodiging te sturen, een verzoek om zijn koninkrijk op de heilige berg Sion te komen bezoeken. De boodschappers die naar Sabea reisden om de uitnodiging van Salomo te overhandigen aan de grote en vurige koningin Makeda, ontdekten dat zijn wijsheid in haar land al legendarisch was, evenals de pracht van zijn hof, en dat de koningin zich maar al te bewust was van zijn bestaan. Haar eigen profetes had voorzien dat ze op een dag een verre reis zou maken naar een koning met wie ze de hieros gamos zou aangaan, het heilige huwelijk dat lichaam, geest en ziel samenbracht in de daad van de goddelijke eenwording. Zijn ziel zou de tweelingbroe-

der zijn van de hare, en zij zou zijn zusterbruid worden, twee helften van één geheel, slechts compleet in hun samenkomen.
Maar de koningin van Sheba was geen vrouw die zich gemakkelijk liet inpalmen, en ze zou zich nooit aan een dergelijke heilige eenheid overgeven anders dan met de man in wie ze een ziel herkende die de hare vervolmaakte. Tijdens de lange reis waarop ze met haar kamelenstoet naar de berg Sion trok, bedacht Makeda een reeks vragen die ze de koning zou stellen en toetsen waaraan ze hem zou onderwerpen. Zijn antwoorden en reacties zouden haar helpen bepalen of hij haar gelijke was, de tweelingbroeder van haar ziel, of ze als één waren verwekt bij het ochtendgloren van de eeuwigheid.

Wie oren heeft om te horen, die hore.

– De legende van Salomo en Sheba, deel I,
zoals bewaard gebleven in *Het Libro Rosso*

---

*Château des Pommes Bleues*
*Arques, Frankrijk*
*Heden*

Berenger, Roland en Tammy zaten rond de grote mahoniehouten tafel in de bibliotheek, verdiept in een document dat eruitzag alsof het eeuwenoud was: een langwerpige rol van een perkamentsoort die ernstig was aangetast door de tand des tijds. In een poging de rol voor verdere schade te behoeden en de desintegrerende segmenten bij elkaar te houden als een soort middeleeuwse legpuzzel, was het perkament ingeklemd tussen twee glazen platen.
De kist met daarin het broze document was in de vroege ochtend afgeleverd bij het chateau, geadresseerd aan Berenger Sinclair, per adres het Genootschap van de Blauwe Appels, door een anonieme koerier die onmiddellijk weer was vertrokken, voordat ook maar iemand hem naar zijn naam of herkomst had kunnen vragen. Volgens de huishoudster, die het pakket in ontvangst had genomen, had hij van Italiaanse afkomst kunnen zijn, gezien zijn kleding, zijn auto en zijn accent, maar zeker wist ze het niet. Hij kwam in elk geval niet uit de omgeving.

'Het is een stamboom.' Tammy was de eerste die iets zei, terwijl ze met haar hand over de glasplaat streek, met daaronder de naam die boven aan het stuk perkament stond. 'Hier staat iets in het Latijn, en dan begint de stamboom met deze man. Ene Guido, geboren in 1077, in Mantua, Italië.'
Berenger, die als aristocraat een klassieke opleiding had genoten, kneep zijn ogen tot spleetjes om de verbleekte Latijnse woorden aan de bovenkant van de rol beter te kunnen lezen. 'Het lijkt alsof er staat: *Ik, Matilda*... Tenminste, ik denk dat er Matilda staat. Ja, dat klopt. Er staat: *Ik, Matilda, bij de Gratie van God Die Is*. Vreemde formulering, maar dat is wat er staat. En dan gaat het verder: *Ik ben een en onafscheidelijk met graaf Guidone en zijn zoon, Guido Guerra, en bied hun de bescherming van Toscane tot in eeuwigheid*. Die zoon, Guido Guerra, is geboren in Florence, staat er, in een klooster, Santa Trinita. Waarom zou de zoon van een graaf zijn geboren in een klooster? Hmm... merkwaardig.'
'En dat is niet het enige merkwaardige.' Roland wees naar een naam op de stamboom. 'Kijk eens wat hier staat, Berenger.'
Die reageerde duidelijk verbaasd toen zijn blik Rolands vinger volgde over het glas. Op het eeuwenoude perkament stonden namen die hij herkende. Een Franse ridder, Luc Saint Clair, getrouwd met een Toscaanse edelvrouwe. Dezelfde namen kwamen voor in de genealogie van de Sinclairs. Maar deze voorouders waren buiten de directe familiekring bij niemand bekend. Wie dit pakket ook had gestuurd, diegene was blijkbaar op de hoogte van de relevantie van de perkamentrol voor Berenger Sinclair en van het feit dat zijn stamboom en die op het perkament elkaar kruisten.
Tammy's aandacht was getrokken door een bijgesloten kaartje, bevestigd aan een kleine, vergulde handspiegel. Op het fraaie, zware perkament was middenonder een vreemd monogram gebosseleerd. Een hoofdletter A, verbonden met een hoofdletter E, door een zwierig koord met een kwast dat de letters in het midden aan elkaar knoopte. Dat was op zich niet zo ongebruikelijk; wat het monogram eigenaardig maakte, was dat de E achterstevoren stond, bijna als een spiegelbeeld van de A. Op het kaartje stond een handgeschreven tekst, een soort gedicht:

*Kunst zal de wereld redden,*
*voor wie ogen heeft om te zien.*
*In uw spiegelbeeld zult u vinden wat u zoekt...*
*Heil Ichthus!*

'Kunst zal de wereld redden,' herhaalde Tammy. 'Die gedachte zijn we al eerder tegengekomen.' Tijdens hun zoektocht naar het verloren geraakte evangelie van Maria Magdalena hadden ze gevieren een reeks kaarten en aanwijzingen ontcijferd, aangetroffen op Europese schilderijen uit de middeleeuwen, de Renaissance en de Barok. Een aanwijzing, verwerkt in een schilderij van Sandro Botticelli, had Maureen naar de onschatbare documenten geleid, geschreven door Maria Magdalena. In de complexe wereld van de christelijke esoterica vormde de zoektocht naar symbolen in de kunst het beginpunt van menige grote reis. Wanneer de waarheid niet op schrift kon worden gezet uit angst voor dodelijke vervolging, werd deze vaak gecodeerd weergegeven op symbolische schilderijen.
Berenger pakte het spiegeltje en keek er vluchtig in, waarna hij de derde regel van het gedicht herhaalde. '*In uw spiegelbeeld zult u vinden wat u zoekt.* Hmm.' Hij had geen tijd om er langer over na te denken, want Roland reageerde met een voor hem ongebruikelijke opwinding op iets wat zijn aandacht had getrokken.
'Kijk eens wat hier staat!' Hij wees naar de onderkant van het document. 'De laatste naam op de stamboom. Zie ik het goed?'
Tammy sloeg een arm om hem heen terwijl ze zich vooroverboog om te zien wat de aanleiding was voor de opwinding van de zachtmoedige reus. Maar Berenger was degene die hun zekerheid verschafte, aandachtig turend naar de laatste naam op de stamboom, een naam die naar de mening van tallozen toebehoorde aan de grootste kunstenaar uit de geschiedenis.
'Michelangelo Buonarotti.'

# 2

*New York City*
*Heden*

'Maureen! Miss Paschal...'
Nate, de portier van het hotel, had haar onmiddellijk in de gaten toen ze binnenkwam via de draaideur die van 47th Street toegang gaf tot de lobby. Haar uitgever en haar agent lieten regelmatig pakjes voor haar bezorgen, en omgekeerd deed Maureen hetzelfde; vandaar dat Nate en zij al snel goede vrienden waren geworden en elkaar bij de voornaam noemden. Maureen was niet karig met fooien, en Nate stak zijn waardering voor vrouwen met rood haar niet onder stoelen of banken – al met al een goede combinatie voor een werkrelatie in een stad als New York.
'Er is een pakje voor je afgeleverd. Ik kom net binnen en zag het liggen in het hok achter de receptie.'
Nate verdween in de bewuste ruimte en kwam even later weer tevoorschijn met een fraaie doos in cadeauverpakking die hij op beide handen voor zich uit hield. De platte doos was minstens een halve meter lang en dieprood van kleur. Een reusachtig wit boeket – geurige Casablanca-lelies gemengd met langstelige witte rozen – was er met een breed, scharlakenrood satijnen lint op vastgebonden.
Maureen bekeek de doos aandachtig voordat ze hem van Nate aanpakte. 'Zat er geen kaartje bij?'
Nate schudde zijn hoofd. 'Nee, sorry. Helemaal niks.'
Maureen bedankte hem glimlachend. Ze popelde van ongeduld om naar haar kamer te gaan en te zien wat er in de rode doos zat.
Nog altijd glimlachend kwam ze haar kamer binnen, genietend van de hemelse geur van de lelies. Er was op de hele wereld maar één man die wist dat dit haar lievelingsbloemen waren, en dat lelies en rozen symbool stonden voor Maria Magdalena. En er was maar één man die zo spectaculair zou uitpakken.

Berenger Sinclair.
Ondanks zichzelf voelde Maureen de bijna onbeschrijflijke spanning die langs de ruggengraat omhoogkruipt en zorgt voor kippenvel. Na alles wat er was gebeurd, was ze nog altijd stapelverliefd op hem – sterker nog: ze hield van hem. En dat was ook niet zo verbazend. Berenger was een knappe man, met een geheimzinnig charismatische, Keltische uitstraling. Hij was charmant, briljant en ook nog eens uitermate gefortuneerd en invloedrijk. Maar hij kon haar ook razend maken met zijn arrogantie en zijn neiging tot oordelen en veroordelen, en hij had bewezen keihard te kunnen zijn. Bovendien had hij haar gekwetst tot in het diepst van haar ziel, en dat was iets wat ze voorlopig niet meer mocht laten gebeuren.
En toch... Na alles wat ze samen hadden meegemaakt, was er niemand die haar zo goed begreep als hij.
Tijdens haar hele queeste had Berenger haar beschermd en afgeschermd, en haar zelfs onderwezen in de folklore en de tradities rond de Magdalenamysteriën in Frankrijk. Er was geen twijfel over mogelijk dat hij haar leven ingrijpend had beïnvloed en veranderd, net zomin als er twijfel over mogelijk was dat hun bestemmingen onlosmakelijk met elkaar verbonden waren. Toch betekende alles aan hem mogelijk gevaar. Berenger was behalve een beruchte playboy ook een verstokte vrijgezel. Hij was inmiddels vijftig, maar was nooit getrouwd geweest. Sterker nog: voor zover zij wist was hij zelfs nooit een serieuze relatie aangegaan. Zijn verklaring luidde dat hij nooit genoegen had willen nemen met een vrouw die niet specifiek voor hem bestemd was. Op het moment dat hij haar leerde kennen, had hij geweten dat zij de ware was, had hij gezegd. Zij was de reden dat geen andere vrouw ooit zijn belangstelling had kunnen vasthouden.
Het was een aantrekkelijke verklaring. Misschien te aantrekkelijk. Er waren veel aanwijzingen die haar hadden gewaarschuwd voorzichtig te zijn met een man als Berenger, zelfs al vóór hun verschrikkelijke ruzie. En ook al had hij zijn verontschuldigingen aangeboden, Maureen bleef op haar hoede.
Toch kreeg ze weer vlinders in haar buik bij de gedachte dat deze bloemen van hem afkomstig waren.
Voorzichtig maakte ze het lint los; ze legde de bloemen opzij en deed het deksel open. Het eerste wat ze zag, was een verzegelde envelop, met daarop MISS PASCHAL. Merkwaardig, een dergelijke adressering kon niet afkomstig zijn van Berenger. Maar misschien was het de formaliteit van de bloemist.
Maureen keek opnieuw in de doos en nam het vloeipapier weg dat de inhoud bedekte. Ze wist niet wat ze had verwacht, maar in elk geval niet dit. De doos bleek een document te bevatten, een stuk perkament dat

eruitzag alsof het eeuwenoud was. Op het eerste gezicht was onmogelijk te zeggen of het authentiek was of een replica. Het was wel zorgvuldig tussen glazen panelen gevat, en er was duidelijk alles aan gedaan om het te beschermen. Voorzichtig tilde Maureen het geheel uit de doos. Het stuk perkament was bijna een halve meter lang en danig vergeeld van ouderdom – of het was een wel heel overtuigende kopie – en gerafeld langs de grillige randen.

De tekst nam driekwart van het vel perkament in beslag, geschreven in een bloemrijk, maar moeilijk te vertalen Latijn. Terwijl ze haar blikken over de woorden liet gaan, dacht Maureen dat ze die niet zou kunnen ontcijferen, gezien de ouderdom van de tekst en het buitengewoon minutieuze handschrift. Haar Latijn kon ermee door, maar deze tekst zou waarschijnlijk zelfs voor een classicus met een kennis die aanzienlijk verder reikte dan haar rudimentaire vocabulaire een uitdaging zijn.

De handtekening onder het document trok onmiddellijk haar aandacht. De kloeke, sierlijke letters waren met inkt geschreven, maar het geheel deed denken aan een soort zegel, met een Latijns kruis tussen de letters.

Maureen haalde haar moleskine notitieboekje tevoorschijn en schreef de letters van de middeleeuwse handtekening achter elkaar:

MATILDA DEI GRACIS QUO EST

Het leek te betekenen: Matilda, bij de Gratie van God Die Is. Onder de letters stonden twee symbolen – het ene zag eruit als een gestileerde versie van de letter H; het andere was Maureen onmiddellijk vertrouwd. Haar hand ging naar de ketting om haar hals, een cadeau van Berenger ter ere van haar vorige verjaardag. De hanger werd gevormd door een sierlijk, met diamanten bezet symbool, een spiraal van ramshoorns – het astrologische teken voor het sterrenbeeld Aries. Maureen was geboren op 22 maart, in de eerste graad van het eerste teken van de dierenriem op de lente-evening, toen de Zon van Vissen naar Ram ging. De ramshoorns waren sinds de oudheid het symbool voor de lente-evening. Maar wat kon het op dit document betekenen? En wat belangrijker was: wie had haar dit document gestuurd, en waarom?

Maureen maakte voorzichtig de envelop open. Er zat een kaart in van fraai papier, aan de onderrand gebosseleerd met een vreemd monogram: een hoofdletter A verbonden met een hoofdletter E. De E stond achterstevoren, als het ware in spiegelbeeld. De kaart was met de hand geschreven:

*Reizend door het Land der Bloemen,*
*Bereikt u de Vallei van Goud.*
*Zoekt u* Het Boek der Liefde?
*Dan zult u hier vinden wat u zoekt...*
*Heil Ichthus!*

Maureen slaakte een zucht van verlichting en opwinding tegelijk. Zo was haar zoektocht naar het evangelie van Maria Magdalena ook begonnen: met een vreemd geschenk en een mysterie dat moest worden opgelost. Ze had gebeden om aanwijzingen, en haar gebed leek te zijn verhoord. Degene die haar dit document had gestuurd, was duidelijk op de hoogte van haar persoonlijke geschiedenis – wat ze een nogal ontmoedigende gedachte vond. En het feit dat de formulering op de kaart letterlijk overeenkwam met de woorden die de kleine Madonna in haar droom had gesproken, was ronduit verontrustend. Ze huiverde door de vreemde intimiteit van de tekst. Hoewel ze er alle vertrouwen in had dat God haar zou leiden op haar pad, zoals Hij dat tot dusverre steeds had gedaan, kon ze zich niet onttrekken aan het onheilspellende gevoel dat werd veroorzaakt door een onbekende, die had bewezen te weten wat ze droomde! Of kon het zo zijn dat iemand haar dromen beïnvloedde? Ze wist niet welk van de twee scenario's ze het meest bedreigend vond, maar ze baarden haar allebei zorgen. Verward en verontrust, liet ze zich op haar knieën vallen om te vragen om leiding en bescherming tijdens de reis die voor haar lag.

❂

In gedachten maakte ze haastig de inventaris op. Er waren op de hele wereld maar drie mensen die ze over dit mysterie kon raadplegen, en ze bevonden zich alle drie in Europa. De eerste was haar neef, Peter Healy, de jezuïet en tevens wetenschapper die op dit moment was gestationeerd in het Vaticaan. Peter zou het document kunnen vertalen en misschien zelfs de herkomst kunnen vaststellen. Wie het geheimzinnige pakje ook had gestuurd, Maureen wist bijna zeker dat de afzender zich bewust was van haar relatie met een dergelijke bron. Anders zou de afzender haar met zo'n ingewikkelde tekst niet aan haar lot hebben overgelaten. Uiteindelijk zou ze Peter bellen, maar omdat ze wist dat zijn eerste reactie er een van bezorgdheid zou zijn, besloot ze nog wat meer onderzoek te doen voordat ze hem met het mysterie belastte.

Bleven over Berenger Sinclair en Tamara Wisdom, op dit moment allebei in het hoofdkwartier van de Pommes Bleues, in de Franse Languedoc. Berenger zou zich, net als Peter, onmiddellijk zorgen maken en eisen dat ze zo snel mogelijk naar Frankrijk kwam terwijl hij op onderzoek uitging. Dat was niet de reactie waar ze op dit moment op zat te wachten.

Bleef over Tammy.

Tamara Wisdom was Maureens beste vriendin, haar naaste vertrouweling en haar ketterse zuster. Als briljante, vlijmscherpe en onafhankelijke filmmaker uit L.A. had Tammy tijdens het maken van een documentaire over de Magdalena-legenden in Frankrijk haar hart verpand – zowel aan het schitterende landschap als aan Roland Gelis, de zachtmoedige reus uit de Languedoc met wie ze inmiddels verloofd was. Tamara, Roland en Berenger woonden in het schitterende Château des Pommes Bleues, het Franse landgoed van de Schotse familie Sinclair dat diende als hoofdkwartier van hun geliefde, gelijknamige genootschap. Hoewel een telefoontje naar de een vrijwel onmiddellijk zou worden doorgespeeld naar de anderen, hoopte Maureen dat ze haar vriendin eerst even alleen zou kunnen spreken door haar op haar mobiele nummer te bellen.

Het was middernacht in New York. Dat betekende dat het in Frankrijk zes uur 's ochtends was. Erg vroeg, maar het ging om een belangrijke kwestie. Ze koos Tammy's mobiele nummer en luisterde naar het internationale dubbele belsignaal. Toen een klik, en Tammy nam op, zonder ook maar enigszins slaperig te klinken. 'Heil Ichthus!'

'Dus jullie hebben ook een pakje ontvangen?'

'Ja, gisteravond. Geadresseerd aan Berenger.'

'Een eeuwenoud document over een zekere Matilda?'

'Ja, over gravin Matilda van Toscane.'

'Ken je die?'

'Ja, en jij kent haar ook. Ze komt in heel Europa voor in esoterische legen-

den. Een soort krijger-koningin die heerste over half Italië. En wat voor ons het belangrijkste is: zij is degene die de abdij van Orval heeft gesticht.'
Maureen hield haar adem in. Die laatste opmerking van Tammy bevatte twee belangwekkende onthullingen. Ze zou beginnen met de eerste, omdat die rechtstreeks te maken had met de aanwijzing op de kaart.
'Orval. Or-Val. Dat betekent toch Vallei van Goud? Op de kaart bij mijn pakje stond: *Bereikt u de Vallei van Goud?*'
'Ja. Dus je begrijpt wat dat betekent. Wij hebben de ene helft van de puzzel en jij de andere. Het is duidelijk dat iemand wil dat we samenwerken. Of misschien moet ik zeggen, dat Berenger en jij samenwerken. Tenslotte waren de zendingen aan jullie gericht. Dat zegt wel iets, zou ik denken.'
Maureen besloot nog even niet op Tammy's implicatie in te gaan en concentreerde zich op dringender zaken. 'Orval. Is dat hetzelfde Orval als in... de Profetie van Orval?'
Tammy begon te lachen. 'Natuurlijk, *ma petite Attendue.* Blijkbaar wil iemand dat we naar België gaan om een nadere blik te werpen op je eigen persoonlijke profetie. Hoe snel kun je hier zijn?'
Maureen zuchtte, in het besef dat ze de roep van het avontuur niet kon negeren. Er was geen weg terug. Eerst zou ze contact opnemen met Peter, in Rome, om hem te vertellen wat er de afgelopen vierentwintig uur was gebeurd; vervolgens zou ze ervoor zorgen dat het document de volgende dag naar hem werd gestuurd, en ten slotte zou ze Air France bellen en een vlucht naar Toulouse boeken.
Naar Frankrijk. En naar Berenger.

❂

Maureen sliep die nacht onrustig en ze werd bezocht door de telkens terugkerende droom die haar al enige tijd achtervolgde. Alleen was hij deze keer langduriger en completer dan ooit.

*In de schaduwen werd een gestalte zichtbaar, gebogen over een eeuwenoude tafel. Een schrijfstift gleed krassend over een stuk papier. Woorden en beelden namen vorm aan. Toen Maureen een blik wierp over de schouder van de schrijver, zag ze dat de bladzijden waren gehuld in een azuurblauwe gloed. Als gehypnotiseerd door het licht dat het handschrift verspreidde, merkte Maureen niet meteen dat de schrijver zich bewoog. Toen hij zich omdraaide en naar voren stapte in het lamplicht, hield ze haar adem in.*
*In eerdere dromen had ze al vaker een glimp van dit gezicht opgevangen –*

*vluchtige momenten van herkenning die vrijwel meteen weer voorbij waren. Nu richtte Hij Zijn volle aandacht op haar. Gevangen in haar droom staarde ze naar de man die voor haar stond. De mooiste man die ze ooit had gezien.*
*Easa.*
*Dat was de naam waarmee Maria Magdalena naar Hem verwees in haar evangelie, en dus ook de naam waarbij Maureen zich het meest op haar gemak voelde. Door Easa te vinden, gezien door de ogen van Maria Magdalena, had ze haar geloof gevonden. Voor de rest van de hedendaagse wereld heette hij Jezus.*
*Hij glimlachte naar haar, en Zijn gezicht straalde zo'n goddelijkheid uit, zo'n warmte dat Maureen zich erin koesterde, alsof het licht van de zon uit die glimlach straalde. Ze verroerde zich niet en kon alleen maar staren naar zoveel schoonheid, zoveel gratie.*
*'Je bent mijn dochter, in wie ik mijn welbehagen heb.'*
*Zijn stem was als een melodie, als een lied van eenheid en liefde dat weergalmde in de lucht om haar heen. Een tijdloos moment lang liet ze zich meevoeren op die muziek, voordat ze door Zijn volgende woorden werd opgeschrikt.*
*'Maar je werk is nog niet af.'*
*Opnieuw glimlachte Hij naar haar, Easa de Nazareeër, de Mensenzoon. Toen keerde Hij zich weer naar de tafel waarop Zijn handschrift rustte. Het licht van de vellen papier werd nog stralender, de letters kregen een indigoblauwe gloed, blauwe en violetkleurige patronen op het zware, linnenachtige papier.*
*Maureen probeerde iets te zeggen, maar het lukte niet. Ze kon alleen maar kijken naar dat goddelijke wezen vóór haar terwijl Hij naar de bladzijden gebaarde en met tedere zorgvuldigheid opnieuw begon te spreken.*
*'Zie,* Het Boek der Liefde. *Volg het pad dat voor je is uitgezet, en je zult vinden wat je zoekt. Wanneer je het hebt gevonden, moet je de wereld er deelgenoot van maken en de belofte vervullen die je hebt gedaan. Onze waarheid is te lang in het duister gebleven. En vergeet niet dat "bestemming" zowel "lot" als "reisdoel" betekent.'*
*Hoewel hij duidelijk sprak, vormden zijn woorden een mysterie.*
*Een tijdloos moment lang hield Easa haar blik gevangen. Toen stond Hij op en overbrugde moeiteloos de afstand die hen scheidde. Vlak voor haar bleef Hij staan. Ze was als verlamd door de intense blik in Zijn donkere ogen.*
*'De Tijd Keert Weder. Zelfs als je je bij het ontwaken niets meer herinnert, laat deze vier woorden dan in je geheugen gegrift staan.'*
*In haar droom deed Maureen ontzettend haar best vast te houden aan wat Hij had gezegd. Ze probeerde de vier woorden te herhalen, en deze keer liet haar stem haar niet in de steek. 'De Tijd Keert Weder,' wist ze fluisterend uit te brengen.*

*Easa beloonde haar door zich naar haar toe te buigen en haar vaderlijk op haar hoofd te kussen.*
*'Ontwaak nu, mijn kind. Ontwaak en sta op. Het is noodzakelijk op te staan in dit vlees, dit lichaam, omdat daarin alles aanwezig is! En wees niet bang. Ik ben altijd bij je. Ga voort zonder angst en wat je doet, doe dat met liefde. "Gij dan zult volmaakt zijn."'*

❂

Maureen schrok wakker en reikte ademloos naar de lamp op haar nachtkastje, snakkend naar licht. Terwijl haar hart bonsde in haar keel pakte ze haar notitieboekje dat naast haar bed lag en begon haastig Zijn woorden neer te krabbelen, beginnend met Zijn verwijzing naar *Het Boek der Liefde*, vurig hopend dat ze niets vergat. Ze onderstreepte Zijn oproep om niet te vergeten dat '"bestemming" zowel "lot" als "reisdoel" betekent'. Wat kon Hij daar in 's hemelsnaam mee hebben bedoeld? Ze schudde haar hoofd om de bijna absurde situatie: Jezus die haar een lesje gaf in etymologie.
Er was – opnieuw – sprake van een belofte. Moest ze een belofte vervullen die ze had gedaan? Wanneer dan? In dit leven? Of in een ander? Ze wist vrij zeker dat ze niet in reïncarnatie geloofde, en ze twijfelde er niet aan dat een dergelijke gedachte in strijd was met de christelijke leer. Wat kon het nog meer betekenen? Ging het om een belofte die al voor haar geboorte was gedaan?
Maureen dacht vluchtig na over het blauwe licht. De gloed die de bladzijden leken te verspreiden, alsof Easa's woorden een eigen leven leidden en alsof dat leven was vervat in die schitterende, stralende, indigo-violette kleur. Iets in haar zei dat dit licht, deze kleur op de een of andere manier belangrijk was. Dat het iets was wat ze zou moeten begrijpen om verder te kunnen, maar voorlopig bleef het een mysterie.
*Gij dan zult volmaakt zijn*, schreef ze. Het klonk als een Bijbelcitaat. Ze zou de tekst voorleggen aan Peter. Die zou onmiddellijk weten of het inderdaad een citaat uit de Bijbel was. De regel die eraan voorafging, leek in elk geval niet afkomstig uit de Bijbel: *Het is noodzakelijk op te staan in dit vlees, dit lichaam, omdat daarin alles aanwezig is!*
Ze sloeg een bladzijde om en schreef met grote, nadrukkelijke letters:

DE TIJD KEERT WEDER.

Ze keek weer naar haar aantekeningen, in het besef dat ze een zin was vergeten. Easa's andere woorden mochten haar dan hebben verward, deze

– die Hij ook al in een eerdere droom had gesproken – waren ronduit ontmoedigend. Onheilspellend. Onontkoombaar.
*Maar je werk is nog niet af.*
Het leek erop dat haar werk net was begonnen.

---

Makeda, de koningin van Sheba, arriveerde in Sion met een groots gevolg, een stoet kamelen zo oneindig als de wereld nooit had aanschouwd, beladen met specerijen en goud, heel veel goud, en kostbare stenen, allemaal geschenken voor de grote koning Salomo. Ze kwam tot hem zonder enige onoprechtheid, want ze was puur en waarachtig, niet in staat tot schijn of bedrog. Leugens en valsheid waren haar onbekend. En zo kwam het dat Makeda de grote koning Salomo alles vertelde wat zij op haar hart had, en vroeg of hij de vragen wilde beantwoorden die ze hem zou stellen. Het waren geen raadsels om zijn wijsheid op de proef te stellen, zoals sommigen ons willen doen geloven. Het waren vragen die rechtstreeks afkomstig waren uit haar hart en haar ziel. Dankzij zijn antwoorden zou ze weten of ze waarlijk van één geest, één ziel waren, en of ze bestemd waren voor de hieros gamos. Maar uiteindelijk bleken de vragen niet nodig. Zodra ze voor hem trad en in zijn ogen keek, wist ze dat hij een deel van haar was, van het begin tot het eind van de eeuwigheid.

Salomo was diep onder de indruk van Makeda's schoonheid, van haar krachtige persoonlijkheid, en ontwapend door haar eerlijkheid. De wijsheid die hij in haar ogen las, weerspiegelde de zijne, en hij wist onmiddellijk dat de profeten gelijk hadden gehad. Dit was de vrouw die hij zijn gelijke kon noemen. Hoe kon het ook anders, wanneer ze de wederhelft van zijn ziel bezat?

En toen Makeda, de koningin van Sheba, Salomo's grootsheid had aanschouwd, toen ze had gezien wat hij in zijn koninkrijk tot stand had gebracht, en vooral: hoe gelukkig zijn onderdanen waren, sprak ze tot de koning: 'Het is dus waar wat ik in mijn land over u en uw wijsheid heb gehoord, maar ik geloofde de woorden niet, tot ik het met eigen ogen aanschouwde; waarlijk, de helft was mij niet aangezegd; gij hebt in uw wijsheid en welvaart de roep overtroffen die ik vernomen had. Gelukkig zijn uw mannen! Gelukkig zijn uw onderdanen, die gedurig in uw dienst staan, die uw wijsheid horen! Geprezen zij de Heer uw God, die zulk een welgevallen aan u had dat Hij u op de troon van Israël heeft geplaatst. Hij heeft u tot koning aangesteld om recht en gerechtigheid te oefenen. En gezegend is de Heer uw God die u voor mij heeft geschapen, en mij voor u.'

En zo kwamen de koningin van Sheba en koning Salomo samen in de hieros gamos, het huwelijk dat bruid en bruidegom verènigt in een spiritueel huwelijk zoals dat alleen bestaat binnen de goddelijke wet. De godin van Makeda werd één met de God van Salomo in een heilige verbintenis, het vermengen van het mannelijke en het vrouwelijke tot één compleet wezen. Het was door Salomo en Sheba dat El en Asherah opnieuw een vleselijke eènwording beleefden.

Koning Salomo en de koningin van Sheba bleven gedurende een volle maancyclus in het bruidsvertrek, een plek waar vertrouwen en bewustzijn heersten,

zonder toe te staan dat ook maar iets hun eenheid verstoorde, en er wordt beweerd dat in die tijd de geheimen van de kosmos aan hen werden geopenbaard. Samen vonden ze de mysteriën waarvan God de wereld deelgenoot zou maken, voor wie oren heeft om te horen.
Toch werd Salomo noch Sheba de gemaal van de ander, want ze waren gelijken. Ze waren ieder een soeverein vorst in een eigen domein en met een eigen bestemming. Allebei wisten ze dat het moment zou komen waarop ze afscheid moesten nemen en terugkeren naar hun plichten als leiders van hun rijk; het moment waarop ze weer alleen zouden staan, alleen met hun nieuwverworven wijsheid en macht. Hun triomf, hun viering lag in wat ze elkaar brachten, om dat vervolgens goed en wijs te gebruiken, ieder in de eigen, individuele bestemming.
Geïnspireerd door Makeda schreef Salomo meer dan duizend liederen, maar geen was zo waardig als het Hooglied, het Lied der Liederen, dat de geheimen in zich bergt van de hieros gamos en vertelt hoe de mens dankzij deze eenwording tot God komt. Er wordt gezegd dat Salomo vele vrouwen had, maar slechts één was een deel van zijn ziel. Hoewel Makeda volgens de menselijke wetten nooit zijn vrouw is geweest, was ze zijn enige vrouw volgens de wetten van God en het leven, want die vormen samen de wet van de Liefde.
Toen Makeda vertrok van de heilige berg Sion, was het met een bezwaard gemoed omdat ze haar enige geliefde moest achterlaten. Dat is het lot geweest van veel gepaarde zielen in de geschiedenis, om met tussenpozen samen te komen en de diepste geheimen van de liefde te ontdekken, maar uiteindelijk toch te worden gescheiden door hun bestemming. Misschien is dat wel de grootste beproeving en het grootste mysterie van de liefde: het besef dat er tussen ware geliefden geen scheiding bestaat, ongeacht de fysieke omstandigheden, ongeacht tijd of afstand, leven of dood.
Wanneer de daartoe voorbestemde zielen de hieros gamos eenmaal hebben geconsumeerd, zullen de geliefden in de geest nooit meer gescheiden zijn.

Wie oren heeft om te horen, die hore.

– De legende van Salomo en Sheba, deel II,
zoals bewaard gebleven in *Het Libro Rosso*

*Vaticaanstad, Italië*
*Heden*

'Bedankt, Maggie.'

Margaret Cusack zette het theeblad voorzichtig op het bureau van father Peter Healy. Als de Ierse kloek die ze was, liep ze zorgzaam om hem heen; ze schonk thee voor hem in, deed er suiker bij en mat precies de juiste hoeveelheid melk af. Maggie was wat Peters moeder een oude vrijster zou hebben genoemd, een vrouw van onbestemde leeftijd met 'kind noch kraai'. In plaats van een gezin te stichten had ze haar leven in dienst gesteld van – en carrière gemaakt als de huishoudster van – een priester, al vanaf dat ze een jong meisje was, in het graafschap Mayo. Toen de priester voor wie ze werkte werd overgeplaatst naar Rome, was ze met hem meegegaan, en nu zat ze hier al vijftig jaar.

Na de dood van father Bernard, inmiddels een jaar geleden, had Maggie zich zo loyaal getoond en was ze zo onmisbaar gebleken dat was besloten haar te laten blijven tot er een nieuwe positie voor haar was gevonden. Haar absolute toewijding jegens de Kerk kende geen grenzen.

Ze had haar familie geschreven dat de Heer haar had gezegend door father Peter – een buitengewoon beminnelijke man in de woorden van Maggie – precies op het juiste moment naar Rome te sturen. Dat hij jong was en charmant – en Iers – betekende een zelfs nog grotere zegen voor haar. Maggie miste Ierland enorm, en wanneer ze na een drukke werkdag van father Peter bezig was met opruimen, neuriede ze regelmatig de volksliedjes uit haar vaderland.

Vandaag neuriede ze iets wat Peter verrast herkende. Het was een melodie die hij in geen jaren meer had gehoord, een lofzang in de Ierse taal, die hij als jongen had geleerd op de school van de Christian Brothers. Op zijn beurt verraste hij Maggie door met haar in te stemmen.

'*Cead mile failte romhat a Iosa, a Iosa...*'

Honderdduizend welkoms, Jezus. Het was een lied over het verwelkomen van Jezus in ons hart en ons leven. Een volksliedje waarvan Peter meende zich te herinneren dat het zijn oorsprong vond in een eeuwenoude hymne uit de begindagen van het christendom en de tijd van Saint Patrick. De Ierse uitspraak van de naam van Jezus, *Iosa*, klonk als *Easa*.

'Wat een prachtig lied, hè father?'

'Prachtig, Maggie. En ik besef nu pas dat "Jezus" in het oud-Iers wordt uitgesproken als "Easa". Wist je dat hij in heel veel talen Easa heet, of Issa?'

'Nee, dat wist ik niet, father. Ik ken de naam alleen in het Iers. En dan alleen van dit lied. Mijn Iers is behoorlijk weggezakt, maar liederen en gedichten blijven je altijd bij.'
'Aye, daar heb je gelijk in.'
Hij ging er niet verder op door. Maggie stond niet open voor gesprekken over alternatieven voor haar katholieke geloof. Ze was onwrikbaar in haar rechtzinnigheid, zoals veel Ierse plattelandsvrouwen van haar leeftijd, en zoals bijna iedereen in Peters omgeving hier in Rome. Waarschijnlijk zou ze niet willen horen waarom Maria Magdalena Hem in haar evangelie Easa noemde – dat het een vertrouwd gebruik was van Zijn Griekse naam, vertrouwd omdat ze met Hem getrouwd was. Sterker nog: Maggie zou zichzelf waarschijnlijk een penitentie van tienduizend weesgegroetjes opleggen, alleen al voor het aanhoren van zulke godslasterlijke woorden. Haar vorige werkgever, father Bernard, was een traditionalist van de oude stempel geweest, net als zij.
Maggie voelde zich het gelukkigst wanneer ze Peter kon bemoederen, wanneer ze hem zijn eten en zijn thee kon brengen, en wanneer ze zijn woonvertrekken die tevens dienden als kantoor, aan kant kon houden. Zolang hij zich in hun gesprekken beperkte tot de dagelijkse dingetjes en tot herinneringen aan het vaderland, ging ze als een zonnetje door het leven.
Naast haar plichten als huishoudster in het Vaticaan was Maggie een toegewijd lid van de Broederschap van de Heilige Verschijningen, een genootschap dat zich bezighield met de kennis van de verschijningen van de Heilige Maagd over de hele wereld, en met het uitdragen van die kennis. Maggie had altijd een reeks kleine boekjes en paperbacks bij zich, zodat ze zich in haar pauzes kon verdiepen in de verslagen van deze verschijningen. Terwijl ze Peters thee verzorgde, zag hij een duidelijk veelgelezen boekje uit de wijde zak van haar schort steken.
'Wat lees je?' vroeg hij, altijd nieuwsgierig.
'Dit gaat over het leven van de Heilige Zuster Lucia.' Maggie haalde het boekje uit haar schort om het aan Peter te laten zien: *Lucia dos Santos: Haar Leven en Visioenen.*
'Ach, Fátima. Zijn jullie bezig met de voorbereidingen van de jaarlijkse herdenking?'
'Inderdaad, father. Het is inmiddels negentig jaar geleden dat de Heilige Maagd aan de kinderen van Fátima verscheen. We hebben een speciale herdenkingsplechtigheid in gedachten.'
De telefoon ging in de hal, en Maggie haastte zich om op te nemen terwijl

Peter van zijn thee nipte. Hij had behoefte aan rust om na te denken over Maureens telefoontje. Niet alleen was hij haar naaste nog levende verwant, hij was ook haar spiritueel raadsman, en dat was hij altijd geweest. Ze hadden samen moeilijke tijden gekend, en tijdens hun zoektocht naar het evangelie van Maria Magdalena was hun geloof zwaar op de proef gesteld. Er verstreek geen uur waarin Peter zich niet afvroeg of hij die proeven al dan niet met succes had afgelegd.

Nadat Maureen haar leven had gewaagd om de eeuwenoude documenten te bemachtigen die verborgen lagen in een Franse grot, had Peter zich tot taak gesteld het evangelie Frankrijk uit te krijgen en over te dragen aan de Kerk. Om dat te bereiken had hij zich genoodzaakt gezien om Maureen te bedriegen, en met haar ook haar vrienden in Château des Pommes Bleues, die haar hadden geholpen en haar tijdens het avontuur hadden beschermd. Het kwam erop neer dat hij de documenten als een dief in de nacht had gestolen. Hoewel hij zichzelf inmiddels verachtte om zijn handelwijze, had hij daar op dat moment diverse redenen voor gehad. Om te beginnen had hij zichzelf ervan overtuigd dat hij Maureen op die manier beschermde. Helaas zag zij dat anders, en hetzelfde gold voor haar vrienden. Het had bijna twee jaar geduurd voordat de breuk in hun relatie volledig was hersteld, en dat was in belangrijke mate te danken geweest aan Maria Magdalena. Omdat haar evangelie de macht en het belang van vergeving benadrukte, had Maureen besloten dat ze de ultieme huichelaar zou zijn als ze Peter niet vergaf.

Maar nu moest hij zichzelf nog vergeven. Ten tijde van de ontdekking en terwijl hij bezig was het evangelie te vertalen, was hij tot in het diepst van zijn wezen geschokt geweest door de onthullingen daarin. Hij kon simpelweg niet aanvaarden dat zo'n belangrijke schakel met de geschiedenis van het christendom niet in handen kwam van de Kerk, waar alle beschikbare deskundigen konden worden ingezet om het materiaal te analyseren en om te bepalen of het authentiek was. Hij deed dus wat hij dacht dat het beste was, en droeg de originelen over aan de autoriteiten in Rome. In ruil daarvoor werd hem toegestaan deel te nemen aan het nog steeds niet afgeronde onderzoek naar het controversiële evangelie.

Het was een ellendig bestaan dat hij leidde, waarin hij dagelijks werd ondergedompeld in de bureaucratische formaliteiten en de hiërarchie van het Vaticaan, dat hem als een buitenstaander beschouwde. Hij werd er niet gezien als held omdat hij het onschatbare document aan de Kerk had toegespeeld. Integendeel, hij werd verdacht van deelname aan een machtige vorm van ketterij. Omdat Peter het materiaal eerst had vertaald alvorens het over te dragen aan de autoriteiten in het Vaticaan, werd hij als een probleem beschouwd. Hij wist precies wat er in het evangelie stond, en wat nog erger was: hij had zijn nicht deelgenoot gemaakt van zijn vertaling, waarop zij daarover een bestseller had geschreven. Diep in zijn hart was hij overtuigd van de authenticiteit van het materiaal, zelfs al zou hij er nog geen regel van hebben gelezen. Want er waren hier zovelen die zich tegen die gedachte verzetten, en Peter was zo vaak gedwarsboomd en hem was zo vaak het zwijgen opgelegd in zijn pogingen om te worden gehoord. Soms voelde hij zich meer als iemand die onder huisarrest stond dan als een actieve deelnemer aan de procedure om de authenticiteit van een omstreden document vast te stellen. In heel Rome had hij slechts één bondgenoot op wie hij kon vertrouwen. Gelukkig was het een heel machtige bondgenoot. Elke avond bad Peter urenlang dat de andere leden van de Vaticaanse raad gaandeweg het proces het licht van de waarheid in hun hart zouden toelaten. Hij leefde voor de mogelijkheid dat hij Maureen op een dag zou kunnen vertellen dat het evangelie volgens Maria Magdalena authentiek zou worden verklaard – en dat daarmee haar eerherstel een feit zou zijn.

Maar inmiddels had zich een nieuwe complicatie voorgedaan. Zelf wist ze het misschien nog niet, maar Maureen verkeerde op de rand van een volgende spirituele doorbraak. Peter had het allemaal al eerder meegemaakt: de toenemende frequentie van visionaire dromen die leidde tot elkaar snel opvolgende synchrone omstandigheden, die stuk voor stuk onverklaarbaar waren, anders dan door goddelijke interventie. Zoals de gebeurtenissen die Maureen naar het evangelie van Maria Magdalena hadden geleid, inmiddels twee jaar geleden. Ze had opnieuw soortgelijke dromen, en deze keer had Jezus haar toegesproken met een citaat uit de Bijbel.

*Gij dan zult volmaakt zijn.*

Het citaat was afkomstig uit Mattheüs 5. Een gebod uit de Bergrede dat volgde op het gebod om de vijand lief te hebben en te 'bidden voor hen die u vervolgen'. Natuurlijk, dat was een van de hoekstenen van het christendom, maar wat betekende het in de context van haar droom?

En nog vreemder waren de woorden: *Het is noodzakelijk om op te staan in dit vlees, dit lichaam, omdat daarin alles aanwezig is.* Peter begreep onmiddellijk uit welke context de woorden kwamen, namelijk uit een van de controversiële gnostische evangeliën die in 1945 in Egypte waren gevonden. Sterker nog: hij wist dat de uitspraak afkomstig was uit het evangelie volgens Filippus. En hij wist met zelfs nog grotere zekerheid wat erna kwam in de eeuwenoude tekst: *Herrijs in dit leven*. Die zekerheid dankte hij aan de verhitte debatten waaraan hij had deelgenomen, over de betekenis van deze woorden, in de begindagen van zijn jezuïetenstudies, toen hij in Jeruzalem had gewoond. Voor een deel werd de controverse over het gnostische materiaal veroorzaakt door de idee dat het leven op aarde – hier en nu, en met de nadruk op dit stoffelijke lichaam – net zo belangrijk was als het leven in het hiernamaals. Misschien zelfs wel belangrijker. Dit was een concept dat om voor de hand liggende redenen niet algemeen door het orthodoxe katholicisme werd omhelsd; er waren stemmen die het ketters noemden. Maar in de gnostische teksten vervulde het een sleutelrol. Peter was lange tijd gefascineerd geweest door het gnostische perspectief en had tegen zijn conservatievere broeders betoogd dat het feit dat deze evangeliën de laatste tweeduizend jaar niet eindeloos waren veranderd, ontleed, bewerkt en vertaald, ze heel zuiver maakte, en bij uitstek een serieuze bestudering waardig. De tegenstanders van het materiaal verklaarden, zich baserend op het feit dat sommige van de gnostische evangeliën rond de tweede helft van de derde eeuw na Christus moesten zijn ontstaan, dat ze te lang na het leven van Jezus waren geschreven om als geldig te kunnen worden beschouwd.

Peter vond het erg ongelukkig, zelfs tragisch, dat de Kerk het belang van de gnostische handschriften zo keihard had ontkend. Waarom moest het altijd zo zwart-wit zijn, het een of het ander? Waarom werden de gnostische evangeliën tegenover de canon gezet? Waarom konden ze niet gewoon allemaal samen worden gelezen als aanvulling op elkaar, om te zien welke belangwekkende lessen we eruit konden leren over wie Jezus was en wat Hij predikte?

En nu droomde Maureen opnieuw over Jezus, en de Heer citeerde uit zowel de canonieke als de gnostische evangeliën. Het was fascinerend. En gezien Maureens geschiedenis vermoedde hij dat haar dromen verstrekkende gevolgen zouden hebben, gevolgen waarvan hij zich op dit moment nog geen voorstelling kon maken.

Sinds Maureens telefoontje wist hij dat er inmiddels ook een paar middeleeuwse perkamentrollen waren die hun aandacht opeisten.

Hij had geen tijd er nog langer over na te denken, want op dat moment schommelde Maggie de kamer binnen, als altijd nerveus wanneer een hoog lid van de geestelijkheid een beroep op Peter deed.

'Dat was pater Girolamo aan de telefoon. Hij vraagt of u onmiddellijk naar zijn kantoor wilt komen. Het heeft te maken met kardinaal DeCaro en een oud document.'

*Broederschap van de Heilige Verschijningen*
*Vaticaanstad*
*Heden*

Pater Girolamo de Pazzi was moe. Hij leed aan de diepgewortelde vermoeidheid die het gevolg is van een lang leven in dienst van een zaak die hoger is dan het eigenbelang. In zijn geval had hij zich in dienst gesteld van het Onbevlekte Hart van de Gezegende Maagd Maria door zijn onvermoeibare toewijding aan de Broederschap van de Heilige Verschijningen. Zijn voor iedereen zichtbare werk richtte zich op het begrijpen van de visioenen en de visionairs of profeten die de afgelopen vijfhonderd jaar door de Kerk als authentiek waren erkend.
Achter gesloten deuren hield hij zich echter bezig met iets heel anders. Daar werd hij in beslag genomen door een aanzienlijk intrigerender profeet – of om precies te zijn: profetés. Het ging om een geslacht van vrouwen, met elkaar verbonden door geboorterechten en de band van het bloed, die van generatie op generatie uitzonderlijk heldere en machtige visioenen hadden gekregen. In de loop der geschiedenis waren ze met verschillende namen aangeduid, sommige méér ketters dan andere – Magdalena's, Herderinnen, Zwarte Madonna's, pausinnen en Voorzegden. Pater Girolamo maakte een diepgaande studie van hun biografieën. Van sommigen was weinig bekend, omdat ze zo lang geleden hadden geleefd, zoals de ongrijpbare Sara-Tamar en Modesta. Het leven van anderen was goed gedocumenteerd, bijvoorbeeld dat van Theresa van Avila. Hij pluisde hun hele leven uit, op zoek naar het antwoord op de vragen die in hem brandden:
Waarom? Waarom waren juist deze vrouwen zo bijzonder gezegend door de Heer?
En wát? Wat was het dat ze wisten en dat zelfs voor de heiligste mannen ongrijpbaar bleef?
Hij boog zijn hoofd en keek naar het eeuwenoude manuscript op zijn bureau, het manuscript dat hem dag en nacht bezighield. Ooit had het deel uitgemaakt van de buitengewoon waardevolle persoonlijke collectie van paus Urbanus VIII, en het bevatte een reeks profetieën, geschreven als poëzie. De verzen waren afwisselend in het Frans en het Italiaans, en ze waren van generatie op generatie aan het papier toevertrouwd. Omdat de verzen – kwatrijnen – elk uit vier regels bestonden, hadden sommige geleerden vóór hem ze toegeschreven aan Nostradamus, de beroemde

Franse profeet. En het manuscript was in de Biblioteca Apostolica inderdaad honderd jaar lang gearchiveerd geweest als het werk van Nostradamus, tot pater Girolamo het redde. Hij wist dat het document mogelijk van onschatbare waarde was, en zeker niet het werk van één auteur. Het was waarschijnlijker dat het een ontstaansgeschiedenis van enkele eeuwen had. De verzen waren keer op keer vertaald, en pater Girolamo was nog altijd op zoek naar de sleutel om hun ware betekenis te kunnen duiden. De kwatrijnen waren geschreven in een soort code, een profetische taal die slechts te interpreteren was door hen die waren voorbestemd om deze te begrijpen.

Toch probeerde hij het. Hij haalde de verzen uit elkaar, bestudeerde de regels een voor een, uren achtereen. Met name één profetie was een obsessie voor hem geworden, een tekst in het Frans die begon met *Le Temps Revient*. De Tijd Keert Weder. Pater Girolamo keek aandachtig naar de bladzijde, alsof hij door wilskracht kon afdwingen dat de betekenis van de woorden en van de daaropvolgende profetie zich aan hem openbaarde. In zijn hand klemde hij een fraai, sierlijk bewerkt kristallen kistje in de vorm van een medaillon, met daarin de relikwie van een visionair. Hij bad dat de relikwie hem zou helpen bij de vertaling, maar tot dusverre hadden de woorden hun geheimen niet prijsgegeven.

De oude priester leunde met een zucht naar achteren in zijn stoel. Hoewel pater Girolamo het grootste deel van zijn lange leven in Rome gestationeerd was geweest, had de broederschap waartoe hij behoorde zijn oorsprong in het Toscane van de middeleeuwen. Vandaag had hij het gevoel alsof het leiderschap al sinds die tijd op zijn schouders rustte. Toch wachtte hem nog meer werk, en op dit moment was er een ander document dat zijn aandacht opeiste. Voorzichtig legde hij het boek met profetieën terug in de lade waarin hij het verborgen hield en draaide de sleutel om in het slot.

Peter kon elk moment hier zijn, en pater Girolamo moest zich voorbereiden op hun gesprek over deze fascinerende nieuwe ontwikkeling.

✿

Peter stond voor het enorme wandtapijt, dat een hele muur in de privékantoren van de Broederschap bedekte. Het tapijt was geweven in de Lage Landen, eind vijftiende eeuw, net als de beroemdere eenhoorntapijten die tegenwoordig in musea in New York City en Parijs hingen. Dit tapijt was getiteld *Het Doden van de Eenhoorn* en liet een reeks jachttaferelen zien.

Het mythische dier werd omsingeld door jagers, waarop het lichaam van het in het nauw gedreven schepsel werd doorboord met lansen, zodat het hevig bloedde – ook uit de wonden die de jachthonden veroorzaakten door kwaadaardig het vlees van zijn botten te scheuren. Op de voorgrond kondigde een heraut triomfantelijk en met veel ceremonie de dood van het dier aan. Maar ook al was het wandtapijt een meesterlijk bewijs van Vlaams vakmanschap, het thema zou voor oningewijden verontrustend kunnen lijken.
'Schitterend hè, en wat een diepgang!' De stem van pater Girolamo de Pazzi was na bijna zeventig jaar preken hees geworden.
Peter draaide zich om en glimlachte toen hij de oude pater zag binnenkomen. 'Ik heb tapijten met eenhoorns altijd prachtig gevonden. Wreed, maar ook mooi.'
'De dood van Onze Heer was wreed, en daar wil het kunstwerk ons aan herinneren. Hij is op een gruwelijke manier gestorven voor onze zonden.' De oude priester maakte een afwerend gebaar. 'Maar dat hoef ik jou niet te vertellen, Peter. Je bent je jaren ver vooruit in wijsheid en kennis. Kom mee naar mijn studeerkamer. Ik wil je iets laten zien.'
Peter volgde hem zwijgend, in een comfortabele stilte. Vrijwel meteen na zijn aankomst in Rome had hij vriendschap met pater Girolamo gesloten. Ze hadden elkaar ontmoet via Maggie Cusack, het meest toegewijde lid van de broederschap die door Girolamo werd geleid. Hoewel Peter heel wat tijd met hem had doorgebracht, was hij hier nooit geweest, in het heilige der heiligen van de Broederschap. Dit was een privékantoor, en toen de oude man de deur achter hen sloot, wist Peter dat er een geheim onthuld ging worden. Dat verraste hem niet. Hij was al lang geleden tot het inzicht gekomen dat Vaticaanstad was gebouwd op geheimen, van geheimen, door geheimen en voor geheimen.
Midden op het antieke bureau van pater Girolamo lag het document dat bij Maureen in New York was bezorgd. Peter begreep niet goed wat er aan de hand was. Hij had het document niet aan Girolamo gegeven, maar aan kardinaal Tomas DeCaro, zijn mentor.
'Ga zitten.' Een vriendelijk gebod. Peter nam plaats in de stoel tegenover het bureau. 'Je hebt dit document aan Tomas gegeven, en die is ermee bij mij gekomen. Hij zou bij dit gesprek aanwezig zijn geweest, ware het niet dat hij voor zaken van de Kerk naar Siena moest. Maar hij vertrouwt me, en jij kunt me ook vertrouwen. Ik zal je vertellen waarom hij het document bij mij heeft gebracht. Ik kom uit Toscane, en de geschiedenis van Toscane en hoe die zich verhoudt tot de Kerk is tachtig jaar lang mijn gro-

te passie geweest. Dus toen dit zeldzame en belangwekkende document boven water kwam, wist onze vriend dat ik het op de juiste waarde zou kunnen schatten. En dat is ook zo. Dit document houdt verband met de Grote Contessa, Matilda Toscana. Matilda van Toscane. Weet je wie dat is?'

Peter schudde zijn hoofd.

'Dan zal ik het je vertellen. Hoe vaak ben je in de basiliek van Sint-Pieter geweest?'

Peter haalde zijn schouders op. 'Geen idee. Waarschijnlijk honderden keren.'

'Dan ben je honderden keren langs gravin Matilda gelopen. Ze is bijgezet op een ereplaats, onder een grote marmeren tombe, ontworpen door Bernini, de meester van de Barok, op amper vijftig meter van de eerste apostel zelf.'

'Is ze bijgezet in de basiliek?' Peter kon zijn oren niet geloven. Hij had nooit geweten dat er een vrouw was bijgezet in de Sint-Pieter, laat staan op zo'n ereplaats. 'Waarom?'

Pater Girolamo lachte vluchtig, geluidloos. 'Het antwoord op die vraag hangt af van degene aan wie je hem stelt. Maar als je het aan mij vraagt, dan zeg ik dat ze in de Sint-Pieter is bijgezet omdat ze een vrome vrouw was, een ruimhartig begunstiger van de Kerk, die al haar bezittingen aan de paus heeft nagelaten.'

'Waarom denkt u dat iemand Maureen een document heeft gestuurd dat verband houdt met die gravin Matilda?'

'Ik maak me grote zorgen over de bedoelingen van de anonieme afzender – of afzenders. Tot we duidelijkheid hebben over identiteit en intentie, is het van het grootste belang hierover in nauw contact te blijven.'

'Denkt u dat er gevaar dreigt?'

De oude man knikte. 'Dat denk ik inderdaad. Jij bent een van de beste taalwetenschappers die de jezuïeten ooit hebben voortgebracht. Dus je hebt dit document niet naar DeCaro gebracht om het voor je te vertalen. Je weet al wat erin staat. Heb ik gelijk of niet?'

Peter knikte. 'Ik hoopte op een authenticiteitsverklaring. Gewoon voor alle zekerheid.'

'Het is inderdaad authentiek. En dat is ook precies de reden waarom het me zorgen baart. Wees heel voorzichtig, m'n zoon. Ik besef dat een dergelijk geschenk een vrijgevige, goedgunstige indruk kan maken, maar ik geloof dat er iets anders achter zit. Ik denk dat iemand je nicht gebruikt. En dat denkt Tomas ook. Vandaar dat hij bij mij is gekomen.'

'In welk opzicht zou iemand haar gebruiken?'
'Denk eens goed na, Peter. Onze vriend Tomas kwam bij mij omdat ik behalve Toscaan ook deskundig ben op het gebied van visionaire ervaringen. En als ik één ding heb geleerd tijdens mijn jarenlange studie, dan is het wel dat ware visionairs worden geboren, niet gemaakt. Het is niet iets wat je kunt nastreven, of waar je voor kunt leren. Je bent het of je bent het niet. Dus een authentieke profeet, of profetes, is behalve zeldzaam ook waardevol. En je nicht is hier inmiddels al een soort beroemdheid, zoals je weet.'
Peter glimlachte. Maureen was vooral berucht binnen de muren van Vaticaanstad, waar ze werd beschouwd als een curiositeit – een ketter en een afvallige, en wat nog erger was: een vrouw –, maar ook als een factor die niet geheel buiten beschouwing kon worden gelaten. Door zich te laten leiden door haar dromen en visioenen had ze tenslotte de meest opmerkelijke christelijke ontdekking van deze tijd gedaan.
'Dus of de conservatievere bestuurders van de Kerk waardering hebben voor je nicht of niet, dat maakt niets uit. Het valt niet te ontkennen dat haar visioenen haar tot een reeks ongeëvenaarde prestaties hebben geleid. Ik ben ervan overtuigd dat iemand daarom heeft besloten gebruik van haar te maken – om het boek te vinden waarnaar wordt verwezen in het document dat bij haar is bezorgd. En wanneer dat boek eenmaal is gevonden, denk ik niet dat ze de kans zal krijgen de wereld daar deelgenoot van te maken. Ze moet buitengewoon voorzichtig zijn, en dat geldt ook voor jou.'
De oude priester sloot zijn ogen en verzonk in gepeins. Het bleef zo lang stil dat Peter vreesde dat hij in slaap was gevallen. Toen hij zijn oude ogen eindelijk weer opendeed, schitterden ze helder en doelbewust.
'Peter, ik wil dat je me op de hoogte houdt van het doen en laten van je nicht in relatie tot het document, en je moet me zeker waarschuwen zodra deze... deze bron weer contact met haar zoekt. Dat zeg ik voor haar eigen veiligheid. En de jouwe.'
Peter beloofde dat hij hem op de hoogte zou houden. De waarschuwende woorden van de oude priester hadden hem diep geschokt, en hij popelde van ongeduld om Maureen te bellen, die op korte termijn in Frankrijk zou arriveren.
'Ga met God, mijn jongen. En moge Zijn Gezegende Moeder over je waken op je reis.'

# 3

*De Languedoc, Frankrijk*
*Heden*

Maureen raakte steeds gespannener naarmate ze dichter bij hun bestemming kwamen. De rit van Toulouse naar het chateau duurde ruim een uur, wat haar de tijd gaf om bij te praten met Tammy over alles wat er de afgelopen dagen was voorgevallen en over wat ze inmiddels te weten waren gekomen. Ze bespraken de aanwijzingen die ze hadden en theoretiseerden over mogelijke bronnen van de documenten.

'Het zit Berenger helemaal niet lekker,' zei Tammy. 'Hoe fascinerend het ook is, hij vindt het afschuwelijk dat hij geen enkele controle heeft over de situatie, en het baart hem zorgen dat we geen van allen een steekhoudende theorie hebben kunnen bedenken over de identiteit van de leider van deze ketterse spoorzoekerij.'

'Wie het ook is, diegene weet in elk geval een hoop over mij, en over Berenger. Dat is op zich al verontrustend, maar hij of zij weet ook wat ik droom. En dat is echt volstrekt onverklaarbaar. Dus het is óf een vorm van goddelijke inspiratie...'

'Of het is echt iets héél griezeligs.'

'Inderdaad. Bedankt voor de geruststelling. Alsof ik nog niet zenuwachtig genoeg was!'

Zelfs zonder de recente, onverklaarbare ontwikkelingen zou Maureen nerveus zijn geweest bij haar terugkeer naar Arques. Tenslotte had ze hier het evangelie van Maria Magdalena ontdekt en avonturen beleefd waarvan de meeste mensen zich niet eens een voorstelling konden maken. Maar bovendien was dit het thuis van Berenger Sinclair, en dat zorgde voor veel extra complicaties.

Tammy nam de route via Montségur, omdat ze wist hoe dierbaar dit deel van Frankrijk Maureen was. Montségur was een van de indrukwekkendste spirituele locaties ter wereld, de plek waar de laatste katharen

zich hadden verschanst tegen de legers van een paus die vastbesloten was de hele geloofsgemeenschap uit te roeien. Maureen kende het verhaal maar al te goed. Bij haar laatste bezoek aan Frankrijk had ze zich uitvoerig verdiept in de gedenkwaardige erfenis van de burcht.
Tegen het eind van het jaar 1243 had de katholieke Kerk de katharen al vijftig jaar lang bloedig vervolgd. Hele steden waren uitgemoord, zodat het bloed van de onschuldigen letterlijk door de straten stroomde. Een van de laatste bolwerken van de katharen in Frankrijk was Montségur. De ruïnes lagen op zo'n zestig kilometer van het Château des Pommes Bleues, in Arques. Het beleg waarbij de laatste Franse katharen in de burcht hadden standgehouden, had bijna een halfjaar geduurd.
Volgens een legende in de Languedoc zouden vier van de katharen erin zijn geslaagd uit Montségur te ontsnappen, twee dagen voordat de burcht was ingenomen en de bezetters levend waren verbrand. Een van de vier, een jong meisje dat La Paschalina heette, 'het kleine paaslam', had een onschatbaar voorwerp bij zich gehad, verborgen onder haar kleren – *Het Boek der Liefde*. Dit meisje had een cruciale rol gespeeld bij de bescherming van de heiligste schat van haar geloofsgemeenschap. Ze was tevens Maureens voorouder en de oorsprong van de naam 'Paschal'.
Terwijl ze de ruïnes van de burcht in de bergen passeerden, sprak Maureen fluisterend een dankgebed tot haar dappere stammoeder, en Tammy viel haar bij toen ze vervolgens bad voor de tweehonderd zielen die op 16 maart 1244 in de vlammen waren omgekomen.
Toen ze Couiza binnenreden, waar ze de afslag namen richting Arques, werd hun gesprek onderbroken doordat Maureens mobiele telefoon ging. Bij het zien van Peters nummer in Rome nam ze vol verwachting op.
'Ik heb belangrijke informatie voor je. Ben je alleen?'
'Nee, ik zit in de auto met Tammy. We zijn op weg naar het chateau.'
Peter bromde enigszins geërgerd; toen schraapte hij zijn keel. 'Oké. Het gaat om het document. Het stamt uit 1071 en is ondertekend door Matilda, als gravin van Toscane.'
'Wat staat erin?'
'Het is een soort vordering, van een heel boze en gebiedende gravin Matilda, waarin ze de onmiddellijke teruggave eist van haar "dierbare rode boek" en dreigt met een invasieleger onder haar persoonlijke leiding, zelfs met een "heilige oorlog" tegen haar eigen man, voor wie ze duidelijk niets dan minachting voelt.'
'Een dierbaar rood boek? Mijn god! Dat is *Het Boek der Liefde*, waar of niet?'
'Ik heb inderdaad reden om aan te nemen dat het dat is, of op z'n minst

een kopie. In de brief eist ze dat het boek onmiddellijk wordt toevertrouwd aan een zekere Patricio, de abt van het klooster... in Orval. Maureen, dit is erg belangrijk, want het zou weleens het enige geauthenticeerde bewijs kunnen zijn dat een dergelijk boek ooit heeft bestaan.'
'En de laatst bekende verblijfplaats is Orval. Waar we morgen naartoe gaan.'
Peter onderbrak haar voordat ze verder kon gaan. 'Maureen, je moet erg voorzichtig zijn. Ik denk dat je gevaar loopt. Ik moet je veel meer vertellen, maar daarvoor moet je me terugbellen zodra je alleen bent.'
'Oké.' Ze probeerde niet geïrriteerd te reageren, maar Peters weigering om volledige openheid van zaken te geven omdat ze bij Tammy in de auto zat, versterkte haar gevoel van onbehagen. Ze zou een manier moeten zien te vinden om de kloof tussen hen te overbruggen en te zorgen dat ze weer met elkaar konden samenwerken. Want ze had hen allemaal nodig, en ze hadden geen andere keus dan de handen ineenslaan en leren elkaar weer te vertrouwen.
Tenslotte waren ze op zoek naar *Het Boek der Liefde*! Werd het niet de hoogste tijd voor vergeving? En zou ze daar zelf ook toe in staat zijn?

✲

Tammy opende het hek met de afstandsbediening, waarop ze de slingerende oprijlaan in reden naar het schitterende chateau. Toen het in zicht kwam hield Maureen haar adem in. Ze was vergeten hoe groots en indrukwekkend het was. En hoewel ze hier maar twee weken van haar leven had doorgebracht, merkte ze tot haar verrassing dat ze plotseling het gevoel had alsof ze thuiskwam. Ze hield van deze plek en van de mensen die ermee verbonden waren.
Op het moment dat de auto tot stilstand kwam, vloog de voordeur open, en Roland haastte zich naar buiten. Door de reusachtige grijns op zijn hoekige gezicht zag hij er ongewoon jongensachtig uit terwijl hij Tammy uitbundig omhelsde en van de grond tilde. Ze lachte haar diepe, schorre lach waar Roland zo van hield en liet zich hartstochtelijk kussen, zij het haastig vanwege het decorum. Zodra hij Tammy had neergezet, kwam Roland naar Maureen toe; hij nam haar handen in de zijne en kuste haar op beide wangen.
'Vrouwe, wat een vreugde om je weer in ons midden te hebben.'
Voor Roland was Maureen meer dan een vriendin of een bezoekster. Ze was een geëerde gast, en iemand die in zijn ogen een monumentale presta-

tie had geleverd. Voor hem zou ze altijd de vrouw zijn die het evangelie van Maria Magdalena had gevonden, en daarmee steeg ze boven alle gewone stervelingen uit. Vandaar dat hij haar behandelde met een respect dat grensde aan eerbied.
Het was allemaal te veel voor de uitgeputte en nerveuze Maureen. Toen ze haar mond opendeed om te antwoorden, wilden de woorden niet komen. Ze bleven steken in haar keel, gevangen in een snik die daar al bijna twee jaar had gezeten en in die tijd steeds groter was geworden.
Met voorbijgaan aan alle formaliteiten viel Maureen de zachtmoedige reus om de hals – haar goede vriend, deze geweldige man die haar behandelde op een manier waarvan ze niet het gevoel had dat ze die verdiende – en ze huilde alsof haar hart zou breken.
Ze was thuis.

✲

Berenger Sinclair had de auto zien naderen. Hij besefte niet dat de huivering en de angst die hij voelde – angst voor afwijzing, huivering voor de allereerste momenten van het weerzien – door Maureen net zo werden ervaren. Vandaar dat hij had besloten niet meteen naar beneden te komen om haar te begroeten. Hij gaf er de voorkeur aan te wachten en haar reactie te peilen op Roland en het chateau, in de hoop zich op die manier beter te kunnen voorbereiden op haar gevoelens, wat die ook mochten zijn. De emotionele uitbarsting waarmee haar aankomst gepaard was gegaan, kwam voor hem net zo onverwacht als voor Maureen zelf.
Roland en Tammy escorteerden haar naar haar lievelingskamer in het chateau, de Magdalena-kamer, om haar de tijd te geven zich te installeren en zich voor te bereiden op het diner. De smaakvolle kamer, een koningin waardig, was gestoffeerd met karmozijnrood fluweel en ontleende zijn naam aan het schilderij van Ribera, dat Magdalena in de Woestijn voorstelde. Vandaag was het vertrek gevuld door de bedwelmende geur van Casablanca-lelies, die in een overvloed van witte bloemen door de hele kamer in kristallen vazen verspreid stonden.
Toen er een uur later zacht op haar deur werd geklopt, veronderstelde Maureen dat het een van de dienstmeisjes was, om haar te herinneren aan het diner. Ze was er klaar voor, had haar reisgoed verwisseld voor avondkleding en haar make-up bijgewerkt die door haar huilbui was uitgelopen. Op het moment dat ze de deur opendeed, verstijfde ze. Berenger Sinclair stond tegen de deurstijl geleund, lang en knap en met zo'n warme glim-

lach in zijn ogen dat ze zich afvroeg wat haar had bezield om zich zo star en onverzoenlijk op te stellen.
Ze hoefde het zich slechts één moment af te vragen. Toen lag ze in zijn armen en viel alles om hen heen weg.

❂

Het had niet veel gescheeld of ze waren te laat gekomen voor het diner, maar uiteindelijk kwam Maureen als eerste tot bezinning en ze maakte een einde aan hun onverwacht hartstochtelijke weerzien.
Berenger was een toonbeeld van ridderlijkheid, zelfs toen hij zijn vingers door haar zijdezachte koperkleurige lokken liet gaan, genietend van haar lichaam tegen het zijne. Met tegenzin stemde hij ermee in naar beneden af te dalen, waar hij haar gezelschap met de anderen zou moeten delen.
Maar ze was er. Dat zou voorlopig genoeg moeten zijn.

❂

Het diner verliep in een kameraadschappelijke sfeer, terwijl Maureen antwoord gaf op alle nieuwsgierige vragen over haar leven sinds de verschijning van het boek. Ze ontspande zich snel, tevreden in het gezelschap van deze drie mensen die ze volledig vertrouwde. Iedereen had een verhaal te vertellen; er viel heel wat bij te praten. Tegen de tijd dat het dessert op tafel kwam, ging het gesprek over de legende van *Het Boek der Liefde* en hoe die in de Languedoc bewaard was gebleven.
Berenger nam het voortouw. '*Het Boek der Liefde* is het evangelie, het goede nieuws, geschreven door Jezus zelf. Het vertegenwoordigt Zijn ware leer in zijn meest zuivere vorm. Zijn gelijkenissen, Zijn gebeden, Zijn geboden. Alles wat wij als mensen nodig hebben om God te vinden dankzij de Weg van de Liefde.'
'Alles wat we moeten weten om volmaakt te worden,' vulde Roland aan. 'Bij de katharen werden degenen die tot een hoger niveau van begrip van de goddelijke leer wisten te komen *Perfecti* genoemd, of *Parfaits* in het Frans: zij die de perfectie hadden bereikt. En dan hebben we het niet over perfectie in de betekenis waarin we het vandaag de dag kennen. In dit geval betekent het dat de perfecti hadden geleerd volledig te leven vanuit liefde en zonder te oordelen. Dat is wat de leer van Jezus nastreeft. Door liefhebbende mensen te worden, geven we ons leven vorm naar het voorbeeld van Onze Vader in de hemel, die liefde *ís*.'

Maureen zweeg even voordat ze reageerde. Ze had Roland en Berenger nog geen deelgenoot gemaakt van dit deel van haar droom, maar het leek het allemaal in zich te bergen. '*Gij dan zult volmaakt zijn.*'

'Precies,' zei Berenger. 'Gelukkig is een deel van de ware leer wel in de canonieke evangeliën opgenomen, zoals het evangelie volgens Mattheüs, en natuurlijk de hele Bergrede en het gebed van Onze Vader.'

'Laten we even recapituleren,' zei Maureen. 'We weten dat Jezus *Het Boek der Liefde* tijdens Zijn leven heeft geschreven en aan Maria Magdalena heeft gegeven. Maria Magdalena, die niet alleen Zijn vrouw is, maar ook Zijn opvolger als leermeester en prediker. En we weten dat er kopieën van het Boek bestaan, want Maria Magdalena verwijst naar een handschrift van Filippus. Maar het origineel, het boek dat door Easa zelf is geschreven, is naar Frankrijk gebracht.'

'Dat klopt. Wanneer Magdalena op de kust van Frankrijk arriveert, is ze in gezelschap van haar kinderen, een handvol trouwe volgelingen en *Het Boek der Liefde*. Ze begint eruit te preken, eerst in Marseille, en later komt ze hierheen, naar de Languedoc. Waar wij wonen, hier in Arques, is heilige grond, want volgens de legende heeft ze hier een school gebouwd als basis voor haar werk. De eerste missiepost, als je het zo wilt noemen. De naam *Arques* komt van het woord "ark", zoals dat voorkomt in de Ark des Verbonds. Met andere woorden: het nieuwe verbond, het Woord van Jezus, is hierheen gebracht en dit dorp was de ontvanger – de Ark die het bevatte. Triest genoeg zijn alle oude monumenten voor Magdalena al eeuwen geleden vernietigd, met de bedoeling elke herinnering aan haar aanwezigheid in de Languedoc uit te wissen. Maar dat wist je al.'

Maureen wist het inderdaad, maar ze riep haar ervaring als journalist te hulp om even advocaat van de duivel te spelen. 'Wat me brengt op de cruciale vraag, die iedere scepticus en ongelovige zou stellen als hij dit verhaal hoort. Hoe is het mogelijk dat iets wat zo belangrijk is geweest voor de geschiedenis volledig is uitgewist? Dit moet een van de best bewaarde geheimen van de afgelopen tweeduizend jaar zijn, zo niet hét best bewaarde geheim. Hoe is het mogelijk dat niemand zelfs maar weet dat een dergelijk boek ooit heeft bestaan?'

Roland reageerde als eerste, vanuit zijn hartstochtelijke betrokkenheid bij het onderwerp. 'Omdat al onze mensen ter dood zijn gebracht, om te verzekeren dat niemand van het bestaan ervan zou weten.'

'Niets was gevaarlijker voor de Kerk dan een evangelie geschreven door Jezus Christus zelf,' voegde Berenger eraan toe. 'Vooral wanneer dat evangelie beweert dat alles waar de Kerk voor staat volledig in strijd is met Zijn

ware leer. *Het Boek der Liefde* is het gevaarlijkste document in de geschiedenis van de mensheid.'
'Maar de Kerk heeft het niet te pakken kunnen krijgen. Althans, niet bij het beleg van Montségur.'
'Nee, zoals je maar al te goed weet, is het mede aan jouw stammoeder te danken dat *Het Boek der Liefde* werd gered. Althans, even. Na het beleg van Montségur verdwijnt het uit de geschiedenis. Zoals zoveel. Het enige wat we nog hebben, is afkomstig van mondelinge overlevering, en jammer genoeg heeft de tijd ook daarvan veel uitgewist.'
'De kathaarse cultus is gedecimeerd door de massale vervolgingen,' viel Berenger hem bij. 'De overlevenden zijn uitgewaaierd over heel Europa, met als gevolg dat hun verhaal voor de geschiedenis verloren is gegaan.'
Maureen keerde zich weer naar Roland: 'En toch hebben sommigen van jullie weten te overleven. Jouw familie, de weinigen die wisten te ontsnappen aan het bloedbad van Montségur, mijn stammoeder. Het lijkt me toch dat ze iets moeten hebben gedaan om *Het Boek der Liefde* te bewaren?'
'Natuurlijk, maar ze konden er niet over praten. Zelfs toen de katharen hier in alle rust en vrede leefden, in de tijd vóór de vervolgingen, spraken ze niet openlijk over *Het Boek der Liefde*. Nooit. Je begrijpt ongetwijfeld waarom ze dat niet konden doen.'
Berenger verwoordde de kern van de zaak. 'De katharen beschermden het Boek door er niet over te praten. En de Kerk wilde niet dat er ook maar iemand in leven bleef die op de hoogte was van het bestaan en de inhoud ervan. Dus daarmee heb je iets wat door zijn aard zo'n groot geheim is, zowel voor degenen die het aanbidden als voor hen die het verloochenen, dat het bestaan ervan door de geschiedenis volledig is verduisterd.'
Maureen knikte. 'Dat begrijp ik. Dus de laatst bekende bergplaats...'
'... was officieel Montségur. Ook al vertelt de legende dat het door je stammoeder, La Paschalina, mee de grens over is genomen, naar Spanje, waar het werd ondergebracht in het klooster van Onze-Lieve-Vrouwe van Montserrat. En vanaf dat moment... kunnen we er alleen maar naar gissen wat ermee is gebeurd.'
'Er bestaat maar één boek, het Ware Boek, geschreven door Jezus zelf, maar we weten dat er in de loop van de geschiedenis diverse kopieën zijn gemaakt,' aldus Berenger. 'Het idee van de kopieën is interessant, omdat er althans een mogelijkheid bestaat dat de inhoud ergens bewaard is gebleven, zelfs als het origineel verloren is gegaan.'
'Denk je dat? Denk je dat het verloren is gegaan?'
Ze zwegen, allemaal verdiept in hun eigen gedachten. 'Het is ergens in

Rome,' zei Roland ten slotte. 'Het was zo'n obsessie voor de Kerk om het in handen te krijgen dat ze niet terugdeinsden voor genocide. De Kerk zou niet hebben gerust voordat ze het had gevonden. Dat is het duistere geheim achter de inquisitie. De inquisitie is in het leven geroepen om alle katharen en hun sympathisanten uit te roeien, en is vervolgens uitgegroeid tot de gruwelijke plaag die het is geworden. Toch zegt iets me dat niet alles verloren is. Als je weer beelden doorkrijgt in je dromen, en als er iemand is, hier in de fysieke wereld, die probeert contact met je te zoeken... dan is er misschien nog ergens een kopie waar we naar op zoek kunnen gaan. En dat betekent nieuwe hoop voor ons allemaal.'

✿

Na het diner gebruikte Maureen de bronnenrijkdom van Berengers bibliotheek om research te doen. Ze hoopte vóór haar vertrek naar Orval, de volgende morgen, althans iets van informatie te vinden over de raadselachtige Matilda. Berenger was enorm trots op zijn collectie boeken en manuscripten, en hij had zich gespecialiseerd in zeldzame werken over Europese kunst en geschiedenis. De anderen kwamen Maureen te hulp. Terwijl ze zo veel mogelijk naslagwerken over de middeleeuwen raadpleegden, maakten ze haar onmiddellijk deelgenoot van de weinige informatie die ze vonden. Er was bedroevend weinig geschreven over de Toscaanse gravin, en zo goed als niets in het Engels. Ze kregen de indruk dat ze werd vermeld in een enkel oud boek in het Latijn en het Italiaans, maar zonder Peters hulp kwamen ze niet veel verder, want de teksten waren voor beginnende talenkenners te moeilijk om te vertalen.

Bij het doorbladeren van een Engelstalig boek uit de achttiende eeuw over Gianlorenzo Bernini had Maureen beet. 'Ik heb iets gevonden! Luister.

"In 1635 liet paus Urbanus VIII de stoffelijke resten van gravin Matilda van Canossa vanuit het klooster van San Benedetto de Po, waar ze vijfhonderd jaar hadden gerust, overbrengen naar Rome. De monniken van het klooster, gelegen in Mantua, weigerden afstand te doen van Matilda. Ze wilden haar laatste aardse wens respecteren, namelijk dat ze voor altijd zou rusten in de streek van haar jeugd.

Tijdens de nieuwbouw van de Sint-Pieter gaf de paus echter opdracht aan Bernini om een schitterende marmeren graftombe voor de Toscaanse gravin te maken. Hij liet zich de kostbare relikwieën niet ontzeggen en kocht de abt van het klooster van San Benedetto om met een enorme som geld, voor onderhoud van het klooster en als garantie dat het goede werk van de

monniken in Matilda's naam tot in lengte van dagen kon worden voortgezet. De abt hield de omkoperij tegenover zijn monniken geheim, uit angst dat ze in verzet zouden komen. Enkele met zorg uitgekozen priesters uit het persoonlijk gevolg van de paus leverden de omkoopsom in het holst van de nacht af aan de abt en braken in het diepste geheim Matilda's verzegelde, albasten tombe open."'
Maureen stopte met lezen.
'Wat is er?' vroeg Berenger toen hij de geschokte uitdrukking op haar gezicht zag.
Maureen keek hem aan. Toen haalde ze diep adem en las verder: '"In de tombe troffen ze een volmaakt intact skelet aan, gewikkeld in goud- en zilverkleurige zijde. Hoewel Matilda in de middeleeuwse legenden was omschreven als een Amazone, waren de stoffelijke overblijfselen die van een verrassend kleine, tengere vrouw met een bijna volmaakt gebit. Het meest uitzonderlijk waren de lange lokken haar die nog altijd aan de schedel vastzaten en hun ongebruikelijke koperblonde kleur. Tevredengesteld dat dit inderdaad de legendarische gravin was die blijkbaar zoveel betekende voor hun paus, haalden ze de kist leeg terwijl het klooster sliep en aanvaardden ze nog vóór zonsopgang de terugweg naar Rome. En zo werd Matilda van Toscane de eerste vrouw die werd bijgezet in de Sint-Pieter – ja, zelfs in het hart van de basiliek."'
'Asjemenou.' Tammy was de eerste die reageerde. 'Ik ben duidelijk niet de enige die hier een patroon in herkent. Dus blijkbaar was onze Matilda een tengere verschijning met rood haar, het duidelijkste en meest zichtbare genetische kenmerk van de vrouwen die afstammen van Maria Magdalena. In elk geval het meest legendarische. Kunnen we nagaan of ze soms ook een Voorzegde was?'
Maureen leunde naar achteren in haar stoel. De persoonlijke aspecten van haar connectie met Matilda waren fascinerend en volkomen onverwacht. Misschien waren ze zelfs wel de verklaring voor haar droom over de vis, en voor haar groeiende verlangen om zo spoedig mogelijk naar Orval te gaan. 'Maar nu weet ik nog steeds niet waarom,' zei ze. 'Waarom was deze paus – Urbanus de Achtste – er zoveel aan gelegen om het gebeente van Matilda bij te zetten in de Sint-Pieter?'
Berenger had een theorie. 'Misschien dacht hij dat ze was bijgezet met iets van grote waarde en bedacht hij daarom een list om de kist te openen, in het holst van de nacht. Het kan zijn dat hij op zoek was naar *Het Boek der Liefde*, of dat het hem in elk geval om iets anders ging dan om Matilda's gebeente. Vandaar dat het allemaal in het diepste geheim moest gebeuren.'

Er kwam een gedachte bij Maureen op. 'Was ze misschien begraven met het een of andere document? Iets wat informatie bevatte, of een vorm van bewijs, waar het de paus om te doen was?'
Ze zouden het mysterie die avond niet kunnen oplossen, en morgen was het weer vroeg dag. Maureen was uitgeput, zowel door de jetlag als door de emotionele verwikkelingen. Dus ze wenste iedereen welterusten en ging naar bed. Berenger zag hoe moe ze was. Hij kuste haar teder, keek haar diep in de ogen en legde vluchtig zijn handen langs haar gezicht. Toen liet hij haar met tegenzin gaan. Gelukkig had hij niet geopperd de vrouwen naar Orval te vergezellen, dacht Maureen. Al voor haar aankomst in Frankrijk had ze duidelijk gemaakt dat ze deze reis alleen met Tammy wilde maken. Ze moest zich volledig kunnen concentreren op wat ze in Orval aantrof, en haar complexe relatie met Berenger zou ongetwijfeld afbreuk doen aan haar scherpte.
Na hun uitstapje naar België zou ze zich bij terugkeer in het chateau wijden aan het herstel van hun relatie. Maar op dat korte moment van intimiteit wenste ze dat hij met hen meeging.

En zo geschiedde het dat de dochter van Onze Heer en Onze Vrouwe, de prinses die bekendstond onder de naam Sara-Tamar, naar haar bestemming begon toe te groeien. Ze bezat de luister van haar beide indrukwekkende ouders en werd een leider van haar mensen in Gallië. Er wordt beweerd dat ze de schoonheid en de vrouwelijke kracht van haar moeder had geërfd, en dat ze, net als haar vader vóór haar, mensen en dieren kon genezen door handoplegging. Bij haar geboorte werd verklaard dat God haar zo liefhad dat ze in dezelfde houten kribbe werd gelegd waarin ooit haar vader had gelegen.
Terwijl ze opgroeide tot een vrouw, gebeurde het regelmatig dat ze in trance raakte en in verzen en metrums sprak. Haar woorden werden beschouwd als grote profetieën en op schrift gesteld door de kopiisten van de Heilige Familie. Met het verstrijken van de jaren hebben deze profetieën het bewijs geleverd van haar goddelijke inspiratie. Maar er zijn nog meer profetieën, bestemd voor de kinderen van de toekomst.
De officiële geschiedenis herinnert zich haar niet, omdat in de tijd dat ze volwassen werd, de vervolgingen van de aanhangers van de Weg serieuze vormen begonnen aan te nemen. Ze had geen andere keus dan in het geheim te prediken, en dat deed ze tot op de dag van haar dood.
Sara-Tamar had vele kinderen. Sommige bleven in Gallië, andere kwamen naar Rome en Toscane, op zoek naar hun broeders en zusters, en met de bedoeling om veilige gemeenschappen te stichten tijdens de vervolgingen, zodat de leer van de Weg van de Liefde zou beklijven en zich zou verspreiden. Wie wil weten wat er van haar erfenis is geworden, vindt het antwoord in de legenden over de heiligen, over Barbara en Margaretha, over Ursula en Lucia.

Wie oren heeft om te horen, die hore.

– De legende van Sara-Tamar, de Profetes,
zoals bewaard gebleven in *Het Libro Rosso*

*Aan de Belgische grens*
*Heden*

Tammy en Maureen staken de grens met België over en reden het weelderige woud van de Ardennen in, waar Orval lag genesteld sinds Matilda in 1070 eigenhandig de eerste steen had gelegd. Het was een prachtige dag voor een tocht door een woud dat eeuwenlang betoverd was genoemd. Maureen voelde zich gelukkig en ontspannen in afwachting van het avontuur. Het enige wat aan haar bleef knagen, was dat ze Peter nog niet had teruggebeld. Hij had erop aangedrongen dat ze pas zou bellen als ze alleen was, en ze had nog geen moment voor zichzelf gehad. Ze nam zich vast voor om, na hun bezoek aan Orval, later die middag, alleen een wandeling te gaan maken en hem te bellen met haar mobiele telefoon. Tammy zou het vast wel begrijpen.

Terwijl ze over de snelweg naar het noorden reden, bespraken ze alles wat ze wel en niet wisten over de raadselachtige middeleeuwse gravin van Toscane over wie in het Engels zo weinig was geschreven.

'Wat Matilda betreft, hebben we te maken met een soort historische black-out. Voor een deel omdat het allemaal duizend jaar geleden is gebeurd.'

'Maar ook omdat ze een vrouw was, dus haar wapenfeiten zijn ongetwijfeld niet gretig opgetekend door de scribenten van haar tijd,' voegde Maureen eraan toe.

'We weten dat de Profetie van Orval – jouw Profetie van de Voorzegde – afkomstig is uit een reeks documenten die daar in het klooster werden bewaard en daar eeuwenlang beschermd zijn gebleven. Bovendien weten we dat de documenten deel uitmaakten van iets groters – een hele verzameling profetieën die teruggaan tot de tijd van Maria Magdalena, maar die bijna allemaal verloren zijn gegaan, op de weinige na die voortleefden in de orale tradities van de katharen. Of in de tradities van gelijkgestemde geloofsgemeenschappen. Zoals de onze.'

'En we denken dat deze profetieën zijn geschreven door de dochter van Maria Magdalena en Jezus, de kleine profetes Sara-Tamar.'

Twee jaar eerder, tijdens haar zoektocht naar het verloren geraakte evangelie van Maria Magdalena, was Maureen met deze legende en met de kracht ervan in aanraking gekomen vanwege de profetie van de Voorzegde, afkomstig was uit de eeuwenoude abdij van Orval. Bij het vinden van het evangelie van Arques had Maureen ontdekt dat ze zelf aan alle criteria van de profetie voldeed en dus ook een Voorzegde was. Het was een identiteit waarmee ze nog altijd moeite had. Voor een vrouw in de eenentwintigste eeuw viel het bepaald niet mee om door je omgeving, je vrienden en gelijken te worden gezien als een profetes.

Het gesprek over beroemde profeten herinnerde Maureen aan iets wat Tammy haar ooit had verteld, helemaal aan het begin van hun zoektocht naar het evangelie van Arques. 'Zijn dit dezelfde profetieën waarvan je gelooft dat ze zijn gestolen door Nostradamus? De profetieën die ten grondslag liggen aan zijn beroemde werken?'

'Inderdaad. We weten dat Nostradamus in Orval heeft gestudeerd, en in verscheidene andere Belgische abdijen, die stuk voor stuk ketterse banden hadden. En we weten ook dat er bij zijn vertrek melding is gedaan van vermiste documenten. En dan ineens... ta-da! Op een dag is hij ineens een profeet zonder weerga en publiceert hij de meest opmerkelijke voorspellingen. Dus het is in hem te prijzen dat hij het belang van de profetieën heeft onderkend, maar hij verliest zijn krediet meteen weer omdat hij niemand heeft verteld dat het niet zijn eigen voorspellingen waren. Dat hij zich heeft schuldig gemaakt aan de Renaissance-versie van plagiaat.'

'Denk je dat echt?'

'Wat bedoel je?'

Maureen haalde haar schouders op. 'Ach, ik weet het niet. Iets zegt me dat er meer achter Nostradamus stak als hij betrokken is geweest bij de abdij in Orval. Misschien was hij wel een van ons. Misschien...'

Maureen deed er het zwijgen toe toen ze de eerste wegwijzer naar Orval zag. Het landschap werd steeds lieflijker, steeds idyllischer. De weg slingerde zich als een groenfluwelen lint tussen de dicht opeenstaande, reusachtige dennenbomen van de Ardennen. Ze kwamen bij een schilderachtig, oud bord met daarop ABBAYE D'ORVAL en een pijl die naar links wees. Zodra ze de afslag hadden genomen, hield zowel Tammy als Maureen haar adem in, en Tammy trapte uit alle macht op de rem. Als de abdij van Orval was ontworpen om de pelgrim bij de eerste aanblik te overweldigen, dan waren de architecten in hun bedoelingen geslaagd. Bij een restauratie in de vorige eeuw was op de moderne gevel een Madonna met Kind van megalithische afmetingen aangebracht in art-decostijl, die de bezoeker eraan herinnerde dat de volledige naam van het klooster altijd *Notre Dame d'Orval* is geweest. De reusachtige madonna was diverse verdiepingen hoog en deed sterk denken aan een Egyptische godin op een eeuwenoude tempel in Luxor. Niets in de grootse, monumentale en moderne façade wees erop dat daarachter duizend jaar oude, gewijde ruïnes lagen.

Het vriendelijke meisje bij wie ze hun kaartjes kochten, gaf hun folders in het Engels. Het meisje droeg het symbool van Orval om haar hals – de gouden vis met de trouwring in zijn bek. Tegen het eind van de dag zouden ze dit symbool overal in de abdij en de omgeving daarvan hebben gezien: op bierflessen, op verpakte kaas, op souvenirs en op uithangborden van cafés.

'Heil Ichthus,' fluisterde Tammy. Tijdens de rit van Parijs naar Orval hadden ze deze aanwijzing uitvoerig besproken. Ichthus verwees naar een vis, daar was geen twijfel over mogelijk, in het bijzonder naar de vis die voor de eerste christenen symbool stond voor Jezus.

'De Jezusvis, die je vaak achter op auto's tegenkomt, is een ichthus,' zei Tammy.

Maureen knikte. 'Het is een anagram. Dat heb ik van Peter geleerd. Ichthus is samengesteld uit de eerste letters van vijf woorden in het Grieks die "Jezus Christus, Zoon van God, Redder" betekenen. ιχθυς: iota, chi, theta, upsilon, sigma. En het woord zelf betekent "vis". Dus ik denk dat we veilig kunnen aannemen dat "Heil Ichthus" een verwijzing is naar Jezus, misschien met een knipoog, oneerbiedig gezegd, naar de Griekse cultuur of de Griekse overlevering. Hoe dan ook, die vis komt voor in de aanwijzingen die we allebei hebben gekregen, dus blijkbaar probeert hij ons iets te vertellen.'

Tammy las de folder door terwijl ze in de richting van de ruïnes van de abdij liepen.

'Toe maar! Moet je dit horen! "Matilda gaf de abdij en de streek zijn naam – Orval. Terwijl ze haar domein in Lotharingen verkende, hield Matilda halt bij een natuurlijke bron in het woud om zich te verfrissen. Toen ze zich over de rand boog, gleed de gouden trouwring van haar hand en verdween in de diepte. Nog voordat de gravin geschokt kon reageren op haar verlies, sprong er een gouden forel uit het water, met in zijn bek haar trouwring. 'Dit is waarlijk een Vallei van Goud!' riep Matilda uit terwijl ze de ring aanpakte van de behulpzame vis. Sindsdien heet deze plek Or-Val, Vallei van Goud." Je moet het zeggen als je dit verhaal al eerder hebt gehoord.'

Maureen schudde verbaasd haar hoofd. Ze had over Orval en Matilda gedroomd – al vóórdat Matilda's document was bezorgd bij haar hotel in New York City.

*Hier zul je vinden wat je zoekt.* Ze hoopte het vurig!

Tammy las verder: '"Er wordt beweerd dat Matilda onmiddellijk na de ontmoeting met de magische vis begon met de bouw van een klooster, uit eeuwige dankbaarheid omdat ze haar trouwring had teruggekregen."'

Maureen dacht hier even over na. 'Maar we weten dat Matilda haar echtgenoot verfoeide en hem heeft gedreigd met een invasieleger. Dat klinkt niet alsof ze zijn trouwring zou hebben gekoesterd, vind je wel?'
'Ze heeft hem waarschijnlijk expres in die put gegooid,' schertste Tammy. 'En die vervloekte vis bracht hem telkens weer terug.'
'Het is een allegorie,' constateerde Maureen. 'Dat kan niet anders. Het ligt zo voor de hand, verborgen in het volle zicht...'
Toen ze de hoek van de ruïnes van de abdij om kwam, bleef Maureen abrupt staan. Het was er allemaal, precies als in haar droom. De uitgelezen gotische bogen, het geruïneerde raam met de zesbladige roos uit steen gehouwen. Vluchtig ging de gedachte door haar heen dat de zes bloembladeren niet willekeurig waren – dat het aantal iets betekende. Maar het lukte haar niet de gedachte vast te houden. Zelfs het licht dat door de takken van de bomen filterde, was precies als in haar droom.
'Dit is het. Hier heb ik van gedroomd. In mijn droom zag het er allemaal precies zo uit. Kom mee, ik moet naar haar toe.' Maureen pakte Tammy bij de arm, en samen renden ze tussen de ruïnes door. Ze volgde opnieuw de sporen van haar droom, zich bewust van de brokken marmer overal om haar heen, van de restanten van een deuropening waar ze doorheen liep. Vóór haar, in een nis in de muur, ontdekte ze de lieftallige kleine madonna.
'Daar is ze.' Maureen liep nu langzamer en naderde het beeld met een zekere eerbied. In het echt was het zo mogelijk nog mooier – en eigenaardiger – dan in haar droom. Het gezichtje was scherp getekend en heel bijzonder; de ver uit elkaar staande ogen en het hoge voorhoofd verrieden zowel intelligentie als onschuld. Het stenen meisje was eenvoudig gekleed in een gewaad met sluier. Lange, in steen uitgehakte vlechten vielen langs de zijkant van haar hoofd. Ze was duidelijk nog een kind, een jong meisje dat een zuigeling vasthield van wie ze bijna zeker niet de moeder was. Maureen nam het beeld zwijgend en vol bewondering op, totdat Tammy de stilte verbrak.
'Wat zei ze tegen je in je droom?' vroeg ze fluisterend.
'"Ik ben niet wie je denkt dat ik ben."'
'Dus wie denk je dan dat ze is?'
Maureen glimlachte, zich bewust van een vreemd intiem contact met het kleine meisje van steen. Het was als een weerzien met een oude vriendin.
'Ik weet wie ze is. Dit is Sara-Tamar, en het kind is haar kleine broertje, Yeshua. Deze hele abdij is immers door Matilda gebouwd als monument voor de Heilige Familie en de nazaten daarvan. En welke profetieën werden hier bewaard? Die van Sara-Tamar. Dus het is niet meer dan logisch dat ze hier vertegenwoordigd is.'

Tamara legde de stukjes van de puzzel aan elkaar. 'Laten we teruggaan naar de allegorie.'
'Oké. Het verhaal...' peinsde Maureen hardop. 'Een vis die Jezus symboliseert – de ichthus – springt uit de diepten van een bron. Om te beginnen moeten we bedenken dat Jezus op een soortgelijke manier preekte. Hij onderwees de gelovigen door gelijkenissen te vertellen, verhalen met een bepaalde symboliek.'
'Dus jij denkt dat "Heil Ichthus" is bedoeld om ons eraan te herinneren dat het verhaal meerdere lagen heeft? Dat het een soort gelijkenis is?'
'Precies! De bron, de put is een eeuwenoud symbool van geheime kennis. En onze vis houdt een trouwring in zijn bek. Als je om je heen kijkt, zie je dat symbool overal. Jezus, de ichthus, komt uit de diepten van de geheime kennis naar boven om de wereld Zijn trouwring aan te bieden. In elke versie van het verhaal wordt benadrukt dat de ring een trouwring is. En de vis legt die ring veilig in de hand van Matilda, omdat Matilda betrouwbaar is en de ring zal beschermen. Het ligt allemaal zo voor de hand. En dit is een vallei van goud omdat hier alle kennis van Zijn familie wordt bewaard, kennis die meer waard is dan goud. Het hele verhaal is een allegorie voor wat Matilda wist, en hoe ze haar kennis bewaarde.'
Tammy knikte. 'Natuurlijk. Zo zijn alle legendes over de stamboom bewaard gebleven: door codes en symbolen, in een tijd waarin openlijk praten over deze dingen werd bestraft met de dood.'
'Kunst zal de wereld redden,' merkte Maureen op. 'En ik denk dat de definitie van kunst in dit geval heel ruim moet worden genomen. Dus niet alleen schilderijen, maar ook architectuur, literatuur, beeldhouwkunst...'
Toen ze de volgende hoek rondden, kwamen ze bij een brede put met een eeuwenoude stenen rand. Op een klein bordje stond dat dit de FONTAINE MATHILDE was – Matilda's fontein. Maureen legde haar linkerhand op haar rechter, om de ring uit Jeruzalem te beschermen. Magische vis of niet, ze was niet bereid het risico te nemen de ring te verliezen zoals dat in haar droom was gebeurd.
De put was een serene, volmaakt vredige plek. Het water van de bron borrelde zacht, afkomstig van ergens heel diep in de Ardennen. Het deed Maureen denken aan de heilige bronnen in Ierland, heilige plekken die duizenden jaren aan godinnen gewijd waren geweest voordat ze door de christenen werden 'bekeerd' ten behoeve van de Mariaverering. In Maureens beleving voelde alles wat met Orval te maken had als vrouwelijk, vervuld van een pure, eeuwenoude godinnenenergie die rechtstreeks uit de aarde kwam. Ze besefte dat ze dreigde verliefd te worden op de plek en op

de natuurlijke schoonheid ervan; het geheel voelde alsof het waarlijk heilig was. Bovendien sprak het tot haar steeds sterker wordende verlangen om meer te weten te komen over de geheimzinnige Matilda die bijna duizend jaar geleden de drijvende kracht was geweest achter het ontstaan van dit gebouw en de bijbehorende kloostergemeenschap.

Tammy boog zich naar voren om in de put te kijken, waar ze in het donkere water zichzelf zag. *In je spiegelbeeld zul je vinden wat je zoekt.*

Maureen volgde haar voorbeeld, en ze keken beiden naar het water. Ze hielden abrupt hun adem in toen er boven hun gezichten een derde gezicht in de weerspiegeling verscheen. Vanuit het water keek de kleine madonna hen aan. Maar deze keer was haar gezicht niet van steen. Deze keer was het kindergezicht er een van vlees en bloed.

Maureen en Tammy draaiden zich haastig om. Vlak achter hen stond een etherisch, prachtig klein meisje. Net als het kind van het beeld was ze gekleed in een heel eenvoudige jurk, en het haar aan weerskanten van haar gezicht was gevlochten. Het ontging de vrouwen niet dat de vlechten van het meisje een prachtige, koperblonde kleur hadden. Ze hield haar handen achter haar rug, alsof ze daar iets verborgen hield, een verrassing.

'*Bonjour*,' zei Maureen zacht, aarzelend.

Het meisje zei niets, maar giechelde opgewonden, precies zoals in Maureens droom. Toen stak ze haar armen naar voren, en van achter haar rug kwam een dunne linnen tas tevoorschijn. De tas zag eruit alsof er iets in zat – iets wat leek op een groot boek. Met een lieve lach in haar stralende ogen hield het meisje Maureen de tas voor. Zodra Maureen die had aangepakt, draaide het meisje zich om en rende weg, zonder ook maar één woord te hebben gezegd. Binnen enkele ogenblikken was ze om een hoek van de ruïne verdwenen.

Tammy keek om zich heen of er iemand getuige was geweest van de uitwisseling, maar ze waren alleen. De put stond er verlaten bij. 'Wat zit erin?'

Maureen maakte de tas open en ze keken erin, want ze wilden geen van beiden de aandacht vestigen op de inhoud door die eruit te halen. Het was inderdaad een boek – een boek dat er heel oud uitzag, gebonden in rood leer.

✵

De twee vrouwen haastten zich de abdij uit, verlangend naar de afzondering van Tammy's auto, waar ze het rode boek beter konden bekijken.

Ze lieten de abdij achter zich en liepen naar het terrein van aangestampte aarde dat diende als parkeerplaats. Met haar sleutels al in de hand bleef Tammy plotseling staan. Er klopte iets niet. Haar auto leek naar links te hellen. Toen ze aarzelend dichterbij kwam, zag ze dat de voor- en de achterband aan de kant van de bestuurder lek waren. Maureen keek mee over Tammy's schouder, terwijl die zich op haar hurken liet zakken voor een nadere inspectie.
In de zijvlakken van de banden waren diepe x'en gekrast, en de banden waren doorgesneden.
Tammy ging op haar knieën zitten, bestudeerde de banden en wees naar de volmaakt gesneden x'en. Ze was ervan overtuigd dat de sneden niet willekeurig waren. De letter x was eeuwenlang gebruikt als een symbool voor ketterij, zowel door voor- als door tegenstanders. Bij de kathaarse gnostici was de x een symbool van verlichting geweest. De oorsprong als gnostisch en ketters symbool lag in de laatste, tevens tweeëntwintigste letter van het Hebreeuwse alfabet, de Tau, die in de oudheid als een x werd geschreven en naarmate hij evolueerde steeds meer op een kruis ging lijken.
Als het om God ging, was de Tau het symbool van de waarheid.
In dit geval leek het erop dat de gnostische x was gebruikt als een vijandig symbool, door iemand met vijandige bedoelingen.
De twee vrouwen waren zo verdiept in hun bestudering van de symbolen dat ze de voetstappen achter zich pas hoorden toen het te laat was.
'Heel langzaam overeind komen. Allebei.'
Een diepe stem, zacht maar dreigend. Maureen deed wat haar werd opgedragen. Toen ze zich half omdraaide zag ze dat er een heel lange man achter hen stond. Hij droeg een donkere zonnebril en een zwart jack met capuchon. Van zijn gezicht was alleen zijn mond zichtbaar, en die was vertrokken in een grauwende grimas. Tammy slaakte onwillekeurig een jammerkreet toen hij zijn pistool hardhandig tussen haar schouderbladen duwde.
'Ik vraag het maar één keer,' zei de man tegen Maureen. Hij sprak Engels, met een zwaar accent. Ze probeerde het thuis te brengen, om er later haar voordeel mee te kunnen doen. Het was een vreemde combinatie van diverse Europese talen, wat het accent op zich al gedenkwaardig maakte.
'Geef me de tas. Zo niet, dan schiet ik haar ter plekke recht door het hart. En daarna ben jij aan de beurt.'
Het gebied om hen heen maakte een verlaten indruk. Orval lag midden in het bos, en er was geen geluid te horen dat wees op de nabijheid van mensen. Maureen had geen keus. Ze gaf hem de tas, vurig biddend dat de man Tammy ongemoeid zou laten.

Hij griste de tas uit haar hand en beet hun zijn volgende commando's toe. 'Stap in de auto en blijf een halfuur zitten zonder je te bewegen. Kijk eens daar!' Hij wees naar de helling boven hen, waar het woud van de Ardennen zich uitstrekte tot aan de horizon. 'Daar heb ik een mannetje zitten. Als jullie je ook maar één seconde te vroeg bewegen, schiet hij jullie allebei neer. En je kunt erop rekenen dat hij raak schiet. Is dat duidelijk?' Er was beweging zichtbaar in het schaduwrijke woud boven hen. Hun overvaller blufte niet. Met bonzend hart stapten Maureen en Tammy in de auto. Zodra ze de portieren hadden dichtgetrokken, liep de man haastig weg in de richting van het woud, zonder nog één keer achterom te kijken.

❂

Het werd het langste halfuur van hun leven, en zowel Maureen als Tammy bracht het biddend door, en zacht fluisterend over hun hachelijke situatie. Voor alle zekerheid bleven ze nog een paar minuten langer zitten, voordat ze de auto verlieten en terugliepen naar de abdij. Toen het vriendelijke meisje zei dat ze op het punt stonden te sluiten, maakte Tammy haar duidelijk dat er vernielingen waren aangericht aan haar auto. Over de gewapende mannen en de beroving zei ze niets. Ze hoopten dat het klooster hun onderdak zou willen bieden voor de nacht, want het was bekend dat er regelmatig pelgrims overnachtten. Maar pelgrims die werden achtervolgd door boeven met capuchons waren misschien niet de meest welkome gasten.
Het bleek een wijs besluit te zijn geweest om niet uit te weiden over wat ze hadden moeten doorstaan. Het arme Belgische meisje was zo van streek door het vandalisme waarvan ze het slachtoffer waren geworden, omringd door de idyllische schoonheid van Orval, dat ze eruitzag alsof ze in huilen zou uitbarsten. Een van de jongere monniken, broeder Marco, werd erbij gehaald om de crisis te bezweren. Hij regelde onderdak voor de vrouwen en nam contact op met een garage in Florenville die bereid was de schade aan de auto te herstellen. Dankzij de troostrijke zorg waarmee ze door de monniken en het personeel werden omringd, slaagden Maureen en Tammy erin zich te ontspannen binnen de betrekkelijke veiligheid van de muren van het klooster. Het was alsof Matilda's geest hier nog alomtegenwoordig was, waardoor Maureen en Tammy zich onbedreigd voelden zolang ze op haar terrein waren. Broeder Marco nodigde hen uit voor het avondeten, dat in stilte zou worden genuttigd in de refter van het klooster. Ze waren echter te uitgeput en te zeer op de proef gesteld door de gebeurtenissen van die dag

om zijn uitnodiging te kunnen accepteren, dus hij maakte een pakketje van brood en kaas om mee te nemen naar hun kamer, met twee flesjes van het plaatselijk gebrouwen bier, met de gouden vis op het etiket.
De kamer die ze kregen toegewezen, was smetteloos schoon en ademde de sfeer van het klooster. Er stonden twee eenpersoonsbedden, een nachtkastje en een wasbekken. Maureen was dankbaar voor elk klein detail. Ze moest dringend Peter bellen, om orde te scheppen in de chaos van wat er die dag was gebeurd. Wie had hen overvallen en het boek gestolen? En om welk boek ging het? Ze werd onwel bij de gedachte dat ze misschien kortstondig een van de grootste schatten uit de geschiedenis van de mensheid in handen had gehad en die vrijwel onmiddellijk had moeten afstaan... aan wie?
Toen Tammy vertrok naar de badkamer voor algemeen gebruik op de gang, belde Maureen met haar mobiele telefoon Peter in Rome.
Hij reageerde begrijpelijkerwijs diepgeschokt toen ze vertelde wat er was gebeurd.
'Ik had je toch gezegd dat je me terug moest bellen? Dat het belangrijk was? Ik had je willen waarschuwen dat je mogelijk gevaar liep.'
Maureen was moe en een beetje prikkelbaar. 'Je had me gewoon meteen alles moeten vertellen, ook al was Tammy erbij. Ik vertrouw haar volledig. Stel je voor dat ze gewond was geraakt...'
Ze maakte haar zin niet af. De implicatie was maar al te duidelijk dat Peter althans voor een deel verantwoordelijk zou zijn geweest als Maureen of haar vriendin iets was overkomen.
'Het spijt me. Het spijt me echt heel erg. En ik ben heel dankbaar dat alles goed is met jullie. Maureen, ik wil dat je morgenochtend het eerste het beste vliegtuig naar Rome neemt. Er is hier iemand die je moet ontmoeten. Ik denk dat hij ons kan helpen helderheid te scheppen. We kunnen je bij het klooster laten oppikken en in een mum van tijd naar het vliegveld brengen. Als je dat prettig vindt, kun je Tammy meenemen.'
'Bedankt, Pete. Ach, het is de ironie ten top, maar weet je dat ik soms oprecht dankbaar ben voor de macht van het Vaticaan?'

❁

Als er één plek was waar dromen als vanzelf kwamen, dan was het wel binnen de muren van het magische klooster in Orval.

*Maureen liep door de eeuwenoude ruïnes van het schip van de kloosterkerk. Gefilterd licht viel door de kale overblijfselen van het roosvenster terwijl ze omzichtig haar weg zocht tussen brokken steen en marmer. Deze keer wist ze waar ze heen ging. Ze was op weg naar de fontein.*

*Toen hoorde ze gegiechel.*

*Maureen ging op het geluid af en was niet verrast toen ze het kleine meisje met de stralende koperblonde vlechten bij de put zag staan. Het meisje wenkte haar nadrukkelijk. Ze had nog steeds niets gezegd, maar wees lachend naar het water, duidelijk met zichzelf ingenomen, om aan te geven dat Maureen daarin moest kijken. Terwijl ze in de diepte tuurde, ging er een huivering door het wateroppervlak en verschenen er beelden, kristalhelder, als in een film. Maureen hield geschrokken haar adem in. Ze zag haar overvaller een ruimte betreden, met het kostbare boek dat hij haar had afgenomen in zijn handen. De ruimte waarin hij zich bevond, leek uitgehakt in een grot, of misschien was het een souterrain. Aan een lange, rechthoekige tafel zaten duistere figuren, onheilspellend gekleed in vreemde zwartblauwe gewaden met een kap die hun hoofd volledig bedekte. Van hun gezicht waren alleen de ogen te zien achter een smalle opening in hun kap. De stoel in het midden was groter en rijker versierd dan de andere stoelen. Het was duidelijk dat dit de plaats was van de leider van deze vreemde orde.*

*Maureens overvaller, nog altijd in moderne kleren en met zonnebril, overhandigde het boek aan de centrale figuur, die de omslag bestudeerde, voorzien van een brede leren riem met slot. Blijkbaar had hij dat verwacht, want hij haalde een dolk uit de mouw van zijn gewaad. Eén snelle beweging van het lemmet over de riem, en het boek viel open.*

*Het was doodstil in de ruimte, niemand verroerde zich terwijl de leider het felbegeerde boek doorbladerde.*

*De bladzijden waren leeg.*

*Toen hij de laatste bladzijde opsloeg, bleek daar een enkel Latijns woord op het perkament te zijn geschreven.* INLEX, *was alles wat er stond.*

*Met duidelijke weerzin smeet de leider van de duistere figuren het boek naar zijn handlangers die het voor hem hadden bemachtigd. Maureen wist niet wat* INLEX *betekende, maar ze begreep dat het boek niet voldeed aan de verwachtingen van de geheimzinnige orde.*

*Het opklinkende gegiechel van het kleine meisje trok Maureens aandacht terug naar haar omgeving. Het kind stond opnieuw voor haar, net als eerder die dag, met haar handen achter haar rug. En weer gaf ze Maureen een linnen tas met een groot boek.*

*'Het is niet wat je denkt dat het is,' zei ze met een lieflijke glimlach om haar mond.*

*Toen giechelde ze weer, en ze verdween om een hoek. Maureen bleef achter, zich afvragend wat haar overvaller van haar had gestolen.*

❂

Het eerste daglicht viel door het raam van de kale, sobere kloosterkamer. Maureen wreef de slaap uit haar ogen en keek naar haar vriendin, die nog in diepe rust was. Terugdenkend aan de droom van die nacht besloot ze haar ervaringen onmiddellijk en zo uitvoerig mogelijk op te schrijven, met de nadruk op het woord INLEX. Als het inderdaad Latijn was, dan was ze hier op de juiste plek. De broeders van Orval hadden ongetwijfeld een klassieke opleiding genoten en zouden geen moeite hebben met de vertaling van een enkel woord.

Ze kleedde zich haastig aan en ging op zoek naar broeder Marco. Ze vond hem in de refter, waar hij voorbereidingen trof voor het ontbijt.

'Inlex?' Hij staarde even peinzend voor zich uit. 'Dat komt zonder meer uit het Latijn, maar het is een woord dat ik niet ken. Ga even mee naar de bibliotheek, dan zoeken we het op.'

Maureen volgde de monnik naar een schitterende ruimte, gevuld met eeuwenoude boeken. Ze was blij dat hij niet had gevraagd waarom ze de betekenis van het raadselachtige woord wilde weten. Hij was simpelweg hoffelijk en behulpzaam jegens zijn gast, pakte een Latijns woordenboek van de planken en bladerde het door tot hij had gevonden wat hij zocht.

'Hier heb ik het. Inlex. Dat betekent: "lokaas. Een list of een lokmiddel." Heb je daar iets aan?'

Nou en of ze daar iets aan had! Maureen weerstond de aandrang hem om de hals te vallen en hem te zoenen. Ze bedankte hem beleefd en haastte zich terug naar hun kamer om Tammy wakker te maken.

❂

'Tammy, het was een lokaas!' riep ze uitgelaten terwijl ze de kleine kamer binnenstormde.

Tammy schrok wakker. 'Hè? Wat?' Ze ging verward rechtop zitten.

'Het boek. Het boek dat ze gisteren van ons hebben gestolen. Het was niet het echte, het was...'

Maureen zweeg abrupt. In haar opwinding om Tammy te vertellen wat Inlex betekende, was het haar bijna ontgaan. Maar daar lag, midden op haar onopgemaakte bed, een linnen tas.

'Wat is dat?' Tammy was ineens klaarwakker. 'Heb je... Heb je enig idee waar dat vandaan komt?'
Met bonzend hart schudde Maureen haar hoofd. Inderdaad: waar kwam die tas vandaan? En wie had hem daar neergelegd? Wie kende haar dromen en stuurde haar geheimzinnige ketterse relikwieën? Wie had zich toegang weten te verschaffen tot het bed waarin ze die nacht had geslapen, terwijl haar vriendin er pal naast lag? Alles wat er gebeurde, leek afkomstig uit het rijk der fabelen. Dat nam echter niet weg dat de frequentie van de ongerijmdheden toenam. En dan was er de buitengewoon verontrustende vraag wie hen had beroofd onder bedreiging met een wapen. En waar was het de overvaller om gegaan?
Ze liep naar het bed, pakte de tas en haalde er een dik boekwerk uit. Anders dan bij het gestolen boek was in dit geval het karmozijnrode leer beduidend meer verweerd en gebarsten. Bovendien was het veel zwaarder. Dit zag er echt uit alsof het eeuwenoud was en duizend jaar lang verborgen was geweest. Een ander verschil met het 'lokaas' was dat hier geen riem met een slot omheen zat. Heel voorzichtig sloeg Maureen het boek open. Het bevatte honderden bladzijden van perkament, volgeschreven met een moeilijk leesbaar Latijns schrift. Op de eerste bladzijde was een rijk versierd symbool geblazoeneerd, een symbool dat Maureen sinds kort herkende. Het was het Latijns kruis met de vreemde ondertekening:
*Matilda, bij de Gratie van God Die Is.*

# 4

*Florenville, België*
*Heden*

'Matilda, die hoer! Ze is me weer ontsnapt!'
De leider van de orde gromde nijdig terwijl hij het vervalste boek dat als lokaas was gebruikt in een aanval van onbeheerste woede door de verborgen kelderruimte slingerde.
Een van de broeders waagde zich in troebel water: 'Hoe weet u zo zeker dat Matilda's boek aan dat wijf van Paschal zou worden bezorgd?'
'Twijfel je soms aan mijn oordeel?' beet de leider hem toe. 'Is er iemand van jullie die mijn kennis of mijn gezag in deze kwestie ter discussie durft te stellen?'
Het bleef doodstil, en de leider zette zijn tirade voort. 'Dankzij de onverdroten en onvermoeibare inspanningen van onze broeders door de eeuwen heen zijn we erin geslaagd alle bekende, op schrift gestelde verwijzingen naar *Het Boek der Liefde* uit te wissen. Anders dan in de fantasieën van dode ketters bestaat er geen enkel bewijs dat het ooit heeft bestaan. Tijdens de inquisitie hebben we alle documenten die ernaar verwezen in beslag genomen, en we hebben ze vernietigd – de documenten en de ketters. Er is maar één manuscript dat aan onze greep is ontsnapt, en dat is... het boek van Matilda.'
Zijn stem droop van het venijn terwijl hij haar naam als het ware uitspuugde. Alle vrouwen die door de eeuwen heen aanspraak hadden gemaakt op de titel van profetes, maakten hem razend. Maar de gehate gravin van Canossa spande de kroon, omdat ze al bijna duizend jaar lang elke poging om haar het zwijgen op te leggen had weten te ontlopen.
De jongere handlanger die Maureen en Tammy had overvallen, deed een stap naar voren. 'Wat wilt u dat ik doe, uwe heiligheid?'
'Je moet terug naar de bron,' grauwde zijn leider. 'Ga op zoek naar Destino.'

---

Van alle mannelijke volgelingen waren alleen Nicodemus en Jozef van Arimathea getuigen van de gebeurtenissen op de heuvel Golgotha, op de Zwarte Dag van de Schedel. Zij waren het die de nagels verwijderden en Onze Heer van het kruis namen. In aanwezigheid van de vrouwen legden ze het lichaam van hun messias op een linnen baar en brachten het naar een nabijgelegen tombe, het familiegraf van Jozef van Arimathea, dat deze ter beschikking had gesteld zowel uit eerbied, als vanwege de verwantschap. Want behalve zijn Leermeester was Jezus ook zijn neef.

Bij aankomst in de graftombe begon Maria Magdalena de wonden van haar geliefde te wassen, onder het uitspreken van vurige gebeden. Onvermoeibaar zalfde en oliede ze het lichaam, waarbij ze alle anderen in de kleine ruimte opriep met haar mee te bidden, opdat de hemelse Vader Zijn Zoon bij hen zou doen terugkeren. Ze baden allemaal, maar geen van hen bad zo hartstochtelijk als Maria Magdalena. Zelfs bezweet en besmeurd met vuil en bloed bezat ze nog altijd de waardigheid en de uitstraling van een koningin. Haar gezicht zag bleek, ze was verzwakt door verdriet en uitputting, maar ze weigerde haar werk en haar gebeden te staken, anders dan om zich bij tijd en wijle te overtuigen van het welzijn van de anderen. Haar bezorgdheid, zelfs onder die omstandigheden, was tekenend voor haar compassie.

Terwijl de anderen sliepen werkte Maria Magdalena door, zonder ook maar één moment het vertrouwen te verliezen dat God hun messias bij hen zou doen terugkeren. Maar Zijn lichaam bleef levenloos en er werd haar geen teken van hoop gezonden. Toen de eerste zonnestralen die zaterdagmorgen de tombe binnen vielen, wikkelde Maria het lichaam van haar geliefde in een lijkwade. De symboliek van deze daad – de onherroepelijkheid, de overgave die eruit sprak – werd haar te veel. Ze zakte in elkaar, terwijl ze in haar handen de albasten kruik met helende oliën nog vasthield.

De mannen droegen haar langzaam en voorzichtig naar het huis van Jozef van Arimathea, op dezelfde linnen baar als waarop ze Jezus de dag tevoren naar de tombe hadden gebracht. Lucas, die arts was, onderzocht haar en constateerde dat haar toestand zorgwekkend was. Ze haalde slechts oppervlakkig adem, en omdat ze naast alles wat ze had doorgemaakt ook nog zwanger was, was het zaak haar goed in de gaten te houden. Hun gebeden zouden nu háár moeten gelden. Toen Maria eenmaal in bed lag, door de vrouwen omringd, kwamen de mannen bij elkaar in Jozefs privévertrekken.

Ondanks het verdriet dat hen dreigde te overweldigen, waren ze alle drie geroerd door de zuiverheid van Maria's liefde en door haar toewijding aan Jezus. Daarmee hielp ze hen te beseffen dat het verlies van hun messias niet hetzelfde hoefde te betekenen als het verlies van Zijn boodschap. Maria Magdalena had zich de leer van de Weg eigengemaakt en vormde daarvan de belichaming. Door haar daden bewees ze dat de liefde sterker was dan de dood. Elke dag van haar bestaan was ze het levende bewijs van deze waarheid. Samen legden Jozef van Arimathea, Nicodemus en Lucas de gelofte af haar en de heilige leer te beschermen en te steunen, tijdens haar leven, tijdens het leven van haar kinderen en tot in lengte van dagen. Op die Heilige Zaterdag zwoeren de drie mannen een onverbrekelijke bloedeed. Ze legden getuigenis af van hun geloof en sloten een bondgenootschap dat bekend zou worden als de Orde van het Heilige Graf.

Toen Jezus bij Zijn herrijzenis Madonna Magdalena deelgenoot maakte van Zijn wederopstanding, wisten de drie mannen dat ze een gepaste gelofte hadden afgelegd. Alle aardse resten van hun Leermeester waren verdwenen.

De mannen zagen in deze gedenkwaardige gebeurtenis het bewijs dat Hij Magdalena tot Zijn opvolger had gekozen om de leer van de Weg verder uit te dragen. Misschien had ze door de liefdevolle zorg waarmee ze Zijn lichaam in de tombe had gezalfd en geolied, bijgedragen aan het heilige en ontzagwekkende proces van de wederopstanding. Kon het zo zijn dat de macht van de liefde genoeg was om een dergelijk wonder tot stand te brengen? Wie zou het met zekerheid kunnen zeggen? Zulke dingen waren een kwestie van geloof, van vertrouwen. Ieder mens moest op zijn manier en op zijn moment de weg vinden naar God.

Maar deze mannen waren unieke getuigen. De overleveringen en inzichten die ze aan opeenvolgende generaties zouden doorgeven, waren gebaseerd op hun eigen ervaringen gecombineerd met de leer van Jezus zelf. Zij waren de gezegende stichters van onze Orde.

– De oprichting van de Orde van het Heilige Graf,
zoals bewaard gebleven in *Het Libro Rosso*

*Rome*
*Heden*

Het plein voor het Pantheon, de Piazza della Rotonda, is een van de meest tot de verbeelding sprekende toeristische plekken in Rome, aan een van de zijden gedomineerd door het eeuwenoude bouwwerk met zijn schitterende koepel waaraan het zijn naam ontleent. In de tweeduizend jaar van zijn geschiedenis veranderde het Pantheon van een plek van aanbidding voor de heidense Romeinen in een pelgrimsoord voor de toegewijde volgelingen van het katholicisme. En hoewel het in de loop der eeuwen aan diverse goden was gewijd, vormden de vrouwelijke welvingen van de schitterende koepel waarom het gebouw terecht beroemd is een eerbetoon aan de oude godinnen.

De piazza is een centrum van vrouwelijk goddelijke energie. Het hart van het plein wordt gevormd door een van Romes grote fonteinen, in dit geval gedomineerd door een Egyptische obelisk van drieëndertighonderd jaar oud, gemaakt van rood graniet. De obelisk werd van Heliopolis naar Rome gebracht, om daar een tempel te sieren gewijd aan Isis, de godin die werd gezien als de moeder van al het leven.

Maureens hotelkamer keek uit op het plein. Terwijl ze wachtte op de komst van Peter, met het vonnis over het geheimzinnige rode boek, staarde ze naar de fontein. Ze was hier inmiddels twee dagen. Tammy was in Orval gebleven, waar Roland haar zou komen halen, zodat ze de lange terugrit naar de Languedoc niet alleen hoefde te maken na alles wat ze had doorgemaakt. Inmiddels was ze ongetwijfeld bij Roland en Berenger, dacht Maureen met een zucht, denkend aan haar abrupt afgebroken hereniging met Berenger. Ze leek wel gek dat ze er zo tegenop had gezien en het weerzien zo lang had uitgesteld, en ze vroeg zich af of zijn geduld met haar en haar omzwervingen niet begon op te raken.

Op dat moment zag ze Peter het plein oversteken, met een attachékoffer onder zijn arm.

'*Buona sera!*' riep ze, uitbundig zwaaiend. Toen ging ze naar beneden om hem op te wachten bij de lift. Haar hart bonsde in haar keel. Aan zijn gezicht kon ze zien dat de ontdekking die ze hadden gedaan inderdaad een belangwekkende was, maar omwille van de veiligheid hadden ze afgesproken het er via de telefoon of in het openbaar niet over te hebben.

Toen ze in de lift naar boven stapten, vroeg Peter: 'Weet je nog wat dat kleine meisje zei in je droom? *Het is niet wat je denkt dat het is?*'

Maureen knikte. 'Het is niet *Het Boek der Liefde.*'
'Nee, dat is het inderdaad niet. Maar het lijkt erop dat het daar wel elementen van bevat, en in elk geval wordt er op diverse plekken naar verwezen.'
Maureen probeerde niet teleurgesteld te zijn terwijl ze dit op zich liet inwerken. Ze deed de deur open naar haar kamer en hield zichzelf voor dat ze vertrouwen moest hebben in de gang van zaken.
Peter schonk haar een glimlach, maakte zijn attachékoffer open en haalde er een stapeltje kopieën uit van de eerste bladzijden, samen met zijn voorlopige vertaling.
'Maureen Paschal, mag ik je voorstellen aan Matilda van Toscane? Wat we hier hebben, is een nog onbekende versie van haar levensverhaal, door haarzelf geschreven.'
Maureen slaakte een kreet van verrukking. Weg was haar teleurstelling. Haar passie voor de rol van de vrouw in de geschiedenis was een van de drijvende krachten in haar leven. De ontdekking van iets van deze importantie was als een kostbare schat.
'Blijkbaar is het een soort familietraditie.' Ze liet haar blik over de bladzijden gaan. 'Om er een hobby van te maken autobiografieën te ontdekken van onze stamvaders en -moeders.'
'Lach niet. Ik denk dat het letterlijk een familietraditie is, en een belangrijke ook. Volgens mij is een aantal nazaten van de bloedlijn op hoge posities tot de conclusie gekomen dat het noodzakelijk was duidelijkheid te scheppen en de waarheid op schrift te stellen, omdat die waarheid anders een stille dood zou sterven. En het lijkt erop dat dit ook gold voor Matilda. Zoals je weet hebben "ketters" eeuwenlang niets aan het perkament willen toevertrouwen omdat het te gevaarlijk was. Maar Matilda was niet zomaar een ketter. Ze was een ketter zonder vrees en een vrouw die zeer was toegewijd aan haar spirituele missie om te zorgen dat de waarheid bewaard bleef. Er bestaat een biografie van haar in de archieven van het Vaticaan, geschreven door een zekere Donizone, een monnik en tevens tijdgenoot van Matilda, die beweerde haar persoonlijke biograaf te zijn. Maar hij was een benedictijner monnik en zijn geschiedschrijving was niet onbevooroordeeld, zoals dat gold voor alle monniken van zijn orde. Vandaar dat sommige aspecten van de biografie verdacht zijn. Het verhaal is duidelijk verfraaid, op instigatie van Rome. Dus blijkbaar heeft Matilda op een gegeven moment besloten om zelf haar levensverhaal op schrift te stellen, want alle bronnen zijn het erover eens dat ze buitengewoon goed was opgeleid. Donizone noemt haar *docta*, wat neerkomt op "uitzonderlijk

geleerd". Het was geen betiteling die nonchalant werd gebruikt, en al helemaal nooit voor een vrouw. Dus we mogen aannemen dat ze heel goed in staat was verslag te doen van haar leven, vanuit haar eigen gevoelens, haar eigen perspectief. Maar... de biografie is wel buitengewoon controversieel, en dan druk ik me nog erg voorzichtig uit.'

'Dus... je hebt het hele document al gelezen?'

Peter schudde zijn hoofd. 'Nee, ik heb genoeg gelezen om te weten dat de inhoud weleens wereldschokkend zou kunnen zijn, maar niet genoeg om je definitief uitsluitsel te kunnen geven over wie ze was of wat ze in haar bezit had.'

'Maar ze heeft het over *Het Boek der Liefde*?'

Peter knikte. 'Ja, en ook nog over iets anders. *Het Libro Rosso*, wat "Het Rode Boek" betekent. In de hele biografie zijn daar fragmenten uit terug te vinden.'

'In haar vordering eist ze haar *Rode Boek* terug.'

'Precies. Mijn eerste gedachte is dat *Het Rode Boek* een Italiaanse versie is van *Het Boek der Liefde*, een kopie die in Italië is beland terwijl het origineel in Frankrijk bleef.'

Maureen leunde naar achteren, vervuld van ontzag voor wat ze hadden ontdekt. 'Dus we weten nu dat er ten minste twee kopieën waren van het boek dat Jezus heeft geschreven.'

Ze werd overstelpt door vragen, maar toen ze die op Peter wilde afvuren, weerde hij ze lachend af. 'Ik zal Matilda zelf aan het woord laten. Ben je er klaar voor?'

Peter pakte zijn vertaling en begon te lezen.

*Mantua, Italië*
*Het jaar Onzes Heren 1052*

'Nee, niet dat verhaal, Isobel! Dat andere! Het verhaal over het labyrint.'

Matilda was pas zes en ongewoon tenger, maar haar wilskracht logenstrafte haar fysieke verschijning. Ze stampte met haar voetje en gooide haar weelderige rode haardos naar achteren terwijl ze haar kindermeisje gebiedend aankeek. 'Je weet toch dat ik dat het allermooiste verhaal vind? Iets anders wil ik niet horen. Maar je moet stoppen voordat het akelig wordt. Ik heb een hekel aan het akelige stuk.'

De piepjonge gravin van Canossa trok een lelijk gezicht om haar afkeer van het akelige stuk te illustreren, terwijl de lieftallige vrouwe Isobel van Lucca geduldig knikte. Met haar zachte handen had ze het geboortebloed van het gezichtje geveegd toen haar pupil amper vijf tellen oud was. Ze had de zuigeling in doeken gewikkeld en gewiegd als haar eigen kind. Sinds die avond, vroeg in de lente van het jaar 1046, toen de driftige pasgeborene na haar eerste dappere ademtocht Toscane luidruchtig haar komst had aangekondigd, was Matilda aan de goede zorgen van vrouwe Isobel toevertrouwd geweest. Voor de onderdanen van haar vader, die afstamden van de vurige krijgers uit Lombardije in het noorden van Italië, betekende de geboorte van een kind op de lente-evening een bijzondere zegen van God. De kreet van de pasgeborene klonk zo krachtig en hartstochtelijk dat haar vader, die met zijn mannen op een aangrenzende binnenplaats de geboorte had afgewacht, ervan overtuigd was geweest dat hij was gezegend met een zoon. Hertog Bonifacio's teleurstelling over het feit dat zijn kind, geboren op de gewijde dag, een meisje was, had niet lang geduurd. Terwijl Matilda opgroeide en steeds meer kenmerken begon te vertonen van haar adellijke ouders – de gratie en de verfijnde gelaatstrekken van haar slanke moeder, gecombineerd met de kracht en de vastberadenheid van haar vader – werd ze al snel de gekoesterde en aanbeden dochter van de meest vreeswekkende man in Italië.

'Waarom wil je dat verhaal toch zo graag horen, Tilda? Ik zou denken dat het je onderhand zou vervelen. Je kent het uit je hoofd! En ik heb nog zoveel andere verhalen die ik je kan vertellen.'

'Het verveelt me helemaal niet. Dus begin maar bij het begin,' klonk het gebiedend.

Isobel glimlachte geduldig, maar bleef zwijgen. Matilda keek haar opstandig aan; toen zwichtte ze.

'Isobel, alsjeblíéft! Wil je me alsjeblieft mijn lievelingsverhaal vertellen? Dan ben ik prinses Ariadne en ik spin mijn magische draden. Toe, ik heb "alsjeblieft" gezegd.'

'Ja, dat heb je, Matilda. Maar pas toen ik je aan je goede manieren herinnerde. Zo zou het niet moeten zijn. Je moeder stamt af van het adellijkste geslacht ter wereld. Ze is een rechtstreekse nazaat van de gezegende Karel de Grote, maar daar laat ze zich niet op voorstaan, zelfs niet tegenover de bedienden die haar nachtspiegel komen legen. Heb je haar ooit horen snauwen? Nee, en dat zul je ook nooit horen. En behalve je vader, die daar zijn eigen redenen voor heeft, zul je geen enkele inwoner van Lucca zich zo zien gedragen. Dat is niet de weg waarvoor we hebben gekozen, m'n kind. Of liever gezegd: het is niet in overeenstemming met dé Weg.'

Matilda liet het standje op zich inwerken. Haar neiging tot bazig gedrag vloeide voort uit haar natuurlijke enthousiasme en gedrevenheid, maar was bovendien een gevolg van de invloed van haar vader. Want haar moeder, vrouwe Beatrice, was inderdaad buitengewoon voornaam en duidelijk van hoge komaf, maar Bonifacio was een soldaat in hart en nieren. Matilda's vader was een telg van de gewijde en heilige stad Lucca. Dat, gecombineerd met het vurige krijgersbloed uit Lombardije, betekende een welkome aanvulling voor het Huis van Toscane. Beatrice was verfijnd, met de innerlijke beschaving van het Duitse koninklijk huis; Bonifacio daarentegen was de vaak meedogenloze, altijd op macht beluste feodale heer – veel meer een zoon van zijn krijgszuchtige Lombardijse voorvaderen dan van het spirituele Lucca waar hij was geboren. De Lombardijers drongen in de zesde eeuw Italië binnen en richtten grote verwoestingen aan in wat er over was van een afbrokkelend Romeins Rijk. Hun invloed leeft voort in een streek in het noorden van Italië die tot op de dag van vandaag Lombardije heet.
Hoewel Bonifacio uitzonderlijke rijkdom en macht erfde, werkte hij onvermoeibaar aan de vergroting van zijn fortuin door zijn eigen verdiensten. De rivieren rond Mantua, de Po en de Mincio, waren de handelsaderen naar Noordwest-Europa die tot grote bloei kwamen onder Bonifacio's bewind. In de tijd daaraan voorafgaand waren kooplieden beducht voor de wetteloosheid van Noord-Italië en vermeden ze het om daar handel te drijven. Cruciale routes naar belangrijke havens zoals Venetië, voor het importeren van luxegoederen uit de Oriënt en uit andere gebieden, waren volledig afgesneden.
Maar de hertog van Toscane regeerde met ijzeren hand over de Po-vallei en knoopte bandieten op nadat hij er persoonlijk op had toegezien dat ze wreed waren verminkt, als waarschuwing voor potentiële piraten dat dergelijk gedrag niet langer werd getolereerd. Sterke groepen van onbevreesde en goed betaalde huursoldaten werden omgesmeed tot een elitekorps om in naam van de groothertog te patrouilleren in het rivierengebied.
Dankzij Bonifacio's ingrijpen waren de handelsroutes weer veilig, hetgeen kooplieden aantrok vanuit het Adriatische gebied, maar ook vanuit Duitsland, waar de handelaren een grotere bereidheid aan den dag legden om de Alpen over te steken met hun kostbare waren uit het noordelijke koninkrijk Saksen. In ruil voor zijn inspanningen hief Bonifacio belastingen en handelstarieven, die de kooplieden maar al te graag betaalden om veilig in deze lucratieve regio te kunnen opereren. Bonifacio's rijkdom en macht groeiden tot legendarische proporties, mede dankzij de vrouw aan

zijn zijde, die niet alleen beeldschoon was, maar bovendien blauw bloed in haar aderen had. Ze was het sieraad in zijn feodale kroon, de legitimatie die hij nodig had en begeerde.
Bonifacio's enige zwak was zijn dochter, die hij vaak voor zich in het zadel zette wanneer hij zijn gebieden inspecteerde. Toen ze zes was, had Matilda al meer ervaring als ruiter dan de meeste volwassen mannen van haar tijd. Maar telkens wanneer Matilda tijd had doorgebracht in gezelschap van haar autoritaire vader, had Isobel uren werk om het gedrag van het kind te corrigeren.
'Het spijt me, Isobel.' Matilda slaagde erin er enigszins schaapachtig uit te zien, zij het slechts even. 'Ik zal mijn best doen om een goede en voorname gravin te zijn.'
'Zo mag ik het horen. Akkoord, hoe was het ook alweer? Waar begint het verhaal?'
'Op Kreta!' joelde Matilda opgewonden.
'O ja. In het machtige, glorierijke koninkrijk Kreta. Lang, heel lang geleden leefde er een grote koning die Minos heette...'

---

De Minotaurus was een indrukwekkend monster, telg van de familie van de koning van Kreta, de machtige Minos, en zijn vrouw, koningin Pasiphaë. Hij was half mens, half stier, en hij had de eetlust van tien wilde dieren. Er wordt beweerd dat de Minotaurus het product was van Pasiphaë's onwettige samenzijn met een god, of erger nog: met een reusachtige witte stier. Dit is waarschijnlijk verkeerd begrepen door bevooroordeelde mannen die de grootse mysteries van de ouden niet konden bevatten. Het ligt meer voor de hand dat koningin Pasiphaë een priesteres was van de maan en als zodanig de belichaming van het heilig vrouwelijke. In dat geval was haar paring met een priester in stierengedaante, als belichaming van het heilig mannelijke, de bekrachtiging van een ritueel dat sinds de dageraad van de mensheid is beschouwd als een gewijd mysterie: een ritueel waarbij de mannelijke en de vrouwelijke energieën worden verenigd, noodzakelijk voor de balans van het leven op aarde.
Aldus blijft het een mysterie hoe de Minotaurus is verwekt, maar wat we zeker weten is dat hij een combinatie vormde van het menselijke en het goddelijke, met als gevolg dat hij half wonderbaarlijk, half gruwelijk was. Misschien ligt in het bestaan van de geheimzinnige Minotaurus het geheim besloten van de Val. Misschien is hij een symbool van het grote verlies van inzicht dat optreedt wanneer de mens niet langer in staat is zijn goddelijke aard te aanvaarden. En nog belangrijker: het verlies van onze menselijkheid wanneer we de noodzaak uit het oog verliezen om zowel het mannelijke als het vrouwelijke in hun goddelijke vorm te vereren, en al wat in die heilige eenheid kan worden geschapen.
De naam van de Minotaurus was Asterius, wat 'sterrenwezen' betekent, een voortvloeisel uit zijn goddelijke oorsprong. Hij werd aanbeden als een van de goden, maar tegelijkertijd boezemde hij de mens grote angst en vrees in. Zijn lichaam was bedekt met een patroon van sterren, om de mens eraan te herinneren dat alle schepselen uit de hemel voortkomen, zelfs zij die een onedele aard lijken te hebben. We komen voort uit de hemel, en daarheen keren we terug. Zo boven, zo beneden.
Werd Asterius als monster geboren? Als verschrikkelijk schepsel dat mensenoffers eiste en de rust en de vrede van Kreta bedreigde? Of werd hij tot een monster gemaakt omdat de liefde hem werd ontzegd en omdat hij het doelwit werd van spot, wreedheid en veroordeling? Zeker is dat hij een bron van schaamte was voor koning Minos, die niet kon verdragen dat zijn vrouw buiten hem om zwanger was geworden, ook al was het van een goddelijk wezen. Minos werd bijna tot waanzin gedreven door jaloezie, en hij wilde niets liever dan Asterius vernietigen. Maar vanwege de goddelijke afkomst van het monster durfde hij het niet te doden. Dus besloot de koning een onderaardse

gevangenis te laten ontwerpen waarin het ongewenste schepsel zou worden ondergebracht, zodat hij het niet langer hoefde te zien.
Er woonde op Kreta een vluchteling uit Athene, Daedalus de Uitvinder, die van Minos de opdracht kreeg een gevangenis te ontwerpen waarin de Minotaurus kon worden ondergebracht. Tijdens het werken aan dit gruwelijke ontwerp ontwikkelde Daedalus zich tot meesterbouwer. Wat hij bedacht, was het labyrint, een enorme, cirkelvormige doolhof waardoor een pad leidde naar een middelpunt; daar, in het middelpunt, bevond zich de tempel waarin het schepsel kon wonen. Het labyrint was zodanig geconstrueerd dat wie het eenmaal was binnengegaan, het nooit meer zou kunnen verlaten. Dit had tot doel om niet alleen de Minotaurus gevangen te houden, maar ook zijn ongelukkige slachtoffers. Als offer eiste de Minotaurus eens in de negen jaar zeven meisjes en zeven jongens die naar het hart van het labyrint werden gestuurd en die het monster verslond zonder dat er een spoor van hen overbleef.
Zo leidde Asterius de Minotaurus het leven van een goddelijk monster, verborgen voor het oog van de Kretenzers, opgesloten in zijn onderaardse labyrint. Maar eens in de negen jaar viel zijn schaduw over het land. Koning Minos en koningin Pasiphaë kregen samen vele menselijke kinderen, onder wie de lieftallige en beminnelijke prinses Ariadne. De minoïsche prinses was beroemd om haar stralende schoonheid en stond dan ook wijd en zijd bekend als 'De Zeer Stralende', maar ook als 'De Zuiverste naar Hart en Geest'.
Nu wilde het lot dat Kreta in oorlog was met Athene. Ariadnes broer en Minos' enige zoon, een held die Androgeos heette, werd door de Atheners in de strijd gedood. Koning Minos huilde van verdriet om het verlies van zijn zoon en verklaarde zich meedogenloos op Athene te zullen wreken. Als onderdeel van zijn wraak eiste Minos dat de Atheners hun kinderen aan de Minotaurus offerden, en veertien onschuldigen werden vanuit de stadstaat naar Kreta gebracht.
De jongste zoon van de koning van Athene was een dappere en beeldschone jongeling die Theseus heette. Toen het moment was aangebroken waarop de Atheners hun gruwelijke offer moesten brengen, bood Theseus zich vrijwillig aan als eerste van de veertien het labyrint binnen te gaan, vastbesloten de Minotaurus te doden en zo de levens te redden van toekomstige onschuldigen en Athene te bevrijden van deze verschrikking. Want zelfs in zijn jeugd bezat hij al een wijsheid die zijn jaren ver te boven ging. Hij begreep dat het brengen van offers aan de Minotaurus een keuze was, een traditie die niet hoefde te worden voortgezet. Maar er zou een moedig man nodig zijn om er een eind aan te maken.
Prinses Ariadne wandelde op het strand bij de haven van Kreta toen het schip uit Athene aanlegde om de jongens en meisjes van boord te laten gaan die zou-

den worden geofferd. Er wordt beweerd dat ze op slag verliefd op hem werd toen ze Theseus zag, en dat ze bovendien in hem de stralende held herkende die de duisternis kon verslaan die loerde in het onderaardse van Kreta in de gedaante van haar halfbroer, de verschrikkelijke Minotaurus Asterius. Haar hele leven was overschaduwd geweest door de gedachte dat er onschuldigen werden geofferd om zijn onmenselijke honger te stillen, maar tegelijkertijd voelde ze in haar barmhartigheid mee met zijn gruwelijk lijden.

Ariadne regelde een geheime ontmoeting met Theseus, op de avond voorafgaande aan de offerplechtigheid. Bij die ontmoeting zwoer Ariadne dat ze hem zou helpen, in ruil voor zijn belofte met haar te trouwen en haar met zich mee te nemen.

Nu was de schone Ariadne door haar vader beloofd aan de losbandige god Dionysus. Er werd beweerd dat de godheid half tot waanzin was gedreven door zijn passie voor Ariadnes zuivere schoonheid, en dat hij haar als schatting van Minos had geëist, in ruil voor de overwinning op de Atheners. Minos was met tegenzin gezwicht, maar de overeenkomst was een feit. De zuivere vrouwe Ariadne was een toegewijd volgeling van Aphrodite, de godin van de liefde. Als zodanig kon ze de gedachte niet verdragen te moeten trouwen om een andere reden dan uit ware liefde, laat staan dat ze zich kon overgeven aan een vernederend lot als bijvrouw van de god van het hedonisme.

Zodra ze Theseus zag was ze verloren, en ze wist dat hij haar lot kon veranderen. Theseus zou de mensheid bevrijden van de Minotaurus, en Ariadne van de duistere god, dat alles door de kracht van de liefde. Er wordt beweerd dat Ariadne en Theseus die nacht met elkaar verenigd werden in passie en vastberadenheid, in het vlees en in de geest, in vertrouwen en in bewustzijn. En door hun eenwording bood ze hem het machtige schild van haar zuivere liefde.

Als halfzuster van het gruwelijke monster kende Ariadne de geheimen rond de Minotaurus. Ze wist hoe hij kon worden gedood en ze kende de uitgang uit het labyrint. Van dit alles maakte ze haar kersverse geliefde deelgenoot. Daarop weefde ze haar zijdezachte haar tot gouden strengen om een magische draad te creëren, een zogenoemde leidraad, waarmee ze haar geliefde zou kunnen helpen te ontsnappen uit het labyrint. Ten slotte schonk ze hem een wonderbaarlijk zwaard, een wapen dat ooit was gesmeed voor de zeegod Poseidon, van zilver en goud, om het licht van zon en maan te symboliseren zoals dat werd weerkaatst door de golven. Ariadne wist dat dit wapen haar halfbroer noodlottig zou worden zonder dat hij hoefde te lijden. Als hij haar instructies opvolgde, zou Theseus de Minotaurus doden met een enkele zuivere en genadige slag, en tevoorschijn komen als de held van het licht.

Toen hij de volgende morgen als eerste offer het labyrint werd binnengeleid,

maakte Theseus een uiteinde van Ariadnes draad vast aan een ijzeren ring bij de ingang, met een symbolische bruidsknoop zoals ze hem dat had voorgedaan. Hij nam de bol magisch draad mee naar binnen en ontrolde hem langzaam terwijl hij de kronkelende paden volgde naar het gruwelijke monster.
In het hart van het labyrint ontmoette Theseus de Minotaurus en hij versloeg hem eerzaam in een strijd van man tot halfmens, beschermd door Ariadnes liefde en door het magische wapen dat ze hem had gegeven en waarmee hij het monster de genadeslag gaf. Toen zijn taak was voltooid, volgde de held Ariadnes draad terug naar de uitgang van het labyrint, die hij veilig bereikte en waar hij door zijn nieuwe geliefde in de armen werd gesloten. Theseus nam zijn prinses met zich mee, bevrijdde de resterende dertien jongens en meisjes uit Athene en keerde terug naar het schip als de bevrijder van zijn volk en de roemrijke doder van het goddelijke monster.
Ze zeilden tot ze bij het eiland Dia kwamen, waar ze besloten de nacht door te brengen om hun bevrijding te vieren en proviand in te slaan vóór hun terugkeer naar Athene. Helaas duurde de vreugde maar kort, want de door de wijn tot waanzin gedreven Dionysus verscheen op het eiland om zijn bruid op te eisen. Volgens de wetten der mensen en der goden was Ariadne van hem, zei hij. Ze was uitgehuwelijkt door haar koninklijke vader en had geen eigen stem, geen recht zich te verzetten. Theseus protesteerde en zei dat Ariadne uit vrije keuze van hem was, en dat hij haar koningin van Athene zou maken. Daarop herinnerde Dionysus hem eraan dat hij als god Ariadne onsterfelijk kon maken door met haar te trouwen. Dus als de Athener oprecht van haar hield, zou hij haar goddelijke bestemming niet in de weg staan. Ze ruzieden tot diep in de nacht, waarbij de god van de wijn, de dans en het pleziermaken Theseus onvermoeibaar aanviel.
Het was een gruwelijke keuze voor de jonge prins uit Athene, die zich niet kon meten met de sluwe en vastberaden god. Uiteindelijk geloofde Theseus dat de god zich Ariadne met geweld zou toe-eigenen en zich niet alleen op hem, maar op heel Athene zou wreken als hij zich bleef verzetten. Dus besloot Theseus met een bezwaard gemoed Ariadne over te dragen aan Dionysus, en toen hij wegzeilde van het eiland Dia, was het zonder zijn pasgevonden geliefde.
Ariadne was hevig van streek door het verlies van Theseus en wanhopig dat ze de gemalin zou worden van de wellustige god, die haar met een list had veroverd. Maar de heilige kracht van de liefde bewerkstelligde een wonderbaarlijke verandering bij de god Dionysus. Deze was zo verliefd op de prachtige en zuivere Ariadne dat hij het niet kon verdragen haar zo gekweld te zien. Dus hij nam haar niet met geweld, maar beloofde dat ze alleen de zijne zou worden

wanneer ze daar uit eigen beweging mee instemde. Daarop begon Dionysus haar te overladen met geschenken en haar schoonheid te roemen; hij beloofde zelfs plechtig dat hij zijn decadente manieren zou afleren om te bewijzen dat zijn liefde voor haar oprecht was. Toen Ariadne zag hoe ver de god ging in zijn toewijding, en hoe hij daardoor veranderde, verdween de kilte uit haar hart. Door haar gebeden tot Aphrodite, de belichaming van de liefde, kwam Ariadne tot het inzicht dat Theseus voor haar zou hebben gevochten als hij oprecht en diep in zijn hart het gevoel had gehad dat ze voor hem de enige ware was. Dat hij dat niet had gedaan, was voor haar het bewijs dat ze hem moest vergeten.

Want liefde die niet in gelijke mate wordt beantwoord, is geen liefde, en is niet heilig. En vasthouden aan het ideaal van een dergelijke liefde kan ons blind maken voor de ware liefde.

Uiteindelijk brak de dag aan waarop Ariadne erin toestemde de vrouw te worden van Dionysus, en ze leefden gelukkig en tot in eeuwigheid als ware en gelijkwaardige deelgenoten aan de hieros gamos. Bij Dionysus vond Ariadne de ware liefde – bij een geliefde die voor haar had gevochten.

Theseus daarentegen had geen andere keus dan tot het eind van zijn dagen te rouwen om het verlies van Ariadne en zijn eigen zwakheid te betreuren die had geleid tot de verschrikkelijke beslissing om haar in de steek te laten. Ter ere van zijn verloren geliefde, die nu een godin was, liet hij een tempel voor haar bouwen op het eiland Amathus. Rond het beeld van Aphrodite dat Ariadne bij vertrek uit Kreta had meegenomen, richtte hij een bouwwerk op dat hij de Tempel der Liefde noemde en dat hij wijdde aan 'Ariadne-Aphrodite'. In de tempel legde hij een labyrint aan dat het symbool werd van de liefde en de bevrijding, en de traditie werd gevestigd van een ritmische dans die de viering van de goddelijke eenwording vertegenwoordigde, op het jaarlijkse feest ter ere van Ariadne, het feest van de Vrouwe van het Labyrint die de duisternis versloeg door haar liefde. Het nieuwe labyrint werd ontworpen als een plek van vreugde, met een heilig, spiraalvormig pad dat naar het hart leidde, maar ten slotte ook naar de uitgang. Niet langer was het labyrint een plek waar menselijke zielen verloren raakten. In plaats daarvan zou het een plek zijn waar de mens zichzelf kon vinden; een plek om zowel het menselijke als het goddelijke te vieren dat we allemaal in ons hebben zodra we hebben geleerd onze innerlijke minotaurussen te doden door het geloof in de macht van de liefde.

Theseus werd een van de grootste helden uit de geschiedenis. Hij maakte van Athene een rechtsstaat en een democratie, en wordt nog altijd erkend als de wijze en barmhartige stichter van de stad die de mensheid zoveel wijsheid heeft gebracht. Het lijdt geen twijfel of zijn diepe inzicht in de aard van liefde en verlies heeft hem gemaakt tot de grote leider die hij was.

Wie oren heeft om te horen, die hore.

– De legende van Ariadne, de Vrouwe van het Labyrint,
zoals bewaard gebleven in *Het Libro Rosso*

---

Isobel vertelde de legende van het labyrint zoals ze dat al vele malen eerder had gedaan, en zoals deze bewaard was gebleven in hun heiligste geschriften, als een hoeksteen van *Het Libro Rosso, Het Rode Boek*. Ze hield daarbij rekening met de leeftijd van het kind door de openlijke seksuele verwijzingen weg te laten en te eindigen vóór wat Matilda het 'akelige stuk' noemde, waarin alles verkeerd gaat voor de jonggeliefden en Ariadne aan Dionysus wordt overgeleverd. Voor het kind Matilda had de legende van het labyrint een gelukkige afloop: Theseus doodde het monster, hij redde de zonen en dochters van Athene, en hij zeilde weg met zijn prachtige prinses, de horizon tegemoet.

Ze had nog alle tijd om te leren dat de meeste liefdesgeschiedenissen verre van simpel waren en niet zo rimpelloos eindigden. Sterker nog: een van de belangrijke lessen van de labyrintlegende was dat er in de geschiedenis van de mensheid vaak níét wordt geluisterd naar de noden van vrouwen en de stem van de liefde. Ariadnes verlangen speelde geen enkele rol in de ruzie tussen Theseus en Dionysus, ook al verklaarden beide mannen van haar te houden en eisten ze haar allebei voor zichzelf op. Ze had geen enkele stem in haar eigen lot, een lot dat al was bezegeld door haar vader toen hij zijn dochter verkocht in ruil voor de welwillendheid en het bondgenootschap van Dionysus. Dit was de voorbode van de ware historische val van de mensheid – toen vrouwen door de mannen werden gedegradeerd tot onderpand bij het onderhandelen, zonder enige zeggenschap over hun eigen toekomst. Ze werden bezit, spelstukken op een politiek schaakbord waarop ze werden ingezet door hun mannelijke verwanten: gedevalueerd, vernederd, zelfs ontmenselijkt. Toen huwelijken verwerden tot politieke overeenkomsten waar-

bij vrouwen door hun families rechteloos, als vee werden verhandeld, werd wat ooit het hart van de heilige eenheid was een plek waar verkrachting werd gelegaliseerd door de staat. De Val van de Mens was een feit.
Isobel wist dat Matilda een soortgelijke bestemming wachtte, dat ze zich uiteindelijk alle complexe lessen van macht en liefde in het verhaal van Ariadne eigen zou moeten maken. Maar Isobel zou Matilda ook moeten leren dat de eenheid tussen man en vrouw bedoeld was om méér te zijn dan wat deze was geworden: een ontmenselijkende en vaak wrede transactie.
Isobels plichten als Matilda's kindermeisje behelsden behalve haar fysieke verzorging ook het spirituele en intellectuele welzijn van het kleine meisje. Matilda was door haar geboorte al een uitzonderlijk kind, en haar behoedster was met veel zorg gekozen. Het was Isobels taak het meisje groot te brengen omringd door de buitengewoon geheimzinnige en beschermde tradities die sinds de eerste eeuw na Christus in Lucca in ere werden gehouden. Hoewel Bonifacio het te druk had met veroveringen en gebiedsuitbreiding om zich bezig te houden met religie of spiritualiteit, hield hij deze tradities in ere uit respect voor zijn grootvader, de legendarische Toscaanse leider Siegfried van Lucca. Het was gepast dat zijn dochter in deze heilige tradities werd opgeleid en ingewijd. Vandaar dat Bonifacio en Beatrice zich tot de lieftallige Isobel hadden gewend, afkomstig uit een van de hoge families van Toscane. Sterker nog: Isobel was een edelvrouwe, via Siegfried als nicht verwant aan Bonifacio.
Matilda's moeder, vrouwe Beatrice, was als nazaat van het hoogedele huis van Lotharingen ook van adel, maar daar lag de oorsprong van de plaatselijke spirituele tradities eeuwen terug, niet onmiddellijk onder de oppervlakte zoals in het woeste land van Toscane. Beatrice was zich maar al te zeer bewust van haar verheven ketterse erfenis; toch handhaafde ze in haar huishouden de traditionele katholieke gebruiken. Dat was noodzakelijk omdat ze tot de Duitse koninklijke familie behoorde, die trouw verschuldigd was aan de katholieke Kerk en aan de daaraan verwante, complexe politieke structuur die in Europa de gang van zaken bepaalde. Beatrice was vroom en gehoorzaam, een waardige, sterke vrouw, gelukkig in haar onderdanigheid jegens haar legendarische echtgenoot. Sterker nog: voor een vrouw in haar tijd had Beatrice het ongebruikelijke geluk gesmaakt dat ze ware liefde en tevredenheid had gevonden in haar gearrangeerde huwelijk. Dat Beatrice een vermaarde schoonheid was met ravenzwart haar en licht schuinstaande, donkere ogen was de verrukkelijke kers op de taart van Bonifacio.
Matilda was niet hun eerste kind. Triest genoeg hadden ze hun twee oud-

ste kinderen verloren aan de influenza die eerder dat jaar Europa had geteisterd. Bonifacio's zoon en erfgenaam was gestorven als jongeling. Zijn dood had een diepe wond geslagen in het hart van zijn vader. Het andere kind, een meisje, was in haar prille jeugd overleden. Het tragische verlies van twee kinderen zo kort na elkaar had een zware tol geëist van Beatrice, die door haar verdriet zwak en ziekelijk was, en die weinig energie meer had voor haar overlevende dochter. Dus Beatrice was weliswaar Matilda's biologische moeder, maar Isobel was de enige echte moederfiguur in het leven van het kleine meisje.

'Wanneer je wat ouder bent, zal ik je een ander verhaal over het labyrint vertellen,' zei Isobel. 'Een verhaal over de wijze koning Salomo en de exotische en luisterrijke koningin van Sheba.'

'Ik wil dat je het me nu vertelt!'

'Nee, dat kan niet. Dat zou niet gepast zijn. Je bent nog niet oud genoeg om alles te begrijpen. Zodra je zestien wordt, zal ik het je vertellen.'

'Staat het in... *Het Libro Rosso*?' vroeg Matilda op samenzweerderige toon. Er klonk ontzag in haar stem bij het noemen van het magische rode boek.

Isobel knipoogde. 'Ja, daar staat het inderdaad in. En er staat nog veel meer in dat boek waar je nu nog te jong voor bent, maar wat je uiteindelijk zult gaan begrijpen. Zo, en nu naar bed. Kom eens hier, dan zal ik je haar vlechten.'

Met sierlijke vingers begon Isobel het avondritueel om Matilda's koperblonde haar te temmen, dat in zware golven tot halverwege haar rug viel.

Slaperig berustte Matilda erin dat ze naar bed moest. Ze wreef in haar zeegroene ogen en gaapte met de vurigheid van een leeuwenwelp. 'Wil je alsjeblieft een liedje voor me zingen?' bedelde ze. 'Het liedje uit het land van je moeder?'

Vrouwe Isobel trok het wollen dek op tot de kin van het meisje en ging op de rand van het bed zitten. Met haar lieflijke, heldere stem zong ze zacht in het Frans:

*'Il est longtemps que je t'aime.*
*Jamais je ne t'oublierai.'*

Matilda, die haar moedertaal Toscaans en het Duits van haar moeder vloeiend sprak, was net pas begonnen Frans te leren. Toen ze bij wijze van antwoord de versregels herhaalde, deed ze dat in haar moedertaal:

*'Lang heb ik van u gehouden.*
*Nooit zal ik u vergeten.'*

Daarop zong Isobel de rest van het eeuwenoude vers dat als heilig werd beschouwd in La Beauce, de streek in Frankrijk waar haar moeder vandaan kwam en waar ze had gewoond tot ze introuwde in het gewijde geslacht in Lucca. Het vers was gebaseerd op een gedicht dat duizend jaar eerder was geschreven door een groot man, over zijn liefde voor een gezegende vrouw en haar kinderen:

*'Je t'ai aimé dans le passé*
*je t'aime aujourd'hui*
*je t'aimerai encore dans l'avenir.*
*Le Temps Revient.'*

Isobel kuste Matilda op haar voorhoofd, terwijl het kind naar de kleine altaartafel naast haar bed reikte. Daar stond een beeldje van de Heilige Modesta, zorgvuldig uit hout gesneden. Het was een geschenk van de Franse tak van Isobels familie, ter ere van de geboorte van de kleine gravin, inmiddels zes jaar geleden. De heilige hield in een zegenend gebaar een hand op, terwijl ze met de andere hand een boek omklemde, rood met vergulde accenten. Matilda was dol op het beeldje, vooral omdat Modesta's haar dezelfde kleur had als het hare.

Ze streek over het beeldje; toen fluisterde ze de vertaling van het vers. Het was onderdeel van hun avondritueel en een hoeksteen van hun traditie:

*'Ooit had ik je lief*
*net als vandaag*
*en ooit zal ik je opnieuw liefhebben.*
*De Tijd Keert Weder.'*

'Inderdaad, de tijd zal wederkeren.' Met een zucht keek Isobel neer op het stralende, complexe wezentje dat ze liefhad als haar eigen kind. Blijkbaar had God besloten haar geen kinderen uit haar eigen schoot te geven. En toegewijd als ze was aan Matilda, zou ze niet eens de tijd of de kans hebben om te trouwen en kinderen te krijgen, al was ze pas in de twintig. Het was iets waarin ze berustte. Ze wist dat het haar bestemming was om dit kind groot te brengen tot het boven alle anderen uitsteeg, en dat was soms een ontmoedigende taak die haar volledige inzet zou vergen.

*Uw wil geschiede*. Isobel herhaalde het vele malen tijdens haar dagelijkse gebeden uit *Het Boek der Liefde*. Het was de tweede van de zes heilige leer-

stellingen uit het pater noster, het gebed van de Heer dat het fundament was van het geloof van haar en de haren. Gehoorzaamheid aan God. Overgave aan Zijn wil. En ze twijfelde er niet aan of het was Zijn wil dat ze haar leven wijdde aan het grootbrengen van dit kind.
*De Tijd Keert Weder*. Op een dag zou Matilda dat bewijzen, zoals de grootste profetes van hun stamboom, de gezegende Sara-Tamar, dat lang geleden had bepaald. Het was haar bestemming. Ze zou haar stempel zetten op de geschiedenis. Maar niet vanavond.
'Welterusten, *ma petite*. Droom maar fijn.'
'Welterusten, Issie,' fluisterde het meisje slaperig. Met een laatste geeuw nestelde ze zich onder de dekens. 'Ik hou van je.'

✪

Matilda was door het dolle heen. Ze rende gillend van opwinding door het kasteel, haar lange haren wapperden als een onhandelbare koperblonde banier achter haar aan.
'Luuuuuucca! Luuuuuucca! Gaan we morgen echt naar Lucca, Isobel? Echt waar? Met papa?'
'Ja, kleintje. We gaan eindelijk naar Lucca.'
Matilda bleef staan en herhaalde de naam van haar geboortestad nogmaals, maar deze keer dromerig fluisterend, net zoals Isobel dat deed, die haar vaderland erg miste en er op gedempte toon over sprak, als ging het om de woonplaats van de engelen op aarde. Plotseling werd Matilda ernstig en ze keek haar kindermeisje aandachtig aan.
'Ik kan me helemaal niet meer herinneren hoe Lucca eruitziet, Issie.'
'Dat is ook niet zo vreemd, Tilda. Je was nog maar een heel klein kindje toen we naar Mantua kwamen. Maar je eerste ademtocht kreeg je van de gewijde lucht van Lucca, en dat zal altijd een zegen voor je zijn, zo lang je leeft.'
'Is het er echt zo mooi? En vol met heiligen en engelen?'
'Lucca is schitterend, op een manier waardoor het uitstijgt boven alle andere plekken op Gods aarde. Kom, dan zal ik je een nieuw verhaal vertellen, een verhaal dat deel uitmaakt van onze bijzondere erfenis en...'
Isbobel maakte haar zin niet af. Matilda mocht dan vroegwijs zijn en een vlug verstand hebben, ze was nog veel te jong om alles te begrijpen wat hun complexe erfenis behelsde. Tot het kind wat groter was, deed Isobel er goed aan zich te beperken tot de beproefde en waarachtige manier om haar iets te leren, namelijk door verhalen te vertellen.
'Ik wil dat je in gedachten teruggaat naar de verhalen die ik je heb verteld

over Onze Heer,' begon Isobel op de licht formele toon die aangaf dat het verhaal dat ze ging vertellen tevens een les was.
Matilda knikte plechtig, trok haar benen onder zich en maakte het zich gemakkelijk in afwachting van het verhaal.
'Onze Heer had een geweldige vriend die Nicodemus heette. Ni-co-demus. Kun je zijn naam zeggen?'
Matilda herhaalde de naam gehoorzaam en tot tevredenheid van haar kindermeisje.
'Er waren maar twee mannen bij Onze Heer toen Hij stierf, en Nicodemus was een van die twee. Weet je wie er nog meer bij Hem was?'
Matilda was een schrandere leerling met een uitzonderlijk goed geheugen. Het Passieverhaal was haar erg dierbaar, en ze prentte altijd alles wat Isobel haar vertelde in haar geheugen. Ze schrok zelfs niet terug voor de meer aanschouwelijke beschrijvingen van het offer van Jezus aan het kruis, waarvoor broeder Gilbert, een strenge geestelijke uit Lotharingen die de biechtvader was van haar moeder, een voorkeur scheen te hebben. Het leek wel alsof broeder Gilbert glorieerde in de gewelddadige details van de laatste uren van Christus, en daar kon hij dan ook buitengewoon levendig over vertellen wanneer hij het belang van de penitentie benadrukte, en dat gebeurde regelmatig. Deze benadering vervulde Isobel met afschuw, want ze aanbad haar Heer om Zijn woorden en Zijn werk. Die vond ze belangrijker dan de manier waarop Hij was gestorven. Het was een filosofie die overeenkwam met de Weg van de Liefde, zoals die al duizend jaar werd gevolgd door de geloofsgemeenschap waartoe ze behoorde. Zodra broeder Gilbert verscheen, glipte ze zo discreet mogelijk weg. Matilda daarentegen was verrukt van alle versies van het grootste verhaal ooit verteld, zelfs de meest gruwelijke. In dat opzicht had ze al heel vroeg bewezen een kind van haar vader te zijn – ze kende geen angst en bleef onbevreesd in het aangezicht van de wredere kanten van de werkelijkheid.
Maar de manier waarop Isobel het verhaal vertelde maakte de diepste indruk op Matilda. Want ook al was het kind diep toegewijd aan haar Heer en ontroerd door de verhalen over het offer dat Hij had gebracht, een ander aspect van Zijn geschiedenis fascineerde haar nog meer: de verhalen over de vrouwen in het leven van Jezus, en over één vrouw in het bijzonder.
Matilda ging eerbiedig rechtop zitten voordat ze antwoord gaf op de vraag. 'De andere man was Jozef van Ara...'
'Arimathea,' kwam Isobel haar te hulp, en Matilda vervolgde enthousiast: 'Zijn moeder was bij Hem, Moeder Maria, en zijn geliefde, Maria Magda-

lena. En alle andere Maria's die Hem volgden als Zijn discipelen en die de prediking van Zijn woorden en Zijn werk voortzetten.' Ze dempte haar stem tot een kinderlijk samenzweerderig gefluister. 'Maar van broeder Gilbert mogen we Maria Magdalena niet Zijn "geliefde" noemen, hè?'
'Nee, dat mogen we zeker niet.'
'Maar waarom niet, Issie? Als Jezus van haar hield, waarom mogen we daar dan niet over praten? En waarom mogen we niet net als Hij van haar houden? Waarom moet er zoveel geheim blijven?'
Isobel streek zuchtend over Matilda's weerbarstige haar, waarvan de koperblonde kleur slechts een van de tekenen was dat deze kleine gravin een nazaat was van een van de zuiverste bloedlijnen in Europa, een nazaat van Háár bloedlijn. Het haar van Maria Magdalena zou dezelfde kleur hebben gehad, zelfs toen ze op hoge leeftijd stierf. Matilda's beide ouders stamden af van het verbond tussen Jezus en Zijn geliefde Maria – haar moeder via Karel de Grote, haar vader via de geheime Italiaanse sekten die zich tijdens de vervolgingen van de eerste christenen door Rome in Toscane hadden gevestigd.
De vraag die het kleine meisje had gesteld, was zelfs voor de meest geleerde volwassenen moeilijk te beantwoorden, en Matilda was er nog niet klaar voor om zulke dingen te begrijpen. Met de vaardigheid van een meesterverteller wist Isobel haar af te leiden.
'Deze vriend van Jezus, Nicodemus, was een heel bijzonder mens met een speciaal talent, dat tot op de dag van vandaag heel belangrijk voor ons is. Wil je weten wat dat talent was? Hij was kunstenaar. Beeldhouwer. Hij was in staat de visioenen die God hem schonk te vertalen in hout.'
'Net als Frederick?'
Frederick was de oudste bediende van haar vader en net als Isobel een vertrouwd lid van de kring uit Lucca die de adellijke familie omringde. Frederick wist Matilda vaak te vermaken door prulletjes voor haar uit hout te snijden. Haar lievelingspop, een schitterende beeltenis van de legendarische Ariadne, was een meesterwerkje dat de oude man in de kersttijd voor haar had gemaakt. Op de rug van de pop had hij in miniatuur een replica aangebracht van het labyrint, opdat Matilda inzicht zou krijgen in het complexe patroon dat zo onlosmakelijk verbonden was met hun geloofsbeleving.
'Ja, inderdaad. Net als onze Frederick. En nadat Nicodemus getuige was geweest van de dood van Onze Heer aan het kruis, kon hij dat beeld niet meer uit zijn gedachten zetten. Dus hij besloot het in hout te snijden, opdat de wereld zich nog eeuwenlang dat grootse offer zou herinneren.

Het kostte hem een jaar, maar toen het werk af was, had Nicodemus het allereerste kunstwerk geschapen dat ons laat zien hoe Onze Heer eruitzag. Het heet het *Volto Santo*, het Heilige Gelaat, omdat het slechts een van twee kunstwerken op de hele wereld is die zijn geschapen door mannen die Jezus van aangezicht tot aangezicht hebben gezien, zowel tijdens Zijn leven als bij Zijn dood. Het andere kunstwerk bevindt zich in Rome, in het bezit van de paus. Het is een schilderij gemaakt door de heilige Lucas de Evangelist. Maar het Volto Santo is het enige wat ik heb gezien, en het is werkelijk schitterend.'

Matilda's ogen werden groot. 'Heb jij het gezien?'

'Ja, en jij zult het ook zien.'

'Wanneer? En hoe dan?' vroeg Matilda met haar gebruikelijke ongeduld.

Isobel viel haar in de rede. 'Geduld, schatje. Eerst zal ik je het hele verhaal vertellen. Toen Nicodemus stierf, verdween de sculptuur. De eerste christenen besloten het werk te verbergen voor de Romeinen, opdat het niet verloren zou gaan of vernietigd zou worden. Achthonderd jaar lang is het verborgen geweest in het Heilige Land. Toen bepaalden de profeten dat het tijd was, en het Volto Santo, dat eens onze heiligste schat had geherbergd, werd uit zijn schuilplaats gehaald en in gereedheid gebracht voor een lange reis.'

'Onze heiligste schat?' Bij de gedachte aan een groots geheim werden Matilda's ogen nog groter.

'Ja, lieverd. Want toen Nicodemus aan het Volto Santo werkte, maakte hij aan de achterkant van de sculptuur een geheime opening waarin ruimte was voor ons heiligste voorwerp.'

'*Het Libro Rosso?*'

Isobel knikte. 'Inderdaad, *Het Libro Rosso*. En dat was onze heiligste schat omdat het de leer van de Weg van de Liefde bevatte, zoals die was geschreven door Onze Heer Zelf, met daaraan toegevoegd de profetieën van Zijn heilige dochter. Maar daar leer je meer over wanneer we eenmaal in Lucca zijn. Want in Lucca zul je *Het Libro Rosso* met eigen ogen te zien krijgen, engeltje van me. Het wordt tijd om serieus met je opleiding te beginnen.'

Matilda was sprakeloos, iets wat zo zelden voorkwam dat Isobel het uitschaterde. Een prachtig geluid, als van rinkelende belletjes. 'Wat is er, kleintje? Ben je zo verrast dat je tijd is gekomen? Je bent nu zes, en dat is een magisch getal. Het getal van Venus, het getal van de liefde. Het jaar waarin de opleiding begint, zeker bij een Voorzegde. En maak je maar geen zorgen: ik ben bij je. Altijd. Bij alles wat je gaat leren.

Om te beginnen moet ik je voorbereiden op je ontmoeting met de grote

leraar. De Meester. Dat is de enige naam waaronder je hem zult kennen.'
'Heeft hij geen andere naam?'
'Vast wel, maar die gebruiken we niet. We noemen hem de Meester als bewijs van respect, want hij stamt van een lange reeks gekozen leiders van de Orde, die allemaal de Meester werden genoemd. Net als zij is ook de Meester een groots en heilig man.
En ik moet je waarschuwen, Matilda: hij heeft een litteken op zijn gezicht. Een heel lelijk litteken. Maar je moet niet bang voor hem zijn. Dat is meteen je eerste les: dat je een mens niet moet beoordelen op zijn uiterlijk, maar dat je moet afwachten tot je weet wat er in hem leeft en tot je zijn ware aard leert kennen. De Meester is een groot man, een zachtmoedig mens, en hij zal je onderwijzen zoals hij mij en vele anderen heeft onderwezen.'
Het was allemaal zo indrukwekkend dat Matilda wel kon huilen, maar dat stond ze zichzelf niet toe. De vreeswekkende Meester met het getekende gezicht, de opleiding die haar wachtte in het geheimzinnige Lucca... Het werd haar bijna te veel! Misschien zou de gang naar Lucca toch niet het verrukkelijke geschenk blijken te zijn dat ze zich ervan had voorgesteld. Misschien was het wel beter als ze hier in Mantua had kunnen blijven, waar ze nooit iets anders dan veiligheid had gekend. Ze beet op haar onderlip, om te voorkomen dat die begon te trillen.
'Wees maar niet bang, *ma petite*.' Isobel nam Matilda stevig in haar armen. Ze mocht dan het hart van een leeuwin hebben, dit kind, maar ze was nog maar een klein meisje. 'Het is je bestemming, en het is een schitterende bestemming. Blijf je altijd bewust van wie je bent, bij de gratie Gods.'
Matilda knikte plechtig. Ze was gravin van Canossa, erfgename van de grote Bonifacio. Ze was een dochter van Lucca en een kind van de profetie. Ze was de Voorzegde.
Ze was Matilda, bij de Gratie van God Die Is.

De waarheid zal wortel schieten in het land der moerassen,
waar ze in het geheim zal bloeien
dankzij hen die de kracht hebben haar te behoeden.
Wanneer De Tijd Wederkeert, zal een groot altaar worden opgericht,
en heropgericht,
voor de Heilige Schrift en het heilige gelaat.
Velen zullen twijfelen, maar daar zal de waarheid beklijven
voor de kinderen van de toekomst,
voor wie ogen heeft om te zien en oren om te horen.

De waarheid moet worden bewaard in steen,
gebouwd in een Vallei van Goud.
De nieuwe Herderin, de Voorzegde,
zal toezien op de volmaaktheid
en het Woord van de Vader en de Moeder
en de erfenis van hun kinderen in gewijde schrijnen hullen
Dit zal haar erfenis zijn.
Dit, en het ervaren van een Waarlijk Grote Liefde.

Wie oren heeft om te horen, die hore.

– De tweede profetie van L'Attendue, de Voorzegde,
uit de geschriften van Sara-Tamar
zoals bewaard gebleven in *Het Libro Rosso*

# 5

*Lucca*
*1052*

De stad Lucca was van nature een gewijd oord, een van de gezegende krachtplekken op aarde waaraan al sinds mensenheugenis een speciale aura werd toegeschreven. Er waren sporen gevonden van nederzettingen uit het Paleolithicum, die verrieden hoe onvoorstelbaar ver de plek terugging in de geschiedenis, maar de Etrusken en de Kelten uit Ligurië waren degenen die er in een langvervlogen verleden de fundamenten hadden gelegd voor de huidige stad. Er werd algemeen aangenomen dat de naam stamde van het Keltische woord *luks,* dat 'streek van moerassen' betekende. Tegen de derde eeuw voor onze jaartelling erkenden de Romeinen Lucca als een bijzondere plek.

Maar voor christenen hadden de eerste en tweede eeuw na de geboorte van hun Heer het hart en de ziel gevormd van de stad die ze nu beschouwden als heilig en verheven boven vele andere steden. Terwijl de Romeinen op een tot die tijd ongeëvenaarde manier doorgingen met bouwen en Lucca omringden met heirwegen en muren, en de stad verrijkten met een spectaculair amfitheater, vormde de onopvallende vestiging van vroege christenen de ruggengraat van de tradities die zouden voortleven in de harten van de Lucchesi.

Aan de oppervlakte bloeide het traditionele katholicisme, maar Lucca's fundament bestond uit een andere christelijke cultus, die in harmonie leefde met de katholieke bekeerlingen. Want de overlevering wilde dat de kinderen van de oorspronkelijke apostelen en hun volgelingen zich hier hadden gevestigd en dat leden van de Heilige Familie zich bij hen hadden gevoegd. Deze christenen beweerden dat hun leer rechtstreeks afkomstig was van Jezus Christus dankzij de nalatenschap aan Zijn kinderen, en ze hadden een heilig boek in hun bezit waaruit ze hun nazaten onderwezen.

Ten tijde van Matilda's aankomst in Lucca was de macht van de orthodoxie in de Kerk groeiende dankzij het ascetische kloosterleven, zodat de volgelingen van de 'oude tradities' heel discreet moesten zijn in hun geloofsbeleving. Sterker nog: de recente hervormingen waren buitengewoon zorgwekkend voor wie zijn leven in dienst had gesteld van de Weg van de Liefde. Er werd in Italië steeds vaker gefluisterd over vormen van ketterij, en de geruchten hadden zich al verspreid naar andere delen van Europa. Zoals zovelen in Lucca bezochten de geestverwanten van Isobel trouw de katholieke Kerk, maar achter de gesloten deuren van hun huizen hielden ze hun geheime tradities in ere. Als nazaat van Siegfried van Lucca was Isobel grootgebracht met de meest wezenlijke, de diepst gewortelde van de oude tradities. Ze was lid van de Orde van het Heilige Graf, de geheime sociëteit die bij het eerste paasfeest door Lucas de Evangelist, samen met de heilige Nicodemus en Jozef van Arimathea, was opgericht. De Orde had vertakkingen in Jeruzalem, in Calabrië in het zuiden van Italië, in Rome, en in Lucca. De Orde accepteerde vrouwen niet alleen als leden, maar ook als leiders, bij wijze van eerbetoon aan Maria Magdalena. Tenslotte was de Orde gesticht om haar en haar dochter, de profetes Sara-Tamar, te beschermen. In de geloofsbeleving van de Orde waren zij de erkende opvolgers van Jezus, de heilige vrouwen dankzij wie het christendom in Europa had standgehouden en tot bloei was gekomen.

De naam die de kinderen van Lucca zichzelf hadden gegeven, *Lucchesi*, was een vernuftige woordspeling. Daarmee werden ze niet alleen gedefinieerd als inwoners van Lucca, maar ook als kinderen van Lucas de Evangelist, de stichter van de Orde van het Heilige Graf, die de Orde naar Italië had gebracht.

Matilda reed de stad binnen vanuit het noorden, door de Poort van San Frediano, en was verrukt door de uitbundige feestelijke ontvangst. Ze droeg een gewaad van het fijnste goudgele brokaat en zat bij haar vader op zijn enorme zwarte paard. Bonifacio zag er al even indrukwekkend uit; zijn rijmantel was afgebiesd met hermelijn en bezet met edelstenen; aan zijn polsen glommen zware gouden manchetknopen in de Toscaanse zon. De bevolking van Lucca was massaal uitgelopen om een glimp op te vangen van de legendarische, kleine gravin met de glanzende lokken en de uitzonderlijke blauwgroene ogen. Isobel had die ochtend bloemen in Matilda's haar gevlochten. Haar weigering om het haar van het kind te bedekken met een sluier had geleid tot enige consternatie bij Bonifacio, die het ongepast vond dat zijn dochter blootshoofds in het openbaar verscheen. Maar Isobel wist precies hoe ze Matilda's vader moest aanpakken, hoe ze op zijn gevoelens als vader moest inspelen en hem milder kon stemmen. Haar schoonheid en lieftalligheid werkten bepaald niet in haar nadeel wanneer ze de buitengewoon mannelijke Toscaanse vorst van haar

gelijk moest overtuigen, maar ze gebruikte haar charmes nooit ongepast.
De piepjonge gravin van Canossa zou de steun van de bevolking van Toscane hard nodig hebben wanneer ze eenmaal volwassen was. Ze was de enige nog levende erfgenaam van een groot fortuin. Een fortuin waarvan de wet bepaalde dat het niet kon worden geërfd door een vrouw. Om haar aanspraken als Bonifacio's erfgenaam staande te houden, zou Matilda – naast andere zegeningen – geliefd moeten zijn bij de Toscaners, had Isobel Bonifacio geduldig uitgelegd. En dus zou Matilda's intocht in Lucca gedenkwaardig moeten zijn. Ze moest de gekoesterde dochter worden van Toscane, wilde ze enige hoop hebben op haar erfenis.
Daarnaast was Isobel zich scherp bewust van de groeiende macht van de levende legende die Matilda al op jonge leeftijd was. De ingewijden in Lucca, geschoold in de raadselachtige profetieën die de nalatenschap vormden van Sara-Tamar, hadden al geweten dat Matilda een Voorzegde zou kunnen zijn sinds haar geboorte, op de dag van de lente-evening. En als ze inderdaad een Voorzegde was, dan diende ze ook te worden vereerd als de nieuwe Herderin, de vrouw die hun spiritueel leidster zou zijn in de leer en het behoud van de Weg van de Liefde. Matilda maakte haar intree in Lucca op een moment dat de bevolking van de eeuwenoude stad behoefte had aan het symbool van hoop dat ze voor de Lucchesi vertegenwoordigde. Dat waren allemaal factoren die in overweging moesten worden genomen bij Matilda's triomfantelijke terugkeer naar haar geboortestad.
Bonifacio zwichtte, en de gewiekste Isobel bereidde de voorzegde prinses gepast voor op haar eerste openbare verschijning. Op haar beurt gedroeg Matilda zich voorbeeldig. Ze lachte en wuifde, en voldeed in alle opzichten aan de verwachtingen van de velen die haar zagen als een mythisch wezen. Van nature had ze die uitstraling altijd al gehad, maar op deze dag borrelde haar opwinding over en nam bezit van de stad. Ze zat vóór in het zadel bij haar heldhaftige vader, in een prachtig nieuw gewaad, en overal riepen de mensen haar naam! Deze intocht zou ze zich altijd herinneren als een van de stralendste momenten van haar leven.

❁

'Hebben de dromen haar al bezocht, Isobel?'
De ondoorgrondelijke, wijze man die zijn leerlingen alleen kenden als de Meester, stond gebogen over de slapende gestalte van de uitgeputte kleine gravin. Het was een drukke dag geweest met parades en banketten, een dag waarop ze was aanbeden door haar vader en verafgood door zijn volk.

Matilda's officiële eerste ontmoeting met de Meester zou de volgende dag plaatsvinden, wanneer ze was uitgerust. Maar de wijze man wilde vast een blik op haar werpen en bij wijze van voorbereiding met haar verzorgster praten. Hij was een indrukwekkende verschijning, rijzig, met een verweerd gezicht dat bedrieglijk angstaanjagend leek door het lange, grillige litteken op zijn linkerwang.

'Ja, maar ze begrijpt ze nog niet. Ze weet nog niet wat ze betekenen.'

'En heeft ze al van Golgotha gedroomd?'

'Niet specifiek, maar wel van Goede Vrijdag.'

De Meester knikte, diep in gedachten. Hij was tevreden. Daarmee was de profetie vervuld, Matilda's jonge leeftijd in aanmerking genomen. Want de profetes had voorspeld dat de Voorzegde visioenen zou krijgen van 'de Donkere Dag van de Schedel'. Dit was geïnterpreteerd als specifieke visioenen van de Kruisiging, maar voor een kind dat nog zo jong was, betekenden dromen van Goede Vrijdag, en met name dromen van de kinderen op die historische dag, een krachtig voorteken.

'Ik geloof inderdaad dat ze is wat er van haar wordt gezegd,' besliste de Meester. 'Breng haar onmiddellijk na het breken van haar vasten bij me. Er wacht ons een veelomvattende taak. En Isobel...'

'Ja, Meester?'

'Je mag trots zijn op wat je hebt bereikt. Ze is een getuigenis van de liefde waarmee je haar hebt grootgebracht.'

Isobel schonk haar leermeester een glimlach waaruit sprak hoezeer ze hem aanbad. Er welden tranen op in haar ogen.

'Nee, Meester. Ze is een getuigenis van de liefde van God.'

De Heer gaf Salomo opdracht een tabernakel te bouwen, een plek waar de gelovigen zich konden verzamelen om Gods wil te horen. Wijs als hij was, en gehoorzaam aan zijn Heer, bouwde Salomo de Tempel, het heiligste aller gebouwen.
En in de gewijde beslotenheid van het bruidsvertrek schiepen Salomo en Sheba het labyrint met zijn elf paden naar het hart en terug als een nieuw tabernakel, waar mannen en vrouwen die een staat van volkomen mens-zijn hebben bereikt het licht mogen aanschouwen in het besef dat er geen scheiding bestaat tussen God en henzelf. Het is een plek waar de Eeuwigheid – waarvoor het inwendige van de Tempel symbool staat – kan worden gesimuleerd en ervaren door hen voor wie de Tempel als zodanig onbereikbaar is.
In het hart van het labyrint zullen de kinderen Gods hun ogen openen. Want de meeste zielen in deze wereld leven in een sluimerstaat. Ze moeten ontwaken in dit leven, in dit lichaam waarin alles wat ze op aarde zijn aanwezig is. Hun lichaam is hun eigen gewijde tempel, maar dat zien ze niet. Ze geloven dat het koninkrijk hun pas wacht in het hiernamaals. En daardoor ontgaat hun de belangrijkste lering: dat we hier op aarde moeten leven zoals in de hemel, en dat we, waar de hemel op aarde niet bestaat, die moeten creëren. Het koninkrijk Gods is er voor ons, hier en nu, op aarde en in onze aardse, stoffelijke lichamen, als we ons er maar voor openstellen. En dat kan door de liefde, alleen door de liefde.
In het labyrint bereiken we de Tempel, de plek waar we rechtstreeks tot God kunnen spreken. Het is een geschenk aan de kinderen opdat ze anthropos worden, dat wil zeggen een staat van volkomen mens-zijn bereiken; dat ze ontwaken in hun stoffelijke lichaam. Met andere woorden: dat ze hun authentieke zelf vinden, hun unieke wezen, en worden wie ze op aarde bedoeld zijn te worden.
Bid zoals ik u dat heb geleerd, in het hart van het labyrint, in het hart van uw leven. Gebruik het gebed als een roos en verwonder u over de schoonheid van de zes bloembladeren, want die bevat al wat u moet weten om het hemelse koninkrijk op aarde te vinden. De centrale cirkel symboliseert de volmaakte liefde. De kinderen van de wereld moeten hun ogen openen om God overal om zich heen te zien. Pas dan kunnen ze leven vanuit liefde. Door dat te doen zullen ze hun bestemming vervullen, en hun beloften aan en van de eeuwigheid. Ze moeten ontwaken. Nu.
*Liefde Overwint Alles.*

Wie oren heeft om te horen, die hore.

– Uit *Het Boek der Liefde*
zoals bewaard gebleven in *Het Libro Rosso*

## *Lucca*
## *1052*

Het litteken op zijn gezicht was gruwelijk. Ze kon haar ogen er niet van afhouden.
'Kom, kleintje. Laten we dit obstakel maar meteen uit de weg ruimen. Ik wil dat je je hand op mijn gezicht legt en het litteken aanraakt. Dan zul je zien dat het niets is om bang voor te zijn. Toe maar.'
Matilda keek naar Isobel, die glimlachend naar haar knikte. Ze liet toe dat de Meester haar kleine hand in de zijne nam en hem op zijn verminkte gezicht legde. Terwijl ze met haar wijs- en middelvinger de hobbelige richel volgde, won haar nieuwsgierigheid het van haar angst. Ze raapte al haar moed bij elkaar en vroeg: 'Hoe komt u aan dit litteken, Meester?'
Isobel slaakte een zucht van verlichting. Matilda was haar goede manieren niet vergeten. Goddank.
'Ach, dat is een redelijke vraag, en een vraag die uitnodigt tot een verhaal. Kom bij het vuur zitten, dan zal ik het je vertellen.'
Zoals beloofd waren Isobel en Matilda die ochtend vroeg naar de verzameling oude stenen gebouwen gekomen die simpelweg bekendstond als de Orde. Hier woonde en werkte de Meester, hier onderwees hij de zonen en dochters van de oudste families in de stad in de leer van de Weg. Het vertrek waar ze zaten, was een van de studieruimtes. Er stonden een lange tafel met inkt en perkament, en een grote houten kist met daarin de rollen die hij bij zijn lessen gebruikte. De enorme stenen haard brandde, want de Toscaanse lente was nog zo pril dat er kilte in de lucht zat. De Meester had het vaak over zijn oude botten, en dat hij die kilte daarin voelde.
Matilda en Isobel gingen op de bank naast de haard zitten. Nadat de Meester tegenover hen had plaatsgenomen op een houten kruk, begon hij zijn uitleg.
'Lang geleden raakte een van de eerste leiders van onze Orde gewond in een grote oorlog – een epische strijd tussen de krachten van het licht en de krachten van de duisternis. Lang werd er gevreesd dat hij de strijd had verloren, maar dat was niet zo. Hij won, door de macht van de liefde en het vertrouwen, en door wat zich ontwikkelde tot zijn onwankelbare geloof in een almachtige en liefhebbende God. Maar de beproeving had hem wel getekend, met een grillige wond over de volle lengte van zijn gezicht. Met zo'n litteken was hij wel gemakkelijk te herkennen, dat was zeker. In de eeuwen die sindsdien zijn verstreken, hebben diegenen van ons die in zijn

voetsporen wilden treden te zijner ere eenzelfde litteken aangenomen, een merkteken om te laten zien dat we slechts zijn toegewijd aan de leer zoals de Orde die predikt. Het maakt deel uit van onze gelofte om dat litteken zelf toe te brengen. Ik besef dat het moeilijk te begrijpen is waarom een man zichzelf op die manier zou verminken, maar het is een teken van onze toewijding aan het innerlijke, en niet aan het uiterlijke.'

Matilda's handen schoten naar haar gave poppengezichtje. De Meester begon hartelijk te lachen.

'Wees maar niet bang, kleintje. Dat zal van jou nooit worden gevraagd. Jouw schoonheid zal een van je grootste wapens zijn als krijger voor de Weg. Maar vergeet nooit om datgene wat God je heeft geschonken wijs te gebruiken.'

Matilda knikte plechtig. Toen vroeg ze met een klein stemmetje: 'Deed het pijn?'

De Meester haalde zijn schouders op. 'Eerlijk gezegd weet ik dat niet meer. Het is al zo lang geleden. Als het al pijn deed, dan weet ik alleen nog dat die pijn lang niet zo erg was als wat Onze Heer heeft geleden bij Zijn laatste offer. Zo, en nu ik je de geschiedenis van mijn litteken heb verteld, wil ik graag beginnen met je onderricht. Kunt u daarmee akkoord gaan, vrouwe?'

Matilda knikte weer en antwoordde beleefd, aangespoord door Isobel, die haar keel schraapte: 'U bent de Meester.'

Hij lachte waarderend om haar verlangen haar goede manieren te tonen. 'Mooi. Dan geef ik je om te beginnen een bloem. Een heel bijzondere bloem voor een heel bijzondere jongedame. Een roos met zes bloemblaadjes.'

Het deksel van de houten kist die op de tafel stond, kraakte toen de Meester het opendeed om er een van de rollen uit te halen. Het perkament was dichtgebonden met een scharlakenrood zijden lint, waarop in gouddraad ruitvormen waren geborduurd. Matilda's ogen lichtten op bij de aanblik van zoveel schoonheid.

'Maak maar open. En je mag het lint houden.' Hij knipoogde, en plotseling kreeg zijn verminkte gezicht een levendige uitdrukking die het eerder vriendelijk dan angstaanjagend maakte. Isobel had natuurlijk gelijk; het wás belangrijk iemand niet uitsluitend op het uiterlijk te beoordelen. Ooit zou Matilda zich dit gezicht herinneren als het mooiste dat ze ooit had gezien.

Ze rolde het perkament af. Er bleek met inkt een ruwe bloemvorm op te zijn getekend: zes grote ronde bladeren om een rond hart:

'De zesbladige roos is het symbool van *Het Boek der Liefde*, Matilda. En met deze roos zul je de geheimen leren van het paternoster.' De Meester keerde zich naar Isobel. 'Ik neem aan dat ze dat kent?'
'Ze kent onze versie, in het Toscaans, en de traditionele versies in het Duits en het Latijn. Bovendien ben ik bezig het haar te leren in het Frans. Dus dat zijn vier talen, Meester.'
'En hoe staat het met haar lezen en schrijven?'
'Ze is een snelle leerling. Opmerkelijk snel zelfs. Ik ben ervan overtuigd dat ze in al deze talen met grote vaardigheid zal kunnen lezen en schrijven als haar vader toestemming geeft haar opleiding voort te zetten. En ik heb geen reden om aan te nemen dat hij die niet zal geven.'
'We moeten hem van het belang van haar opleiding doordringen,' zei de Meester nadrukkelijk. Toen keerde hij zich weer naar Matilda. 'Zou je het paternoster voor me willen bidden? In de taal die jij verkiest?'
Matilda schraapte haar keel en ging kaarsrecht zitten. Ze koos ervoor het gebed te zeggen in het Toscaans:

*'Onze Vader Goedertieren Die in de Hemel Zijt*
*Uw naam worde aanbeden en geheiligd*
*Uw koninkrijk kome tot ons door gehoorzaamheid aan Uw wil*
*Uw wil geschiede*
*Gelijk in de hemel alzo ook op aarde*
*Geef ons heden ons dagelijks brood, het manna*
*en vergeef ons onze schulden en onze tekortkomingen*
*gelijk ook wij onszelf en anderen vergeven.*
*Help me op het pad der gerechtigheid te blijven*
*en verlos me van de verleidingen van het kwaad.'*

'Bravo, kindje. Goed gedaan. Maar tot je hebt geleerd wat deze regels betekenen en hoe het gebed je leven en de wereld om je heen zal veranderen, hebben de woorden geen zeggingskracht. Zonder bewustheid zijn het loze woorden, plichtmatig uit het hoofd opgezegd. Wanneer je de bewustheid hebt bereikt, bevatten ze alles wat een mens moet weten om het Koninkrijk der Hemelen op Aarde te vinden. Dan zul je nooit meer een gebed uitspreken als een reeks woorden die als het ware vanzelfsprekend zijn. Begrijp je wat ik bedoel? Zo, en dan moeten we nu serieus aan het werk. Ik zal je het verband laten zien tussen dit gebed en de rozenblaadjes...'

En de man die slechts bekendstond als de Meester, begon met het instrueren van Matilda in de allerheiligste leer van *Het Boek der Liefde*, het goede nieuws zoals dat aan de hele mensheid was nagelaten door de Vredevorst.

❂

Matilda bracht de late middag door met een bezoek aan de vele heilige plekken in Lucca. Samen met haar vader werd ze rondgeleid door de grote kerk gewijd aan San Frediano. Hun gids was een vriendelijke en geleerde jonge priester die Anselmo heette. Hij was geboren in Lucca en was buitengewoon goed ingevoerd in de geschiedenis van zijn stad. Zijn oom, die ook Anselmo di Baggio heette, was op dat moment bisschop van Lucca en een zeer machtig man in Bonifacio's wereld. Het leed geen twijfel dat zijn jonge neef als lid van zo'n invloedrijke familie werd voorbereid op een hoge positie in de Kerk van Lucca. De Di Baggio's waren zonder uitzondering erg schrandere en discrete leden van de Orde van het Heilige Graf die wijselijk hadden geleerd te integreren in de traditionele katholieke machtsstructuren.

Anselmo de Jongere vertelde dat de San Frediano was vernoemd naar een zesde-eeuwse bisschop die de eerste versie van de kerk eigenhandig had gebouwd.

'In het Toscaans noemen we hem Frediano, maar in zijn eigen land heette hij Finnian. Hij kwam uit een plek die *Irlanda* heet. Weet je waar dat ligt, Matilda?'

Matilda schudde verwonderd haar hoofd. Irlanda klonk als een van de magische oorden uit de verhalen van Isobel.

'Het is een mistig groen eiland, heel oud en geheimzinnig, voorbij het land van de Normandiërs en de Saksen. Maar het is ook erg heilig en vervuld van wijsheid. Finnian kwam hier als pelgrim, omdat hij van een gezegende man die Patrick heette had gehoord over de heilige oorsprong van

Lucca, en omdat hij wilde wonen op een plek waar de lessen van Jezus het zuiverst bewaard waren gebleven.'
Matilda deed haar best om niet ongeduldig te worden tijdens de plechtige rondleiding door de doopkapel met zijn enorme stenen vont. Na het mysterieuze begin over de buitenlandse legende herbergde de San Frediano weinig opwindends voor haar. Waar ze naar uitkeek, was de bezichtiging van de kerk die ze hierna zouden bezoeken, want in de San Martino bevond zich het Volto Santo, het Heilige Gelaat, zoals Nicodemus dat uit hout had gesneden.
Terwijl ze door de smalle straten naar de San Martino liepen, vertelde Anselmo de kleurrijke geschiedenis van de aankomst van het beeld in Lucca.
'Na vertrek uit het Heilige Land maakte het Volto Santo een zeereis van twee maanden voordat het op de kust van Toscane arriveerde. Daar werd het met zorg uitgeladen en op een kar gebonden, getrokken door twee sneeuwwitte ossen. De ossen waren wild, en ze kregen de vrije teugel om hun instinct te volgen. De behoeders van het Heilige Gelaat geloofden namelijk dat de hand van de Heer Zelf de kar zou leiden en het Heilige Gelaat zou brengen naar de plek die de goddelijke wil zou bepalen. Er bestaan getuigenverklaringen van een groot aantal wonderen die zich voltrokken langs de weg die het Heilige Gelaat aflegde. Drie dagen en nachten trokken de ossen voort, zonder ook maar ergens halt te houden, totdat ze hier arriveerden, in het heilige hart van Lucca. We zijn ervan overtuigd dat het Volto Santo onze stad heeft uitgekozen, omdat het de weg heeft gevolgd die *Het Boek der Liefde* ooit heeft afgelegd.'
Anselmo sloeg opnieuw een komisch samenzweerderige toon aan om Matilda te amuseren. 'De ingewijden, onze mensen van de Orde, weten dat het Volto Santo daar wilde zijn waar de leer werd gepredikt, en de ware leer werd onderwezen in de congregatie die hier haar erediensten hield.'
Ze waren aangekomen bij de façade van de San Martino, die was gewijd aan Sint-Martinus van Tours. De kerk dateerde uit de zesde eeuw en was net als de San Frediano gebouwd door de Ierse bisschop Finnian. De kerk, of wat ervan over was, zag er buitengewoon sober uit. Sober en vervallen. In Matilda's ogen was dit gebouw bepaald geen gepast onderkomen voor het allereerste christelijke kunstwerk, gemaakt door een man die de Heer van aangezicht tot aangezicht had gezien. Ze trok haar vader aan zijn mouw.
'Papa?'
'Ja, lieverd?'
'Wij zijn toch heel rijk? Kunnen we onze mensen in Lucca geen geld geven om een prachtige kerk te bouwen voor het Heilige Gelaat?'

Bulderend van de lach tilde Bonifacio zijn dochter op. 'Ja, we zijn erg rijk. En dat hoop ik ook te blijven. Dus ik ben niet van plan al onze rijkdommen weg te geven, al helemaal niet aan de Kerk!'
Matilda was bepaald niet tevreden over zijn antwoord. Ze maakte zich los uit zijn armen en rende naar de deur van de kerk.
Binnen was het benauwd en donker. Matilda knipperde met haar ogen om ze te laten wennen aan de door kaarsen verlichte schemering. Zonder op haar vader of Anselmo te wachten rende ze vooruit naar het hoofdaltaar. Ze bleef pas staan toen ze zo dicht bij het heiligste beeld van de hele christenheid was dat ze het had kunnen aanraken.
Als aan de grond genageld keek ze omhoog. Het beeld was levensgroot, een schitterend stuk houtsnijwerk van de hand van een uitzonderlijk getalenteerd beeldhouwer. Nicodemus had het cederhout uit de Libanon bewerkt tot een sierlijk geplooid gewaad dat over de uitgestrekte armen was gedrapeerd en tot op de voeten viel. Het gezicht, de haren en de baard waren zorgvuldig gekleurd. De Heer was niet groot, een donkere, prachtige man. Zijn zwarte haren vielen golvend op zijn schouders en deden in schoonheid niet onder voor de verzorgde, gevorkte baard. Hij had lange, slanke vingers. Maar het waren de ogen die haar aandacht vasthielden; reusachtige, zwarte, diepliggende ogen waarin een grote vriendelijkheid en compassie waren weerspiegeld, zelfs in deze laatste momenten van Zijn lijden. Matilda had nog nooit zoiets moois gezien als deze man vóór haar, aan het kruis. Ze keek in Zijn grote ogen en wist zeker dat Hij haar blik beantwoordde.
'*Je bent mijn dochter in wie ik mijn welbehagen heb.*'
Matilda hield haar adem in. Het Heilige Gelaat had tot haar gesproken! Ze sloot stijf haar ogen en luisterde aandachtig, maar er was niets meer te horen. Ze draaide zich om. Haar vader en Anselmo waren nog enkele stappen achter haar. Anselmo fluisterde tegen Bonifacio, ongetwijfeld om uitleg te geven over het kunstwerk en de geschiedenis daarvan. Matilda kon het niet verstaan. Het enige wat ze hoorde, waren de woorden die het beeld van haar Heer Jezus Christus tot haar had gesproken: *Je bent mijn dochter in wie ik mijn welbehagen heb.*
Ze wist niet goed wat ze had gedaan om dat welbehagen te verdienen, maar ze was vast van plan om nu iets te doen. Kordaat greep ze naar de gouden versierselen die Isobel die ochtend in haar haar had gevlochten. Het waren er twee, van heel fijn, uiterst waardevol filigraan – een geschenk bij haar geboorte van het Huis van Lotharingen. Onopvallend, zodat haar vader het niet zag, begon ze de gouden versierselen los te maken uit haar koperblonde krullen.

Toen ze de versierselen in haar hand hield, glimlachte Matilda naar het beeld dat haar met welgevallen bekeek. 'Ik beloof u dat ik op een dag een prachtige kerk zal bouwen voor Uw Heilige Gelaat,' zei ze fluisterend.
Ze maakte een reverence en liep achteruit weg, omdat ze het oneerbiedig vond het beeld de rug toe te keren. Toen ze bij haar vader en Anselmo kwam, glimlachte ze braaf. 'Het is prachtig,' was alles wat ze zei, want ze was er niet klaar voor om te vertellen wat ze had ervaren. Nog niet. Tegen de tijd dat ze dat wel was, zou ze het eerst aan Isobel vertellen. Issie zou wel weten waarom de Heer had gezegd dat Hij welbehagen in haar had.
Bonifacio liep haastig de kerk uit. Hij had genoeg vroomheid gezien voor één dag en verlangde ernaar terug te keren naar zijn besprekingen met de mannen die verantwoordelijk waren voor de veiligheid van dit deel van Toscane. Daarna had hij een grootscheepse jachtexpeditie geregeld, als beloning voor zijn meest loyale soldaten. Daar verheugde hij zich erg op.
Matilda volgde hem wat langzamer, in de hoop de jonge priester Anselmo alleen te kunnen spreken. Hij had een aardig gezicht en een lieve glimlach. Ze had hem meteen gemogen, met de scherpe mensenkennis waarover intelligente kinderen vaak beschikken. Toen haar vader een heel eind vooruit was gelopen, legde ze haar kleine hand op de zijne.
'Wat is dit, kleine prinses?' vroeg Anselmo vriendelijk, neerkijkend op de schat die ze in zijn hand had gelegd.
'Sst,' fluisterde Matilda. 'Dit is mijn belofte aan het Heilige Gelaat. Op een dag zal ik een echte kerk voor Hem bouwen. Ik wil dat u dit goud bewaart, tot de dag dat ik u meer kan geven.'
Anselmo nam haar aandachtig op. Ze was inderdaad een heel bijzonder kind om zoiets prachtigs en kostbaars te geven voor de glorie van God. Hij legde zijn hand op haar hoofd. 'Matilda van Canossa, je bent een gulle gever. Dankzij jouw ruimhartigheid hoop ik ooit de bouw te kunnen leiden van een grotere kerk.'
Matilda schonk hem een glimlach, tevreden een waardig samenzweerder te hebben voor haar grootse plan. 'Goed. Dan doen we het samen. Als ik later groot ben en mijn geld kan besteden zoals ik het wil.'
Met een laatste kniebuiging naar het altaar draaide de zesjarige gravin zich om en ze rende naar buiten, waar de zon nog altijd scheen, luid roepend naar haar vader dat hij haar onmiddellijk naar Isobel moest brengen. De vurige Bonifacio, wiens naam alleen al genoeg was om geharde krijgers te doen beven van angst, bleef met een ruk staan, draaide zich om en lachte uitgelaten naar de enige mens van wie hij bereid was orders aan te nemen.

Na de verschrikkelijke tijd van de kruisiging was het voor de verwanten van Onze Heer in Palestina niet langer veilig. Zijn oom, de gezegende Jozef van Arimathea, nam in allerijl maatregelen om de veiligheid te garanderen van Maria Magdalena, die hoogzwanger was van de erfgenaam van de Redder, samen met haar kinderen en een aantal van de naaste volgelingen van Onze Heer en Zijn vrouwe.

De fraaie stad Alexandrië stond bekend om zijn verdraagzaamheid en om het feit dat kennis en wetenschap er op hoog niveau stonden. Het was een bloeiende samenleving waarin diverse culturen en religies in harmonie naast elkaar leefden. Bovendien lag de stad dicht genoeg bij Palestina om een snelle en tijdelijke oplossing te vormen, en ver genoeg weg om een veilig toevluchtsoord te kunnen zijn. Maria Magdalena had behoefte aan een rustige, vredige plek waar ze de geboorte van haar kind kon afwachten.

Dankzij zijn bloeiende handel in tin was Jozef van Arimathea een uitzonderlijk welvarend man, en dankzij zijn koopvaardijschepen was hij in staat de overlevenden van de Heilige Familie naar het veilige Egypte te brengen. Het was de tweede keer dat een Moeder Maria zich gedwongen zag haar vaderland te ontvluchten om het kind in haar schoot te beschermen. De tweede Vlucht naar Egypte.

Tijdens haar ballingschap deed Magdalena een beroep op haar trouwe vriend, de geleerde apostel die bekendstond als Filippus, om haar in Alexandrië te komen bezoeken. Hij gaf gehoor aan haar verzoek, en tijdens zijn maandenlange verblijf las onze vrouwe hem voor uit *Het Boek der Liefde*, opdat hij het op haar aanwijzing en onder haar leiding zou kopiëren. En zo brachten deze twee grote discipelen die zich hadden gewijd aan het verspreiden van de leer van Jezus, een bijna volmaakte kopie tot stand van het Woord van Onze Heer. Maria Magdalena zou het oorspronkelijke *Boek der Liefde* altijd in haar bezit houden, zolang ze leefde. Maar ze gaf opdracht dat er ook een kopie werd gestuurd naar Jacobus, de broer van Jezus, die in Jeruzalem was gebleven. De geloofsgemeenschap die daar ontstond, had behoefte aan de leer in zijn zuiverste vorm, opdat de Weg zou voortleven.

Jacobus ontving de kopie uit Alexandrië en gaf deze een veilige bergplaats in de ark die Nicodemus had gesneden.

Filippus trok naar Soemerië, waar hij de rest van zijn gezegende leven de leer van de Weg predikte, onderwijzend uit *Het Boek der Liefde*, zoals hij het zelf had gekopieerd.

– De geschiedenis van Filippus en *Het Boek der Liefde*,
zoals opgetekend in *Het Libro Rosso*

De ondergrondse stenen ruimte die diende als kapel voor de Orde van het Heilige Graf was bijna duizend jaar oud. Hij was gebouwd door de eerste christenen die hier in het geheim hun geloof hadden beleden, ver weg van de nieuwsgierige ogen van de Romeinen. Matilda daalde voorzichtig de steile trap af, zich stijf vasthoudend aan Isobel, die voor haar liep. De Meester ging hun voor met een olielamp, maar de uiteindelijke ruimte was door novicen voorbereid op hun komst; zij hadden kaarsen van bijenwas in de ijzeren houders langs de muren gezet. Overal in het rond flakkerden schaduwen. De stenen muren waren zwartgeblakerd door de kaarsenwalm en de lucht was zwaar door de gewijde, bedwelmende geur van wierook.

Matilda's ervaring van die middag met het Volto Santo had de Meester uit zijn doen gebracht – iets wat niet snel gebeurde. Hij had geweten dat dit kind bijzonder was, maar hij had niet verwacht dat ze al zo jong bij klaarlichte dag een authentieke visionaire ervaring zou hebben. Want hij wist zeker dat de ervaring authentiek was. Dat wist hij dankzij het licht dat in haar ogen had geschenen toen ze verslag deed, eerst tegen Isobel en daarna tegen hem. Dat licht duidde op genade, op zekerheid. Dit was geen verzinsel van een dwaas meisje dat hunkerde naar aandacht; dit was een mystieke ervaring van een kind dat door God was uitverkoren voor een bijzondere bestemming. In zijn lange jaren als leraar en mentor had hij geleerd dat onderscheid te maken.

Om die reden had de Meester bepaald dat Matilda onmiddellijk moest worden geconfronteerd met *Het Libro Rosso*.

De kleine kapel bezat een simpel stenen altaar, afkomstig uit het gewijde gebouw waarvan de kapel deel uitmaakte. Ondanks het feit dat ook de kapel een gewijde ruimte was, bevatte deze geen kruisbeelden en waren er nergens kruisen afgebeeld. Op het zware fluwelen altaardoek stond een houten ark, een schitterende kist waarin de Heilige Lucas taferelen uit het leven van Onze Heer en Onze Vrouwe had gesneden. De kist – *De Ark van het Nieuwe Verbond*, zoals hij in de Orde werd genoemd – was bijna net zo heilig als de inhoud. De rand van de ark was versierd met een patroon van ruiten – het symbool van de heilige eenheid –, terwijl de x – het symbool van de gnostische verlichting – diep in de vier hoeken was gesneden en was geaccentueerd met goudbeslag. De Meester leidde Isobel en Matilda naar de ark en beduidde hun te knielen. Ze gehoorzaamden en bleven geknield terwijl hij een dankgebed sprak tot de Heer voor het geschenk van deze heilige getuigenis. Toen deed hij een stap dichter naar het altaar en worstelde even met het zware deksel van de ark. Hij tilde het op, zette het op de

grond, reikte in de ark en haalde er een zwaar boekwerk uit.
Matilda hief haar hoofd op toen de Meester *Het Libro Rosso* omhooghield. Het was enorm; de brede rug verried dat het was gebonden in dieprood leer. De voorkant was bedekt met bladgoud waarin vijf grote edelstenen waren gezet die een x vormden, geen kruis. De Meester bracht het boek naar zijn lippen en kuste de middelste edelsteen, een robijn die glansde in het kaarslicht.
'Het Woord van de Heer. Voor wie oren heeft om te horen.'
Hij hield Isobel het boek voor. Zij kuste het en herhaalde 'Het Woord van de Heer', waarop ze het Matilda voorhield, die haar heel ernstig en met grote ogen aankeek. De kleine gravin volgde Isobels voorbeeld tot in het kleinste detail.
Toen liepen ze achter de Meester aan, die *Het Libro Rosso* op een tafel voor het altaar legde. Hij glimlachte naar Matilda. 'Je mag het aanraken, kind.'
Aarzelend stak ze haar handje uit en ze streek met haar kleine vingers licht over de vergulde kaft. Ze slaakte een gilletje en trok haar hand terug alsof ze zich had gebrand. De Meester en Isobel keken elkaar aan. Maar toen Matilda het boek opnieuw met haar vingertoppen aanraakte, bleef een reactie uit.
'Zie, *Het Libro Rosso*. Dit is het heiligste boek van onze geloofsgemeenschap, want het bevat onder meer de woorden die zijn geschreven door de redder van de wereld. Op deze bladzijden staat het volledige evangelie volgens Jezus Christus, Matilda, het goede nieuws dat we kennen als *Het Boek der Liefde*. Dit is de gewijde kopie die werd gemaakt door de apostel Filippus in de aanwezigheid van het origineel en gegeven aan Nicodemus om te worden bewaard in het Volto Santo. Het bevat het zegel van Maria Magdalena ten bewijze van haar goedkeuring van de kopie. Je hebt het ongetwijfeld eerder gezien. Het staat op de meest geheime documenten van de Orde en wordt gedragen door onze hoogste ingewijden.'
Met grote zorg sloeg de Meester het boek open. Onder aan het verweerde, zware perkament van de tweede bladzijde stond een handtekening in Griekse letters: μαγδαλεν.
Magdalena.
Het zegel onder de handtekening had Matilda inderdaad eerder gezien. Het was het patroon op Isobels ring, de ronde schijf die soms verstrikt raakte in Matilda's haar wanneer Issie het vlocht: negen cirkels die dansten rond een centrale bol. Het was een beeltenis van de hemel, gedragen door de Orde en bedoeld om de mens eraan te herinneren dat hij nooit van God gescheiden was. In de hemel alzo ook op aarde. Matilda wist niet dat

dit symbool het zegel was van Maria Magdalena. Dat was een van de geheimen van de Orde.
'Jij zult ook een ring krijgen met dit symbool, het zegel van Magdalena, wanneer je groot genoeg bent om te worden ingewijd in de mysteriën,' fluisterde Isobel. Matilda kon haar opwinding nauwelijks bedwingen, maar beheerste zich toen de Meester opnieuw het woord nam.
'Wanneer je wat groter bent, zul je rechtstreeks worden onderwezen uit *Het Boek der Liefde*. En je zult worden onderwezen in de profetieën van Sara-Tamar. Je zult ze leren onthouden en interpreteren. Sommige zijn heel specifiek over je geboorte, en die zul je volledig moeten begrijpen.
Ten slotte zul je de geschiedenissen bestuderen die zijn opgenomen in *Het Libro Rosso*. Dit zijn de Handelingen van de Apostelen, de verhalen van discipelen die alles hebben geofferd voor de ware leer van de Weg van de Liefde. We doen dit in navolging van het boek dat is geschreven door een van onze stichters, de Heilige Lucas. Door de nagedachtenis en het offer van onze martelaren te eren, eren we God, terwijl we bidden dat er ooit een tijd zal komen waarin deze leringen in vrede door alle mensen zullen worden verwelkomd, een tijd waarin er geen martelaren meer zullen zijn.
Dit is je eerste les, Matilda. Kennis van de drie segmenten van *Het Libro Rosso*: het eerste is *Het Boek der Liefde*, het enige ware woord; ten tweede de verzamelde profetieën van Sara-Tamar, gewijd aan de toekomst; en ten slotte de Handelingen der Apostelen, door de onzen verzameld sinds de vroegste dagen van het christendom. Voor vanavond is dit het enige wat je moet weten.'

❂

Matilda gedijde onder het mentoraat van de Meester. Maar hoezeer ze ook genoot van de lessen, het dierbaarst was haar het wonderbaarlijke labyrint, aangelegd in steen in de uitgestrekte tuin van de Orde. Ze had een kreet van verrukking geslaakt toen ze het voor het eerst zag. Hoewel ze tekeningen van het labyrint had gezien en hoewel haar pop er een miniatuurversie van op de rug had, was het een verbijsterende ervaring het in zodanige afmetingen te zien dat wel twintig volwassenen tegelijkertijd de paden konden bewandelen.
De Meester was de allereerste keer met haar meegelopen en had haar hand vastgehouden terwijl hij haar over de kronkelende paden loodste die naar het hart leidden.

'Er is maar één route naar binnen, Matilda. En er zijn talloze kronkelingen en bochten, maar als je je pad trouw blijft, zul je nooit verdwalen. Dat is de eerste les van het labyrint: loop doelbewust naar het hart, in de wetenschap dat God daar op je wacht. Zelfs wanneer je het gevoel hebt dat je door al het gekronkel steeds verder van het hart wegraakt, moet je er vertrouwen in blijven houden dat het pad je uiteindelijk naar je bestemming zal brengen. Want nogmaals: zo gaat het in het leven ook. Het is dit geloof, dit vertrouwen dat je telkens weer in staat zal stellen God te vinden.
Het merendeel van wat ik je over het labyrint ga leren, is eigenlijk heel eenvoudig. Want de Waarheid is altijd eenvoudig.'
Hij liep enige tijd zwijgend met haar verder, voordat hij de les hervatte.
'De Heer spreekt op verschillende manieren tot onze sluimerende zielen, m'n kind. Zoals in onze dromen. Ik weet dat je soms dromen hebt die je nog niet begrijpt. Dat is een van de manieren waarop God tot ons spreekt, omdat onze geest wanneer we slapen als het ware open is en Zijn boodschappen ongehinderd kan ontvangen. Getallen vormen een andere manier waarop God tot ons spreekt. Want getallen zijn een taal op zich, met een onderliggende betekenis die de meeste mensen zichzelf niet toestaan te bevatten. De constructie van dit labyrint is gebaseerd op heel specifieke getallen. Er zijn elf omlopen naar binnen, naar het hart van het labyrint, en ook elf naar buiten. In de heilige taal van de getallen, afkomstig uit het Heilige Land en daterend uit de tijd van de wijze koning Salomo, vertegenwoordigde het getal elf het pad van de inwijding. Wanneer je de cycli bij elkaar optelt, kom je aan tweeëntwintig. Dat is het meestergetal, dat de voltooiing van de initiatie symboliseert, en tevens het aantal letters in het Hebreeuwse alfabet. Dit labyrint is ontworpen door niemand minder dan koning Salomo, samen met zijn geliefde, de koningin van Sheba. Ik weet dat het niet meevalt om het allemaal te bevatten, en ik verwacht ook niet dat je nu al alles opneemt in je hart en in je hoofd. Dus probeer alleen maar te luisteren terwijl je voeten het pad van het labyrint volgen.'
Matilda luisterde en probeerde alles te begrijpen, zich bewust van het niet te ontkennen ritme waarmee haar voeten het gewijde pad volgden. Ze probeerde zich in te houden en plechtig te lopen, maar het liefst zou ze dansen en rennen door deze magische doolhof waarin niemand ooit verdwaald raakte en waarin iedereen uiteindelijk het hart bereikte en God vond. Het labyrint ademde blijdschap en een vorm van vrijheid. Zelfs met haar zes jaar was Matilda zich er al scherp van bewust dat het labyrint een heel bijzondere spirituele plek was. Het vervulde haar met licht en liefde, en met de vreugde om in zo'n zeldzame omgeving te mogen leren.

Uiteindelijk kon ze zich niet langer beheersen en zette ze het op een rennen. Eenmaal in het hart danste ze onder de gouden zon van haar geliefde Toscane.

*Hij kusse mij met de kussen van zijn mond!*

*Want kostelijker dan wijn is uw liefde,*
*heerlijk van geur zijn uw oliën,*
*als uitgegoten olie is uw naam.*
*Daarom hebben de jonge meisjes u lief.*
*Trek mij achter u mee, laten wij ons spoeden.*
*De Koning voerde mij naar zijn vertrekken,*
*laten wij juichen en ons in u verheugen,*
*uw liefde prijzen boven de wijn!*
*Met recht heeft men u lief!*

Het Lied der Liederen, I:2-4

Dit eerste vers van het heilige lied der liefde was geïnspireerd door de goddelijke samenkomst van de grote koning Salomo en de koningin van Sheba. Want terwijl ze zich hadden afgezonderd voor de heilige eenwording der geliefden in het licht van vertrouwen en bewustheid, ontdekten ze dat hun grootste liefde zich, via de ander, richtte op God en op de Wereld die God zo liefheeft.

*Laten wij juichen en ons in u verheugen,*
*uw liefde prijzen boven de wijn!*
*Met recht heeft men u lief!*

Met deze woorden loven de geliefden de Heer, nadat ze God hebben gevonden in het bruidsvertrek. Door de heilige eenheid van hun liefde hebben ze het volmaakte inzicht verworven in de zegeningen van het leven die God ons heeft gegeven, opdat we ze uiten bij wege van ons vleeslijke lichaam.

*Alle liefde is van God en God is liefde.*

Wanneer we zijn verenigd met onze geliefde, leven we vanuit die liefde en is God waarlijk aanwezig in het bruidsvertrek.
Het lied begint met een kus, want die is de meest gewijde uitingsvorm tussen geliefden. In onze heiligste traditie die stamt van Salomo en Sheba wordt dit aangeduid met het woord *nashakh,* dat meer betekent dan simpelweg 'kussen'; het betekent 'ademen in harmonie', zodanig dat twee zielen tot één worden; het betekent 'het delen van de adem', 'het vermengen van de levenskrachten in een enkele samenkomst'.

Het is met de kus der harmonie dat we worden bevrucht om anthropoi te worden, mensen die de volledige verwezenlijking hebben bereikt. Door de kus worden we herboren. We schenken elkaar het leven, door het delen van de liefde die in ons leeft en door God in het zelf op te nemen.
Door het heilige ritueel van de kus komen twee zielen samen om te worden tot één. Het is het voorspel van het heilige verbond der geliefden.

Wie oren heeft om te horen, die hore.

– Het Lied van Salomo en Sheba
uit *Het Boek der Liefde*
zoals bewaard gebleven in *Het Libro Rosso*

---

*Lucca*
*1052*

'Ze is volmaakt. Je hebt geen woord te veel gezegd. Ik heb er alle vertrouwen in dat ze ons een nieuw tijdperk van de Weg zal binnenvoeren. Er is geen twijfel over mogelijk dat ze de Voorzegde is. Ik weet zeker dat mijn oom dat met me eens zal zijn wanneer hij hoort wat er is gebeurd. De Tijd Keert Weder, Isobel. Zoals we altijd hebben geweten dat het in ons leven zou gebeuren.'
Anselmo had aandachtig naar Isobel geluisterd terwijl die verslag deed van de meest recente wonderbaarlijke gebeurtenissen in Matilda's jonge leven. Daardoor had hij een completer beeld gekregen van het jonge meisje en kon hij beter begrijpen waarom ze hem haar goud had gegeven. Het Volto Santo in de San Martino had tot haar gesproken. Wat een schitterend voorteken!
Isobel keek hem glimlachend aan, waarbij er twee allercharmantste kuiltjes in haar wangen verschenen. Hij beantwoordde haar glimlach. 'We zijn allemaal heel trots op wat je met haar hebt bereikt. En niemand is trotser dan ik, mijn lief.'
Anselmo liep naar haar toe. Hij had de deur achter zich gesloten, en de kans was klein dat ze op dit late uur zouden worden gestoord. Bovendien waren ze op het terrein van de Orde, waar het heilige verbond der geliefden als het hoogste sacrament werd beschouwd. Het was een van de

belangrijkste onderdelen van de leer, benadrukt in *Het Boek der Liefde*, waardoor het voorrang had boven alle door de mensen geschapen wetten. Binnen deze muren kon hij de gelofte terzijde schuiven die hij op verzoek van zijn oom de bisschop voor het oog van de wereld had afgelegd, zodat hij op een dag een hoge positie kon bekleden in de Kerk. Hier kon hij zichzelf zijn en de liefde vieren die onbegrensde vreugde gaf aan zijn ziel, de liefde die God als Zijn grootste geschenk aan de mensheid had gegeven, opdat de mensen in het verbond met elkaar Hem zouden vinden.
Isobel opende haar armen, vertrouwde zichzelf toe aan de warmte van zijn verlangende omhelzing, de liefdevolle aanraking die ze zo had gemist sinds ze de positie als Matilda's kindermeisje had aangenomen. Anselmo en zij waren in Lucca samen opgegroeid en hun liefde voor elkaar werd slechts overtroffen door hun liefde voor de Orde en voor de leer van de meester, de leer van *Het Libro Rosso* die ze beiden hadden gezworen te beschermen en te behoeden.
Ze fluisterde de eerste regels van het heilige lied, zangerig en met een zweem van zinnelijkheid terwijl ze hem haar mond aanbood.
'Hij kusse me met de kussen van zijn mond! Want kostelijker dan wijn is uw liefde.'
Hij had het antwoord moeten fluisteren, maar ging zo in haar op dat hij niet meer kon spreken. Ze vonden elkaar in de lome, zoete heiligheid van hun kus; hun zielen werden één als voorspel van de eenwording van hun lichamen.
Het heilige verbond der geliefden zou die nacht in zijn meest hartstochtelijke vorm worden gesloten.
Want ze hadden er veel te lang op moeten wachten.

❂

Matilda schreeuwde.
Isobel schoot wakker in de sobere novicecel waar ze sliep en rende de korte gang door. Matilda was pas laat naar bed gegaan. Ze had in de kapel nog lang doorgewerkt met de Meester, die had beslist dat ze de nacht zou doorbrengen in de soberheid van het dormitorium van de Orde. Isobels eerste gedachte was dat het kind wakker was geworden en niet had geweten waar het was. Ze verweet zichzelf dat ze het meisje alleen had gelaten. Ze had bij Matilda moeten blijven, maar had gedacht dat het kind zo moe was dat het heel onwaarschijnlijk was dat ze voor zonsopgang zou ontwaken.
Matilda zat snikkend rechtop in bed.

'Wat is er, *ma petite*?' Isobel sloeg haar armen om het huilende meisje heen en wiegde haar teder tot het snikken begon te bedaren in de warme geborgenheid van de omhelzing van haar surrogaatmoeder.
'Papa,' bracht Matilda hortend en stotend uit, nog altijd huilend.
'Heb je naar gedroomd?'
Ze knikte. 'Papa. In mijn droom gebeurde er iets verschrikkelijks met papa. God is boos op hem, Issie.'
'Natuurlijk niet. God is liefde. Hij is rechtvaardig, geen boze, wraakzuchtige God. Hij zou je papa nooit kwaad doen.'
'Broeder Gilbert zegt dat God de onrechtvaardigen straft, en dat papa onrechtvaardig is.'
'Matilda, hoe kun je dat nu zeggen? Je hebt net een hele avond doorgebracht in de nabijheid van onze heiligste schat, en die heet niet voor niets *Het Boek der Liéfde*. In het boek eren we Gods liefde voor Zijn kinderen.'
Isobel was doorgaans heel voorzichtig en probeerde de leer van de rechtzinnige katholieken zo veel mogelijk te respecteren, maar soms werd haar geduld wel erg zwaar op de proef gesteld – vooral wanneer ze de schade ongedaan moest maken die de orthodoxe prediking aanrichtte bij haar dierbare pupil. Bovendien was het al laat, ze was moe, en ze was tenslotte geen heilige. 'Broeder Gilbert is een wrede man,' snauwde ze. 'En hij weet niks van de ware aard van God, en van je vader.'
Matilda giechelde ondanks zichzelf. Isobel was de belichaming van de Weg van de Liefde, en was daarom zelden boos. Des te interessanter was het wanneer ze bij wijze van uitzondering uit haar slof schoot.
'Maar Issie, mijn vader wil geen geld geven om een nieuwe kerk te bouwen voor het Heilige Gelaat.'
Isobel knikte. 'Je vader is op zijn manier heel ruimhartig, Matilda. Ik besef dat het voor jou moeilijk te begrijpen is, maar er zijn heel veel goede redenen waarom hij op dit moment geen geld kan geven voor de bouw van een kerk.' Isobel wilde een kind van zes nog niet vertellen dat Bonifacio zich er maar al te scherp van bewust was dat een eventuele bijdrage aan het verfraaien van de San Martino waarschijnlijk rechtstreeks in de kluis van de hem onwelgevallige geestelijkheid zou verdwijnen in plaats van te worden gebruikt voor de oprichting van een nieuw kerkgebouw. In haar kinderlijke onschuld zag Matilda alleen de weigering van haar vader om haar Heer te helpen.
'In mijn droom was God boos op papa omdat hij geen nieuwe kerk wil bouwen en... en er gebeurde iets heel ergs. Ik moet naar papa toe! Om hem te vertellen dat we een kerk gaan bouwen, en dat God niet meer boos is.'

Isobel zuchtte. Wanneer Matilda er zo aan toe was, viel er niet met haar te redeneren. Daarvoor was ze nog te zeer van streek door haar droom. Bovendien maakte Isobel zich heimelijk zorgen. Matilda's dromen waren al meer dan eens profetisch gebleken, zoals te verwachten viel gezien de omstandigheden van haar geboorte. Ze kuste Matilda geruststellend op het voorhoofd en bad in stilte dat deze droom niet meer was geweest dan de nachtmerrie van een kind, en geen profetie.

'Je vader is vanavond vertrokken op zijn jachtexpeditie. Maar zodra hij terug is, gaan we met hem praten over de herbouw van de San Martino. Dat beloof ik. Zo, is het nu weer goed?'

Matilda knikte en kroop onder de dekens, uitgeput door de hele beproeving.

'Ik wil dat je bij me blijft, Issie.'

'Natuurlijk blijf ik bij je, schatje,' stelde Isobel haar gerust, en ze zong het kind zacht in slaap met het lied dat Matilda altijd kalmeerde: het Franse lied over de eeuwige liefde.

❂

Het nieuws bereikte eerst Mantua, waar Matilda's moeder, Beatrice van Lotharingen, was achtergebleven om leiding te geven aan het huishouden. Het kasteel werd onmiddellijk in chaos gedompeld, en vrouwe Beatrice kreeg een zenuwinzinking, waarna ze moest worden bijgestaan door een ploeg doktoren. Het was te veel. God had haar meer ontnomen dan een vrouw in haar hele leven te verduren zou moeten krijgen, laat staan in één enkel jaar. En waarom? Waarom strafte Hij haar zo? Broeder Gilbert had ongetwijfeld gelijk: God wreekte zich op de onrechtvaardigen.

'Waar is Matilda?' riep ze wanhopig snikkend. 'Laat mijn dochter komen! Ik wil haar bij me hebben!'

Beatrice werd eraan herinnerd dat Matilda in Lucca was, maar er zou onmiddellijk een gezantschap op weg worden gestuurd, begeleid door een verdubbeld escorte te paard, om haar te gaan halen en terug te brengen naar het huis van haar jeugd in Mantua. Ze moest thuis zijn voor de begrafenis.

Het leek ondenkbaar, maar de grote Bonifacio, graaf van Canossa, markies van Mantua en groothertog van Toscane, was dood. Gesneuveld door een verdwaalde pijl die hem tijdens zijn jachtexpeditie recht in de keel had getroffen, op de ochtend na Matilda's voorspellende droom.

De Tijd Keert Weder

Velen zijn geroepen
Wie uitverkoren zijn doen hun geloften
Ze beloven aan God
En aan elkaar
Dat de Liefde nooit sterft.
De profeten komen weder
Want de waarheid is eeuwig
Net zoals de Liefde eeuwig is.
Dat alle mannen en vrouwen van goede wil
De waarheid zullen kennen en ernaar leven
Dat ze de volledige verwezenlijking bereiken
In dit, hun stoffelijke lichaam
Op aarde alzo ook in de hemel
Dit is waarom
De tijd zal wederkeren.

Wie oren heeft om te horen, die hore.

– Uit de voorspellingen van Sara-Tamar,
zoals bewaard gebleven in *Het Libro Rosso*

# 6

*Rome*
*Heden*

'Indrukwekkend!'

Maureen zat op bed, met haar benen onder zich getrokken, en keek uit het raam naar het Pantheon. De avond was gevallen, de schijnwerpers brandden, waardoor het schitterende, eeuwenoude monument pas ten volle tot zijn recht kwam. Haar waarderende uitroep gold zowel het uitzicht als het verhaal dat Peter haar had verteld.

'Besef je wel dat toen Matilda naar Rome kwam, het Pantheon er net zo moet hebben uitgezien als nu?' vroeg ze peinzend. 'Dat ze misschien ergens op dit plein heeft gestaan en er net zo bewonderend naar heeft gekeken als ik op dit moment?'

'Dat is de reden waarom ze Rome de Eeuwige Stad noemen,' antwoordde Peter. 'Het is iets waarvoor de Italianen grote lof verdienen: de zorgvuldigheid waarmee ze hun oudheden beheren en bewaren.' Peter kende inmiddels heel Rome op zijn duimpje en had bepaalde routes die hij koesterde, omdat ze hem langs de vaak ontzagwekkende ruïnes van eeuwenoude beschavingen voerden. Wie te voet door Rome ging, ervoer de stad als een wonder. Na elke hoek wachtte de wandelaar een brok geschiedenis.

Maureen richtte haar aandacht weer op Peter. 'Je zult wel moe zijn.'

'Ik heb vooral trek. Zullen we even een hapje gaan eten bij Alfredo's? Het is hier recht tegenover, aan het plein.'

'Dat zal helaas niet gaan,' zei Maureen met een dramatische zucht. 'Want volgens Lara van de receptie hebben ze daar de beste saltimbocca in heel Rome.'

'En waarom is dat een probleem?'

'Omdat ik van mezelf geen kalfsvlees mag eten. Dus leid me niet in verzoeking. Maar je kunt me wel overhalen voor een hapje uit de Florentijnse keuken, bij Il Foro. Porcini-paddenstoelen? Met een goede brunello erbij?

Dat lijkt me een waardige beloning voor al je werk. En ik vind het niet meer dan gepast om Toscaans te gaan eten. Ter ere van Matilda.'
'Nou, ik ben met een natte vinger te lijmen. Want ik ben dol op Il Foro. Dat weet je.'
Maureen zat boordevol vragen naar aanleiding van wat Peter had verteld, en ze wist dat hij meer geneigd zou zijn die te beantwoorden als hij lekker had gegeten en zich een beetje had kunnen ontspannen. Hij was een meester als het om taal ging, maar dit soort vertaalwerk was wel heel zwaar en belastend. Bovendien zou een eindje lopen hun allebei goeddoen. Ze gingen even langs de receptie, om zichzelf ervan te overtuigen dat ze niet hoefden te reserveren, en begonnen aan de korte wandeling naar het restaurant, langs Peters kerk gewijd aan Ignatius van Loyola, door het schilderachtige straatje met antiekwinkeltjes, tot ze bij de *trattoria* kwamen.
Het personeel kende Peter en heette hem met naam en toenaam welkom, waarop ze naar een rustig tafeltje in het achterste gedeelte werden geleid en een plekje bij het raam kregen. Toen de rijke, rode Toscaanse wijn was ingeschonken, brandde Maureen los.
'Om te beginnen, voor alle duidelijkheid: *Het Boek der Liefde* is niet hetzelfde als *Het Libro Rosso*?'
Peter schudde zijn hoofd. 'Nee. Tenminste, niet helemaal. *Het Boek der Liefde* maakt deel uit van *Het Libro Rosso*, of in elk geval van een kopie daarvan. Volgens mij is *Het Libro Rosso* qua opzet te vergelijken met het Nieuwe Testament in de traditionele canon. We hebben de vier evangeliën, van Mattheüs, Marcus, Lucas en Johannes, maar daarnaast ook de Handelingen der Apostelen, geschreven door Lucas, en de brieven van Paulus en andere verzamelde brieven, en ten slotte de Openbaring van Johannes. Deze vormen samen wat wij het Nieuwe Testament noemen. Is het tot zover duidelijk?'
Maureen knikte.
'Laten we dan nu eens de vergelijking maken. Wat betreft het boek dat de Meester van Matilda in zijn bezit had, ben ik tot de volgende conclusies gekomen. Om te beginnen bevat het een kopie van het evangelie volgens Jezus, *Het Boek der Liefde*...'
Maureen maakte ijverig aantekeningen. 'Een kopie,' onderbrak ze hem, om volledige duidelijkheid te krijgen. 'De kopie die is gemaakt door de apostel Filippus. Want het origineel, dat door Jezus zelf is geschreven, bevindt zich nog altijd in Frankrijk. Voor zover wij weten.'
'Precies. *Het Boek der Liefde* wordt gevolgd door de verzamelde profetieën van Jezus' dochter, Sara-Tamar. De bevestiging van de profetie van de

Voorzegde is in dit verband buitengewoon fascinerend. Hoe ervaar je dat?'
Maureen nam een slokje van haar wijn en dacht even na voordat ze antwoord gaf. 'Ik heb het gevoel alsof Matilda me merkwaardig na staat. We lijken qua uiterlijk op elkaar, althans qua postuur en haarkleur, we zijn op dezelfde dag jarig, op of vlak na de lente-evening, en Matilda leefde net als ik met de druk van die krankzinnige profetie, waardoor ze nauwelijks enige privacy had. Ik moest gewoon huilen bij die passage over de dood van Bonifacio. De parallellen zijn op z'n zachtst gezegd interessant.'
'Na alles wat je hebt meegemaakt, zou ik zeggen dat ze veel meer zijn dan dat.'
'Hoe zou jij ze dan willen noemen?'
'Daar ben ik nog niet uit. Maar ik geloof dat dit alles deel uitmaakt van een goddelijk plan. Dat geloof ik oprecht, Maureen.'
'*De Tijd Keert Weder?* Wat betekent dat precies volgens jou?'
Peter schudde zijn hoofd. 'Daar moet ik me eerst nog verder in verdiepen voordat ik ga speculeren.'
Ze wist dat hij iets voor haar verzweeg. 'Daar neem ik geen genoegen mee, Pete. Ik wil je eerste indruk weten. Denk gewoon eens even hardop. Vooruit, om mij een plezier te doen.'
Hij haalde zijn schouders op. 'Oké. Als ik hardop denk... dan kom ik uit bij de profeten. Weet je nog dat in de tijd van Christus algemeen werd geloofd dat Johannes de Doper de voorspelde wederkomst van de profeet Elia belichaamde? Sprekend over Johannes de Doper zegt Jezus: "En indien gij het wilt aanvaarden: Hij is Elia, die komen zou." Dat is een verwijzing naar een profetie dat de profeet Elia zal wederkomen om de komst van de Heer aan te kondigen. Later, nadat Johannes is terechtgesteld, zegt Jezus: "Ik zeg u dat Elia reeds gekomen is en zij hebben hem niet erkend." Dus we zien dat er een Bijbelse traditie bestaat van profeten die terugkomen bij wijze van vervulling van een profetie.'
'Dus het is een vorm van reïncarnatie? Is Johannes de Doper de incarnatie van Elia de profeet? Is Jezus eigenlijk Adam die is teruggekeerd op aarde? Hebben ze dezelfde ziel, of alleen dezelfde bestemming?'
De conservatievere aspecten van Peters religieuze opleiding verzetten zich tegen de gedachte van vorige levens. 'Ik zou het geen vorm van reïncarnatie willen noemen, of er een oosters of new age-etiket op willen plakken. Maar er bestaat onmiskenbaar een Bijbelse traditie die de idee onderschrijft dat profeten terugkeren wanneer ze nodig zijn om opdrachten uit te voeren die hun door God zijn gesteld. In het evangelie volgens Lucas staat, wanneer de komst van Johannes is voorzegd aan diens vader Zacharias: "En hij zal voor

zijn aangezicht uitgaan in de geest en de kracht van Elia." Dus ik denk dat we daar moeten zoeken. "In de geest en de kracht" van een profeet komt een ander om het karwei af te maken. Om in te gaan op wat jij opperde: het woord "geest" kunnen we op verschillende manieren interpreteren. Letterlijk – met andere woorden dat de twee personages dezelfde geest hebben. En dat dwingt ons tot de vraag of er sprake is van reïncarnatie. Maar ik ben persoonlijk geneigd om "geest" in bredere zin te interpreteren.'
Maureen besefte dat dit hun begrip nog te boven ging. 'In mijn droom zei Easa dat "De Tijd Keert Weder" het enige was wat ik in elk geval moest zien te onthouden. Het komt voor in *Het Libro Rosso*, en het maakte deel uit van Matilda's rituele avondgebed. Het is een overtuiging die voor Matilda en de haren een uitzonderlijke betekenis had en behoorde tot hun dagelijkse beleving. Ik wil niets afdoen aan wat jij zegt, ik wil alleen maar zeggen dat er meer moet zijn.'
'Tussen nu en morgenavond hoop ik opnieuw een aantal bladzijden te vertalen. We moeten gewoon doorlezen en maar hopen dat onze roodharige gravin ons nog meer waardevolle informatie te bieden heeft.'
Maureen hief haar glas. 'Op Matilda.'
Peter tikte het aan met het zijne. 'De Tijd Keert Weder.'

❂

Weer terug in zijn studeerkamer dacht Peter na over zijn eigen vragen en fascinaties ten aanzien van Matilda's manuscript. Op basis van wat hij tot dusverre had gelezen, kon hij niet anders dan constateren dat de theologische implicaties van *Het Libro Rosso* verbijsterend waren.
Het was buitengewoon veelzeggend dat de apostel Filippus blijkbaar een kopie van *Het Boek der Liefde* had gemaakt. Filippus zou uiteindelijk zijn eigen evangelie schrijven, waarvan een kopie was aangetroffen bij de verborgen schat van gnostische ontdekkingen in het Egyptische stadje Nag Hammadi, in 1945. En uit dit evangelie had Jezus geciteerd in Maureens meest recente droom toen hij zei: *Het is noodzakelijk op te staan in dit vlees.* Hoewel... Kon het zijn dat de woorden van Jezus afkomstig waren geweest uit zijn eigen evangelie, uit *Het Boek der Liefde*, en dat dit evangelie later was toegeschreven aan Filippus?
Of had het vroege werk van Filippus aan de vertaling van *Het Boek der Liefde* hem geïnspireerd bij de leringen van zijn eigen evangelie? Had Filippus bij het schrijven van zijn evangelie zich geprobeerd de inhoud van *Het Boek der Liefde* in herinnering te roepen? Dat was een belangrijke

vraag, want een positief antwoord kon betekenen dat de mensheid sinds 1945 beschikte over een degelijke kopie van de ware leringen van Jezus Christus, in de vorm van het evangelie van Filippus. Maar kon dit ook betekenen dat *Het Boek der Liefde*, indien het werd gevonden, onthullingen zou blijken te bevatten over de seksualiteit van Jezus die wereldschokkende gevolgen zouden krijgen?
Het evangelie volgens Filippus richtte zich nadrukkelijk op de fysieke aspecten van het heilige verbond en de gewijde aard van het bruidsvertrek – en op het belang van Maria Magdalena als de geliefde van Jezus. Daarbij ging het, volgens Filippus, bepaald niet om een vluchtige relatie, maar om een toegewijd en lichamelijk, heilig verbond.
Dit gaf aanleiding tot grote problemen. Hoewel het gnostische materiaal authentiek was verklaard en door vele beroemde geleerden was vertaald, bestond er nog altijd grote controverse over elke passage waaruit kon worden afgeleid dat Jezus een gezonde man was geweest met seksuele driften. Dat was iets wat veel christenen simpelweg niet bereid waren in overweging te nemen. Peter werd dagelijks omringd door mannen die nog liever zouden sterven dan dit als mogelijkheid te aanvaarden. Dat wist hij maar al te goed, omdat het met zoveel woorden was gezegd door diverse leden van de commissie die zich bezighield met de vraag of het evangelie volgens Maria Magdalena, zoals dat was gevonden in Arques, authentiek moest worden verklaard.
In de daaropvolgende, slapeloze uren nam Peter het besluit zijn zoektocht naar informatie te beperken door zich te concentreren op de geschiedenis van het labyrint. Dit was duidelijk een instrument van uitzonderlijk belang in de wereld van de 'ketterse' cultussen, en hij was gefascineerd door de veelvuldige verwijzingen ernaar in Matilda's verhaal.
Zo begon hij met het uitkammen van de letterlijk ongeëvenaarde naslagbibliotheek die hij tot zijn beschikking had, en koortsachtig te werken aan een reeks tijdslijnen die hem zouden helpen het grotere verband niet uit het oog te verliezen.
Hij was zich ervan bewust hoeveel labyrinten er te vinden waren in gotische kerkgebouwen. In Frankrijk kende hij er verscheidene, en ook in Italië wist hij van het bestaan van een reeks – kleinere – doolhoven. Wat Peter betrof had niemand hem ooit een geloofwaardige verklaring kunnen geven voor de aanwezigheid van dit heidense symbool in nadrukkelijk katholieke gebouwen. Door het manuscript van Matilda was hij gaan beseffen dat er veel meer achter het eeuwenoude symbool schuilging dan hij ooit had kunnen vermoeden.
Hij was zich ervan bewust dat de vloer van de kathedraal van Chartres, in

Frankrijk, een gotisch meesterwerk op ongeveer tachtig kilometer van Parijs, was ingelegd met een labyrint van aanzienlijke afmetingen, uitgevoerd in steen. Het besloeg het grootste deel van het uitgestrekte schip van de kerk, maar toch had hij het tijdens zijn bezoeken nooit in zijn volle omvang kunnen zien. Om redenen die hij niet begreep, hadden de kerkautoriteiten in Chartres inmiddels bijna tweehonderd jaar geleden besloten het labyrint af te dekken met rijen stoelen.
Wat kon de reden zijn dat de katholieke Kerk het labyrint bedekt wilde houden, uit het zicht van het publiek? Het was onmiskenbaar een architecturaal meesterwerk, en alleen al het feit dat het achthonderd jaar oud was en met wiskundige precisie was ontworpen op het hoogtepunt van de gotiek, maakte het tot een bezienswaardigheid. Sterker nog: een bezienswaardigheid die het beschermen waard was. Toch hadden de losse stoelen de eeuwenoude stenen bekrast en doen afschilferen, en er was niemand in de Kerk die zich daar ook maar enigszins druk over leek te maken. Het leek op z'n gunstigst slordig. Op z'n ergst een welbewuste daad van vandalisme door zijn broeder-priesters die rechtstreeks verantwoordelijk waren voor de aanwezigheid van de stoelen en de systematische beschadiging van het labyrint. Werd die schade welbewust aangericht?
Bovendien, de kathedraal van Chartres was reusachtig en bood met gemak plaats aan enkele duizenden gelovigen. Er werd beweerd dat de lengte niet onderdeed voor die van een compleet voetbalstadion, en het gewelf van de kathedraal was net zo hoog als een gebouw van twaalf verdiepingen. Dus als zitplaatsen waren die extra stoelen niet nodig, behalve dan misschien bij heel bijzondere gelegenheden, of met de belangrijkste feestdagen zoals Pasen en Kerstmis. Peter kreeg hoe langer hoe meer het gevoel dat hier sprake was van welbewuste verduistering van het labyrint, een letterlijk wegmoffelen, dat was begonnen aan het begin van de negentiende eeuw en doorging tot op de dag van vandaag.
Peters maag draaide zich om bij de gedachte. Het was voor hem als priester pijnlijk om te worden geconfronteerd met acties van de Kerk die volledig in strijd waren met waar Jezus mogelijk voor had gestaan. En de laatste twee jaar was dat steeds vaker gebeurd. Het was zelfs een dagelijkse uitdaging geworden. En hoewel hij nog niet helemaal zover was dat hij zich sterk maakte voor het gewijde karakter van labyrinten vanuit de christelijke optiek, vertelde zijn gevoel hem dat ze dienden te worden gerespecteerd als kunstwerken die door meesterbouwers en ambachtslieden uit de gouden tijd van de architectuur met zorg waren geïncorporeerd in plekken van aanbidding.

Peter keek zijn aantekeningen door en verdeelde ze in categorieën voor nader onderzoek: kerklabyrinten, Frankrijk, Italië, Bijbelse connecties. En wat te denken van de connectie met koning Salomo waarover de Meester had gesproken? Dat was zeker een onderwerp dat nader onderzoek rechtvaardigde. Er viel wel een aantal redenen te bedenken waarom Salomo geassocieerd kon worden met de bouw van een labyrint, waarvan de meest voor de hand liggende natuurlijk was dat het ontwerp van de Tempel in Jeruzalem aan hem werd toegeschreven. Dus bouwtechnisch zou hij ertoe in staat zijn geweest. En aangezien Jezus afstamde van het huis van David, en David Salomo's vader was, behoorde het zeker tot de mogelijkheden dat de tekeningen van de Tempel, evenals andere architecturale ontwerpen, aan Jezus waren doorgegeven. Sterker nog: het was heel waarschijnlijk dat er geheime wijsgerige leringen waren aangetroffen bij een familie die zo legendarisch was als het ging om afkomst en wijsheid. Bezat Jezus bouwtekeningen van de Tempel en van andere bouwwerken die in zijn familie bewaard waren gebleven? En maakte het labyrint van Salomo met zijn elf omlopen deel uit van deze nagelaten documenten? Wat had Salomo nog meer nagelaten aan de heiligste van zijn nazaten? En had Jezus daar onderdelen – of misschien wel alles – van opgenomen in *Het Boek der Liefde*?
Peters handen begonnen te beven toen hij een verwijzing vond naar een volmaakt geconstrueerd labyrint in de buitenmuur van de westelijke portico van de San Martino in Lucca, daterend uit het jaar 1200, dezelfde kerk die onderdak bood aan Matilda's Heilige Gelaat. Op ooghoogte was daar in de muur een 'vingerlabyrint' gebeiteld, een miniatuurdoolhof van slechts een halve meter breed – in tegenstelling tot het vloerlabyrint van Chartres, dat een doorsnee had van twaalfenhalve meter. Het labyrint in Lucca was uniek, omdat het de gelovigen in staat stelde met hun vingers de paden te volgen voordat ze het heiligdom van de kerk betraden. Dit soort kleine labyrinten was om twee redenen aantrekkelijk, besefte Peter. De eerste en de meest voor de hand liggende was dat het heilige symbool op die manier toch aanwezig was, ook op plekken waar op de vloer misschien geen ruimte was. Als tweede reden gold dat muurlabyrinten niet onder stoelen konden worden weggemoffeld.
Uniek voor de San Martino in Lucca was de legende die naast het labyrint in de zuil was gebeiteld – een heidense legende die zo op het eerste gezicht misplaatst leek in een katholieke kathedraal en elke verklaring tartte. In vertaling luidden de drie Latijnse hexameters:

DIT IS HET LABYRINT DAT DAEDALUS DE KRETENZER SCHIEP
EN DAT NIEMAND DIE EENMAAL BINNEN IS, WEER KAN VERLATEN.
ALLEEN THESEUS IS DAARIN GESLAAGD
DANKZIJ DE DRAAD VAN ARIADNE

In een van zijn bronnen ontdekte Peter een andere, buitengewoon interessante bewering omtrent Lucca die hij echter nergens kon verifiëren. Een duistere Italiaanse bron beweerde dat het hart van het labyrint, inmiddels vernietigd samen met Theseus, ooit het vervolg van de legende bevatte, met als moraal van het verhaal:

EN ALLES VOOR DE LIEFDE

Het kon geen toeval zijn dat Lucca een volledig labyrint met elf omlopen bezat. Net zomin als het toeval kon zijn dat het in geometrisch opzicht en met zijn rond lopende paden identiek was aan dat van Chartres. Precies gezegd: Chartres en Lucca waren nauwer met elkaar verbonden dan de andere labyrinten, bijna alsof ze allebei waren ontworpen door dezelfde persoon.
Het labyrint werd al duizenden jaren geassocieerd met het heilige verbond als resultaat van de machtige en voortlevende Ariadne-legende; uit Matilda's manuscript viel op te maken dat deze legende misschien zelfs was erkend door Jezus. Bewijs uit de middeleeuwen toonde echter aan dat de monniken die de Griekse labyrintlegenden voor het nageslacht hadden gekopieerd, welbewust hadden besloten hun perceptie te veranderen. In plaats van de uitgebreide en machtige nuances van liefde en verlies te bewaren, herschreven de kopiisten – om onverklaarbare redenen – de teksten als verhandelingen over architectuur. Ariadne werd helemaal niet meer genoemd. Dat kon geen toeval zijn. Ariadne was uit haar eigen verhaal geschreven! Volgens een groot aantal bronnen, waaronder ook archeologische bewijzen, was het oorspronkelijke doel van de legende het benadrukken van het belang van Ariadne als Vrouwe van het Labyrint die haar man en andere onschuldigen beschermt met haar liefde. Maar in latere versies van de legende werd haar rol volledig – en mogelijk, zelfs waarschijnlijk welbewust – genegeerd.
Op min of meer dezelfde manier was er in de aanvaarde kronieken van het leven van Jezus afbreuk gedaan aan de rol van Maria Magdalena en was ze er soms zelfs volledig uit geschreven, ook door mannen van de Kerk. Peter begon een radicale theorie te ontwikkelen: Ariadne werd een allegorisch

symbool voor Maria Magdalena, voor de 'ketters' die niet wilden dat haar belang zou worden vergeten. De overleving van Theseus – het feit dat hij weer tevoorschijn kwam uit het labyrint nadat hij oog in oog had gestaan met de dood – was een metafoor voor de wederopstanding. Ariadne, die hem had beschermd met haar liefde, was de eerste die getuige was van zijn glorie als redder van zijn volk, zoals Magdalena, die Jezus zalfde voor zijn begrafenis, als eerste getuige was geweest van Zijn glorieuze wederopstandig als Redder van Zijn volk. Het verbond tussen Theseus en Ariadne kon de liefde tussen Jezus en Maria Magdalena symboliseren; hun verhaal zou de ketters de mogelijkheid geven hun leer in het volle zicht af te beelden. Ariadnes draad was symbolisch voor de toewijding van Maria Magdalena – hoe ze *Het Boek der Liefde* naar Europa bracht en haar leven wijdde aan het behoud daarvan. Door deze draad te volgen kunnen we, net als Theseus, tevoorschijn komen uit de duisternis van het hol van de Minotaurus en het licht van de vrijheid vinden.

Na een korte, rusteloze nacht hervatte Peter de volgende morgen zijn zoektocht en hij vond een verwijzing naar een andere kerk in Italië die grote indruk op hem maakte. De San Michele Maggiore in de Noord-Italiaanse stad Pavia was gebouwd in de tijd van Matilda en had op haar grondgebied gestaan. In het koor was op enig moment in de twaalfde of de dertiende eeuw een labyrint gerealiseerd, dat inmiddels voor het grootste deel was vernietigd. Maar er bestonden nog tekeningen van het oorspronkelijke werk, en hij slaagde erin die op te sporen in de Biblioteca Apostolica van het Vaticaan. Het ging om een volmaakt labyrint met elf omlopen, net als de labyrinten in Chartres en Lucca. In het hart stonden de woorden: *Theseus ging het labyrint binnen en doodde het hybride monster*. In dit geval was het monster geen Minotaurus maar een centaur – een schepsel dat half paard, half man was. Er leek in de labyrintontwerpen van de middeleeuwen sprake te zijn van een trend om de Minotaurus te vervangen door de centaur, een trend die werd voortgezet tot in de Renaissance. Gebeurde dit welbewust? Was het een verwijzing naar het doden van een ander soort monster?

Zou het 'hybride monster' de Kerk kunnen zijn die begon met haar vervolging van de 'zuivere' christenen? Peter dacht even over deze vraag na. De afgelopen twee jaar had de Kerk inderdaad een dergelijke gestalte voor hem aangenomen. Ze was een hybride geworden, een kruising tussen schoonheid en pijn, waarheid en leugens. Een instituut waarin hij aan de ene kant nog altijd met grote passie geloofde, maar dat hem aan de andere kant tot wanhoop dreef.

*Mantua*
*1052*

'Het was geen ongeluk, Isobel. Ik schaam me dat ik familie ben van de ellendeling die de Duitse kroon draagt,' tierde Beatrice terwijl ze opgewonden door haar vertrekken ijsbeerde.
Bonifacio's dood – onder verdachte omstandigheden – op 6 mei 1052 had in Toscane tot grote consternatie geleid. Er werd gefluisterd dat de Duitse keizer, Hendrik III, er de hand in had gehad. Het 'jachtongeluk' leek meer op moord, met als kwade genius een inhalige monarch die al jaren werd verteerd door jaloezie op de grote Bonifacio. Het voorwerp van die jaloezie was uit de weg geruimd, maar Hendrik, die een neef was van Beatrice, had zijn plan misschien toch niet zo zorgvuldig uitgedacht als hij had moeten doen.
'Het zal hem niet baten. Ik ben ook familie van de paus, en die heeft al maatregelen genomen om Matilda en mij te beschermen. Hendrik zal het niet wagen Bonifacio's rijkdommen in beslag te nemen. Daarvoor is het risico van repercussies te groot. De Toscaanse leenmannen zullen tegen hem in verzet komen. En bovendien...' Beatrice dempte haar stem om te voorkomen dat iemand anders dan Isobel haar zou horen. 'Bovendien hebben we een plan bedacht dat niet kan mislukken.'
'Dat hoop en bid ik, vrouwe.' Isobel maakte zich in het geheim de grootste zorgen om Matilda, maar kon niet anders dan erop vertrouwen dat Beatrice de juiste keuzes zou maken om haar te beschermen.
Een tevreden glimlach speelde om Beatrice' lippen toen ze haar strategie verraadde. 'Paus Leo heeft per direct een verloving geregeld tussen mij en Godfried van Lotharingen.'
Isobel hield geschokt en verrast haar adem in. De verloving was om diverse redenen controversieel, niet in de laatste plaats vanwege Godfrieds openlijke haat jegens de keizer. Hij rebelleerde onophoudelijk tegen de corrupte monarch, dus het betekende voor Hendrik een grote belediging dat de paus Bonifacio's bezittingen aan Godfried van Lotharingen schonk, onder het mom Beatrice en haar kind te willen beschermen. Er was echter een lastiger punt dat aan de orde moest worden gesteld.
'Maar vrouwe, Godfried van Lotharingen is uw rechtstreekse neef. Deze verloving betekent een schending van de wetten van de Kerk.'
Daar had Beatrice al over nagedacht, en ze bewees veel sluwer te zijn dan Isobel had kunnen denken. 'We zijn het erover eens geworden om vóór

het sluiten van het kerkelijk huwelijk de celibataire geloften af te leggen. Daar heb ik geen enkele moeite mee, want na Bonifacio zal geen man me nog aanraken.' Even verzachtte haar gezicht en werd ze de oprecht rouwende weduwe. 'Uitgerekend jij zou dat moeten begrijpen, Isobel.'

En Isobel begreep het inderdaad. Want hoewel Beatrice niet leefde volgens de gewijde wetten van de hieros gamos die de Orde hanteerde, kende ze die maar al te goed. Bonifacio was haar geliefde geweest in de meest gewijde betekenis, en ze zou de rest van haar leven om hem blijven treuren.

'Dit is zuiver een zaak van conveniëntie.' Het krachtige, adellijke masker was terug. 'Matilda heeft een machtige verdediger nodig om haar grondgebied te beschermen. Als vrouw alleen kan ze niet erven. Maar ik heb je hier laten komen omdat ik je nog iets moet vertellen, Isobel.'

Beatrice en Isobel hadden nooit een hechte relatie gehad. Matilda's grote gehechtheid aan haar kindermeisje vervulde haar moeder zelfs met jaloezie. Dus Isobel vermoedde dat Beatrice een speciale reden had om haar van haar plannen op de hoogte te stellen. Wat ze te horen kreeg, was echter wel het laatste wat ze had verwacht.

'Om de bescherming van mijn dochter te garanderen, heeft de paus verder bepaald dat Matilda zal worden uitgehuwelijkt aan Godfrieds zoon, de toekomstige hertog van Lotharingen, en ik heb daarmee ingestemd.'

Isobel wist dat ze machteloos stond tegenover dit besluit, maar ze werd overvallen door een diepe wanhoop en moest zich beheersen om niet in snikken uit te barsten. Volgens de leer van de Orde, die de ware liefde als het hoogste sacrament beschouwde, was het godslasterlijk om een jong meisje, een kind nog, te dwingen tot een gearrangeerd huwelijk. Besefte Beatrice dan niet dat ze haar bijzondere, magische dochtertje hiermee tot levenslang had veroordeeld? Tot een ongelukkig bestaan waaruit geen ontsnappen mogelijk was?

Maar het was onherroepelijk. De fijngevoelige kleine kind-gravin van Canossa was uitgehuwelijkt aan een jongeman die al op jonge leeftijd de ongelukkige bijnaam Godfried met de Bult had verworven.

✿

Toen paus Leo IX in de lente van 1054 onverwacht stierf, had dat ernstige repercussies voor het leven – en het geluk – van moeder en dochter. Hebzuchtig als hij nog altijd was, sloeg Hendrik III onmiddellijk toe door aanspraak te maken op 'zijn' uitgestrekte feodale bezittingen in Italië. De nieuwe echtgenoot van Beatrice, hertog Godfried, zag zich genoodzaakt

om haar aan haar lot over te laten, omdat Hendrik in een sluw staaltje strategie tegelijkertijd ook Lotharingen bedreigde, zodat Godfried zijn bezittingen daar moest beschermen. Zo kwam het dat Beatrice en haar dochter weerloos waren tegen de Duitse koning, die zichzelf tot Heilige Roomse Keizer had gekroond.
Hendrik nam Beatrice en Matilda gevangen en bracht hen naar Duitsland. Matilda was haar erfenis kwijt. Volgens een keizerlijke verklaring had ze alles verloren wat de familie van haar vader in vier generaties had opgebouwd. De keizer verklaarde dat Beatrice en Matilda afhankelijk zouden zijn van zijn liefdadigheid en bracht hen onder in kasteel Bodfeld, waar ze zouden blijven zolang het hem beliefde. Ze waren niets meer of minder dan gevangenen, ontvoerd door een hebzuchtige en narcistische monarch die alle troeven in handen hield.
Matilda was pas negen, maar ze was zich terdege bewust van de onrechtvaardigheid en de onderdrukking waarvan ze het slachtoffer was.
Het was te veel. Niet alleen had ze haar dierbare vader verloren, haar erfenis en haar thuis, maar bovendien was de enige ouderliefde waarop ze altijd had kunnen rekenen haar ontnomen. Isobel mocht na Matilda's ontvoering geen contact meer met haar hebben en keerde terug naar Lucca om daar te bidden voor de veiligheid en de bevrijding van haar dierbare pupil.

*Bodfeld, Duitsland*
*1054*

Matilda schrok wakker. Ze knipperde toen ze het eerste grijze ochtendlicht zag dat door de ramen naar binnen viel.. Het liep tegen eind oktober, en Duitsland was koud en donker. Ze miste de gouden zonneschijn en de warmte van Toscane die misschien iets van de pijn om het verlies hadden kunnen verlichten die ze in anderhalf jaar gevangenschap had geleden. Ze haatte Duitsland en ze haatte de man die haar hier had gebracht, de man die haar vader had gedood en haar erfenis had gestolen, de man die haar en haar moeder had vernederd en verlaagd tot de status van bedelaars. En zijn zoon – haar neef, de kwaadaardige kleine kobold die ooit de troon van Duitsland zou erven – haatte ze zo mogelijk nog meer. Het was bijna niet te bevatten dat één kleine jongen zoveel verschrikkingen, zoveel ellende kon aanrichten, maar dit *infans terribilis*, dat ook Hendrik heette, net als zijn vader, was tot alles in staat, en werd nooit gestraft of tot de orde geroepen. Zijn hooghartige en in alle andere opzichten strenge Franse moeder aanbad hem met een geobsedeerdheid die grensde aan idiotie.

Toen Matilda haar hoofd optilde, werd ze eraan herinnerd hoe kwaadaardig haar neef, die jonger was dan zij, kon zijn. Ze voelde de kleverigheid eerst in haar nek. Niet weer! Toen ze haar hand naar haar hoofd bracht begon haar hart misselijkmakend te bonzen, want een dikke, kleverige substantie maakte dat haar schitterende koperblonde krullen aan elkaar plakten. Ze hield haar vingers onder haar neus en rook aan de walgelijke brij die over haar haar was gegoten. Honing, vermengd met iets anders. Iets zwarts, olieachtigs, dat ongetwijfeld hard zou worden, zodat ze geen andere keus had dan haar krullen afknippen.

'Mama!'

Het enige positieve dat hun gevangenschap had opgeleverd, was dat Matilda daardoor gedwongen was geweest een hechtere band te ontwikkelen met haar moeder, Beatrice. Ze hadden tenslotte alleen elkaar, verder niemand. En daardoor was Matilda tot de ontdekking gekomen dat haar moeder veel sterker was, en veel ontwikkelder, dan ze ooit had vermoed. De onderdanigheid van Beatrice jegens Matilda's vader was een vrijwillige keuze geweest, een uiting van respect, niet van zwakheid, was Matilda gaan beseffen. In gevangenschap overlegde Beatrice de politieke opties met haar dochter en vertelde haar dat ze nog altijd in heel Europa bondgenoten hadden. Godfried van Lotharingen mocht hen dan in de steek hebben gelaten, hij was een sterk en intelligent leider, en hij wist dat met de bevrijding van Beatrice en Matilda ook zijn eigen bezittingen in het noorden van Italië weer zouden vrijkomen. Sterker nog: hij had spionnen uit Lotharingen in het kasteel en was erin geslaagd Beatrice bemoedigende briefjes toe te spelen, waarin hij schreef dat hij werkte aan een strategie om hen vrij te krijgen. Het ging langzaam, maar uiteindelijk zou het ervan komen. Ze mochten dan gevangen zijn, ze waren niet verslagen.

Op haar beurt kwam Beatrice tot het besef hoe begaafd en sterk haar enige overlevende kind was, wat haar nog meer hoop gaf voor de toekomst. Matilda was in alle opzichten de waardige erfgename van Bonifacio's bezittingen. Misschien was deze tijd in gevangenschap zelfs wel goed voor haar, omdat ze daardoor een wrede, maar noodzakelijke opleiding in het politieke spel ontving en werd gehard tot een strijder voor gerechtigheid.

Toen ze haar dochter hoorde roepen, schoot Beatrice haastig toe vanuit de aangrenzende kamer waar ze had zitten borduren. Ze mochten dan gevangenen zijn, ze werden niet slecht behandeld in het riante kasteel waarin ze waren ondergebracht. Matilda's moeder zocht haar toevlucht in het werken met haar handen, omdat het haar kalmeerde en haar in staat stelde na te denken. Ze had geprobeerd Matilda de fijne kneepjes van de borduurkunst te leren, maar haar dochter had geen enkele belangstelling voor vrouwelijke handwerken. Een dergelijke bezigheid voelde als overgave, en daar was ze niet toe bereid. Nooit. En zeker niet hier!

'Die ellendige Hendrik heeft weer honing in mijn haar gesmeerd!'

Matilda weigerde te huilen. Die bevrediging gunde ze haar neef niet, om haar te zien huilen als resultaat van zijn wrede streken. Bovendien had hij dit al eerder gedaan. Alleen maakte ze zich in dit geval meer zorgen. De laatste keer hadden ze de honing uit haar haren kunnen wassen en was er geen blijvende schade aangericht aan haar prachtige krullen. Het was echter duidelijk dat Hendrik steeds verder ging in zijn wreedheden, en nu had hij de honing aangelengd met iets anders, iets wat ze niet kon benoemen, om het brouwsel nog kwaadaardiger te maken. Ze had het gevoel alsof het spul al bezig was hard te worden, vandaar haar paniek.

'Schiet op, moeder! We moeten proberen het eruit te wassen voordat het nog harder wordt. Ik gun hem niet de bevrediging dat ik mijn haar moet afknippen.'

Zelfs in gevangenschap wist Beatrice nog altijd gehoorzaamheid af te dwingen van de bedienden. Ze riep om een teil warm water en een kom met de zware zeep die werd gemaakt van de wortels van planten die de plaatselijke bevolking verzamelde in de wouden van de Ardennen. De zeep werd gebruikt om kleren mee te wassen, maar om het legendarische haar van haar dochter te redden zou ze krachtiger middelen moeten gebruiken.

'Ik heb hem nooit iets misdaan,' tierde Matilda. 'Waarom heeft hij toch zo'n hekel aan me?'

'Omdat hij jaloers is, en omdat hij het kwaadaardige gebroed is van een slechte vader en een onnozele gans van een moeder,' antwoordde Beatrice snijdend. 'God helpe Duitsland wanneer hij ooit op de troon komt. Als hij al ooit koning wordt. Want hij is nog te stom om varkens naar de trog te leiden, laat staan om over Europa te heersen. En als hij op zijn zesde al zo kwaadaardig is, dan weet alleen de goede God hoe hij zal zijn wanneer hij oud genoeg is voor machtsmisbruik en omkoperij. Of erger.'

Sinds de dag waarop ze in Duitsland waren gearriveerd, had de erfgenaam van de troon, de heerszuchtige jonge Hendrik, Matilda onvermoeibaar bestookt met rottigheid. Hij bracht zijn dagen door met manieren bedenken om haar het leven zuur te maken, en zijn avonden om zijn bedenksels uit te

voeren. Veel van die bedenksels waren erop gericht haar haren te beschadigen, omdat die zijn grootste obsessie vormden. Soms joeg hij haar na met een speelgoed-pijl-en-boog, luidkeels roepend: 'Ik ben Bonifacio, de dode hertog van Toscane.' En dan deed hij alsof hij in de hals werd geraakt, waarop hij zich dramatisch op de grond liet vallen, kronkelend in doodsnood. Matilda, die was grootgebracht met het geloof in de macht van de liefde, bad elke avond wanhopig: 'Lieve God, vergeef me alstublieft dat ik hem zo verafschuw. Ik weet dat ik mijn vijanden moet liefhebben, maar dit is te erg.' Elke avond voor het slapengaan probeerde ze met het paternoster haar boosheid onder controle te krijgen, zoals de Meester haar dat had geleerd. Met de les van het vijfde bloemblad – en vergeef ons onze fouten en onze schulden, gelijk ook wij onszelf en anderen vergeven – zou ze altijd de meeste moeite hebben. Hendrik de Verschrikkelijke gaf haar alle gelegenheid om die les te leren.
Hij beledigde haar onafgebroken, doorgaans met uitspraken als: 'Vader zegt dat je een halve barbaar bent en het niet verdient in zulke weelde te leven, maar hij durft je de straat niet op te gooien, uit angst dat je probeert je heidense hordes tegen zijn keizerlijke heiligheid op te zetten.'
Hendrik zei ook verschrikkelijke dingen over Beatrice, dingen die hij met zijn zes jaar onmogelijk kon begrijpen – over haar onnatuurlijke, verdorven huwelijk met haar rechtstreekse neef, Godfried van Lotharingen, en wat een gruwel haar dat maakte in de ogen van God. Matilda was meer dan een week alleen in een kamer opgesloten, omdat ze Hendrik daarvoor in zijn gezicht had gestompt en ernstige schade had aangericht aan zijn fijngevormde neus. Het was het enige aan zijn gemene, kinloze, pafferige gezicht wat fijngevormd was, en Matilda was zo dom geweest dat te zeggen tegen de koningin, toen die haar dierbare zoontje te hulp schoot. Agnes van Aquitanië viel bijna flauw door Matilda's brutaliteit en eiste dat het barbaarse kind met het afzichtelijke, vurige haar tot nader order werd opgesloten, zodat ze haar niet hoefde te zien. Het kon niet anders of een dergelijke kleur haar was onnatuurlijk, net als alles aan dit kwaadaardige, woeste schepsel dat haar dierbare lammetje het leven zuur maakte.
Beatrice waste zorgvuldig het kleverige goedje uit Matilda's haar door de strengen een voor een met de krachtig reinigende zeep te bewerken. Ten slotte slaakte ze een zucht van verlichting. De honing liet zich uitspoelen en zou niet verharden tot een substantie die alleen door knippen te verwijderen was. Het haar was een beetje dof geworden door Hendriks brouwsel, maar Beatrice verwachtte dat het niet lang zou duren of de stralende koperblonde gloed keerde terug.

Toen het haardrama eenmaal was opgelost, gaf Beatrice opdracht hun iets te lezen te brengen, en ze liet haar biechtvader komen, broeder Gilbert, die hen in ballingschap had mogen vergezellen omdat hij werd beschouwd als een loyaal Duits onderdaan. Beatrice vroeg om de geschriften van de Heilige Augustinus waarmee ze Matilda wilde laten kennismaken. Want ze mochten dan gevangenzitten, ze zou er in elk geval voor zorgen dat het onderricht aan haar dochter werd voortgezet. Ze wilde dat Matilda zich in politiek opzicht zo goed mogelijk staande zou kunnen houden wanneer deze nachtmerrie eenmaal voorbij was. En die dag zou komen. Daar was Beatrice heilig van overtuigd.

Matilda maakte het zich met het boek gemakkelijk voor het beeldje van Sint-Modesta, dat ze bij haar geboorte van Isobels familie had gekregen. Modesta werd in de Orde en door de bevolking van La Beauce in Frankrijk als een heilige erkend, omdat ze onbevreesd haar leven had gewijd aan de leer van *Het Boek der Liefde*. Het beeldje was het enige wat Matilda uit Toscane had mogen meenemen, en het grootste deel van de tijd was het ook haar enige troost.

✿

Die avond dineerden Matilda en Beatrice helemaal alleen in een kleine, kale en kille antichambre van het kasteel. Er was iets niet in orde, maar ze hadden nog geen idee wat. De familie hadden ze de hele dag niet gezien; zelfs Hendrik was niet langs geweest om zich te verlustigen aan de gevolgen van zijn missie om Matilda's haar te bederven. Dat was hoogst ongebruikelijk. De kleine ellendeling kende geen groter genot dan aandacht voor zijn wandaden.

De volgende morgen bracht nieuws dat Matilda voor het eerst in achttien maanden weer een geluksgevoel bezorgde. Hendrik III, de dief en moordenaar die op de Duitse troon zat, was die nacht volkomen onverwacht gestorven aan een koortsaanval. Het lot van zijn familie was erg onzeker, want niet alleen Duitsland maar ook de landen eromheen waren onmiddellijk in chaos gedompeld. Koningin Agnes kreeg geen tijd om te treuren om haar man, want actie was geboden. Ze werd benoemd tot regentes voor en enige voogd over haar zoon, die vanaf dat moment Hendrik IV heette.

Matilda en Beatrice werden verscheidene dagen in onzekerheid gelaten, waarin ze van nieuws verstoken bleven en Agnes noch haar zoon te zien kregen. Op de vierde dag meldde Godfried van Lotharingen, die zich tijdens de lange gevangenschap van Beatrice en Matilda met intriges en complotten op een dergelijke kans had voorbereid, zich aan de poort van Bodfeld met een voorstel voor de koningin-regentes. Hij beloofde, samen met zijn rijkste leenmannen in Lotharingen, trouw te zweren aan haar en haar zoon, zodat de rust en de stabiliteit in het wankele koninkrijk werden hersteld. Op haar beurt zou Agnes zijn huwelijk met Beatrice als wettig erkennen en hem Bonifacio's bezittingen teruggeven.

Verward en in het nauw gedreven stemde koningin Agnes met het voorstel in. In politiek-strategisch opzicht voelde ze zich volstrekt niet tegen de situatie opgewassen, en tijd om advies in te winnen had ze niet in de snel escalerende crisis met de toekomst van haar zoon als inzet. Ze wilde niets liever dan in elk geval Lotharingen en Saksen veiligstellen voor haar kind in de chaos die volgde op de dood van haar man, een ongeliefd en onrechtvaardig vorst die zijn ontzag had afgedwongen door angst. Haar eerste prioriteit was de bescherming van Duitsland en omringende gebieden. Italië was op dat moment haar laatste zorg, en Godfried was slim genoeg om daarvan te profiteren. In de veranderlijke wereld van de Europese politiek was het cruciaal het juiste moment te kiezen.

Matilda en Beatrice keerden in 1057 uit ballingschap terug in Florence, waar ze het leven weer oppakten als het gezin van hertog Godfried van Lotharingen. Matilda weigerde achterom te kijken toen ze Duitsland verliet, vast van plan om nooit meer een voet in dat ijskoude, van God verlaten land te zetten, tenzij het absoluut niet anders kon en God dat van haar eiste.

❂

Toscane lag in puin.

Wat Matilda's familie in vier generaties had opgebouwd – een welvarend land waar de bevolking gedijde en de natuurlijke hulpbronnen zorgvuldig werden gebruikt – was door de Duitse koning in minder dan twee jaar volledig ongedaan gemaakt. Hendrik had het land verkracht, het beroofd van zijn rijkdommen, de trotse bevolking zo goed als aan de bedelstaf gebracht. De waterwegen werden opnieuw geteisterd door piraterij, met al het moorden en stelen dat daarbij hoorde, maar nu gedoogd door een keizerskroon.

Terwijl ze door het land trokken, voelde de jonge Matilda zich zowel ziek als angstig door wat ze zag. Van de levendige, bloeiende stadjes en dorpen uit haar prille jeugd, waar ze was geweest met haar vader, die er als een vorst was binnengehaald, was niets meer over. In de vervallen huizen waren de bewoners nerveus weggedoken in het halfduister, bang voor het geluid van hoefslagen. Paarden brachten veroveraars en dieven, tegenover wie ze weerloos waren en van wie ze geen enkele genade hoefden te verwachten.

In een van deze dorpen, aan de rand van het familiebolwerk in Canossa, hield het gezin die avond halt, op zoek naar voedsel en onderdak. Matilda was niet alleen moe van de tocht over de Alpen, maar ook uitgeput door de emoties van alles waarmee ze onderweg was geconfronteerd. Ze besefte dan ook niet meteen wat er gebeurde toen ze het dorp binnenreden. Na haar gevangenschap en alles wat ze in die periode te verduren had gekregen, was haar eerste reactie er een van angst. Ze was bang dat de verzamelde menigte haar kwaad wilde doen. Maar toen hun kleine stoet dichterbij kwam, kon ze de spreekkoren van de dorpelingen verstaan.

'Ma-til-da. Ma-til-da!'

Een groepje kinderen kwam naar haar toe en legde bloemen aan haar voeten. Ze werden gevolgd door hun ouders, die de terugkeer van hun geliefde gravin verwelkomden. Die avond werd het gezin, in de vergane glorie van wat eens de grootse banketzaal was geweest van een plaatselijk heer, onderhouden door de inwoners van het dorp. Velen kwamen hun schokkende verhalen van verlies en tragedie vertellen onder de knoet van een meedogenloze, hebzuchtige buitenlandse monarch. Matilda, die inmiddels elf was, zat naast haar moeder en haar stiefvader en luisterde aandachtig. De onrechtvaardigheid die deze prachtige mensen, háár mensen, was aangedaan, trof haar tot in het diepst van haar ziel. Niets ontging haar, ze onthield alles, en heimelijk zwoer ze een plechtige eed: wanneer ze hun nieuwe leven eenmaal op poten hadden gezet, zou ze een manier zien te vinden om al deze mensen schadeloos te stellen voor hun verlies.

De dorpelingen kwamen bij hertog Godfried, die nu hun feodale heer was, om de teruggave van hun pachtgoederen te bepleiten en om zijn hulp in te roepen bij de wederopbouw. Op hun beurt zouden ze hem troepen leveren om zijn bezittingen te beschermen. Maar ze kwamen toch vooral om hun legendarische kleine gravin te zien, want ze was behalve een kind van Toscane ook het kind van een grootse profetie. Voor de mensen van Noord-Italië vertegenwoordigde Matilda de hoop op een stralende toekomst. Matilda zou Toscane terugbrengen tot zijn vroegere luisterrijke staat van vrede en welvaart.

Daar waren de mensen heilig van overtuigd, en hetzelfde gold voor Matilda.

Er bestaan vormen van eenwording die uitstijgen boven al wat zegbaar is,
die sterker zijn dan de grootste krachten,
dankzij de macht van hun bestemming.

Zij die een dergelijke eenwording beleven, zijn niet langer gescheiden.
Ze zijn één, het vleeslijk onderscheid ontstegen.

Zij die elkander herkennen, ervaren de ongeëvenaarde vreugde om samen in deze volheid te leven.

De Tijd Keert Weder

Wanneer de Families van de Geest op aarde samenkomen, heerst er grote vreugde in het huis van El en Asherah. Zij die elkaar in dit leven herkennen, ervaren een volheid die onkenbaar is voor wie deze zegen niet kent.

De enige vreugde groter dan vereniging... is her-eniging. Er is een ontwaken dat hier moet gebeuren. Je moet ontwaken, opstaan in dit vlees, dit lichaam, omdat daarin alles aanwezig is, en alleen door dit ontwaken zul je ogen hebben om te zien en ogen om te horen. Alleen door dit ontwaken zul je herkennen en je herinneren met wie het je bestemming is te worden herenigd.

Wie oren heeft om te horen, die hore.

– Uit *Het Boek der Liefde*
zoals bewaard gebleven in *Het Libro Rosso*

# 7

*Florence*
*1057*

Hertog Godfried koos Florence als hun nieuwe standplaats omdat hij daaraan ruimschoots de voorkeur gaf boven Mantua, waar het hem zwaar zou vallen de concurrentie aan te gaan met de herinnering aan Bonifacio. Vanuit Florence kon hij bovendien opereren in een meer kosmopolitische en gepolitiseerde omgeving. Mantua, Modena en Canossa waren provincialer. Hij vergrootte en restaureerde een oud paleis in het hart van de stad, vlak bij het verbijsterende, achthoekige Baptisterium dat Florence domineerde.

Matilda richtte in Florence haar nieuwe leven in, dat werd ingeluid door een emotionele hereniging met haar geliefde Isobel. Beatrice, die haar handen vol had aan het bestieren van de Toscaanse bezittingen die op naam van haar dochter stonden, had het opnieuw veel te druk om de moederrol op zich te nemen. En hoewel moeder en dochter door hun tijd in Duitsland dichter tot elkaar waren gekomen dan ooit, zou Matilda altijd behoefte hebben aan en verlangen naar de koesterende hand van Issie.

Isobel maakte zich zorgen over de scherpte die Matilda tijdens haar gevangenschap had ontwikkeld. Ze was een deel van haar onschuld kwijtgeraakt en zou niet snel haar vertrouwen schenken aan nieuwe mensen die in haar leven zouden verschijnen. Bovendien was ze strijdlustig en rusteloos geworden in haar nieuw gevonden passie voor gerechtigheid. Isobel en de Meester beseften dat ze er alles aan zouden moeten doen om te benadrukken dat het verlangen naar gerechtigheid niet mocht worden gekleurd door de behoefte aan wraak. Want het een was het werk van het licht, maar het ander behoorde tot de duisternis. Als leider moest Matilda waar mogelijk leren te leven vanuit de liefde. Want liefde overwon alles.

Wat de Orde verder betrof: Matilda had in bijna twee jaar geen spiritueel onderricht meer gehad, kritieke jaren in de ontwikkeling van een kind.

Tijdens haar gevangenschap waren de gruwelijk orthodoxe interpretaties van de Heilige Schrift, die het dagelijks brood waren van de Duitse koninklijke familie, haar enige opleiding geweest. Het zou op zich al een uitdaging betekenen om de daardoor aangerichte schade ongedaan te maken. Vandaar dat de binnenring van de Orde van het Heilige Graf in Lucca tot de conclusie was gekomen dat noodmaatregelen vereist waren. De Meester zou worden overgeplaatst naar Florence, waar de Orde ook een vestiging had, een klooster aan de rand van de rivier de Arno dat was gewijd aan de Heilige Drie-eenheid, Santa Trinita. Een gesloten en enigszins mysterieuze monnikengemeenschap die banden onderhield met de Orde had het klooster in de tiende eeuw gebouwd, met als beschermheer Siegried van Lucca, Matilda's legendarische betovergrootvader. De monniken stonden niet alleen sympathiek tegenover de oorsprong van de Orde, sommigen stamden af van de machtigste families van de heilige stamboom en waren gezworen leden.
In Santa Trinita zouden Isobel en de Meester serieus een nieuwe aanvang maken met Matilda's opleiding. Ze zouden hun kind, hun gekoesterde Voorzegde, weer tot leerling nemen en haar terugbrengen in de kudde van de Weg van de Liefde. Ze zouden ervoor zorgen dat ze alle kans kreeg haar bestemming te vervullen. Ze zouden haar leren dat God een reden had gehad toen Hij haar de beproeving had opgelegd van haar gevangenschap en van het onrecht dat ze had moeten verdragen. Dat Hij had gewild dat ze de pijn van een dergelijke behandeling zou ervaren en leren begrijpen. Die kennis zou ze moeten gebruiken om haar beslissingen als leider te kleuren, om zich bewust te zijn van de menselijkheid van al haar leenmannen en vazallen, niet één uitgezonderd, en om te beseffen dat *Het Boek der Liefde* leerde dat alle mensen gelijk waren, dat geen man of vrouw waardevoller was dan een ander. In de ogen van God waren alle mensen gelijkwaardig.
Matilda had een harde leerschool gehad, zeker gezien haar jonge leeftijd, maar de Meester zou er de nadruk op leggen dat deze deel uitmaakte van Gods bedoelingen met haar. De lessen die ze had geleerd, zouden haar tot een groot en menslievend leider maken.
Een andere reden voor bezorgdheid was het feit dat Matilda's ervaringen met de jonge Hendrik haar relatie met leeftijdgenootjes, vooral jongens, had aangetast. De toekomst zou in belangrijke mate worden bepaald door haar diplomatieke vermogens, waarbij ze voornamelijk met mannen te maken zou krijgen. Dus dit was een probleem dat moest worden aangepakt. Daarom besloot de Meester ook andere kinderen te betrekken bij

Matilda's lessen, om te beginnen een weesjongen die dankzij zijn uitzonderlijk snelle geest en zijn duidelijke leiderskwaliteiten uit Calabrië naar het noorden was gestuurd om daar te worden geschoold. Hij was net zo oud als Matilda, en de Meester was ervan overtuigd dat de knaap een waardige metgezel zou zijn voor de kleine gravin. Met zijn negen jaar had Patricio al bewezen zowel intellectueel als spiritueel rijk begiftigd te zijn. Hij was een allerliefst kind, gezegend met een zonnige aard en een sterke wil. Het zou hem geen moeite kosten Matilda bij te houden; hij zou zelfs een uitdaging voor haar betekenen. Ze leken genoeg op elkaar om het samen goed te kunnen vinden, maar ook om elkaar te stimuleren. Het was een volmaakte oplossing, waarvan voor Matilda een krachtige helende werking zou uitgaan.

*Florence*
*1059*

'Moeder, ik wil worden opgeleid tot krijger.'
Beatrice schoof de afrekeningen die ze zat te bestuderen opzij, toen haar dochter – inmiddels dertien en een uitzonderlijke schoonheid – in de deuropening verscheen.
'Kom eerst eens fatsoenlijk binnen, Matilda. Ik wil niet dat je zulke dingen vanuit de gang roept, waar het hele huishouden je kan horen.' Beatrice glimlachte om duidelijk te maken dat ze niet boos was vanwege haar dochters kenmerkende onstuimigheid. Ze verwachtte niet anders, sterker nog, ze vond het wel charmant. 'Ga zitten, kindje. Wat heb je nu weer bedacht, en waar komt dat idee vandaan?'
'Ik heb het erfrecht bestudeerd.' Matilda liet zich op de bank tegenover haar moeder vallen, aan de houten tafel gemaakt van ruw geschaafde planken. Het was eigenlijk een eettafel, maar Beatrice vond het prettig om eraan te werken, omdat ze op die manier alle ruimte had om al haar papieren uit te spreiden. Door de omstandigheden gedwongen had ze zich ontwikkeld tot een sluwe, doeltreffende beheerder van de belangen van zowel haar echtgenoot als haar dochter.
Ze nam Matilda aandachtig op. Het was duidelijk dat het haar dochter menens was, en als Matilda zich eenmaal iets had voorgenomen, liet ze het zich niet zo gemakkelijk uit haar hoofd praten. Door niemand.
'De wet zegt dat een vrouw niet het soort bezittingen kan erven dat wij

hebben,' vervolgde Matilda met haar gebruikelijke passie. 'En geeft ook de reden waarom dat zo is. Een vrouw is niet in staat tot militaire verrichtingen, en grootgrondbezitters moeten strijd kunnen leveren om hun land te verdedigen. Vandaar dat ik wil leren vechten, om te bewijzen dat ik een leger kan leiden. Als ik in staat ben tot militaire verrichtingen – en ik ben vast van plan niet voor de mannen onder te doen en de krijgskunst volledig onder de knie te krijgen –, dan zie ik niet hoe de wet mij mijn erfenis nog kan ontzeggen. Ik ben al een betere ruiter dan alle mannen in heel Toscane, en volgens Godfried heb ik meer kaas gegeten van strategie dan veel van zijn raadslieden. Om een volledig geschoolde krijger te worden, met het vermogen mijn gebieden te verdedigen, moet ik alleen nog met wapens leren omgaan.'

Beatrice knikte peinzend. Wanneer Matilda als man was geboren, zou ze al hard op weg zijn geweest een van de grootste krijgshelden van haar tijd te worden. Daar was geen twijfel over mogelijk. In strategisch opzicht was ze geniaal, en ze had haar stiefvader Godfried in verrukking gebracht met haar vaardigheid op het schaakbord en bij de militaire situaties die hij voor haar op papier zette. Hij vond het zelfs goed dat ze aanwezig was bij zijn besprekingen met de hoofdmannen uit de Toscaanse regio's, wanneer die naar Florence kwamen om verslag uit te brengen. De hertog van Lotharingen werd algemeen beschouwd als een harde man, maar hij had leren houden van deze twee bijzondere vrouwen in zijn leven en behandelde hen als de familie die ze voor hem waren geworden. In Beatrice had hij een betrouwbare en waardige levensgezellin gevonden die hem steunde bij de complexe taak die regeren over een uitgestrekt koninkrijk was. Gezien de omstandigheden hadden ze hun huwelijk niet kunnen consumeren, maar dat nam niet weg dat er grote genegenheid was tussen hen beiden, aanvankelijk gebaseerd op respect, maar later ook op warmte en emotie. In diverse wettelijke documenten verwees Beatrice naar Godfried als 'mijn man'.

De hertog had een zwak gekregen voor de intelligente, wilskrachtige Matilda, en hij behandelde haar als zijn eigen dochter, met bovendien een grote mate van respect. Beatrice dacht even na. 'Je stiefvader is altijd erg toegeeflijk,' zei ze ten slotte. 'Maar dit mag hij niet goedvinden. Lotharingen is veel conservatiever dan Toscane. Hij moet rekening houden met zijn reputatie in beide gebiedsdelen.'

'Hij vindt het heus wel goed. Dat moet gewoon. Als we er allebei op staan, heeft hij geen andere keus dan toegeven. Tenslotte zijn we in heel Europa de vrouwen met de meeste overtuigingskracht. Dat zegt hij zelf.'

'Daar heb je gelijk in. Ik zie dat je er goed over hebt nagedacht, en dat verbaast me niets. Weet Isobel van je voornemen om je tot krijger te laten scholen?'

Matilda knikte. Ze had haar strategie zowel met Issie als met de Meester besproken. 'Ze hebben geen enkel bezwaar tegen alles wat me zal helpen mijn erfenis veilig te stellen en onze tradities te beschermen. Mijn kracht is hun kracht. Ze weten dat ik die zal gebruiken om behalve mijn rechten ook onze tradities te bewaren. En ze zijn ervan overtuigd dat God me speciale bescherming zal verlenen in de strijd.'

Beatrice knikte. Dit kind, dat afstamde van de twee grootste families in Europa, zou haar nergens meer mee kunnen verrassen. Hoewel ze zelf geen volgeling was van de profetieën die in Lucca werden vereerd, was ze ervan overtuigd dat haar dochter bij haar geboorte een bijzondere bestemming had meegekregen. Misschien was ze inderdaad het kind van de profetieën waarover in Toscane al sinds haar geboorte op zo'n bijzondere datum werd gefluisterd. Ze was in elk geval uniek in haar kracht, haar schoonheid en haar opbloeiende wijsheid. Beatrice was trots op haar dochter, en ze was ervan overtuigd dat Godfried onder de indruk zou zijn van haar scherpzinnigheid op het gebied van het recht. Ze twijfelde er niet aan of hij had haar de juridische documenten zelf ter bestudering gegeven, en hij zou niet bijster verrast zijn door de schranderheid waarmee ze deze wist te interpreteren.

'Het zij zo. Als dat is wat je wilt, zal ik een krijger-dochter grootbrengen. Wanneer Godfried vanavond terugkomt, zal ik met hem praten. Hij zal een geschikte wapenmeester voor je moeten zien te vinden, en krijgers om mee te oefenen die...'

'Die wat?' kapte Matilda haar af. 'Die het me niet te moeilijk maken? Geen denken aan, moeder. Wat heb ik eraan om te oefenen, als ik alleen maar vecht met zwakkelingen die zijn geïnstrueerd om voorzichtig met me te zijn? Ik wil de beste mannen in Toscane, en de meest geharde. Met minder neem ik geen genoegen.'

'Natuurlijk.' Haar moeder was niet geheel ten onrechte bang dat Matilda's bravoure haar in de problemen zou brengen. Maar tegelijkertijd wist ze dat haar dochter haar zin zou krijgen. Zoals ze in alles haar zin kreeg. 'En die zul je krijgen ook, als Godfried ermee instemt.'

'Dankjewel.' Matilda stond op, maakte een sierlijke en eerbiedige reverence. 'O, en moeder, ik doe dit ook voor jou. Het mag nooit meer gebeuren dat iemand zich iets toe-eigent wat van ons is. Of dat een Duitse koning Toscane plundert, onze hulpbronnen steelt en ons volk tiranniseert. Nooit!'

Beatrice keek naar het opvallend mooie meisje dat voor haar stond. De vastberaden trek om haar mond was die van de Toscaanse krijger en deed haar zo aan Bonifacio denken dat er tranen in haar ogen kwamen.
'Hij zou trots op je zijn, Matilda.'
Matilda's ogen schoten vol. Er ging geen dag voorbij dat ze haar vader niet miste. Sterker nog: elke avond wanneer ze haar gebeden zei, praatte ze met hem. 'Hij ziet me, moeder. Dat weet ik zeker. En ik zal ervoor zorgen dat hij trots op me kan zijn.'
Het zou een vergissing zijn te denken dat deze tengere, fijngebouwde vrouw niet in staat en bereid was te verdedigen wat van haar was. Godfried van Lotharingen zou die fout niet maken. Verrassend bereidwillig stemde hij in met Matilda's verzoek, en hij beloofde hoogstpersoonlijk een leraar krijgskunst voor haar aan te wijzen. Want hij wist precies wie hij daarvoor moest hebben.

❂

Het mes trof het doelwit in het hart, met zo'n kracht dat de boom ervan schudde. De angstaanjagende krijgsheer die het wapen had geworpen, keerde zich met de volle hevigheid van zijn woede naar Godfried van Lotharingen.
'Waar ziet u me voor aan? Voor een snotterende kindermeid?'
Als Conn van de Honderd Slagen érgens niet op leek, dan was het wel op een kindermeid. Hij beende met grote stappen naar het doelwit om zijn mes uit de boom te trekken, met verrassend soepele bewegingen voor zo'n reusachtige kerel. Het was op het heetst van de dag. Zweet droop van zijn brede borst. Zijn lange haar, met een uitzonderlijke gemberkleur, net als zijn baard, was met een leren koord naar achteren gebonden, waardoor hij eruitzag als een Keltische god uit de oude legenden. De reus stamde inderdaad uit de magische, mistige landen van de Kelten en was om redenen die hij niet wenste te onthullen inmiddels jaren geleden naar Florence gekomen, om zich te verhuren als soldaat.
'Absoluut niet, Conn,' antwoordde Godfried danig geamuseerd. Hij beschouwde de reusachtige Kelt als een van zijn meest loyale mannen en een vriend op wie hij kon bouwen. Bij hun eerste ontmoeting was Conn terughoudend geweest als het ging om zijn persoonlijke geschiedenis. Maar Godfried bezat een scherp oog voor het karakter van zijn soldaten, en hij zag meteen dat er achter de pure, brute kracht intelligentie schuilging, en ook nog iets anders. In de drie jaar dat Conn nu bij hem in dienst was, had

de hertog een uitzonderlijke diepgang ontdekt in de man die zo vurig en loyaal aan zijn zijde streed. Hij wist dan ook dat Conn te trots was, te hoogmoedig en te onbuigzaam om meteen in te stemmen met het verzoek Matilda als leerling te nemen, en al helemaal niet binnen gehoorsafstand van zijn mannen. Dus het zou een moeizame strijd worden, maar een strijd waarvan Godfried zeker was dat hij die uiteindelijk zou winnen. Want hij wist ook dat de Keltische reus een zwak had voor het meisje en vaak commentaar leverde op haar uitzonderlijke vaardigheden als ruiter – dat ze reed als de wind en er op een paardenrug uitzag als een mythisch wezen.
Er sprak echter geen enkele zwakte uit de blik waarmee Conn zich naar Godfried keerde terwijl hij zijn mes uit de boom trok. 'U maakt me tot een voorwerp van spot bij mijn mannen,' zei hij op gedempte toon. 'Ik pieker er niet over.'
'Je mannen kun je wel aan, zou ik denken.' Maar toen knikte Godfried, en hij werd serieuzer. 'Ik begrijp je bezorgdheid, Conn. Maar ik heb je nodig. Je bent de beste krijger en de beste strateeg in heel Toscane. Dit is niet zomaar een gril van Matilda. Ze is bloedserieus. En het is van het grootste belang dat ze op krijgsgebied zo goed mogelijk wordt voorbereid. Ik kan niet het risico nemen dat ik haar kwijtraak op het slagveld omdat ze zich niet weet te handhaven. Het zou de doodssteek zijn voor haar moeder, het zou de toekomst van Toscane in gevaar brengen... en voor mij zou het ook de genadeslag betekenen.'
Conn bromde iets en stak het mes achter zijn riem. Welwillend legde Godfried een hand op zijn schouder.
'Trouwens, je zou er royaal voor betaald worden. En als dat je nog niet kan overtuigen, bekijk het dan eens van deze kant.' Godfried was bereid alle middelen aan te wenden om Conn over de streep te trekken, en dat betekende in dit geval dat hij inspeelde op Conns grote liefde voor zijn Keltische afkomst. 'Wanneer Matilda eenmaal de meest legendarische krijgerkoningin is die ooit heeft geleefd, zul jij worden herinnerd als haar mentor en leermeester.'
Daarmee had hij hem te pakken, wist hij. Het vooruitzicht van zowel rijkdom als legendarische eer was te veel voor een man met een geschiedenis als die van Conn. Godfried zag in de ogen van de boomlange Kelt dat hij genoot van de gedachte. Hij besloot zijn laatste troef uit te spelen.
'Bovendien, niemand begrijpt een vurig, roodharig wezen als Matilda beter dan jij, omdat je uit hetzelfde hout bent gesneden. Wanneer ze eenmaal volwassen is, zullen jullie er met jullie rode haren uitzien als broer en zus, een krijgslustig span dat samen uitrijdt om slag te leveren. Jullie vijan-

den zullen terugdeinzen voor jullie aanblik, kroniekschrijvers zullen tot in lengte van dagen jullie daden roemen.'
Met een laatste gebrom hield Conn vast aan zijn vertoon van minachting en werkte hij zich langs de hertog heen, vastbesloten niet te laten merken dat hij heimelijk verrukt was door de opdracht. Om geen gezichtsverlies te lijden tegenover zijn mannen die misschien hadden meegeluisterd, riep hij over zijn schouder: 'Vooruit dan maar. Maar ik hoop wel dat uw idee van royaal betaald hetzelfde is als het mijne.'

✲

'Kom binnen, kleine Boudica.'
Conn zat op een kruk, met zijn rug naar de deur, maar hij had het scherpe gehoor van een door de wol geverfde krijgsheer, en ook zijn andere zintuigen waren buitengewoon scherp. Op het slagveld was het van levensbelang te weten wat er achter je gebeurde.
Matilda slikte terwijl ze het vertrek van de krijger binnenstapte, een wapenkamer die grensde aan de stallen. Aan de muren hingen zwaarden en pieken, op een tafel van ruw bewerkt hout lagen bijlen en messen. Aandachtig nam ze de reusachtige man op die haar stiefvader had aangewezen als haar wapenmeester. Ze was stiekem uitgelaten over het feit dat Godfried haar voornemen zo serieus had genomen dat hij zijn meest geharde krijgsheer tot haar mentor had benoemd. Ze kon echter niet ontkennen dat ze nogal onder de indruk was van zijn reputatie als krijger zonder vrees. Ze wist niet goed wat ze van hem kon verwachten, maar ze had zich vast voorgenomen zich niet te laten intimideren.
Zonder opkijken gebaarde Conn naar de tafel en naar het schaakbord waar hij naar zat te staren. 'Wat zou jij doen in mijn positie? Dit?' Hij wees naar het zwarte paard. 'Of zou je je loper verzetten?'
Matilda keek naar het bord. 'Geen van beide.'
Nu pas keek Conn op, en toen hij het gezicht van zijn toekomstige beschermeling zag, hield hij zijn adem in. Hij had haar alleen maar van een afstand gezien, wanneer ze uitreed met Godfried, maar nu ze vlak voor hem stond, was hij met stomheid geslagen. Zelfs in haar grove oefenkleding was ze net zo beeldschoon als wanneer ze in zijde gehuld was geweest en getooid met juwelen. Misschien zou ze daar profijt van hebben in de strijd, doordat mannen ontwapend zouden zijn door haar verschijning. Hij zou elk voordeel dat hij kon vinden moeten aanwenden om het nadeel van haar tengere gestalte te compenseren.

'Wat bedoel je, geen van beide? Het zijn allebei goede zetten.'
Matilda knikte en deed een stap dichter naar het bord. 'Ja, maar ook erg voor de hand liggend, en ze verschaffen slechts tijdelijk respijt. Als u drie of vier zetten vooruitkijkt, zult u zien dat ze op lange termijn geen voordeel bieden. Dus ik zou achter de toren aan gaan. Hier. Dat duurt langer, maar het brengt u veel dichter bij de witte koning. Die staat dan in zes zetten schaak. En bij een slechte tegenstander schaakmat.'
Er verscheen een brede grijns op het gezicht van de Kelt. 'Je stelt me niet teleur, meisje. En je hebt je eerste proef met glans doorstaan. Ga zitten, dan spelen we een echte partij.'
Matilda aarzelde. 'Hoezo, ga zitten?'
Conn haalde zijn schouders op. 'Kun je "ga zitten" nog anders uitleggen dan in de betekenis die ik ervan ken?'
'Nee, maar ik kom hier niet om te schaken,' zei Matilda, nijdig door zijn sarcasme. 'Dat kan ik ook met de oude mannen in het kasteel. Ik kom hier om te leren vechten.'
Conn verbijsterde haar door razendsnel en onverwacht als een bliksemschicht op te springen, waardoor zijn kruk door het vertrek vloog. Hij pakte haar ruw bij haar pols en draaide haar arm achter haar rug, tot ze het uitschreeuwde van de pijn. Maar hij bleef haar vasthouden, om zeker te zijn dat ze hem goed begreep. Matilda hield haar adem in, maar verzette zich niet toen hij van wal stak met zijn eerste les.
'Nu moet je eens goed naar me luisteren, meisje. Ik had je pols kunnen breken. Je bent klein en tenger, en je kunt erop rekenen dat je gemiddelde tegenstander qua bouw meer op mij lijkt dan op jou. Je gemiddelde tegenstander is een geharde soldaat, die het helemaal niks kan schelen dat je een vrouw bent en die je niet anders zal behandelen dan iedere andere vijand die hij van plan is af te slachten. Of – en dat is nog erger – het kan hem wél schelen dat je een vrouw bent, en dat betekent dat hij je in leven houdt, tot je zou willen dat hij dat niet had gedaan. Waar het om gaat, kleine zuster, is dat je door je bouw en door het feit dat je een meisje bent geen partij bent op het slagveld wanneer je uit het zadel wordt gelicht. Dus bij gevechten van man tegen man zul je slimmer en sneller moeten zijn dan je tegenstander.'
Conn liet haar los, en de uitdrukking op zijn gezicht verzachtte. 'Daarom wil ik eerst zien hoe je hoofd werkt, voordat we met wapens aan de gang gaan.'
Hij gebaarde met een theatrale buiging naar het schaakbord. 'Na u, vrouwe.'

Matilda won de partij. Maar ze moest toegeven dat het niet zo gemakkelijk ging als met haar andere tegenstanders op het schaakbord, die ze doorgaans vernietigend versloeg. Conn was een van de weinigen die zich met haar konden meten. Het betekende een gunstige start van een relatie die noodzakelijkerwijs gebaseerd moest zijn op respect. Tijdens haar opleiding zou Matilda grote bewondering voor Conn krijgen, zowel vanwege zijn intelligentie als vanwege zijn vaardigheid met wapens. Hoewel hij er het zwijgen toe deed wanneer hem naar zijn verleden werd gevraagd, was hij duidelijk een ontwikkeld man die veel van de wereld had gezien.

Na de wedstrijd koos Conn een klein, licht zwaard uit, dat hij haar zonder waarschuwing toewierp om te zien hoe ze het ving. Hij was onder de indruk van haar snelle en sierlijke reflex. De eerste les zou gaan om de basisprincipes bij het omgaan met wapens, en haar succes zou worden bepaald door de kwaliteit van haar reactie. Matilda had aangegeven dat ze op een dag zover wilde zijn dat ze Bonifacio's zwaard kon dragen in de strijd, maar nu, bij het begin van haar opleiding, was dat zwaard nog net zo lang als zij. Het was een wapen waar ze naartoe zou moeten groeien.

'Wie is Boudica?' vroeg Matilda terwijl ze in de toenemende hitte van de Toscaanse middag naar het oefenveld liepen.

'Boudica?'

'Ja. U zei: "Kom binnen, kleine Boudica."'

'Aha. Dus je weet niet wie Boudica is? Ach, dat is waarschijnlijk ook niet zo verwonderlijk. Maar je zou het wel moeten weten. Ik zal het je vertellen, want de geschiedenis van de grote militaire aanvoerders is van cruciaal belang voor je opleiding.'

Conn gebaarde naar een bank, gemaakt van een omgevallen boom, aan het eind van het oefenterrein. Daar begon hij met haar in te wijden in de legende van Boudica, en daarbij kwam de natuurlijke verhalenverteller die was geworteld in zijn ziel tevoorschijn.

'Om te beginnen moet ik je vertellen over het grootse volk dat de Kelten waren, en nog altijd zijn. Er is een tijd geweest, kleine zuster, waarin de Keltische stammen zich hadden verspreid over het grootste deel van Europa. Ze werden de Keltoi genoemd, en soms de Galli. Daar komt de naam Gallië vandaan. Ik hoop dat je weet dat hier in Italië de Ligurische Kelten in Toscane woonden, waar ze onder andere de heilige stad Lucca hebben gesticht. De Kelten hadden een grote passie voor de gaven van de natuur zoals ze die op het land aantroffen, en ze waren in staat om in de aarde de aanwezigheid van God te voelen. Op die manier kozen ze de plek waar ze zich vestigden en bepaalden ze waar ze hun heiligdommen bouwden. Lucca is zo'n plek. Net als Chartres, in Frankrijk. Chartres werd het centrum van alle ceremoniële spirituele initiaties van de Keltische stammen in heel Europa.' Heel even verscheen er een dromerige blik in zijn ogen. 'Zo heilig is Chartres. Een plek van ongeëvenaarde macht en schoonheid.'

Bij het noemen van de naam Chartres ging Matilda rechtop zitten. 'Isobel heeft me over Chartres verteld. Haar moeder komt daarvandaan, uit La Beauce.'

Conn knikte. 'La Beauce is de streek. Chartres is de stad in het hart daarvan.'

'Er is daar een beroemde school.' Matilda aarzelde. Ze kende deze raadselachtige reus niet goed genoeg om openlijk over haar persoonlijke spirituele overtuigingen te praten, vooral niet omdat die door de orthodoxe Kerk als gevaarlijk en ketters werden beschouwd. Maar Isobel had haar verteld dat de School van Chartres onderwees uit *Het Boek der Liefde*. Ze wachtte af of hij haar iets zou vertellen over haar ketterse broeders in Frankrijk.

Ze werd teleurgesteld. Conn was geen noot die zich gemakkelijk liet kraken. Hij knikte slechts vrijblijvend. 'Ja, dat klopt,' was het enige wat hij zei. Ze probeerde het via een andere weg. 'Bent u er weleens geweest?'

Hij richtte zijn volle aandacht op zijn leerling. 'Ja, ik ben er weleens geweest. Maar dat is een verhaal voor een andere keer. Het eerste wat iedere krijger moet leren is om bij de les te blijven, en niet van de hak op de tak te springen. We hadden het over de geschiedenis van de Kelten en de legende van Boudica. Dus laten we daarmee verdergaan.'

Matilda knikte zwijgend en stelde verder geen vragen. Maar in deze korte uitwisseling over Chartres had hij haar toch wel iets verteld, iets waarover ze in de toekomst meer wilde weten, dacht ze vastberaden.

'De Keltische stammen stuitten bij veel tegenstanders op groot verzet, maar geen daarvan vormde zo'n ernstige bedreiging als de Romeinen. Dat was het geval in heel Europa, maar in het bijzonder aan de overkant van het Kanaal. En daar bond Boudica de strijd met hen aan, een krijgerkoningin uit de eerste eeuw, behorend tot de Keltische stam der Iceni. Toen de Romeinen haar land binnenvielen vocht ze terug, waarbij ze zelf het leger aanvoerde tegen de Romeinse legioenen. De eerste slag won ze, maar de Romeinen straften haar dapperheid af door de meisjes van haar stam te ontvoeren, onder wie Boudica's eigen twee dochters, en ze over te leveren aan de grillen en lusten van de meest geharde legioensoldaten.'

Conn zweeg even, zich bewust van Matilda's jonge leeftijd en ongereptheid. Het was niet nodig in detail te treden over de massale verkrachting

waarvan Boudica's dochters en de andere meisjes van de Iceni het slachtoffer waren geworden.
'Laat ik volstaan met te zeggen dat ze buitengewoon gruwelijk werden misbruikt en dat velen werden afgeslacht. Als hun moeder en hun koningin had Boudica zich heilig voorgenomen het recht te laten zegevieren. Ze mobiliseerde een Keltisch leger zo groot als de wereld nog nooit had gezien, en viel de Romeinen aan. Het lukte haar de legioenen die Oost-Anglia waren binnengedrongen dramatische verliezen toe te brengen, maar daarbij liet ze het niet. Ze was zo woedend over het lijden en het onrecht waarvan haar volk het slachtoffer was geworden dat ze optrok naar de grote stad Londinium. Haar beleg van dit verfijnde Romeinse bolwerk was het meest wrede in de op schrift gestelde geschiedenis, maar ook een voorbeeld van superieure strategie, waarin we ons tijdens een latere les zullen verdiepen. Maar dit is het belangrijkste wat je over Boudica moet weten, en dat ze door schilders wordt afgebeeld met net zulk haar als wij.'
Hij knipoogde en trok aan een van haar vlechten om de fysieke zeldzaamheid te benadrukken die hun spirituele verwantschap als het ware symboliseerde.
Matilda luisterde aandachtig en vol verrukking. Er was niets waarvan ze zo kon genieten als van een schitterend verhaal, verteld met passie.
'Terwijl ze probeerde steun te verzamelen, kwam Boudica erachter dat de Iceni door de Romeinen als barbaren werden beschouwd. Vandaar dat sommige van haar potentiële bondgenoten aarzelden om zich bij haar aan te sluiten. De Kelten geloofden er niet in hun geschiedenis en hun heilige leer op schrift te stellen. Daar maakten ze buitenstaanders geen deelgenoot van, iets wat hen in de ogen van velen tot een gevaarlijk mysterie maakte. De Romeinen daarentegen gebruikten het geschreven woord bekwaam en wisten militair voordeel te bereiken door de juiste propaganda. Zo ook bij de oorlog tegen Boudica, waarin ze de Iceni en andere Keltische stammen afschilderden als onbeschaafde monsters die kinderoffers brachten aan hun heidense goden. Dat was natuurlijk niet waar. De heilige leer van de Kelten had eerbied voor elke vorm van leven. Maar door Boudica's tegenstanders te doen geloven dat ze de wereld bevrijdden van een monsterlijk volk van beesten, zorgden de Romeinen voor een rechtvaardiging om zoveel mogelijk Keltische slachtoffers te maken.
In haar verontwaardiging besloot Boudica de Romeinen met hun eigen middelen te verslaan. Naast haar troepenmacht zou ze scribenten inhuren om het verhaal te vertellen van wat de legioensoldaten de meisjes van de Iceni hadden aangedaan, zodat duidelijk werd wie in deze oorlog de echte

barbaren waren. Rond deze tijd adopteerde ze ook een strijdkreet die ze de rest van haar leven zou gebruiken.'

Hij zweeg even om te controleren of Matilda wel luisterde. En hij werd niet teleurgesteld. Ze hing aan zijn lippen en popelde om te horen wat de strijdkreet van de dappere, wraakzuchtige Boudica was geweest. Toen Conn niet meteen verder vertelde, kon ze haar ongeduld niet langer bedwingen.

'Nou? Wat was die strijdkreet?' drong ze aan.

Hij grijnsde. 'Ik denk dat je hem wel kunt waarderen. Boudica voerde een banier mee waarop stond: DE WAARHEID TEGEN DE WERELD.'

Hij zweeg, om de woorden ten volle te laten doordringen. *De Waarheid Tegen de Wereld.* Matilda was sprakeloos. Het was het mooiste wat ze ooit had gehoord. Een krijger-koningin die vocht voor gerechtigheid tegen een reusachtige tegenstander, met een banier waarop ze streed voor de waarheid. Toen Matilda haar stem eindelijk had teruggevonden, verried die grote vastberadenheid.

'Conn, ik wil alle strategieën van Boudica leren.'

De reus met het gemberkleurige haar sprong op met de sierlijkheid van een panter. 'Kom op dan, kleine zuster. Boudica heeft de Romeinen niet verslagen door op een boomstam te blijven zitten.'

Zo begon Matilda's onderricht in het gebruik van wapens, met een wapenmeester die haar vurigste verdediger en beschermer zou worden, maar ook een van haar grootste leermeesters zowel op als buiten het slagveld. Zoals met alles waar ze zich voor inzette, blonk Matilda ook al snel uit in het hanteren van wapens. Het duurde niet lang of ze was een levensgevaarlijke tegenstander geworden. Wat ze miste aan postuur en spierkracht, compenseerde ze met haar atletische souplesse en haar superieure sluwheid op het slagveld, die ze in belangrijke mate dankte aan Conns deskundige onderricht en aan het feit dat hij precies wist wat voor vlees hij met zijn beschermeling in de kuip had.

Tegen de tijd dat ze zestien was, beschikte de gravin van Canossa over alle capaciteiten die nodig waren om een leger aan te voeren. Sterker nog: ze keek ernaar uit.

✿

Matilda werd door haar omgeving beschouwd als stoutmoedig en onbevreesd, maar ze was verschrikkelijk bang in het donker. Ze vond het afschuwelijk om dan alleen te zijn. Dat was het gevolg van de dromen en nachtmerries die haar achtervolgden zolang ze zich kon heugen. Haar dromen waren altijd buitengewoon levendig geweest, en vaak bizar en verontrustend. Nu ze ouder was, begreep ze dat ze droomde over de tijd waarin Jezus had geleefd. Dat maakte deel uit van de voorspelling: de Voorzegde zou dromen over en visioenen hebben van de laatste dag van het leven van de Redder, maar in het bijzonder van Zijn kruisiging. Toen ze naar bed ging, op de vooravond van haar zestiende verjaardag, was ze tot op dat moment gespaard gebleven voor specifieke visioenen van Onze Heer aan het kruis. Maar dat zou ze de volgende morgen bij het ontwaken, in de aanloop naar de lente-evening, niet meer kunnen zeggen.

❂

*Ze werd omringd door een luidruchtige menigte. Overal heerste chaos. Er werd geschreeuwd, geduwd. De onontkoombare zon van het vroege middaguur scheen brandend op de menigte neer. Zweet vermengde zich met het vuil op de boze, geschokte gezichten van de mensen om haar heen. Ze stond langs de rand van een smalle weg, en net voor haar begon de menigte nog nadrukkelijker naar voren te dringen. Er ontstond ruimte en een kleine groep liep langzaam over het pad. De massa leek dit dichtopeengepakte groepje dat haar kant uit kwam te volgen. Op dat moment zag Matilda de vrouw voor het eerst.*

*Als een van de weinige vrouwen in de menigte vormde ze als het ware een eenzaam, stil eiland in de zee van waanzin. Maar dat was niet wat haar zo anders maakte. Het was haar vorstelijke houding die haar tot een koningin maakte, ondanks de dikke laag vuil op haar handen en voeten. Ze zag er enigszins haveloos uit; haar glanzende roodbruine haar ging deels verborgen onder een karmozijnrode sluier die ook de onderste helft van haar gezicht aan het oog onttrok. Matilda wist instinctief dat ze naar deze vrouw toe moest, dat ze haar moest aanraken, dat ze met haar moest praten. Want ze wist maar al te goed wie dit was. Maar de deinende menigte blokkeerde haar pad, zodat ze niet bij haar kon komen. 'Vrouwe!' riep Matilda in haar droom. Ze strekte haar hand uit naar de vrouw, die zich naar haar omdraaide. Haar gezicht bezat een gekwelde schoonheid. Ze was tenger gebouwd, met een teer, fijngetekend gelaat. Maar het waren haar ogen die Matilda zouden blijven achtervolgen nog lang nadat ze uit de droom was ontwaakt: reusachtige ogen die schitterden van de tranen die erin blonken. Ze hadden een uitzonderlijke lichtbruine kleur – ergens tussen goudbruin en grijsgroen – en weerspiegelden een oneindige wijsheid en ondraaglijke smart. Matilda las er een dringende, wanhopige smeekbede in.*

*Je móét me helpen.*
*Het moment was voorbij toen de vrouw plotseling haar hoofd boog naar een jong meisje dat hardnekkig aan haar hand trok. Matilda hield haar adem in – dit deel van de droom had ze eerder ervaren, jaren geleden toen ze nog heel klein was. Ze zag hoe het meisje aan de arm van haar moeder trok en wist wat er kwam. Achter het kleine meisje stond een oudere jongen, haar broer. De menigte zette zich weer in beweging, en de jongen greep zijn zusje om te voorkomen dat ze werd meegevoerd. Het kleine meisje schreeuwde het in doodsangst uit; toen kon Matilda de kinderen niet meer zien.*
*Het begon te regenen, en in het vreemde, niet-lineaire continuüm van het droomlandschap bevond Matilda zich niet langer tussen de menigte. Voor haar uit zag ze haar vrouwe, Maria Magdalena, gehuld in haar rode sluier. Bliksemschichten schoten langs de onnatuurlijk donkere hemel terwijl de vrouw in het rood de heuvel op strompelde, gevolgd door Matilda. Het was een vreemde sensatie om zowel te observeren als te participeren. Matilda wist niet of het haar eigen gevoelens waren die ze ervoer, of de gevoelens van Maria Magdalena. Het liep allemaal door elkaar heen.*
*Ze voelde niets van de schrammen en wonden – van haar of van Maria Magdalena, het deed er niet toe. Ze had maar één doel, en dat was naar Hem toe gaan. Het geluid van een hamer die op een spijker slaat – metaal tegen metaal – weerklonk met een misselijkmakende doelmatigheid door de lucht. Toen ze de voet van het kruis bereikte – of bereikten – nam de regen in hevigheid toe tot een ware wolkbreuk. Ze keek omhoog naar Hem, en druppels van Zijn bloed spatten op haar smartelijke gezicht en vermengden zich met de aanhoudende regen.*
*Matilda keek om zich heen; opnieuw was ze een waarnemer geworden. Ze zag de vrouwe aan de voet van het kruis, waar ze de Moeder van de Heer ondersteunde die van verdriet bijna in zwijm leek te vallen. Er waren nog meer vrouwen die de rode sluier droegen. Ze stonden dicht opeen, ondersteunden elkaar. Een jongere vrouw met een witte sluier in hun midden trok Matilda's aandacht. Vreemd genoeg stond er een Romeinse centurio bij de vrouwen, maar hij leek hen eerder te beschermen dan te intimideren. Hij had een vriendelijk gezicht, en hij leek net zo geschokt en vervuld van smart als de lijdende familie. In een flits van helderheid registreerde ze dat de centurio heel uitzonderlijke, ijsblauwe ogen had. En er was geen twijfel over mogelijk dat ze extra groot en helder leken door de tranen die erin blonken.*
*De kinderen waren nergens te zien, besefte Matilda met enige opluchting. Ergens in haar bewustzijn herinnerde ze zich dat Isobel had verteld dat de kinderen naar een veilige plek waren gebracht vóór de verschrikkelijke gebeurtenis die de wereld zou veranderen.*

*Een andere Romein stond dichter bij het kruis, met zijn rug naar de rouwende familie. Matilda kon zijn gezicht niet zien, maar iets in zijn houding deed haar huiveren. Hij snauwde orders tegen de andere Romeinse soldaten rond het kruis. Matilda kon ze niet verstaan, maar de kille arrogantie in zijn stem vertelde haar dat deze man gevaarlijk was.*

*In haar verlangen om zo veel mogelijk van het tafereel in zich op te nemen, registreerde ze dat er behalve de soldaten maar twee mannen bij de vrouwen stonden. De ene was al op leeftijd en was waardig in zijn verdriet. Hij had zijn arm om een jongere man geslagen die elk moment onder zijn smart leek te kunnen bezwijken. Matilda hoorde de stem van Isobel, tijdens een van haar vertellingen, inmiddels tien jaar geleden: 'Onze Heer had een geweldige vriend die Nicodemus heette. Ni-co-de-mus. Hij was een van de slechts twee mannen die bij Hem waren toen Hij stierf.'*

*Matilda hield haar adem in. Deze jongere man moest Nicodemus zijn, de grote beeldhouwer en schepper van het Heilige Gelaat. Toen besefte ze dat ze het nog niet had gedurfd naar het gezicht van haar Heer te kijken. Ze hief langzaam haar hoofd op naar de heilige, maar angstaanjagende aanblik recht boven haar. Regendruppels stroomden over de gelaatstrekken van het mooiste gezicht dat ze ooit had gezien. Zelfs in doodsnood straalde het een licht en een goedheid uit die onmogelijk onder woorden te brengen waren. Zijn haar was zwart, net als bij het meesterwerk van Nicodemus. Het viel tot op zijn schouders, en hij had een gevorkte baard. Maar het waren zijn ogen die verrieden hoe groot het talent was van de kunstenaar die later Zijn gelijkenis in hout zou kerven. Reusachtige, donkere, diepliggende ogen waarin louter goedheid te lezen stond, precies zoals Nicodemus ze had afgebeeld. Op dat moment keek Jezus haar aan, heel even, maar het leek haar een eeuwigheid te duren. Hij hield haar blik vast, en zonder dat Zijn lippen bewogen hoorde ze Hem zeggen:* 'Je bent mijn dochter in wie ik mijn welbehagen heb.'

*Matilda huilde inmiddels; ze snikte het uit, haar tranen en haar verdriet vermengden zich met de smart van de familie, dicht opeengedrongen aan de voet van het kruis. Ze maakte deel van hen uit, en tegelijkertijd ook weer niet. Maar op de een of andere manier waren ze allemaal één.*

*Een kreet verscheurde de stilte, een jammerklacht vervuld van intense wanhoop, geslaakt door Maria Magdalena. Toen Matilda opnieuw opkeek naar haar Heer aan het kruis, zag ze onmiddellijk wat er was gebeurd. De duistere centurio, de hooghartige, gevaarlijke man die het dichtst bij Jezus stond, had zijn speer in de zijde van de Heer gestoken. Bloed en vocht stroomden uit de wond. Het gesnik van Maria Magdalena vermengde zich met de wrede lach van de slechte Romein toen Matilda wakker werd in het eerste licht van de dageraad, duizend jaar later en duizenden mijlen van de heuvel waarop de gruwelijke gebeurtenissen zich hadden voltrokken.*

✪

'Het Volto Santo is een schitterende gelijkenis van Onze Heer.'

De Meester, Isobel en Patricio verstijfden toen Matilda binnenkwam met deze onverwachte aankondiging. Het was haar aan te zien dat ze een verschrikkelijke nacht achter de rug had, maar haar verklaring klonk heel stellig, en ze wekte niet de indruk alsof ze van streek was.

'Wat is er gebeurd, Matilda?' vroeg Isobel.

Matilda vertelde wat ze had gedroomd, beschreef tot in de details wat en wie ze had gezien en hoe de figuren aan haar waren verschenen: Maria Magdalena, hartverscheurend in haar schoonheid, Nicodemus en zelfs de Romeinse soldaten.

'Heb je de gezichten van de centurio's gezien?' onderbrak de Meester haar. Toen Matilda knikte, nam de Meester haar aandachtig op, in gespannen afwachting van haar antwoord.

'Een van hen had heel uitzonderlijke, lichtblauwe ogen,' zei ze.

'Dat moet Praetorus zijn geweest.' De Meester knikte. '*Het Libro Rosso* beschrijft hem heel specifiek als een Romein met blauwe ogen,' zei de Meester, duidelijk tevreden. Matilda had Praetorus en Veronica nog niet bestudeerd. Hun verhaal maakte deel uit van de lessen die pas aan bod zouden komen wanneer ze meerderjarig was, een mijlpaal die ze vandaag officieel had bereikt. Nieuwelingen werden pas na hun zestiende verjaardag in de kennis over het heilige verbond der geliefden ingewijd. Dat Matilda in haar droom Praetorus had gezien en dat ze de ongebruikelijke kleur van zijn ogen had geregistreerd, terwijl ze die onmogelijk had kunnen weten, betekende een machtig teken dat haar visioen authentiek was. De Meester twijfelde daar toch al niet aan, maar was dankbaar voor dit bewijs.

'Heb je het gezicht van de andere centurio gezien?'

Matilda schudde haar hoofd. 'De donkere, die de zij van Onze Heer doorboorde?'

'Dat was Longinus Gaius,' antwoordde de Meester. 'Ooit zal ik je meer over hem vertellen, maar niet vandaag.'

'Nee, ik heb zijn gezicht niet gezien, maar...' Ze zweeg even, want ze schoot vol. De Meester knikte begrijpend. Hij wist hoe zwaar het was om getuige te zijn van zoiets ingrijpends, zeker voor iemand die zo emotioneel was en nog zo jong. Maar haar antwoord was belangrijk.

'Ik heb gezien wat hij deed. Dat vergeet ik nooit meer! En ook niet hoe hij lachte. Dat vergeet ik echt nooit meer.'

De Meester keek haar verdrietig aan. 'Dat begrijp ik, Matilda,' zei hij ten slotte. 'En dat zou je ook niet moeten vergeten, want je bent gezegend met een goddelijk visioen. Alles daarin is heilig en moet worden gekoesterd, zelfs de momenten die nauwelijks te verdragen zijn. Ga door, mijn kind. Wat heb je nog meer gezien?'

Haar stem haperde toen ze probeerde verslag te doen van haar moment met Jezus aan het kruis.

'Hij was zo... mooi. En zo goed. En ik kon alleen maar denken hoe Zijn ogen en Zijn prachtige donkere haren lijken op het Volto Santo. Het is echt een Heilig Gelaat, want het is Zijn gelaat.'

Gevieren praatten ze nog lang na over de droom. Patricio zat boordevol vragen over alle aanwezige personages. Voor hem was dit een groots avontuur, een kijkje in het verleden waardoor dat op een heel bijzondere manier tot leven kwam. En als lid van de Orde, aan de vooravond van zijn meerderjarigheid, was hij zeer geïnteresseerd in de oprichters, Jozef van Arimathea en Nicodemus. Matilda vertelde hem alles wat ze zich kon herinneren – over de waardigheid van de oudere man en zijn steun aan de jongere in zijn verdriet, en dat ze absoluut zeker wist dat er geen andere mannen aanwezig waren geweest.

Isobel wilde een volledige beschrijving van Maria Magdalena. De twee vrouwen huilden samen toen Matilda vertelde over de uitzonderlijke moed en smart waarvan ze getuige was geweest in het aangezicht van een dergelijke gruwel.

'Matilda, we hebben een geschenk voor je.'

De Meester verliet de kamer en kwam even later terug met een houten kistje. In het deksel, voorzien van scharnieren, was het heilige symbool van de verlengde ruitvorm gekerfd.

'We waren toch al van plan je dit vandaag te geven, ter ere van je meerderjarigheid, maar nu lijkt het alleen maar extra gepast. Dus we geven je dit met heel veel liefde, in de naam van Onze Vrouwe, Maria Magdalena, en in de naam van de Orde van het Heilige Graf, opgericht door Nicodemus, Jozef van Arimathea en Lucas om haar naam en nagedachtenis te eren.'

Ze had niet meer zo gehuild sinds de dood van Bonifacio. De woorden van de Meester betekenden meer voor haar dan welk geschenk ook, en ze voelde zich geroerd tot in het diepst van haar ziel. Ze deed het kistje open en haalde de ring eruit. Het was qua vorm en afmetingen dezelfde ring die

Isobel droeg: een kring van sterren met in hun midden de zon. Het officiële zegel van Maria Magdalena, zoals dat bewaard was gebleven in *Het Libro Rosso*. De ring van Isobel was echter van brons, die van Matilda van zuiver goud. Een schitterend geschenk, een Toscaanse gravin waardig.
Ze schoof hem aan de ringvinger van haar rechterhand, de vinger waarvan men gelooft dat hij rechtstreeks in verband staat met het hart. De ring leek meteen volkomen op zijn plaats. 'Ik doe hem nooit meer af. Nooit meer.'
Ze bedankte hen allen uitbundig en volgde de rest van de dag met tranen in haar ogen haar lessen. Niemand in heel Toscane was zo gezegend, dacht ze, dankbaar voor de vrienden die ze had. Ze vroeg om de middag te beëindigen door samen het labyrint te lopen, en in het hart bij elkaar te komen om het paternoster te bidden op de manier van de Orde, in elk van de zes bloembladeren. Eenmaal in het hart van het labyrint bevestigde ze haar belofte om een grotere tempel te bouwen voor het Heilige Gelaat, ditmaal uit dank voor het goddelijke visioen dat ze had mogen ontvangen. Het was zonder twijfel een van de mooiste dagen in een buitengewoon gedenkwaardig leven.

En zo gebeurde het dat Onze Heer op de donkere dag van Zijn offer aan het kruis, in Zijn laatste uur werd gemarteld door Longinus Gaius, een Romeinse centurio. Deze had Onze Heer Jezus Christus gegeseld op bevel van Pontius Pilatus en had er bevrediging aan ontleend de zoon van God te kwellen. Alsof dat alles nog niet misdadig genoeg was, had deze zelfde centurio de zijde van Onze Heer in het uur van Zijn dood doorboord met zijn dodelijke speer.
De hemel werd zwart op het moment van Zijn overgang van onze wereld naar de volgende, en er wordt beweerd dat de Vader in de Hemel zich rechtstreeks tot de centurio richtte.

'Longinus Gaius, met je lage daden, op deze dag heb je mij en alle mensen van goede wil diep gekwetst. Eeuwige verdoeming is je straf. Maar het zal een aardse verdoeming zijn. Je zult over de aarde zwerven zonder de zegen van de dood, en elke avond wanneer je je te ruste legt, zul je in je dromen worden achtervolgd door de gruwelen en de pijn die je daden teweeg hebben gebracht. Weet dat je die kwelling zult ervaren tot het einde der tijden, of tot het moment waarop je bezoedelde ziel door gepaste penitentie zal worden verlost in de naam van mijn zoon Jezus Christus.'

In deze periode van zijn leven was Longinus blind voor de waarheid. Een sadistische, wrede man die de verlossing voorbij was, of zo leek het althans. Maar door de verkondiging van dit vonnis, om eeuwig te zwerven door een hel op aarde, werd hij tot waanzin gedreven. En daarom reisde hij Onze Vrouwe Magdalena achterna en bezocht hij haar in Gallië, waar hij haar om vergeving smeekte voor zijn wandaden. In haar oneindige goedheid en barmhartigheid vergaf ze hem en onderwees ze hem in de leer van de Weg, net zoals ze dat met iedere willekeurige nieuwe volgeling zou doen, zonder hem te veroordelen.
Het is niet duidelijk wat er van Longinus Gaius is geworden. Hij verdween uit de geschriften van Rome en uit die der eerste volgelingen. Niet bekend is of hij ooit waarlijk berouw heeft getoond en verlossing heeft gevonden dankzij een rechtvaardige God, of nog steeds over de aarde zwerft, verloren in zijn eeuwige vervloeking.

Wie oren heeft om te horen, die hore.

– De legende van Longinus de Centurio
zoals bewaard gebleven in *Het Libro Rosso*

# 8

*Vaticaanstad*
*Heden*

Maureen zocht houvast aan Peters arm toen ze door een van de reusachtige deuren de basiliek van Sint-Pieter betraden. Er was een tijd geweest waarin ze zich er niet toe had kunnen brengen een dergelijk oord binnen te gaan, zo diep zat haar weerzin jegens de dogmatiek van het katholicisme, die voor haar gevoel schade had aangericht in haar familie en die zelfs tot de dood van haar vader had geleid. Maar de ontdekking van het evangelie van Maria Magdalena had daarin verandering gebracht. Had haar veranderd. Hoewel ze nog altijd ernstige bedenkingen had bij de politiek van de Kerk, zowel in het heden als in het verleden, probeerde ze te leven vanuit de vergevingsgezindheid zoals die werd gepredikt door de vrouw die niemand veroordeelde en een icoon was van compassie.

Toch was de Sint-Pieter, als zetel van de bisschop van Rome, door zijn functie en zijn ontwerp van nature intimiderend. Maureen haalde diep adem en liet zich door Peter bij binnenkomst onmiddellijk naar de rechterkant van de basiliek loodsen.

Ze was naar het Vaticaan gekomen voor een gesprek met pater Girolamo de Pazzi, die om een ontmoeting had gevraagd. Peter was vast van plan de twee aan elkaar voor te stellen en zijn nicht bij te staan bij de vaak ontmoedigende veiligheidsmaatregelen binnen het kleinste en meest dogmatische land ter wereld: Vaticaanstad. Voorafgaand aan de ontmoeting zouden ze een bezoekje brengen aan hun Toscaanse gravin.

'Eerst wil ik dat je het genie ontmoet.' Peter nam haar mee naar de eerste nis aan de rechterhand, waar flitslicht en toeristen een stellige aanwijzing waren van het feit dat daar een meesterwerk werd tentoongesteld. Toen ze dichterbij kwamen, betrapte Maureen zichzelf erop dat ze haar adem inhield bij de pure schoonheid waarmee ze zich geconfronteerd zag. De *Piëta*, Michelangelo's meesterwerk, leek van binnenuit te gloeien. De serene majesteit van het gezicht van de Maagd Maria terwijl ze het lichaam van haar zoon in haar armen hield, was tegelijk subliem en ontzagwekkend. Maureen wachtte tot de mensenmassa wat dunner werd en liep toen dichter naar het beeldhouwwerk, dat werd afgeschermd door glas sinds in de jaren tachtig een gek had geprobeerd het met een moker kapot te slaan.

'Ze ziet er wel erg jong uit, vind je niet?' merkte ze op. 'Is het niet vreemd dat Maria er jonger uitziet dan de man in haar armen, die wordt geacht haar zoon te zijn? Denk je dat dit misschien een andere Maria zou kunnen zijn? Onze Maria?'

Peter schudde glimlachend zijn hoofd. 'Nee Maureen, er is hier geen sprake van een samenzwering. Michelangelo heeft het nog tijdens zijn leven zelf uitgelegd. De puurheid van de Maagd was van dien aard dat ze de eeuwige jeugd bezat.'

Maureen knikte, ook al was ze nog niet voor honderd procent overtuigd door die gemakkelijke, voor de hand liggende verklaring. Welke Maria hier ook werd voorgesteld, ze was wonderlijk mooi. 'En dat stuk perkament dan dat Berenger heeft ontvangen? Met die stamboom waarop de laatste naam die van Michelangelo was? Op de bijgevoegde kaart stond: *Kunst zal de wereld redden*. De afzender van die kaart was dezelfde die mij die andere rol perkament heeft gestuurd. Er bestaat een verband tussen die twee.'

'En degene die je dat perkament heeft gestuurd, heeft je ook beroofd onder bedreiging met een pistool.'

'Dat weten we niet.'

'Wie zou het dan geweest moeten zijn? Kom mee.' Peter draaide Maureen om en loodste haar een paar meter verder. 'Dan ga ik je nu voorstellen aan de raadselachtige gravin van Canossa.'

Maureen bleef met een ruk staan, met stomheid geslagen door het enorme marmeren monument waar hij haar naartoe had gebracht. 'Ligt ze hier?' wist ze ten slotte uit te brengen. 'Op zo'n prominente plek? En sorry dat ik het zeg, maar zo dicht bij Michelangelo? Dat kan toch geen toeval zijn?'

Matilda's tombe bevond zich in de tweede nis langs het schip, net voorbij Michelangelo's meesterwerk. Het majestueuze beeldhouwwerk van Bernini dat de laatste rustplaats van Matilda sierde, was een meer dan levensgrote beeltenis van een uitzonderlijke vrouw. Ze was afgebeeld als een krijgsgodin in de klassieke stijl, compleet met toga. In haar rechterhand hield ze een generaalsstaf, als symbool van haar prestaties als soldaat en strateeg, in de kromming van haar linkerelleboog rustte de pauselijke tiara, en tot

Maureens verbijstering sloten de vingers van haar linkerhand zich ferm om de sleutel van de Heilige Petrus.
'Merkwaardig! Een vrouw die in het Vaticaan de sleutel tot de Kerk zelf in haar hand houdt,' dacht Maureen hardop. Toen keerde ze zich naar Peter. 'Hoe denk jij daarover?'
Bij wijze van antwoord vertaalde Peter de inscriptie boven Matilda's tombe. 'De Heilige Paus Urbanus VIII bracht het gebeente van Gravin Matilda over vanuit het klooster van San Benedetto in Mantua. Een vrouw met een manhaftige ziel, verdediger van de Apostolische zetel, bekend om haar devotie, gevierd om haar grootmoedigheid. Met eeuwige dankbaarheid en verdiende lof in het jaar 1635.'
'Fascinerend, maar dat vertelt ons nog altijd niet waarom ze de symbolen van het pausschap in haar handen houdt.'
'Nee, inderdaad.' Peter schonk haar een vluchtige, sluwe glimlach.
'Volgens mij hou je iets voor me achter.'
'Sst.' Peter keek steels om zich heen. De muren hadden hier oren. 'Ik heb gisteravond een groot stuk van de vertaling afgemaakt. Die nemen we vanmiddag door.'
'Je laat me wel heel erg in spanning zitten.'
'Tja, sorry. Niks aan te doen. Nu we hier toch zijn, zal ik je ook de andere werken van Bernini laten zien. Ze zijn schitterend, de kunstliefhebber in je zal ze kunnen waarderen.'
Hij nam Maureen mee naar het brandpunt van de basiliek, Bernini's bizarre *baldacchino*, het bronzen middenstuk onder de koepel dat zijn poging vertegenwoordigde om schilderkunst, architectuur, sculptuur en spiritualiteit samen te smelten. Het was een enorm baldakijn gegoten in brons, ondersteund door rijkbewerkte, gedraaide zuilen waarvan Bernini beweerde dat hij ze had ontleend aan een ontwerp voor de Tempel in Jeruzalem, van niemand minder dan Salomo. Het baldacchino was bedoeld om de tombe van de Heilige Petrus in het midden van de basiliek te markeren, gemaakt in opdracht van de inmiddels raadselachtige paus Urbanus VIII.
In nissen rond het baldacchino stonden meer dan levensgrote beelden van figuren uit de eerste eeuw. De Heilige Veronica met haar sluier herkende Maureen meteen, maar dat gold niet voor de enorme figuur die eruitzag als een Romeinse centurio met een speer.
'Wie is dit?'
'Longinus Gaius. De centurio die de zijde van Jezus doorboorde tijdens de kruisiging.'
Maureen huiverde. De figuur van Longinus was duidelijk beschreven in de

beschrijving van de gebeurtenissen op Goede Vrijdag, in het evangelie van Maria Magdalena. Een harde, wrede man, berucht om het lijden dat hij Jezus aan het kruis had toegebracht. Was het niet vreemd dat Bernini hem zo schitterend en majestueus had uitgebeeld, in het hart van het Vaticaan?
'Er wordt aangenomen dat Bernini beelden heeft gemaakt die correspondeerden met de heilige relikwieën die hier zouden worden ondergebracht,' zei Peter in antwoord op Maureens vraag. 'Urbanus VIII was blijkbaar nogal een relikwiejager. Veronica's zweetdoek zou bijvoorbeeld een plaats krijgen onder haar beeld. En ook de Speer van het Lot, zoals het wapen van Longinus werd genoemd, zou hier met hem worden bewaard. Het Vaticaan beweert echter alleen een stuk van de speer in zijn bezit te hebben. In een museum in Oostenrijk zou een ander stuk worden bewaard. De rest is eeuwen geleden verdwenen. De speer zou, net als de Ark des Verbonds, magische vermogens hebben bezeten en was een van de meest gekoesterde relikwieën uit de geschiedenis.'
Peter keek op zijn horloge en maakte een eind aan de rondleiding. Het was tijd voor Maureens ontmoeting in de kantoren van de Broederschap.

❂

Maureen wist niet wat ze had verwacht, maar dit in elk geval niet. Pater Girolamo was ongelooflijk scherp en geanimeerd voor een man van zijn hoge leeftijd, maar dat was niet wat haar verraste. De verrassing lag in de ontdekking dat hij zo charmant was, zo hartelijk, en dat hij oprecht zijn best leek te doen om te zorgen dat ze zich op haar gemak voelde. Hij had thee laten komen, en Maureen dronk er dankbaar van, blij dat het de sterke Ierse thee was waaraan ze de voorkeur gaf, maar ook nieuwsgierig waarom een Toscaanse priester thee uit het graafschap Cork in zijn voorraadkast had.
Na de kennismaking had Peter hen alleen gelaten, zodat ze onder vier ogen konden praten. Hij had Maureen eerder op de dag op de ontmoeting voorbereid, door haar te vertellen over de expertise en de kennis van de oude priester, maar ook over diens waarschuwingen. Pater Girolamo de Pazzi had gelijk gekregen. Er was iemand die Maureen gebruikte, en ze moesten erachter zien te komen wie dat zou kunnen zijn.
'U denkt dat degene die de perkamentrollen naar mijn vrienden en mij heeft gestuurd, en de gewapende overvaller die me heeft beroofd, een en dezelfde persoon zijn?' vroeg Maureen.
Hij knikte. 'Ja, dat denk ik. Zou u zo goed willen zijn precies te beschrijven waarvan ze u hebben beroofd?'

Maureen vertelde hoe ze het rode boek had gekregen van het kleine meisje, en dat het haar vervolgens was afgenomen door de gewapende overvaller. Daar liet ze het bij. Tot op dat moment hadden Peter en zij niemand verteld over de autobiografie van Matilda. Ze hadden hun lesje geleerd als het ging om de overdracht van originele documenten, dus die informatie hielden ze vóór zich.
De oude priester vervolgde zijn ondervraging. 'U hebt niets van de inhoud van het boek gezien?'
'Nee. Er zat een riem omheen, en de gewapende overvaller heeft het me afgenomen voordat ik erin kon kijken.'
'Wat dénkt u dat het was?'
'Ik weet het echt niet. Het spijt me. Het ging allemaal zo snel.'
Pater Girolamo begon over iets anders. 'Bent u bereid uw dromen en visioenen met me te bespreken? Ik vraag het vanwege mijn hartstochtelijke belangstelling voor het onderwerp. En het spreekt vanzelf dat ik u met plezier van advies dien als dat binnen mijn mogelijkheden ligt. Het is van belang dat u weet dat u me kunt vertrouwen. Het gaat me er vooral om u te beschermen tegen degene die probeert u te gebruiken voor zijn eigen doeleinden. Wie dat ook mag zijn.'
Maureen had het gevoel dat ze althans iets moest vertellen, nadat ze zich zo welbewust op de vlakte had gehouden over het rode boek.
'Natuurlijk. Wat wilt u weten?'
'U hebt visioenen van Maria. Zowel in uw dromen als op klaarlichte dag.'
'Ja. Maar het is niet uw Maria.'
'U hebt de moeder van de Heer nooit gezien? Ze is nooit aan u verschenen?'
'Nee.' Het was niet Maureens bedoeling om kortaf te zijn, maar ze voelde zich onder de gunstigste omstandigheden al niet op haar gemak met mannen van de Kerk, en ze was niet bereid het achterste van haar tong te laten zien. Oude gewoonten slijten moeizaam, en hij had haar nog niet genoeg reden gegeven om hem te vertrouwen. Girolamo tastte voorzichtig verder.
'Ik heb van uw neef begrepen dat u dromen hebt waarin Onze Heer tot u spreekt.'
In een poging diplomatiek te zijn gaf Maureen hem een sterk ingekorte beschrijving van haar recente, telkens terugkerende dromen waarin Jezus en *Het Boek der Liefde* de hoofdrol vervulden.
'En dit boek dat Hij blijkbaar zit te schrijven,' onderbrak de priester haar. Het was duidelijk dat zijn belangstelling was gewekt. 'Hangt er soms een blauwe gloed om de bladzijden?'

Het scheelde niet veel of Maureen had haar thee uitgespuugd. 'Ja! Hoe weet u dat?'
'Omdat ik het eerder heb gehoord.'
'Van wie?'
Hij schudde zijn hoofd. 'Dat is me verteld in een vertrouwelijk gesprek, mijn kind. Dus ik kan mijn bron niet onthullen. En zo zal ik ook met niemand praten over wat u me hier vertelt. Weet u waarom de woorden op de bladzijden een blauwe gloed lijken uit te stralen?'
Toen Maureen ontkennend antwoordde, legde hij uit: 'Omdat alle evangeliën zijn geschreven voor hen die ogen hebben om te zien en oren om te horen. Zelfs de canon zoals we die vandaag kennen, kent lagen die niet iedereen meteen herkent of kan interpreteren. Als Onze Heer eigenhandig een evangelie heeft geschreven, is het heel goed denkbaar dat hij dat zodanig heeft geformuleerd dat niet alle leerstellingen toegankelijk waren voor iedereen die zou proberen dat evangelie te lezen.'
'Maar waarom zou Jezus een boek schrijven dat niet iedereen kan lezen?'
'Omdat Hij het niet heeft geschreven in een tijd van drukpersen en massadistributie, zodat miljarden mensen Zijn woorden konden lezen. Dat kan niet Zijn bedoeling zijn geweest – dat iedereen Zijn evangelie las. Hij heeft het geschreven in een tijd waarin het een leerinstrument zou zijn in handen van een onderlegde apostel, iemand die wist hoe de tekst diende te worden geïnterpreteerd om duidelijk te maken wat Jezus ons wilde zeggen.'
Maureen knikte. 'Dus het was uit veiligheidsoverwegingen? Zodat als het boek in verkeerde handen viel, het niet tegen Hem of Zijn volgelingen kon worden gebruikt als godslasterlijk?'
'Dat is heel goed denkbaar, ook al zullen we daar nooit zekerheid over hebben. Begrijpt u nu wat ik wil zeggen? Ik heb toch wat licht op uw dromen kunnen werpen, ook al aarzelde u om hier te komen. U vindt op de hele wereld niemand met meer ervaring als het gaat om de interpretatie van visioenen. Ik hoop dat u zich vrij zult voelen om bij me te komen wanneer u behoefte krijgt om dit verder te bespreken. O, en in het belang van uw eigen veiligheid: laat het ons alstublieft meteen weten wanneer een bron van buitenaf opnieuw contact met u zoekt.'
Maureen bedankte hem beleefd voor de thee en het gesprek, en aanvaardde zijn uitnodiging aanwezig te zijn bij de aanstaande presentatie over de verschijning van Onze-Lieve-Vrouwe in het Ierse Knock. Ze wist dat het voor Peter veel betekende als ze probeerde niet alle mannen van de Kerk over één kam te scheren. Tenslotte had Tomas DeCaro bewezen van onschatbare waarde te zijn tijdens haar zoektocht naar Maria Magdalena.

En pater Girolamo was allervriendelijkst geweest. Misschien mochten ze hopen dat de mannen van de Kerk ooit tot inzicht zouden komen en uiteindelijk de waarheid zouden toelaten in hun hart. Dat was een heimelijk gekoesterde wens, terwijl ze de Tiber overstak, terug naar haar hotel.

❂

Ze rook de lelies al voordat ze de deur opendeed. De hele kamer stond er vol mee. Ze glimlachte, ervan overtuigd dat ze wist wie voor het gebaar verantwoordelijk was. Hoewel Berenger Sinclair haar onvermoeibaar had gebeld sinds het incident in Orval, had Maureen nog niet de gelegenheid gehad hem te spreken. Ze hadden wat heen en weer ge-sms't, maar daar was het bij gebleven. Ze wist dat hij zich zorgen om haar maakte, en ze verlangde naar het gevoel van troost en veiligheid dat hij haar wist te geven. Wat ze minder leuk vond, was de gedachte dat ze zou moeten onderhandelen over een wapenstilstand tussen Berenger en Peter, maar het was duidelijk dat ze de breuk in hun relatie niet langer kon negeren. Berenger was geen man die zich liet negeren of ontkennen. Op het kaartje bij de bloemen stond:

*Ik heb de suite op de vierde verdieping. Zullen we om acht uur dineren?*

Maureen lachte. Nou ja, hij gaf haar tenminste alle tijd om te douchen en zich te verkleden. Ze had nog drie uur voordat ze hem zou ontmoeten.
Ze liep naar het raam, gooide het open en genoot van het magische uitzicht op de piazza. De fontein ruiste rond de granieten obelisk, op de marmeren treden zaten toeristen. Ze maakten foto's en aten panini's. Plotseling trok een van de toeristen haar aandacht. Geschrokken hield ze haar adem in. Op de treden van de fontein zat een man die recht naar het raam van haar kamer keek. Ze kende die man. Hij droeg een donkere, sportieve trui met capuchon en een grote zonnebril.

*Rome*
*Heden*

Het was allemaal zinloos geweest.
De bespreking was voorbij en had niets opgeleverd. De leider van de in

duistere gewaden gehulde mannen was alleen achtergebleven om in stilte een nieuwe strategie te bedenken. Hij nam de zwartblauwe kap van zijn hoofd en smeet die vol weerzin van zich af. Wat de jongere rekruten te veel hadden aan vurigheid, kwamen ze tekort aan gezond verstand. Ze genoten ervan wapens te dragen en spionnetje te spelen, maar God verhoede dat je van hen afhankelijk was als ze hun hersens moesten gebruiken. En hij werd te oud om zo'n zware last te dragen zonder capabele assistentie. Zelfs de korte trip naar België had hem totaal uitgeput.
Die gek was vandaag zo stom geweest om in de gaten te lopen op de piazza. Nu zouden ze iemand anders moeten vinden om dat wijf van Paschal te schaduwen. Het was om doodmoe van te worden.
Hij was ook niet verrast dat ze geen succes hadden gehad met hun jacht op Destino. De man was ongrijpbaar. Altijd al geweest.
Destino had op het hele continent plekken waar hij zich verborgen kon houden, dus hij kon overal zijn. Waarschijnlijk zat hij in Italië of Frankrijk, maar er was bekend dat hij in het verleden ook zijn toevlucht had gezocht in Zwitserland, België en Nederland. En hij had zoveel pseudoniemen, gebruikte al zoveel jaren zoveel verschillende namen, dat het onmogelijk was hem op te sporen wanneer hij niet gevonden wilde worden.
En het was duidelijk dat Destino, op dit moment, niet gevonden wilde worden.

Bij het begin der tijden zijn er drie beloften gedaan, en elk van de drie is heilig. De Eerste Belofte is een belofte aan God, aan je Moeder en Vader in de Hemel. Deze vertegenwoordigt je meest goddelijke opdracht, datgene waarvoor je in het oog van je Scheppers ter wereld bent gekomen. Het is de reden voor je incarnatie, de meest zuivere intentie van je ziel.

De Tweede Belofte is een belofte aan je Familie van de Geest, de familie waarin je bent verwekt en waartoe je tot in eeuwigheid zult behoren. Deze vertegenwoordigt je relatie met elk van de verwante zielen in je familie en je belofte om hen te helpen bij hun opdracht, zoals zij jou zullen helpen bij de jouwe.

De Derde Belofte is een belofte aan jezelf. Deze vertegenwoordigt het antwoord op de vraag hoe je wilt leren en groeien en liefhebben binnen de context van je incarnatie.

Zorg dat je in harmonie bent met de beloften die je hebt gedaan, want deze zijn in je leven het allerheiligste. Wees je ervan bewust, koester ze, en je zult de grootste vreugde smaken die voor de mens is weggelegd. Doe niets waarvan je weet dat het tegen je heilige beloften ingaat, want dat is de definitie van de zonde.

Wie oren heeft om te horen, die hore.

– Uit *Het Boek der Liefde*
zoals bewaard gebleven in *Het Libro Rosso*

---

*Florence*
*Lente 1062*

Matilda was gelukkig tot in het diepst van haar ziel, maar ze was ook uitgeput. De emotionele wissel die de profetische droom van de nacht tevoren op haar had getrokken, en haar veelbewogen dag met de Orde begonnen hun tol te eisen. Toch was haar zestiende verjaardag nog niet voorbij.

Beatrice en Godfried gaven een overvloedig banket ter ere van haar meerderjarigheid. Terwijl ze de feestzaal rondkeek, zei ze een snel dankgebed tot haar Heer. Ze was zo gezegend opnieuw omringd te zijn door zoveel mensen die van haar hielden. *Het Boek der Liefde* benadrukte dat dankbaarheid dagelijks moest worden beleden, en deze avond was ze zeker dankbaar.

Na het dessert van hazelnoottaart stond haar stiefvader op van zijn stoel om het woord te nemen.

'Mijn allerliefste Matilda, ter ere van je meerderjarigheid hebben we opdracht gegeven tot een speciaal geschenk.'

Conn kwam naar voren met een groot houten krat. Hij had zichzelf voor de gelegenheid extra verzorgd en mooi aangekleed. Zo had ze hem nog nooit gezien, besefte Matilda. Met zijn dikke roodblonde haar gewassen en keurig gekamd, en in de rijke uitmonstering van een edelman was hij een opmerkelijk knappe verschijning. Later zou het haar opvallen dat veel vrouwen in de zaal extra aandacht aan de stoere Kelt besteedden. Mocht hij de avond niet alleen willen besluiten, dan had hij ongetwijfeld de keus uit de aanwezige nog ongetrouwde vrouwen – en als hij discreet was waren sommige van de getrouwde vrouwen misschien ook nog wel bereid hem hun gunsten te verlenen, dacht Matilda, afgaande op de hongerige blikken die ze hem toewierpen. Maar op dat moment had hij uitsluitend oog voor haar.

'Voor jou, kleine zuster.'

Hij nam met een zwierig gebaar het deksel van het krat. Matilda reikte erin, en haar adem stokte. In het krat flonkerde, bij het licht van dikke kaarsen van bijenwas, een zee van golvend brons en koper. Toen ze haar geschenk eruit tilde, was ze verbijsterd door het gewicht van de soepele strengen. Conn schoot haar te hulp, en even later hield ze een volledige wapenrusting van handgesmede maliën tegen haar lichaam. Het was echter niet de ruwe maliënkolder van de gemiddelde krijger. Deze maliën waren in koper gedoopt en opgewreven tot ze glommen, zodat ze volmaakt pasten bij de kleur van haar haar. De bijpassende zware bronzen kraag was bedoeld om haar tere hals te beschermen, maar doordat hij was ingelegd met aquamarijn – de kleur van de ogen van de draagster – deed hij niet onder voor het halssieraad van Cleopatra.

Matilda was overweldigd door de schoonheid van het geschenk, en door de zorg waarmee het was bedacht. Later bleek dat Godfried en Beatrice weliswaar de opdracht hadden gegeven en het kostbare smeedwerk hadden betaald, maar dat Conn toezicht had gehouden op de vervaardiging. Hij had elk afzonderlijk detail van het ontwerp bestudeerd en was nauw

betrokken geweest bij het smeden. De wapenrusting was gemaakt om haar maximale bescherming te bieden, zei hij, maar bovendien zou de uitrusting het volk van Toscane aansporen om zich rond haar te scharen en haar te steunen wanneer ze uitreed met haar troepen. De Keltische verhalenverteller in hem eiste niets minder dan een wapenrusting, een legendarische krijger-koningin die in de voetsporen van Boudica zou treden waardig.
Pas vele jaren later zou ze te weten komen dat Conn tijdens het vervaardigingsproces elke dag bij het werk had gebeden. En dat hij er heilig water over had uitgegoten, een bijzonder en gezegend water afkomstig uit de eeuwenoude bron bij Chartres. Dat hij God en de engelen had gesmeekt om hun goddelijke patronaat van zijn kleine zuster in de geest, de magische krijger-gravin die hij had gezworen te beschermen. Het was een belofte die hij heel lang geleden had gedaan, een belofte aan God, die hij tegen elke prijs gestand wilde doen.

❂

De ster van het pausschap bleef rijzen en dalen, de grote huizen van Europa zetten hun bloedige strijd voort om de ziel van Rome, de stad die tijdens Matilda's leven bijna twintig pausen zou zien komen en gaan. In dit klimaat arriveerde een jonge aartsdiaken uit een invloedrijke Romeinse familie, Ildebrando Pierleoni, in Florence om de hertog van Lotharingen en zijn raadsmannen te ontmoeten.
De Romeinse bestuurder, afkomstig uit de rijkste familie in de streek, die bij zijn naaste vrienden bekendstond als Brando, was ondanks zijn jonge leeftijd al een bedreven politicus en was gewiekster dan de meeste van zijn leeftijdgenoten. Een knappe, dynamische man, met een markant gezicht en intelligente ogen – opvallend lichtgrijs, wat hoogst ongebruikelijk was voor een Romein. Maar het waren niet alleen zijn ogen waardoor hij opviel. Brando Pierleoni bezat een uitzonderlijk charisma, dat van hem afstraalde toen hij de grote zaal van het Florentijnse hertogelijk paleis betrad.
Godfried van Lotharingen begroette hem hartelijk. 'We zijn vereerd door uw gezelschap en we betuigen onze deelneming met het overlijden van uw goede vriend, onze zeer geliefde Heilige Vader.'
Brando aanvaardde de begroeting met dezelfde warmte. Zijn gezicht drukte oprechte smart uit toen hij sprak over de pas overleden paus Nicolaas. 'Hij was een groot man, een van mijn meest inspirerende leermeesters. Ik zal hem de rest van mijn leven blijven missen.'

'En u hebt heel wat inspirerende leermeesters gehad,' zei Godfried, om Brando duidelijk te maken dat hij goed was geïnformeerd over de illustere geschiedenis van de jongeman in de pauselijke politiek. 'Uw oom was ook een groot man.'

Brando Pierleoni was de neef van wijlen paus Gregorius VI, die was verbannen door Hendrik III, dezelfde kwaadaardige keizer die Matilda en Beatrice gevangen had genomen en beslag had gelegd op hun bezittingen. De diplomatieke Brando vergezelde zijn zwaar op de proef gestelde oom naar Duitsland, trad op namens de familie tijdens de moeilijke periode van ballingschap en had naam gemaakt als een intelligente, waardige raadsman waar het om de politiek van Rome ging.

Hij maakte een goed en wijs gebruik van zijn tijd in Duitsland door deze te zien als een kans om feiten te verzamelen waardoor hij inzicht kreeg in de beweegredenen en de handelwijze van de koning, en door zich te laten scholen aan de voortreffelijke onderwijsinstellingen in Keulen. Maar bovenal ontwikkelde hij in die periode een sterk en gepassioneerd rechtvaardigheidsgevoel, en hij werd een vurig voorstander van de idee dat inmenging van een seculier heerser – en zeker zo'n hebzuchtige en meedogenloze als Hendrik III – in de zaken van de Kerk simpelweg onaanvaardbaar was. Tijdens de donkere dagen en lange avonden van de Duitse winter legde hij heimelijk de gelofte af zich te wijden aan de hervorming van de kerkelijke wetten, zodat de Kerk immuun zou worden voor seculiere invloed en zodat geen vorst ook maar enige zeggenschap had bij de benoeming van de paus. Brando koesterde minachting voor de hypocrisie die hij overal om zich heen zag, en hij zwoer dat hij zich zou inzetten voor een wereld waarin alle mannen van de Kerk moesten voldoen aan dezelfde maatstaven van integriteit. Hij zou eisen dat alle priesters en bisschoppen zich inzetten voor andere zaken dan de bescherming van hun positie en van de rijkdommen die ze voor zichzelf en hun families in de wacht sleepten. Hij zou er niet voor terugdeinzen om zo nodig de machtsstructuren in Europa te hervormen, om er zeker van te zijn dat spirituele zaken voorgoed slechts het domein van de paus zouden zijn. Alleen dan zou Rome sterk genoeg zijn en de apostel Petrus waardig. Dit was de gelofte die hij aflegde, en die hij dagelijks vurig en met grote stelligheid herhaalde.

Toen Nicolaas II de troon van de Heilige Petrus besteeg, was zijn eerste daad de schrandere Brando Pierleoni tot zijn aartsdeken te benoemen en hem de leiding te geven over alle fiscale operaties. Dit ondanks het feit dat Brando geen priester was. Hij bleef een seculier politicus, maar iedereen wist dat hij diepgelovig was, en hij werd door de burgers van Rome als uit-

zonderlijk vroom beschouwd. Toch had nog nooit iemand zo'n hoge positie binnen de Kerk weten te verwerven zonder de gelofte te hebben afgelegd. Het was slechts een eerste staaltje van de beruchte vermetelheid van Brando Pierleoni.
Reeds enkele maanden later had hij een verkiezingsdecreet opgesteld dat heel Europa verbijsterde. Het decreet behelsde dat Romeinse families en de Duitse koning niet langer in staat zouden zijn invloed uit te oefenen op de verkiezing van de paus. In de toekomst zou een selecte groep kardinalen, het zogenoemde College van Kardinalen, de nieuwe paus kiezen. Brando nam geen enkel risico. Hij zette een procedure op waarbij de Duitse koninklijke familie noch de Romeinse aristocratie uit een oogpunt van eigenbelang ooit weer een marionet op de pauselijke troon kon zetten. Dit verkiezingsdecreet was aanleiding voor Brando's komst naar Florence, voor een ontmoeting met de hertog van Lotharingen en zijn raadslieden. Na de dood van paus Nicolaas zou voor de allereerste keer een nieuwe paus worden gekozen door dit nieuwe instituut, het Heilige College van Kardinalen.
'Brando, ik zal open kaart met u spelen. We zouden Anselmo di Baggio, de bisschop van Lucca, naar voren willen schuiven als opvolger van de Heilige Vader. Zoals u weet is hij net zo'n vurig hervormer als u. Hij is ook gekant tegen Duitse inmenging in Romeinse zaken, een kwestie waarvan ik weet dat die u ter harte gaat.'
Brando knikte. Godfried verwonderde zich over de zelfverzekerdheid van de jongeman terwijl deze over het voorstel nadacht. Hoewel de aartsdiaken buitengewoon hoffelijk bleef, was het maar al te duidelijk dat hij de situatie volledig beheerste. Het was een wonder om te zien hoe deze intelligente man zijn opties overwoog. Tijdens de hele bespreking zag Godfried aan zijn gezicht hoe hij al het besprokene op zich liet inwerken en analyseerde. Toen hij uiteindelijk reageerde, verried zijn antwoord een helder begrip van de situatie en van de omstandigheden die daartoe hadden geleid.
'Anselmo is een goed mens en hij zou om vele redenen een wijze keuze zijn, maar hij vormt ook een risico. Ooit heeft hij een openlijke opstand tegen Hendrik geleid, dus zijn benoeming tot paus zal worden gezien als een daad van agressie tegen Duitsland.'
'Dat mag zo zijn, maar dat geldt voor elke benoeming door dit zogenaamde College van Kardinalen dat u in het leven hebt geroepen,' luidde Godfrieds verweer. 'Het is beter een paus te hebben die ferm optreedt tegen alle bedreigingen, zowel aan het adres van de paus zelf als aan dat van onze Italiaanse landheren.'

Tot ver in de middag bespraken de twee mannen de verdiensten van de bisschop van Lucca, en uiteindelijk kwamen ze tot een overeenstemming die een nieuwe en machtige band smeedde tussen het Huis van Toscane en Brando Pierleoni, een band die nog jarenlang een verstrekkende invloed op de geschiedenis zou hebben.

❂

Binnen twee weken werd Anselmo di Baggio, de voormalige bisschop van Lucca, benoemd tot paus Alexander II, als resultaat van de eerste legale verkiezing onder het nieuwe decreet. Het instituut dat de daaropvolgende duizend jaar de paus zou kiezen, het College van Kardinalen, was ingewijd.

De Duitse bisschoppen en de aristocratie in het noorden waren razend door de verkiezing van een man die openlijk uiting had gegeven aan anti-Duitse sentimenten. Ze eisten dat hun koningin-regentes, Agnes van Aquitanië, zich uit naam van hun jonge koning Hendrik IV tegen deze paus verzette. Agnes had echter geen ervaring met het keiharde bedrijf van de pauselijke politiek en ze had haar handen vol aan de taken die haar waren toegevallen en waarvoor ze zich nauwelijks capabel voelde. Toen ze bleef zwijgen en geen actie ondernam, smeedde de bisschop van Keulen, een ambitieus man die Anno heette, een duivels complot. Anno ontvoerde zijn eigen soeverein en zette de jonge Hendrik gevangen op zijn jacht, waar hij niemand bij hem toeliet. Hij eiste dat Agnes afstand deed van haar regentschap en terugkeerde naar Frankrijk, terwijl haar zoon in handen zou blijven van de Duitse bisschoppen, die hem zouden grootbrengen tot een waardig koning voor hun volk.

Hendrik IV, die inmiddels elf was, had zich ontwikkeld tot een lastige persoonlijkheid, nog hoogmoediger, dwingender en humeuriger dan hij als kind al was geweest. Hij schold zijn gevangenhouders de huid vol omdat ze hem hadden weggerukt uit de veilige armen van zijn moeder en hem daardoor onuitsprekelijk hadden verwond. Op hun beurt legden zijn ontvoerders, de hoogste functionarissen binnen de Kerk in Duitsland, hem op een ongekende manier in de watten, in een poging de stem van hun schuldgevoel het zwijgen op te leggen. Zo bedierven ze hem nog meer en met een grotere perversie dan zijn saaie moeder dat ooit had gedaan, zodat hij zich ontwikkelde tot een wellustig monster. Tegen de tijd dat hij officieel meerderjarig werd en op zijn vijftiende de troon besteeg, had Hendrik IV een neiging tot extravagantie en seksuele excessen. Er werden lichtekooien naar het paleis gehaald, er werden orgiën aangericht, en de perversies van de jonge vorst zouden legendarisch worden. Alle bronnen zijn het erover eens dat de bisschoppen die Hendrik de middelen verschaften om zich over te geven aan zijn zonden, met dezelfde overgave als hun vorst aan de excessen deelnamen.

Hendriks moeder, die was teruggekeerd naar Aquitanië, werd nu zijn bittere vijand. Toen ze hoorde hoe hij was ontaard, onterfde de vrome edelvrouwe haar zoon en koos ze de kant van haar eigen mensen, tegen de Duitse kroon. De definitieve desertie van zijn moeder leidde ertoe dat de toch al getroebleerde Hendrik geestelijk in een onomkeerbare neerwaartse spiraal terechtkwam. Door een volslagen gebrek aan vrouwelijke invloeden sinds zijn elfde raakte zijn psyche totaal verwrongen, en de jonge koning ontwikkelde zich tot een maniakale, sadistische vrouwenhater. Als hij geen koning was geweest, zou de conclusie dat hij een gevaarlijke psychopaat was snel zijn getrokken. Er deden gruwelijke geruchten de ronde, over de lichamen van jonge vrouwen die onopvallend dienden te worden weggewerkt wanneer Hendrik zijn lusten weer eens ongeremd had botgevierd. Het leed geen enkele twijfel dat de corrupte mannen van de Kerk die hem omringden hem sterkten in zijn overtuiging dat vrouwen slechts bestonden voor de laagste bevrediging van zijn genot. Het verraad en de zwakheid van zijn moeder waren voor hem het bewijs dat vrouwen in politiek opzicht van geen enkel nut waren en volstrekt onbetrouwbaar als het om macht ging. Sterker nog: ze waren in geen enkel opzicht te vertrouwen en verdienden het lot dat hij voor hen verkoos.

❂

Dezelfde noordelijke bisschoppen die Hendriks macht controleerden en zijn levensloop bepaalden, namen het militaire besluit een huurleger naar Rome te sturen, om met geweld hun eigen man op de pauselijke troon te zetten. Toen in Toscane werd besloten dat er een afvaardiging naar Rome zou gaan om de positie van paus Alexander te verdedigen, stond Matilda – inmiddels achttien – erop zich daarbij aan te sluiten. Het was een zaak die haar bijzonder na aan het hart lag. Alexander was haar paus, een trotse en sterke burger van Lucca, die bovendien in het geheim opkwam voor de belangen van de Orde. Ze zou voor hem vechten en zo nodig haar leven voor hem geven.

Matilda reed Rome binnen aan de zijde van Conn, aan het hoofd van een indrukwekkend contingent Toscaanse krijgers. Haar glimmend gepoetste

wapenrusting schitterde in het zonlicht. De mensen van Rome reageerden zowel geschokt als opgewonden op de stralende jonge krijger-gravin die haar paus te hulp kwam.
Conn zag erop toe dat Matilda buiten het vuur van de strijd bleef, maar toen die was gestreden moest hij toegeven dat ze niet alleen dapper vocht, maar ook met wijsheid. De bloedige gevechten hadden echter een teleurstellend resultaat voor de Toscaanse troepen. Aan beide zijden waren zware verliezen te betreuren, zonder dat een van de partijen aanspraak kon maken op de overwinning. Brando Pierleoni vergezelde zijn nieuwe paus, Alexander II, toen deze zich terugtrok naar het veilige Lucca, onder bescherming van de Toscaanse garde. Matilda reed met Conn vooruit om verslag uit te brengen in Florence, maar niet nadat Brando een blik had kunnen werpen op de uitzonderlijke jonge vrouw wier naam nu al legendarisch begon te worden. Het laatste wat hij van haar zag toen hij haar nakeek, was een stralend, koperkleurig visioen, dat de zon weerkaatste die schitterde op het water van de Tiber. Plotseling viel er een zonnestraal in een zodanige hoek op de rivier dat het visioen werd gehuld in een schacht van licht, zo vurig dat hij even werd verblind.
En in een flits van helderziendheid wist Brando dat hun wegen zich opnieuw zouden kruisen, en dat het resultaat zo groots zou zijn dat het zijn bevattingsvermogen op dat moment te boven ging.

✿

Hendrik IV was ook in Rome toen Matilda in al haar luister de stad binnenreed. Haar aanblik deed zijn ogen branden en wakkerde het vuur van zijn psychose nog verder aan. Hij was razend door de openlijke rebellie van zijn nicht, vervuld van woede en afschuw om te zien hoe de sloerie pronkte met haar rijkdom en haar ketterse manieren. De mensen van Toscane zouden boeten voor hun steun aan een gruwel als een vrouwelijke krijgsheer. Daar zou hij voor zorgen. En uiteindelijk zou hij ook met haar afrekenen en eigenhandig haar trots breken. Hendrik droomde nog altijd van haar; hij droomde ervan hoe het voelde om met zijn handen door haar onzalige rode haar te woelen, zoals hij dat jaren eerder had gedaan. Hij bezat nog steeds een haarlok die hij in haar slaap had afgeknipt. De dag zou komen waarop hij haar zou regeren, en hij verlustigde zich in een eindeloze reeks van zoete kwellingen waaraan hij haar zou onderwerpen wanneer het zover was. De volgende keer zou haar gevangenschap op Bodfeld heel anders verlopen. Al jaren liet hij 's nachts zijn verbeelding de vrije

loop en stelde hij zich voor wat hij allemaal met haar zou doen. Het was een van de meest diepgewortelde obsessies van een perverse geest vol ongezonde fixaties.
De Duitsers werden uiteindelijk gedwongen het pausschap af te staan aan de hervormer uit Lucca, die officieel en met algemene stemmen was gekozen als Alexander II. Hendrik maakte Matilda zware verwijten voor haar aandeel in zijn grote falen. Zijn haat jegens haar had zijn hoogtepunt bereikt.

❂

Voor de Orde van het Heilige Graf was een paus met een Lucchesi-achtergrond een droom die werkelijkheid werd. Het was misschien voor het eerst dat een ketter en nazaat uit een van de oude bloedlijnfamilies paus werd, maar het zou zeker niet voor het laatst zijn.
Het nieuws van de versteviging van Alexanders positie was voor Matilda reden tot grote vreugde. Met de hulp van paus Alexander en zijn neef Anselmo, die hem zou opvolgen als bisschop van Lucca, kon Matilda eindelijk haar belofte gestand doen die ze als kind had gedaan. Ze zou ervoor zorgen dat er een waardige tempel werd gebouwd als onderkomen voor het Volto Santo. De oude San Martino, die steeds meer in verval was geraakt, werd een echte kathedraal, in 1069 met haar enthousiaste financiële steun herbouwd op de eeuwenoude funderingen. Als gravin van Canossa bezocht Matilda de inwijdingsceremonie met haar geestverwanten uit Lucca, aan de zijde van hun gezegende Heilige Vader, paus Alexander II.
Het Heilige Gelaat had van nu af aan een plaats in een grootse kerk, een gebouw dat Nicodemus en zijn meesterwerk waardig was. Matilda had eindelijk iets gedaan waardoor ze geloofde dat ze het welbehagen van haar Heer verdiende.
En dat was nog maar het begin.

*Florence*
*1069*

'Ga zitten, Matilda.'
Beatrice kreunde geërgerd. Ze had het gevoel alsof ze haar hele leven lang al weinig anders zei tegen haar altijd drukke en beweeglijke dochter. Die

dochter, inmiddels drieëntwintig, een verbijsterende schoonheid en een en al zelfverzekerdheid, had zich ontwikkeld tot een machtige politieke factor, zowel in Toscane als daarbuiten. Het viel de matriarchale Beatrice steeds moeilijker om nog enig moederlijk gezag over haar uit te oefenen.
Met Conn naast zich had Matilda legers aangevoerd van de Apennijnen naar de Alpen om haar dierbare paus Alexander te beschermen tegen de op een schisma beluste krachten die waren omgekocht om Hendriks tegenpaus te steunen. In 1066 reed ze aan de rechterhand van haar stiefvader de slag tegemoet die de strijd beslechtte en de nog resterende aanhangers van de tegenpaus decimeerde. Toen alles voorbij was, werd ze ingehaald als overwinnaar, omringd door mannen die de strijdkreet aanhieven die gedurende haar hele militaire carrière met haar verbonden zou blijven: 'Voor Matilda en de Heilige Petrus!'
Alle bronnen zijn het erover eens dat Matilda vocht met hetzelfde vuur en dezelfde dapperheid als haar mannelijke landgenoten. Bovendien werd ze door de manschappen aanbeden, die haar onvoorwaardelijk en zonder klagen volgden. Conn was aanvankelijk hogelijk verbaasd geweest te constateren dat ze haar niet bewierookten, óndanks het feit dat ze een vrouw was, maar juist omdát ze dat was. Hij had daar zelf een belangrijke bijdrage aan geleverd door geen geheim te maken van zijn bewondering en openlijk de loftrompet te steken over haar kwaliteiten als militair leider. Zich maar al te zeer bewust van de macht van mythevorming en propaganda, stookte de Keltische reus het vuurtje van de sentimenten van de manschappen op door Matilda te vergelijken met de legendarische vrouwen uit de geschiedenis. De soldaten hingen aan zijn lippen wanneer hij zijn magische verhalen vertelde bij het kampvuur – verhalen over Penthesilea, de koningin der Amazonen, die een van haar borsten afsneed omdat die haar hinderde bij het aanleggen van haar boog tijdens de strijd om Troje tegen de Grieken; over de Egyptische Cleopatra die de macht van Rome tartte, over de Assyrische Zenobia die over het grootste koninkrijk van de Oude Wereld heerste. Daarbij trok hij de vergelijking met hun Matilda en benadrukte hij haar superioriteit. Wanneer Matilda buiten gehoorsafstand was, sprak hij op fluisterende toon over de profetie van de Voorzegde, en hij legde uit dat ze door God was uitverkoren om hen te leiden. Daardoor zagen de soldaten zichzelf als deel van een nieuwe mythologie, als de krijgers die als één man rond een vrouw stonden die tot in eeuwigheid zou worden herinnerd om het vervullen van haar uitzonderlijke bestemming. Ze zouden allemaal deelhebben aan de legende. En wie door de geschiedenis niet werd vergeten, verwierf een

bijzondere vorm van onsterfelijkheid, hield Conn hun voor.
Toch waren de mannen niet slechts blinde volgelingen van zijn sluwe strategie. De troepen hadden oog voor grootsheid, en die herkenden ze zowel in de kracht en het strategisch vernuft van Conn als in de persoon van Matilda. Bovendien waardeerden ze adeldom in een leider, iets wat hun tengere krijger-gravin met het legendarische haar van nature bezat. Simpelweg door de vrouw te zijn die ze was, inspireerde ze hen tot daden van grote dapperheid.
En dankzij deze combinatie van moed en dapperheid, van hart en geest en machtige mythologie, had Matilda van Canossa zich tegen haar drieëntwintigste in Italië ontwikkeld tot een legende van bijna epische proporties. 'De Maagd Matilda' werd ze genoemd door de mensen in de dorpen die uitliepen om haar voorbij te zien trekken in haar koperen maliënkolder.
'Voor Matilda en de Heilige Petrus!' juichten ze.
Op dit moment ijsbeerde de vleesgeworden legende duidelijk opgewonden door het boudoir van haar moeder.
'Ik wens niet te gaan zitten!' snauwde ze tegen Beatrice.
'Zoals je wilt. Of je nou blijft staan of gaat zitten, ik heb je iets te zeggen. En ik wil dat je naar me luistert, Matilda. Het is je zeven jaar lang gelukt de consequenties van je verloving te ontlopen. Godfried heeft je die ruimte gegeven, en hetzelfde geldt voor mij, zij het om andere redenen. Godfried is zo eerlijk om toe te geven dat zijn zoon geen man is om lief te hebben, en als hij dat kon zou hij je dit lot besparen.'
Godfrieds enige zoon uit zijn eerste huwelijk was erfgenaam van de bezittingen in Lotharingen, en nadat de dood van haar vader een dergelijke wettige band noodzakelijk had gemaakt, was Matilda met hem verloofd. Dat de jongere hertog bekendstond als 'Godfried met de Bult' maakte hem niet bepaald de meest begeerlijke echtgenoot voor een hartstochtelijke jonge vrouw die was grootgebracht met verheven ideeën over de liefde. Een man die zijn roem vooral ontleende aan een fysieke misvorming, was nauwelijks aantrekkelijk voor een vrouw die was ingewijd in het gewijde karakter van het bruidsvertrek en die droomde over het heilige verbond der geliefden in zijn meest romantische vorm. Matilda fantaseerde hoe ook zij de verheven passie zou ervaren van Salomo en Sheba, van Veronica en Praetorus, zoals ze daarover bij de Orde had geleerd. Dat leek echter onwaarschijnlijk gezien de omstandigheden die het lot haar opdrong, op dit moment in de gedaante van haar eigenzinnige moeder. Bovendien was het feit dat haar stiefvader zelden over zijn zoon sprak ook een aanwijzing

dat die wel een buitengewoon onverkwikkelijke figuur moest zijn.
'Ik ga niet terug naar Duitsland! Nooit! Uitgerekend jij zou dat toch moeten begrijpen. Je kunt niet van me verlangen dat ik wegga uit Toscane. Het is een deel van me! Mijn bloed stroomt door dit land. Ik zal sterven als je me dwingt het achter te laten. Mijn vader zou me zoiets nooit hebben aangedaan.'
Beatrice ging zuchtend verzitten in haar stoel. Dit was precies wat ze had verwacht, en gevreesd. 'Je gaat niet naar Duitsland, maar naar Lotharingen, een land dat deel uitmaakt van je erfenis. Mijn erfenis, Matilda, en de erfenis van niemand minder dan Karel de Grote. Dus zelfs voor jou zal het goed genoeg zijn. Het wordt tijd dat je ook die kant van jezelf aan bod laat komen, en dat je er eer in stelt. Trouwens, het paleis in Verdun is schitterend, werkelijk buitengewoon smaakvol. De meeste mensen zouden zich in de hemel wanen wanneer ze op zo'n plek mochten wonen.'
'Dan zou het voor mij een schitterende en smaakvolle gevangenis zijn, maar ik weiger me gevangen te laten zetten. Ik ga niet. En ik weiger te trouwen met de bultenaar.'
'Matilda, ik heb je nog niet alles verteld.'
'Dat maakt niet uit. Niets wat je me vertelt kan me tot andere gedachten brengen.'
'Je stiefvader is stervende.'
Matilda bleef met een ruk staan. Langzaam keerde ze zich naar haar moeder, die besefte dat de pijl van die laatste woorden doel had getroffen. Matilda hield van Godfried. Hij was zo goed voor hen geweest, en in de bijna vijftien jaar dat ze nu samen waren, had hij hen tot een hecht gezin gesmeed. Voor Matilda was hij een echte vader geweest, en dat niet alleen. Als een wijze en geduldige mentor had hij haar geleerd haar Toscaanse bezittingen te besturen en te verdedigen. Ze had veel aan hem te danken. En nu bestond plotseling het gevaar dat ze hem zou kwijtraken, dat ze opnieuw het onuitsprekelijke verlies van een vader zou moeten dragen.
'Hoe weet je dat?' Matilda slikte krampachtig. Diep in haar hart wist ze dat Godfrieds toestand was verslechterd. In de twee, drie jaar sinds de strijd over de lekeninvestituur en de keizerlijke inmenging in de keuze van de paus had ze zijn vitaliteit zien afnemen. Paardrijden kon hij niet meer, en hij moest zich regelmatig voor langdurige rustperiodes terugtrekken in zijn kamer. De laatste jaren was zij degene geweest die had overlegd met de plaatselijke bestuurders, was zij naar Mantua en Canossa gereden voor overleg met hun leenmannen en om te bemiddelen in geschillen tussen burgers. Matilda was zo geboeid geweest door de macht die daarmee op

haar schouders was komen te rusten dat ze zich niet had willen verdiepen in de achtergronden. Ze redeneerde dat Godfried haar simpelweg de ruimte gaf om vertrouwd te raken met haar erfenis, in plaats van te aanvaarden dat hij fysiek niet langer in staat was zelf leiding te geven aan Toscane.
'Je bent het afgelopen jaar veel weg geweest, en daardoor heb je hem niet meegemaakt zoals ik hem heb meegemaakt. De jicht heeft hem gesloopt. Hij weet het, en ik weet het. De tocht over de Alpen zal zwaar voor hem zijn. Sterker nog: de inspanning zou zijn dood kunnen bespoedigen. Maar hij wil thuis in Lotharingen sterven. Bovendien wil hij je veilig getrouwd weten met zijn zoon voordat hij ons verlaat. Het kan niet anders, Matilda. Het huwelijk zal je erfenis veiligstellen dankzij de macht van Lotharingen, en dankzij de wet die door iedereen moet worden aanvaard. Besef je dan niet dat je kwaadaardige neef op je bezittingen loert? Dat hij ze zal stelen zodra Godfried sterft, als je je titels niet veilig hebt gesteld door een huwelijk?'
Bij het noemen van Hendrik IV gooide Matilda minachtend haar hoofd achterover. Voor haar was hij nog altijd het monster dat haar als kind het leven zuur had gemaakt. Ze weigerde hem als koning te zien. Die titel was hij niet waardig.
'Hij zal nooit meer iets van me stelen. Ik zal zelf aan het hoofd van mijn leger tegen hem ten strijde trekken. Laat hem maar eens proberen de hand te leggen op onze rechtmatige bezittingen.'
'Nee, Matilda. Die kans zal ik hem niet geven. Zo lang ik leef zal ik me tegen hem verzetten. Het is de wens van je stervende stiefvader je getrouwd te weten. We vertrekken zo snel mogelijk naar Verdun. Godfried moet vóór de winter de tocht over de Alpen maken. Bovendien willen we dat je met Kerstmis getrouwd bent. Het spijt me, Matilda. Als het anders kon, zou ik het doen. Maar we hebben geen keus.'
Matilda voelde dat haar wilskracht begon af te brokkelen, net zoals ze het gevoel had dat de kracht uit haar wezen sijpelde. Ten slotte liet ze zich op een met fraai houtsnijwerk versierde stoel vallen, beschilderd met de rode en witte Franse lelies uit het wapen van Lotharingen. Het leek een symbolisch gebaar van overgave.
'Ik moet Isobel waarschuwen, dan kan ze beginnen met pakken.'
Nu was het de beurt van Beatrice om te gaan staan. Ze wist dat haar emotionele en koppige dochter heftig zou reageren op wat er ging komen. Want dat zou ze misschien nog verschrikkelijker vinden dan voor een gearrangeerd huwelijk naar Lotharingen te moeten vertrekken.
'Isobel kan niet met je mee naar Verdun. Je bent een volwassen vrouw, op weg naar haar aanstaande, adellijke echtgenoot. Een verzorgster heb je

niet meer nodig. Het zou niet gepast zijn om Isobel mee te nemen.'
Het was eruit. Ze had het gezegd. Zowel Beatrice als Godfried was zich ervan bewust dat Matilda nooit zou berusten in haar lot als hertogin van Lotharingen en echtgenote van Godfried met de Bult als ze de band niet doorsneed met haar Lucchesi-geestverwanten. Ze moesten haar met geweld losmaken van hun invloed. En hoewel Beatrice het afschuwelijk vond toe te geven dat ze jaloers was op de hechte band tussen Isobel en Matilda, droeg die jaloezie wel bij aan haar vastberadenheid.
Beatrice kon zich er niet toe brengen haar dochter aan te kijken. Het eiste een zware tol van haar moederziel om haar kind zoveel pijn te doen, het kind dat haar dierbaarder was dan alles op Gods aarde. En toch was het voor Matilda's eigen bestwil. Matilda had te lang in een vreemde fantasiewereld geleefd, waarin ze geloofde dat ze meester was over haar eigen bestemming. Het was tijd dat ze onder ogen zag dat vrouwen in deze wereld niets over hun lot te zeggen hadden. Dat gold zelfs voor een vrouw die door haar volk al bijna als een legende werd beschouwd. Het was een wrede, maar noodzakelijke les, waarvan Beatrice wenste dat ze haar dochter die kon besparen.
Ze liep naar het raam, keerde Matilda de rug toe en keek naar buiten, waar de Toscaanse zomerzon begon te verbleken. De stilte hing zwaar in de kamer. Maar de uitbarsting die Beatrice had verwacht, bleef uit. 'Ik ga met jullie naar Verdun,' zei Matilda ten slotte zacht. 'Al was het maar om Godfried aan het eind van zijn leven althans enige rust te geven. Ik hou van hem, hij heeft heel veel voor me gedaan, dus dat ben ik hem verschuldigd. Onze Heer zegt dat we onze vader en onze moeder moeten eren, en dat zal ik doen.'
Ze stond abrupt op en liep naar de deur, plotseling gretig om weg te komen en het verblekende licht van de Florentijnse zon op haar gezicht te voelen. Een zon die ze al spoedig zou moeten missen. Over haar schouder heen vuurde ze haar laatste woorden af op haar moeder.
'Voorlopig heb je gewonnen. Voorlopig.'

❁

Pas in de veilige beslotenheid van de Santa Trinita, waar Isobel op haar wachtte, gaf Matilda haar wanhoop en haar tranen de vrije loop.
'Ik kan het niet verdragen, Issie! Ik kan het niet verdragen dat zo'n weerzinwekkende man me aanraakt! En ik kan niet zonder jou, en de Meester, en Conn... en Toscane!'

Isobel nam Matilda in haar armen, streek over haar haren en liet haar uithuilen. Toen ze ten slotte haar zwijgen verbrak, klonk haar stem ferm en tegelijkertijd teder.
'Er zijn dingen in dit leven die we moeten aanvaarden, Matilda,' zei ze op een toon waarmee ze Matilda altijd had weten te kalmeren. 'Dingen waarbij we ons moeten overgeven aan Gods wil. Ons gebed luidt niet voor niets "Úw wil" en niet "míjn wil geschiede". Wat heb ik je geleerd over zulke dingen?'
Matilda veegde de tranen uit haar ogen. Het was spiritueel wel een erg grote uitdaging om de zin te zien van haar huidige situatie. 'Dat de dag zal komen waarop ik inzicht zal krijgen in de wijsheid van Gods grote plan, ook al kan ik me nu niet voorstellen dat ik ooit zover zal komen.'
Isobel knikte. 'Precies. Want wanneer je aanvaardt dat je hier op aarde bent met de uitdrukkelijke bestemming om Gods grote plan uit te voeren, zul je geen dag van smart kennen. Geef je eraan over, Matilda. Hij is de grote architect. Wij zijn slechts de bouwers die Zijn plannen uitvoeren, en dat doen we steen voor steen, zoals Hij ons dat opdraagt. Wanneer we Hem gehoorzamen, zullen we uiteindelijk inzien dat we iets moois en duurzaams bouwen, net zoals de meesterarchitect in Lucca dat deed toen hij de San Martino herbouwde. Het is duidelijk dat God wil dat je naar Lotharingen gaat, als deel van je bestemming. Wie weet wat je daar zult aantreffen?'
'Met een bultenaar zal het niet "het heilige verbond der geliefden" zijn. Dat kan ik je alvast wel vertellen.'
'Dat weet ik, Tilda. En het spijt me zo dat je eerste ervaring met een man niet met ware liefde gezegend zal zijn. Maar ik beloof je dat je die ooit zult ervaren, en dan zullen al je dromen werkelijkheid worden. Sterker nog: het lange wachten zal niet voor niets zijn geweest.'
'Hoe weet je dat, Issie? Welke hoop is er nog voor mij als ik op mijn drieëntwintigste word uitgehuwelijkt aan een bultenaar? Ik ben een oude vrouw tegen de tijd dat ik van hem af ben. Als ik ooit van hem af kom. Moge God me vergeven.'
'Dat weet ik zo zeker omdat de profetie daarover geen enkele twijfel laat bestaan.' Isobel klonk nu streng. 'Of je gelooft in de profetieën, of je gelooft er niet in. Het is het een of het ander, Matilda. Of je bent de Voorzegde, of je bent het niet. En als je dat bent, dan zul je je bestemming vervullen zoals onze profetes dat heeft gezegd: je zult belangrijke heiligdommen bouwen voor de Weg om onze erfenis te bewaren, en je zult een grote liefde kennen. Ontleen daar troost aan, kind, en vertrouwen. Dat zal je redden wanneer de tijden zwaar en somber zijn.

Voorlopig zul je je bij je beproeving moeten neerleggen, zoals ook Onze Heer Zijn beproevingen heeft aanvaard. In vergelijking daarmee kan een huwelijk met een hertog en een leven in rijkdom toch niet zo erg zijn?'
In die context geplaatst was het wel erg zelfzuchtig om te wanhopen aan haar lot. Wanneer ze om welke reden dan ook medelijden had met zichzelf, vroeg de Meester maar al te vaak: 'Is er iemand die jou of je geliefden te na komt met een groot kruis en ijzeren spijkers? Want als dat niet zo is, dan heb je nauwelijks recht om te klagen.'
De Meester had haar regelmatig onderhouden over de offers van niet alleen de Heer, maar ook van Zijn moeder en Zijn vrouw die getuige hadden moeten zijn van Zijn laatste beproeving. Meer dan eens hadden ze tot laat op de avond gedebatteerd over de vraag welk lot nobeler was: dat van het offerlam, of dat van hen die waren achtergebleven om de herinnering aan Zijn beproeving te bewaren voor het nageslacht. Het was een vraag waarop onmogelijk antwoord te geven viel, maar ook een vraag die altijd weer tot waardige, spirituele discussies leidde.
Isobel had een idee. 'Kom morgenochtend, meteen na zonsopgang, naar Oltrarno. Ik zal zorgen dat de Meester er ook is. Dan zullen we het erover hebben.'
De Orde bezat een kerkgebouw in Oltrarno, aan de overkant van de rivier, waar Matilda en haar geestverwanten niet zoveel last hadden van de nieuwsgierige blikken van de Florentijnen. Iemand die zo geliefd en herkenbaar was als zij, kon in de stad simpelweg niet onopgemerkt gaan en staan waar ze wilde. Alleen binnen de muren van het Santa Trinita waren ze onder elkaar. Maar verder moesten ze de stad uit om onbespied te zijn.
Vandaar dat de Orde aan de overkant van de rivier een labyrint had laten aanleggen van keien en bakstenen, dat de Meester in de loop der jaren had gebruikt om Matilda te onderwijzen. Het was haar belangrijkste toevluchtsoord geworden.
'Je moet het labyrint raadplegen, Tilda. *Solvitur ambulando*.'
Matilda knikte. *Solvitur ambulando* betekende 'Lopend wordt het opgelost', iets wat een integraal onderdeel was van haar lessen over het labyrint. Want de Meester had haar geleerd dat het labyrint een volmaakt geconstrueerd instrument was. Een product van de wijsheid van Salomo en Sheba, waardoor op sublieme wijze werd duidelijk gemaakt hoe geliefden door hun geestelijke eenwording grootse wonderen tot stand konden brengen. Het labyrint was de mens gegeven als een middel om rechtstreeks toegang te krijgen tot God, door te luisteren naar de stem van het innerlijk. Het labyrint gaf de biddende mens oren om te horen, zodat hij

bij het bereiken van het middelpunt Gods boodschap duidelijk kon horen en begrijpen. Het labyrint was als het ware een wandelend gebed, een dansende meditatie die het hoofd, het hart en de ziel samenbracht in één machtig inzicht. Het was aan het labyrint dat Salomo zijn legendarische wijsheid dankte.

Misschien zou Matilda de volgende morgen kracht vinden, wanneer ze luisterde naar God in het hart van het labyrint. Het had haar nog nooit in de steek gelaten. De zesbladige bloem in het hart van dit labyrint was voor haar de dierbaarste plek op aarde. Nergens voelde ze zich veiliger, gelukkiger. De volgende dag zou ze erheen gaan, op zoek naar zichzelf, op zoek naar Gods wil, die zich nergens zo helder openbaarde als daar.

✿

De zomerse zonsopgang boven de Arno was een verrukkelijk spel van gouden licht. Matilda bleef even staan om de aanblik in zich op te nemen, om de schoonheid van haar geliefde Toscane in te drinken. Tranen liepen over haar wangen terwijl ze dat deed. Ze ervoer oprecht dat de rivieren van deze streek – de Arno, de Po, de Serchio – door haar aderen stroomden. Het was een gruwelijk vonnis ze zelfs voor korte tijd vaarwel te moeten zeggen, laat staan voor de lange, lange jaren die ze ongetwijfeld in Lotharingen zou moeten doorbrengen. Misschien was dat zelfs nog erger dan te moeten trouwen met een bultenaar. Die gruwel zou ze waarschijnlijk nog wel hebben kunnen verdragen, als ze dat in Toscane had mogen doen.

Maar het was haar niet gegeven. God had om welke reden dan ook bepaald dat Matilda zou trouwen met de bultenaar en afscheid zou nemen van haar vaderland. Nu was ze op weg naar het labyrint, om te proberen Zijn beweegredenen te begrijpen en zich vanuit dat begrip te kunnen overgeven aan Zijn wil.

Isobel wachtte haar op bij de poort die het bezit van de Orde scheidde van de weg naar Fiesole. De gewijde plek werd verder door bomen afgeschermd voor nieuwsgierige blikken. Samen liepen ze het pad af dat Matilda met haar ogen dicht had kunnen volgen, zo vertrouwd en dierbaar was het haar. Het pad eindigde op een open plek, waar het enorme labyrint zorgvuldig volgens de principes van Salomo en Sheba was aangelegd. Keien en bakstenen vormden de elf cirkelvormige paden naar het hart. Maar terwijl het oorspronkelijke labyrint van Salomo een volmaakt rond centrum had, was hier met zorg een zesbladige roos als middelpunt gecreëerd, het symbool van *Het Boek der Liefde* zoals de Messias dat Zelf

had bepaald. Daardoor was het labyrint een wonderbaarlijke kruising tussen de wijsheid van Salomo de Grote en het gebed dat de kern vormde van de leer van zijn nazaat, Jezus Christus.
Toen Matilda arriveerde, lag de Meester geknield in het hart van het labyrint, diep in gebed verzonken. Broeder Patricio, de jonge Calabriër, stond bij de ingang en glimlachte naar Matilda. Ze was blij hem te zien en begroette hem geluidloos, omdat ze de Meester niet wilde storen. Gezeten aan de voeten van de Meester waren ze samen ingewijd in de geheimen van de Orde. Ze hadden samen gestudeerd, ze hadden elkaar overhoord en ze hadden samen ezelsbruggetjes bedacht om de inhoud van *Het Boek der Liefde* en de profetieën uit *Het Libro Rosso* in hun geheugen te prenten. Samen ook hadden ze Salomo's complexe en goddelijk geïnspireerde bouwtekeningen van tempelruimtes bestudeerd, zoals ze waren overgeleverd om te worden opgenomen in *Het Boek der Liefde*. Dit waren de zwaarste, de ingewikkeldste lessen, en door samen te studeren werd het gemakkelijker om de informatie op te nemen. Beide kinderen hadden bewezen zich de kennis van de tempeltekeningen zo eigen te hebben gemaakt dat de Meester diverse malen had verklaard dat ze buitengewoon verdienstelijke architecten zouden kunnen worden.
Ze ijverden in alle vrolijkheid om de aandacht en de lof van de Meester. En soms ook minder vrolijk terwijl ze leerden volledig op te gaan in wat ze leerden. Patricio was de broer geworden die Matilda al op jonge leeftijd had verloren. De Meester zei plagend dat ze twee helften waren van één ziel. Dus ook het afscheid van Patricio zou haar het gevoel geven alsof ze een stuk van zichzelf achterliet.
De Meester volgde de elf cirkels naar de uitgang van het labyrint, waar hij een diepe buiging maakte. Toen kwam hij naar hen toe, en hij knielde bij de ijzeren ring die was ingebed in het zand. Met gesloten ogen bedankte hij de Vrouwe van het Labyrint voor haar gaven, waarna hij zich oprichtte om Matilda te omhelzen.
'Welkom, mijn dochter.' Hij kuste haar op beide wangen. 'Wat een stralende morgen, waarop God ons Zijn wil bekendmaakt. Ik zal mijn inzicht bewaren tot jij ook het jouwe hebt gevonden. *Solvitur ambulando*, mijn kind. Ga en spreek tot je Schepper.' Hij gebaarde weids naar het labyrint. Net als Isobel en Patricio deed hij discreet enkele stappen naar achteren om Matilda alle ruimte te geven. Soms volgden ze allemaal samen de paden van het labyrint, zodat het een prachtige dans van kameraadschap en gedeelde beleving werd, maar vanochtend was het labyrint voor haar alleen. Ze bedankte de anderen en liep naar de ijzeren ring in de grond.

Daar liet ze zich op haar knieën zakken om dank te zeggen aan de Vrouwe van het Labyrint. Door de eeuwen heen had de Vrouwe vele gedaanten gekend, want ze was het goddelijk vrouwelijke, de essentie van liefde en barmhartigheid, de vrouwelijke geliefde die de mannelijke completeert in het verbond van lichaam en geest, vertrouwen en bewustheid. Ze was Ariadne, ze was Sheba, ze was Magdalena, ze was Asherah.

Ter ere van Ariadne, de legendarische Vrouwe van het Labyrint, trok Matilda een lange koperblonde haar uit haar hoofd, die ze in een bruidsknoop aan de ijzeren ring bevestigde, in navolging van de draad die Theseus het leven had gered.

Toen ze naar de ingang van het grote labyrint liep, dacht ze aan wat de Meester had gezegd, jaren eerder toen ze het labyrint voor het eerst had betreden. 'Er is geen goede of verkeerde manier om een labyrint te lopen. Er is alleen jouw manier. Volg het tempo dat je ziel je dicteert en blijf trouw aan je pad.'

Nadat ze een paar keer diep in- en uitgeademd had om helderheid te krijgen in haar hoofd, betrad ze het labyrint. Ze liep langzaam, welbewust, en keek naar haar voeten terwijl ze de cirkelvormige paden volgde, zichzelf dwingend al het lawaai van de wereld buiten te sluiten. Voor haar was het kinesthetische aspect van het labyrint de grootste balsem voor haar ziel. Ze had er grote moeite mee om lang stil te zitten voor langdurige periodes van contemplatie in gebed of meditatie; daar was ze veel te rusteloos voor. Trouwens, dat gold voor de meeste mensen. Maar in het labyrint kon ze in beweging blijven en tegelijkertijd denken en voelen. Het was de schitterendste vorm van gebed die ze zich kon voorstellen.

Diep inademend volgde ze de kronkelende paden, en ze voelde al het onzuivere van zich af vallen, voelde hoe ze alles wat geen waarde had losliet, terwijl ze God aanriep en zei dat ze niets liever wilde dan Zijn stem te horen, zodat ze Zijn wil zou kennen en die kon volgen. Toen ze het gewijde hart van het labyrint bereikte, het heilige der heiligen, de tempel en het tabernakel, liet ze zich op haar knieën vallen en vroeg ze God om tot haar te spreken. Er waren dagen dat ze hier kwam om het paternoster te bidden, de zes voornaamste leringen van het gebed van de Heer, een voor een in de zes bloembladeren. Maar vanochtend deed ze dat niet. Vanochtend was ze gekomen met een doel, namelijk inzicht te krijgen in haar bestemming.

Ze hoefde niet lang te wachten. In het hart van het labyrint zond God haar een visioen.

*Ze reed door een weelderig, stralend groen woud. Ondanks zichzelf moest ze de schoonheid ervan erkennen. Patricio reed naast haar. Hij had haar vergezeld toen ze de behoefte had gehad even weg te zijn van Verdun. Ze hadden hard gereden, want een van de weinige plekken waar Matilda zich hier vrij kon voelen, was een paardenrug. En omdat er geen labyrint was, vormde paardrijden haar enige manier om te ontsnappen, haar enige kans om in beweging te zijn en tegelijkertijd te denken.*
*Ze hielden stil toen ze bij een klein watertje kwamen, gevoed door een stroom, zodat ze de paarden kon drenken en wat van het brood en de kaas konden eten die Matilda had ingepakt voor hun middagmaal. Patricio leidde de paarden naar de stroom. Iets dwong Matilda door te lopen naar wat eruitzag als een open plek, een eindje verderop. Aanvankelijk begreep ze niet wat haar daarheen trok, maar toen hoorde ze het: de stem van een jong meisje. Ze kon niet verstaan wat het meisje zei, maar ze wist dat het een kind was. Sprak het tot haar? Riep het haar? Toen ze dichter bij de open plek kwam, hoorde ze gegiechel.*
*Stralen van de late middagzon vielen schitterend door de bomen en werden weerkaatst door water, een eindje verder tussen de bomen. Nieuwsgierig liep ze erheen. Het was een put, of een cisterne, zo groot dat diverse mensen tegelijk er een bad in zouden kunnen nemen. Toen ze zich over de rand boog, werd ze zich bewust van een gevoel van peilloze diepte, het gevoel dat de put heilig was en tot diep in de aarde reikte.*
*Het water was zo glad als een spiegel, maar toen verscheen er een vluchtige rimpeling aan het oppervlak, en er verspreidde zich een gouden gloed over de put en het gebied eromheen. Terwijl ze in het water keek, begon zich daar een beeld te vormen. Het beeld van een prachtige vallei, weelderig en groen, rijk aan bomen en bloemen. Het was alsof ze in de kristallen bol van een waarzegster keek. Uit de hemel viel een regen van gouden druppels, die alles in het visioen vergulddden. Het duurde niet lang of de vallei was gevuld met rivieren van goud en alle bomen en bloemen waren met goud bedekt. Uiteindelijk straalde alles om haar heen door de rijke, warme gloed van vloeibaar goud.*
*In de verte hoorde ze de meisjesachtige stem, de stem die haar hierheen had gelokt.*
*'Welkom in de Vallei van Goud.'*
*Matilda hield haar adem in. De Vallei van Goud werd genoemd in de profetie. Haar profetie. Als om haar duidelijk te maken dat ze het bij het rechte eind had, schalde de kinderlijke stem zoet en helder door het bos, de woorden citerend van hun jonge profetes, duizend jaar eerder gesproken:*

*'De Waarheid moet worden bewaard in steen,*
*gebouwd in een Vallei van Goud.*
*De nieuwe Herderin, de Voorzegde,*
*zal toezien op de volmaaktheid,*
*en het Woord van de Vader en de Moeder*
*en de erfenis van hun kinderen in gewijde schrijnen hullen*
*Dit zal haar erfenis zijn.*
*Dit, en het ervaren van een Waarlijk Grote Liefde.'*

❂

In het hart van het labyrint richtte Matilda zich op. Het duizelde haar van het visioen waarvan ze wist dat het haar was gestuurd door niemand minder dan de kleine profetes. Toen ze de elf cirkelvormige paden begon te volgen naar de uitgang, zag ze opnieuw de beelden van het visioen voor zich, hoorde ze de woorden die waren gesproken. Ze twijfelde er niet aan of de Vallei van Goud bevond zich in Lotharingen. Dat was de plek waar God haar naartoe stuurde, omdat Hij wilde dat ze daar een tempel bouwde voor de Weg van de Liefde. Welke vorm die tempel zou aannemen, dat wist ze nog niet, maar ze was ervan overtuigd dat de Meester haar zou kunnen vertellen wat haar te doen stond. Hij had immers gezegd dat God Zijn wil die ochtend aan hem kenbaar had gemaakt?

Maar de ware vreugde kwam van het beeld van Patricio. God wilde dat ze in Lotharingen een vriend zou hebben, een vriend die haar zou begrijpen in een haar vreemde wereld, met een man die ze niet wilde. Misschien zou ze uiteindelijk toch de kracht kunnen opbrengen dit alles waardig te dragen.

*Uw wil zal geschieden*, herhaalde ze diverse malen in gedachten, terwijl ze over de gewijde paden naar de uitgang liep. Daar aangekomen knielde ze bij de ijzeren ring en sprak een dankgebed tot de Vrouwe van het Labyrint, deze keer in de gedaante van Sara-Tamar.

❂

De Meester had Matilda's visioen niet gezien. Dat was alleen voor haar, een geschenk van de profetes opdat ze zou blijven vertrouwen. Maar in zijn visioen was hem duidelijk geworden dat Matilda in Lotharingen een groots bouwwerk zou oprichten. Een bouwwerk dat niet alleen hun leer zou herbergen, maar ook de geschiedenis van hun mensen en van de heilige geslachten. Matilda had de opdracht gekregen een bibliotheek en een school te bouwen om al wat heilig was voor de Orde van het Heilige Graf in onder te brengen, en dat zou ze doen onder het mom van een klooster. Zodra de locatie was gevonden, deze Vallei van Goud die ze in het visioen had gezien, zou ze samen met Patricio beginnen met bouwen. De Meester zou monniken uit Calabrië laten komen, monniken die hun toewijding als historici en kopiisten hadden bewezen, om de bibliotheek op te zetten. Patricio zou hun abt worden.

Zowel Matilda als Patricio ervoer de opdracht als een grote eer. Want de Meester was in zijn visioen nog een heel belangrijke voorspelling gegund. Hij had gezien hoe *Het Libro Rosso* in zijn vergulde ark over de Alpen trok, zorgvuldig gedragen door Patricio op een kar die werd getrokken door ossen, net zoals het Volto Santo drie eeuwen eerder was vervoerd. Matilda moest *Het Libro Rosso* met zich meenemen, zodat de inhoud exact kon worden gekopieerd en met veel eerbetoon kon worden opgenomen in het nieuwe klooster in deze Vallei van Goud. Wanneer het kopiëren eenmaal was voltooid, zouden ze *Het Libro Rosso* terugbrengen naar Toscane, waar het was voorbestemd tot in eeuwigheid te blijven.

De leer van de Weg van de Liefde zou terugkeren naar het land van Karel de Grote en een nieuw thuis vinden in Lotharingen. Het was Matilda's bestemming om daarvoor te zorgen. Ondanks haar huivering voor haar aanstaande huwelijk gaf dit haar een grootse taak om zich op te concentreren. Iets positiefs in haar toekomst, dat bovendien van het grootste belang was. Ze zou zich waardig en naar eer en geweten van haar taak kwijten.

Ze zou haar bestemming en haar plicht als de Voorzegde vervullen en haar uiterste best doen om niet te klagen over het feit dat ze met een bultenaar moest trouwen en in een paleis moest wonen.

---

En zo gebeurde het dat de beeldschone Nazareense die bij haar geboorte Berenice was genoemd, bekend zou worden als Veronica. Als kind al was ze een vriendin van Madonna Magdalena. Ze was een volgeling van de Weg en net als haar Nazareense zusters was ze aan de voeten van Onze Heer opgeleid tot priesteres. Veronica was jonger dan Madonna Magdalena, en ten tijde van de passie van Onze Heer was ze nog geen Maria. Ze droeg dan ook geen rode, maar een witte sluier.
Er wordt verteld over de moedige daad van de lieftallige Veronica op de Dag der Smarten. Dat ze zich, toen de Redder Zijn last de heuvel op droeg, op de Zwarte Dag van de Schedel, en Zijn zicht werd vertroebeld door bloed en vuil die uit de wonden van zijn doornenkroon in zijn ogen stroomden, dapper door de menigte naar voren had gedrongen en de witte sluier van haar hoofd had genomen. Dat ze Hem de sluier had gegeven, opdat Hij het vuil uit Zijn ogen kon wissen en tenminste weer kon zien.
Later bleek dat het beeld van het gezicht van Onze Heer voor eeuwig op de witte zijde was gedrukt.
Veronica was met Magdalena en de andere Maria's aanwezig aan de voet van het kruis, een zuster in liefde en smart. Ze werden beschermd door een Romeinse soldaat met blauwe ogen, een zekere Praetorus, die tot de persoonlijke garde van Pontius Pilatus behoorde. Deze centurio was door Onze Heer genezen van een gebroken hand, en hij zag het licht van de bekering tijdens de Heilige Week toen zich gebeurtenissen van zo'n gruwelijke grootsheid voordeden.
Praetorus zou zich ontwikkelen tot een ander soort soldaat, een soldaat die de passie van Onze Heer volgde. Hij was voorbestemd een soldaat van de Weg te worden, een van de eerste bekeerlingen tot onze geloofsgemeenschap, en zeker een van de meest toegewijde.
Op de dag van de wederopstanding van Onze Heer haastte Praetorus zich naar het Graf zodra hij van het wonder had gehoord. Daar sprak hij voor het eerst onze Nazareense zuster Veronica. Ze vertelde hem over de grote leer van Onze Heer, over de Weg van de Liefde en hoe die de wereld zou veranderen, als we de waarheid maar toelaten in ons hart.
Vanaf die heilige paasdag waren Veronica en Praetorus altijd samen. Een liefde die werd gevonden in de schaduw van het Heilige Graf moest wel tot in eeuwigheid zijn gezegend door God. Veronica begon hem te onderwijzen in de Nazareense leer. En toen Onze Vrouwe naar Gallië trok om haar zending te beginnen, volgden ze haar en zetten ze hun onderricht voort onder haar leiding en die van *Het Boek der Liefde* zoals geschreven door Onze Heer.
Aldus werden ze het allereerste paar dat het heilige verbond der geliefden zou

onderwijzen, en de leer bloeide als eerbetoon aan de heiligheid van hun liefde en eenwording. Waar deze leer in ere wordt gehouden, kan geen duisternis heersen. *Liefde Overwint Alles.*
Wanneer De Tijd Wederkeert, zullen Veronica en Praetorus elkaar opnieuw vinden en opnieuw de leer onderwijzen. Want het is hun eeuwige bestemming, en een voorbeeld voor talloze anderen die sinds het begin der tijden dezelfde belofte hebben afgelegd, om elkaar te vinden en de Weg van de Liefde te onderwijzen. Samen.

Wie oren heeft om te horen, die hore.

– De legende van Veronica en Praetorus
en de leer van de Liefde en het Heilig Verbond
zoals bewaard gebleven in *Het Libro Rosso*

---

*Rome*
*Heden*

Father Peter Healy liep met klamme handen te ijsberen door zijn kantoor. Berenger Sinclair was naar hem op weg. Het was iets waarop hij totaal niet had gerekend, en hij voelde zich dan ook slecht op zijn gemak. Toch viel er niet aan de ontmoeting te ontkomen. Maggie was naar beneden gegaan om Sinclair langs de beveiliging van het Vaticaan te loodsen. Dat gaf Peter nog even tijd om zijn gedachten te ordenen, maar hij kon niet veel doen om zich op het gesprek voor te bereiden. Alles hing af van Sinclairs beweegredenen en van zijn benadering. Peter had geen flauw idee wat hij kon verwachten, want Maureen weigerde met hem over haar vrienden in Pommes Bleues te praten. Ze vermeed het onderwerp simpelweg, en dat kon van alles betekenen.
De deur ging open. Maggie liet Berenger Sinclair het kantoor binnen en keek enigszins bedremmeld toen de aristocratische Schot verklaarde niets te willen drinken. Berenger wachtte tot de huishoudster de deur achter zich had dichtgetrokken. Toen kwam hij met uitgestoken hand naar Peter toe.
'Father Healy. Bedankt dat u me op zo'n korte termijn wilde ontvangen.'

Peter schudde de aangeboden hand, opgelucht dat de eerste benadering hartelijk leek.
'Natuurlijk, lord Sinclair. Het is me een genoegen. Wat brengt u naar Rome?'
Peter gebaarde naar de twee stoelen die voor zijn bureau stonden. Sinclair ging zitten. 'Maureen,' luidde zijn simpele antwoord.
Peter knikte. 'Dat vermoedde ik al. Weet ze dat u hier bent?'
'Ja, maar ik heb haar nog niet gezien. Ik wilde eerst met u praten.'
'Waarom?'
Sinclair zocht naar een gemakkelijke houding voor zijn rijzige gestalte. 'Omdat ik weet dat ze zich zorgen zou maken over uw gevoelens ten aanzien van mijn bezoek. Dus ik hoop met dit gesprek althans één van haar zorgen weg te nemen.'
Peter zei niets, nog altijd op zijn hoede. Hoewel hij geen contact meer had gehad met Berenger Sinclair sinds de nacht waarin hij het chateau had verlaten met het evangelie van Arques, wist hij maar al te goed hoe deze over hem dacht.
'Peter, ik heb de afgelopen twee jaar ruimschoots de tijd gehad om na te denken, en ik besef dat ik destijds onredelijk ben geweest. Dat ik je te zwaar ben gevallen. Ik neem je niet kwalijk wat er die nacht is gebeurd. Dat meen ik oprecht. Ik begrijp inmiddels waarom je het hebt gedaan. En op een vreemd, metafysisch niveau dat me niet helemaal duidelijk is, denk ik dat je precies hebt gedaan wat je moest doen. Je hebt je eigen rol vervuld in het grote drama waar we allemaal bij betrokken zijn geraakt.'
'Net als Judas?' reageerde Peter wrang.
Sinclair haalde zijn schouders op. 'Misschien. Maar jij weet net zo goed als ik dat het evangelie van Arques Judas een nobel en loyaal mens noemt. Hij heeft Jezus niet verraden, maar alleen gedaan wat deze hem had opgedragen. Hij deed wat gedaan moest worden, zodat iedereen zijn of haar eigen bestemming kon vervullen. Dus in dat opzicht heb je gelijk. Het lijkt me dat er een sterke overeenkomst is, en ik zou je eraan willen herinneren dat Magdalena over Judas heeft gezegd dat ze hem betreurde boven alle anderen. Behalve natuurlijk die Ene.'
Peter knikte. Dat Judas de betrouwbaarste van alle apostelen was, degene die Jezus het meest was toegewijd, was een van de schokkende onthullingen in het evangelie van Maria Magdalena. Een onthulling die leidde tot een volledig veranderde perceptie van het meest beschimpte personage in de eerste eeuw. Het was iets waaraan Peter enige troost ontleende.
'Dankjewel. Ik waardeer het dat je bent gekomen. Meer dan je kunt ver-

moeden. Hoe was je hereniging met Maureen? Tenminste, ik hoop dat je het niet vervelend vindt dat ik dat vraag. Gezien onze geschiedenis praat ze met mij niet over zulke dingen.'
Berenger glimlachte vluchtig. 'Een relatie hebben met Maureen is als bij het ontwaken een eenhoorn in je tuin ontdekken.'
'Dat klinkt erg poëtisch,' antwoordde Peter. 'Maar wat wil je daarmee zeggen?'
Berenger dacht even na over zijn antwoord. 'Het is een volstrekt unieke ervaring, maar ook een schok. Het is iets wat je nog nooit hebt meegemaakt. Je wordt plotseling geconfronteerd met iets wat bewijst dat magie bestaat. Daar heb je weliswaar altijd in geloofd, maar nu heb je het concrete bewijs. Je kunt het bijna aanraken. Bijna, niet helemaal. Want je moet eerst nog dichterbij zien te komen, en hoe benader je zo'n schuw, exotisch wezen? Durf je het wel? Ben je het waardig? Er bestaat geen enkel referentiekader voor zo'n ontmoeting, er is niemand die je kan vertellen hoe je daarmee moet omgaan.
En dan is er die scherpe hoorn. Hoe lieflijk en zachtmoedig de eenhoorn ook lijkt, je kunt de gedachte toch niet van je af zetten dat hij je ernstig, zelfs dodelijk zou kunnen verwonden, al dan niet opzettelijk. Magie heeft twee kanten. Ze is mooi en betoverend, en je weet dat je gezegend bent haar in je tuin aan te treffen, maar ze is ook gevaarlijk – en erg intimiderend voor de gemiddelde sterveling. En dat ben ik.'
Peter ging mee in de allegorie. 'En om het vertrouwen te winnen, om te zorgen dat de eenhoorn bij je blijft, is veel geduld nodig. En grote moed.'
Sinclair knikte instemmend. 'Ja, en je weet ook dat het je hart zal breken en dat de magie voorgoed uit je leven zal verdwijnen als je de eenhoorn bang maakt en wegjaagt. Dat je tuin door dat verlies heel erg leeg zal lijken. Dat je wereld nooit meer dezelfde zal zijn. Want natuurlijk kom je in je leven nog meer schoonheid tegen, maar de eenhoorn is uniek. Die laat zich maar één keer zien.'
Peter leunde naar achteren in zijn stoel en schonk Berenger een warme, oprechte glimlach. Er was een tijd geweest waarin hij deze man ernstig had gewantrouwd, maar nu besefte hij dat die definitief voorbij was. Hij zou hem gaan leren waarderen, wist hij, en gaan begrijpen dat hij een heel specifieke integriteit bezat. En wat misschien het belangrijkste was: hij geloofde dat de Schot oprecht van Maureen hield en haar begreep als weinig anderen. Berenger zou zijn uiterste best doen om te zorgen dat ze veilig was, daar was Peter van overtuigd.
'Volgens mij ben je op het juiste moment gekomen. Maureen heeft je

nodig. De overval in Orval heeft haar bang gemaakt. Trouwens, dat geldt voor ons allemaal. We zijn allemaal bang. Je hebt de kans om haar voorzichtig te benaderen, met het begrip dat ze nodig heeft. Weet je nog hoe de legende van de eenhoorn afloopt? Uiteindelijk is het enige wat het dier kan temmen, het enige wat kan zorgen dat het in de tuin blijft, onvoorwaardelijke liefde.'

'En die zal ik haar geven. Als ze me toestaat zo dichtbij te komen.'

'Ik geloof je. Kan ik nog iets doen om je te helpen?'

Sinclair schudde zijn hoofd. 'Was het maar zo gemakkelijk. Maar ik zal deze eenhoorn op eigen kracht moeten veroveren. Je helpt me al door je niet tegen me te verzetten. Als Maureen het gevoel krijgt dat jij achter mijn rol in haar leven staat, is dat al heel veel waard.'

'Daar kun je op rekenen. Ik sta achter je. Toen het erop aankwam... had ze meer aan jou dan aan mij. Ik vergeef mezelf nooit wat er die nacht is gebeurd, wat mijn aandeel in de hele zaak is geweest. Daar heb ik spijt van. Oprechte spijt. Ik hoop dat je dat ook tegen Tammy en Roland wilt zeggen. Ze hadden beter verdiend.'

Peter had een brok in zijn keel. De heftigheid van zijn emoties verraste hem, maar hij verzette zich er niet tegen.

'Gedane zaken nemen geen keer, Peter,' zei Sinclair. 'Zand erover. We hebben er allemaal van geleerd, en laten we hopen dat we erdoor zijn gegroeid. De Weg van de Liefde predikt vergeving, en we doen allemaal ons uiterste best te leven zoals Zij ons dat heeft geleerd. Of misschien moet ik zeggen: zoals zij ons dat hebben geleerd. Inmiddels ligt er een nieuwe taak op ons te wachten. Een taak die misschien zelfs nog zwaarder is dan de vorige. Dus die moet nu onze eerste prioriteit zijn.'

Ze spraken over de meest recente ontwikkelingen en de vreemde aanwijzingen, speculeerden wie er achter de vijandelijkheden kon zitten en wat hun volgende stappen zouden moeten zijn. Peter stelde voor dat ze met z'n drieën bij elkaar kwamen, nadat Berenger de kans had gekregen wat tijd met Maureen alleen door te brengen. Ze beloofden met elkaar samen te werken voor het hogere doel; dat hadden ze al veel eerder moeten doen. Aan het eind van het gesprek omhelsden ze elkaar, allebei opgelucht en merkwaardig gesterkt. Er bestaat geen groter heling dan door vergeving en verzoening.

Toen Sinclair aanstalten maakte te vertrekken, riep Peter hem na: 'Nog één ding, Berenger. Ik heb mijn meester gekozen, en je kunt er zeker van zijn dat ik deze keer wijs heb beslist.'

Hij sloeg met zijn vuist op zijn bureau om zijn woorden kracht bij te zetten. 'Wat er ook gebeurt, ik zal nooit meer aan de verkeerde kant staan.'

# 9

*Paleis van Verdun, Stenay*
*Lotharingen*
*Oktober 1069*

Hij was beslist onaantrekkelijk en misvormd, maar niet zo monsterlijk als ze had verwacht.
Tot hij zijn mond opendeed.
Matilda keek naar de man aan de andere kant van de tafel in de enorme, overdadig gestoffeerde en gemeubileerde eetzaal. De man met wie ze zou trouwen. Ze had zich zorgvuldig gekleed en haar best gedaan er zo vrouwelijk mogelijk uit te zien, haar titel van hertogin waardig. Haar fraaie moirézijden japon was doorschoten met gouddraad, in haar oren droeg ze bijpassende gouden hangers die een geschenk waren van haar stiefvader. Haar prachtige haar viel tot haar middel, aan de slapen had ze er fijne gouden kettinkjes in gevlochten.
Ze waren alleen gelaten voor het diner, zodat ze elkaar beter konden leren kennen. De jongere Godfried leek genoeg op zijn vader om zijn aanblik draaglijk te maken als ze haar ogen een beetje dichtkneep. Maar anders dan zijn rijzige, slanke vader was de zoon zwaargebouwd en vlezig. Hij was niet echt dik, maar zijn misvorming maakte het hem ongetwijfeld onmogelijk om veel te bewegen. Helaas ontbraken in het gezicht van de zoon ook de intelligentie en de scherpzinnigheid die Godfried senior zo'n levendige uitstraling gaven. Het gezicht van de man tegenover haar droeg permanent een frons. Matilda was er nog niet achter of die uitdrukking deel uitmaakte van zijn legendarische misvorming, of dat zijn gezicht door jaren van verbittering verwrongen was geraakt.
De gebochelde rug waaraan hij zijn bijnaam dankte, was een aangeboren gebrek. Haar stiefvader had haar verteld dat zijn zoon was geboren met een ongelukkige belemmering waardoor hij was gedwongen tot een gebogen houding. Het daaruit voortvloeiende gevoel van onzekerheid was nog versterkt door de wreedheden die hem als kind ten deel waren gevallen als

gevolg van zijn uiterlijke verschijning. Daardoor was hij opgegroeid tot een ruzieachtig, lastig mens. En omdat hij weinig controle had over zijn lichaam, was hij geobsedeerd geraakt door alles wat hij wel kon controleren, zoals zijn bezittingen in Lotharingen, zijn felbegeerde, toekomstige eigendommen in Toscane en zijn verloofde. Haar stiefvader had Matilda echter verzekerd dat de jongere Godfried geen wreed man was, ook al was hij dan niet bepaald plezierig in de omgang, en dat een slimme vrouw als zij uiteindelijk wel zou leren hoe ze met haar toekomstige echtgenoot moest omgaan om te zorgen dat hij haar met welwillendheid en respect behandelde.

Op dit moment ging er geen enkele welwillendheid van hem uit. Zodra ze alleen waren, stak hij van wal met een litanie van alles wat hij niet van haar zou tolereren.

'Ik heb gehoord dat je koppig bent en vaak ongepast gedrag vertoont voor een vrouw. Dat is in een onbeschaafd land als Toscane misschien aanvaardbaar, maar in een geciviliseerde samenleving als hier in Lotharingen kunnen we dat niet accepteren. Van niemand, en zeker niet van mijn vrouw. Je gaat niet van huis tenzij je je gepast gekleed hebt, met een kap en een sluier die te allen tijde je tegennatuurlijke haar bedekt. Ik wil niet hebben dat mannen wellustig naar je kijken als gevolg van je losbandige verschijning. De mensen hier geloven dat vrouwen met rood haar zedeloze schepsels zijn die in een bordeel thuishoren. Ze worden gezien als de gemalin van de duivel. Het gevolg is dat geen fatsoenlijk man in Lotharingen een vrouw met rood haar wil. Ik vind het verontrustend dat jouw haar er zo... vurig uitziet. Ze hadden me ervoor gewaarschuwd, maar niet dat het zo verschrikkelijk rood zou zijn. Er zijn vrouwen die hier het leven hebben gelaten, simpelweg omdat ze er net zo uitzagen als jij. Dus die kap is voor je eigen bestwil, en om mij te beschermen tegen eventueel losbandig gedrag. In geval van ongehoorzaamheid zal ik je laten kaalscheren en eisen dat je altijd een sluier draagt. Ook binnenshuis.

Verder moet het je duidelijk zijn dat ik de toekomstige hertog van Toscane ben. Wanneer we eenmaal getrouwd zijn neem ik het bestuur op me. Het is een schande dat mijn vader je heeft toegestaan in zijn plaats te regeren. Dat bewijst wel hoe zwak hij is en hoezeer zijn conditie is verslechterd. En dat is blijkbaar ook de reden waarom hij je niet al op je zestiende hierheen heeft gestuurd, zoals hij had beloofd. Wanneer ik een vermoeden had gehad van zijn zwakheid, zou ik jaren geleden al naar Toscane zijn gekomen om orde op zaken te stellen.'

De veronderstelling van de bultenaar dat hij Toscane zou besturen – haar

Toscane – gaf Matilda het gevoel alsof haar keel werd dichtgeknepen, en het eten op haar bord bleef dan ook onaangeroerd. Het liefst zou ze haar mes naar hem toe slingeren, maar ze wist zich te beheersen en hield haar handen in haar schoot. Ze zei niets, omdat ze zichzelf niet vertrouwde als ze haar mond opendeed. Maar haar verloofde was nog lang niet klaar met zijn lijst van geboden en verboden.
'Ik hoor dat je een biechtvader hebt meegebracht, ene broeder Patricio uit Lucca. Ik wil hem spreken, om er zeker van te zijn dat hij aanvaardbaar is in dit huishouden, want ik heb begrepen dat je je bezighoudt met ongepaste ketterijen, afkomstig uit Toscane. In dit huis gedraag je je te allen tijde als een vroom en devoot katholiek. Is dat duidelijk?'
Ze vroeg zich af wat haar meer stoorde: dat hij haar orders gaf, dat hij misvormd was, of dat hij tegen haar praatte alsof ze de dorpsgek was. Hoe dan ook, ze was razend, maar dat wilde ze niet laten merken. Ze was slimmer dan hij, oneindig veel slimmer. En ze besloot deze hele situatie te zien als een strategische krachtmeting. Het was oorlog, een oorlog die zou zijn gevuld met veldslagen die ze moest winnen om haar vrijheid en haar bezittingen te behouden. Alleen werd in deze oorlog het slagveld gevormd door de eettafel en de slaapkamer. Ze sperde haar zeegroene ogen wijd open en zei ernstig, onschuldig: 'Maar heer, mijn biechtvader komt niet uit Lucca. Hij komt uit het vrome Calabrië, diep in het zuiden, en hij onderhoudt geen enkele band met de ketterijen in Toscane. Door zijn accent en zijn donkere huid zult u onmiddellijk beseffen dat hij Calabrisch is. Sterker nog: hij is speciaal uitgekozen om me voor te bereiden op mijn rol als uw toegewijde en waardig katholieke echtgenote.'
Godfried keek haar wantrouwend aan; ten slotte bromde hij goedkeurend en zette gulzig zijn tanden in een stuk kip. Zijn tafelmanieren vervulden haar met weerzin, maar wanneer hij zijn mond vol had, praatte hij tenminste niet.
De rest van de maaltijd voltrok zich in betrekkelijke stilte, op het gesmak van de bultenaar na. Zijn laatste woorden voordat hij zich excuseerde, waren zo mogelijk nog charmanter dan alles wat hij daarvoor had gezegd.
'Ik wil veel kinderen en ik verwacht van je dat je me zonen schenkt. Onmiddellijk. Ik hoop alleen dat je daar met je drieëntwintig jaar niet te oud voor bent. Als mijn vader je op je zestiende hierheen had gestuurd, hadden we inmiddels al een huis vol jongens gehad. Mocht blijken dat je te oud bent, dan neem ik een jongere vrouw. En ik houd je bezittingen. Ik ken de gebruiken van het barbaarse Toscane niet, maar hier in Lotharingen is dat het recht van een edelman.'

Matilda beet zo hard op haar tong dat die begon te bloeden. Als deze lomperik in Lotharingen voor een edelman moest doorgaan, had ze er geen bezwaar tegen een barbaar te worden genoemd.

❂

Matilda had zich dankzij haar gebeden staande weten te houden tijdens de tocht over de Alpen. Geholpen door Patricio had ze haar best gedaan haar lot te benaderen vanuit de Weg van de Liefde en te proberen het goede te zien in al Gods kinderen. Ze had een gelofte afgelegd zich te laten leiden door de Weg, en ze was vast van plan zich zo goed mogelijk aan die gelofte te houden, met dien verstande dat ze geen heilige was en ook niet van plan er een te worden. Ze was Patricio dankbaar voor zijn geduld, want ze twijfelde er niet aan of ze had het tijdens de lange reis van Toscane naar Lotharingen tot het uiterste op de proef gesteld. Maar tegen de tijd dat ze in Verdun arriveerden, was Matilda volmaakt bereid geweest de bultenaar liefhebbend tegemoet te treden. Ze had gehoopt dat ze misschien tot een vorm van vriendschap zouden kunnen komen. En als de jonge Godfried een goed mens was, die aan haar was gewaagd op het schaakbord en met wie een gesprek op niveau te voeren viel, zou ze misschien zelfs leren om van hem te houden. Helaas bleek dat allemaal niet zo te zijn. De confrontatie op het schaakbord moest ze nog aangaan, maar ze wist al wel dat hij de andere twee kwaliteiten niet bezat.

Het kwam er eigenlijk op neer dat wat de bultenaar deed net zo erg was als wat Hendrik zou doen als ze niet trouwde: beslag leggen op haar bezittingen, haar aanspraken en rechten volledig negeren en haar gevangenzetten in het ijzige noorden. Wat was het verschil? Zij zag het niet. Met Hendrik zou ze tenminste niet het bed hoeven delen. En ze zou niet met hem hoeven dineren. Dus wat was voor haar het voordeel van de huidige situatie?

Ze riep haar moeder en stiefvader om hun het probleem voor te leggen. Godfrieds gezondheid ging weliswaar in snel tempo achteruit, maar hij was nog altijd hertog van Lotharingen, een man die had onderhandeld over pausschappen en die koninkrijken had geregeerd. Bovendien hield hij zielsveel van Matilda en gingen haar geluk en haar veiligheid hem ter harte.

Matilda presenteerde haar zaak met zo'n vlijmscherpe logica dat haar moeder noch Godfried met steekhoudende argumenten wist te komen waarom ze dit huwelijk zou moeten doorzetten. De situatie dreigde snel te escaleren, en de crisis trok duidelijk een zware wissel op haar zieke en ernstig verzwakte stiefvader, besefte Matilda. Godfried vroeg haar om hem

een paar dagen de tijd te geven, zodat hij over een oplossing kon nadenken en een hartig woord kon wisselen met zijn zoon.
Er was nog iets wat Matilda stoorde. 'Waarom word ik door het personeel aangekeken alsof ik twee hoofden heb? Zijn ze hier zo bang voor vrouwen met rood haar?'
Godfried legde haar uit dat de overtuiging bestond dat alleen vrouwen die nazaten waren van de bloedlijn haar fysieke kenmerken hadden. En dat daarom alle vrouwen met rood haar als ketters werden beschouwd. In vroegere generaties werd ketterij op één hoop gegooid met hekserij, een misdrijf dat werd bestraft met de dood.
'Toen ik nog een jonge knaap was, is een aantal vrouwen die niets anders hadden misdaan dan dat ze rood haar hadden, gemarteld, verminkt en op de brandstapel gezet, nadat ze de vernedering van de "parade" hadden ondergaan. Iets wat gelukkig is afgeschaft in het beschaafde Lotharingen.'
'De parade?' Matilda wist eigenlijk niet of ze het wel wilde weten, maar ze vroeg het toch.
'Een vrouw met rood haar werd geboeid aan de polsen, de voeten en de hals, gedwongen naakt door de straten te lopen terwijl de dorpelingen haar bekogelden met stenen en rotte groenten. Ze werd volledig blootgesteld, zodat iedereen kon zien dat het merkteken van haar rode haar ook aanwezig was op de meest intieme gedeelten van haar lichaam,' legde Godfried uit. 'Dat werd beschouwd als een bewijs van hekserij, omdat volgens het volksgeloof een dergelijke tegennatuurlijke haarkleur uitsluitend en alleen het gevolg kon zijn van... orale coïtus met de duivel.'
Matilda huiverde bij de gedachte aan zoveel onwetendheid. Wat ooit een genetisch kenmerk was waaruit bleek dat een vrouw een nazaat was van de verheven stamboom van Jezus en Maria Magdalena, was verworden tot een gevaarlijke vloek. Het gewijde merkteken van een profetes, een vrouw met helende vermogens, veroordeelde de draagster nu tot heks.
'Triest genoeg zijn de mensen op het platteland nog altijd erg bijgelovig. Vandaar dat de bedienden zo nieuwsgierig zijn, en bovendien doodsbang voor je. Misschien had ik je moeten waarschuwen, maar ik ben lang van huis geweest en ik had gehoopt op vooruitgang.'
Godfried zuchtte, maar had zichzelf snel weer in de hand. 'Ik zal met mijn zoon praten en zorgen dat het allemaal goed komt.'
Daarop veranderde hij van onderwerp. In de wetenschap dat een rit te paard, weg van het paleis, haar goed zou doen, moedigde hij Matilda aan het stralend groene landschap van Lotharingen te verkennen voordat de

winter zijn intrede deed en het te koud werd om te rijden. Want het was dan wel geen Toscane, maar misschien zou ze ontdekken dat ook Lotharingen rijk was aan een schoonheid die ze kon leren liefhebben.
Toen het gesprek was afgelopen ging Matilda op zoek naar Patricio. Ze zei hem de volgende morgen klaar te staan, omdat ze uit rijden gingen, het avontuur tegemoet, op zoek naar haar Vallei van Goud. Daarvoor was ze hier tenslotte gekomen.

✿

Op de rug van een paard voelde Matilda zich het gelukkigst. Ze reed in volle vaart door een weelderig woud, haar haar wapperde achter haar aan, niet langer beperkt door de gruwelijke kap die ze zonder plichtplegingen had afgerukt zodra ze uit het zicht van Verdun was. Ondanks zichzelf moest ze toegeven dat het hier prachtig was. Natuurlijk, het was ook koud, en het was bepaald geen Toscane, maar de natuur had hier haar eigen magie. Patricio, die naast haar reed, probeerde haar voorbij te komen, maar moest zich gewonnen geven. Matilda was onmogelijk te verslaan. Ze kende geen angst, was bijna roekeloos, maar ook een buitengewoon ervaren amazone. Dat moest ze de bultenaar nageven: hij had verstand van paarden. De dieren waarop ze reden waren schitterend, vol temperament, en ze bezaten een geweldig uithoudingsvermogen. Patricio en zij hadden een stevig tempo aangehouden, vast van plan om zo veel mogelijk van de bosachtige streek te verkennen, op zoek naar de Vallei van Goud, de plek die Matilda had gezien in haar visioen. Overal waar ze kwamen, was het even groen en weelderig, maar de waterbron hadden ze nog niet gevonden.
Tegen de middag begon Matilda zich huiverig te voelen. Het was een vreemde sensatie, die ze nauwelijks kon omschrijven, dus ze ging langzamer rijden en gaf zich eraan over. Het was alsof ze op een kruispunt in de tijd was beland. Ze had het onwerkelijke gevoel alsof verleden, heden en toekomst bij elkaar kwamen. Ze werd er een beetje duizelig van, maar het was tegelijkertijd opwindend.
Toen het gevoel wegebde, dreef ze haar paard weer aan tot grotere snelheid. Patricio volgde haar. Op het moment dat ze een bocht rondden, hielden ze abrupt hun teugels in. Voor hen lag een meertje.
Daar was het, precies zoals ze het in het visioen had gezien: een meertje dat werd gevoed door een stroompje waar ze de paarden konden drenken. Ze stegen af. Patricio bood aan de paarden naar de stroom te leiden, in het

besef dat Matilda alleen verder moest, naar de open plek een eindje verderop. Tot dusverre ging alles zoals ze het in het visioen had gezien. Een enkele witte zwaan gleed over het water. Hij keek achterom. Volg me, leek hij te willen zeggen. Toen hoorde Matilda het: de stem van een jong meisje in de verte. Toen ze de open plek naderde, hoorde ze haar giechelen.
Daar waren de stralen van de middagzon die door het gebladerte drongen en glinsterend weerkaatsten op het water even verderop. Matilda liep erheen, al wetend dat het een put was. Toen ze zich over de rand boog, overtuigde de peilloze diepte haar ervan dat deze put inderdaad heilig was en tot diep in de aarde reikte. Het was een magische plek. Het woud was eeuwenoud, een soort oerbos, bezield door machtige natuurkrachten. Dit zou een prachtige plek zijn om hun monument voor de liefde en de wijsheid te bouwen.
Toen ze voorzichtig haar handen in het donkere, ijskoude water doopte, voelde ze aanvankelijk niet dat haar dierbare gouden ring, het Zegel van Maria Magdalena, losraakte. Hij gleed zo snel van haar vinger dat ze niets anders kon doen dan vol afschuw toekijken hoe haar kostbare bezit verdween in de diepten van de bron.
Ze schreeuwde het uit.
Toen liet ze zich bij de stenen rand op haar knieën vallen en speurde het water af, op zoek naar een glimp van de ring, maar het was hopeloos. Terwijl ze langzaam en berustend overeind kwam, zag ze plotseling een vluchtige schittering in de diepte. Onder luid gespetter sprong er een enorme vis uit de put. Het was een soort forel, een glinsterend dier met gouden schubben. Even snel als hij was verschenen was hij weer verdwenen. Matilda wachtte gespannen af, benieuwd of de opmerkelijke vis zich nog eens zou laten zien. Onder hevig gespetter week het wateroppervlak opnieuw uiteen, en de forel sprong weer omhoog. Deze keer leken zijn bewegingen vertraagd. In zijn bek hield hij haar kostbare ring.
Matilda hield haar adem in toen de vis zich naar haar toe keerde, nog altijd heel traag bewegend. Hij deed zijn bek open, spuugde de ring in haar richting, en toen ze haar hand uitstak, viel de ring veilig in haar open palm. Ze sloot haar vingers er stijf omheen en drukte de ring tegen haar hart, dankbaar dat de magische vis hem had teruggebracht. Daarop verdween de forel met de gouden schubben in de diepten van de put; het water werd weer roerloos, de magie was verdwenen.
Zorgvuldig schoof Matilda de ring aan haar vinger. Toen keek ze nog een laatste keer in de put, om te zien of ze van deze bijzondere plek nog meer wonderen kon verwachten. Even bleef het water roerloos, toen verscheen

er een vluchtige rimpeling aan het oppervlak. Een golf van gouden licht overstroomde de put en het gebied eromheen. Het was alsof het zonlicht vloeibaar werd toen een regen van gouden druppels uit de hemel viel en alles verguldde, zo ver Matilda kon kijken. Het duurde niet lang of rivieren van goud stroomden door de vallei, en de bomen waren met goud bedekt. Alles om haar heen glinsterde en straalde door de rijke, warme gloed van vloeibaar goud.

In de verte hoorde ze de meisjesachtige stem, de stem waarvan ze wist dat die toebehoorde aan Sara-Tamar, hun kleine profetes.

'Welkom in de Vallei van Goud.'

Matilda hoorde geluid achter zich. Het was Patricio die verbijsterd zijn adem inhield en haastig naar haar toe kwam, net als zij in verrukking door het visioen van een magische gouden vallei. Het duurde zo lang als visioenen duren. Slechts enkele ogenblikken? Een paar minuten? Het was onmogelijk te zeggen. Maar uiteindelijk verbleekte de gouden gloed en maakte plaats voor het uitgestrekte groene woud.

Het was heerlijk om het visioen te kunnen delen met zo'n goede vriend als Patricio. Daardoor maakte hij net zozeer deel uit van de profetie als Matilda zelf. Ze omhelsden elkaar als broeder en zuster – het warme, onschuldige gebaar van twee mensen die op de meest simpele manier van elkaar houden. Ze hadden letterlijk broer en zus kunnen zijn. Samen legden ze de gelofte af om hier de grootste, indrukwekkendste abdij van heel Europa te bouwen: een heiligdom, een bibliotheek en een school, allemaal gewijd aan de Weg van de Liefde. In de abdij zouden ze de kostbaarste schat die de mensheid rijk was een plaats geven.

En ze zouden de plek Orval noemen, want dit zou waarlijk een Vallei van Goud worden.

✪

Uitgelaten keerde Matilda die avond terug naar het paleis. Ze dacht er zelfs aan de gehate kap weer op te zetten en haar haar te bedekken, dat er na een onstuimige dag te paard nog schandaliger uitzag dan anders. Bij haar terugkeer lag er een dringende oproep van haar moeder en haar stiefvader te wachten; ze moest meteen naar hun vertrekken komen. Moedeloosheid overviel haar, en ze bad dat de gezondheid van Godfried niet plotseling sterk achteruit was gegaan. Nadat ze de paardenlucht van zich had afgespoeld en zich gepast had gekleed, haastte ze zich de lange gang door naar de vertrekken van haar stiefvader.

'Kom binnen, kindje.'
Ze slaakte een zucht van verlichting toen Godfried achter zijn bureau bleek te zitten. Hij was bleek, zijn gezicht stond vermoeid, maar hij zag er beter uit dan ze hem in weken had gezien. Misschien hadden de onderhandelingen van de afgelopen twee dagen met zijn zoon weer iets van de oude scherpte van de politicus in hem gewekt.
Beatrice nam het woord. 'Je stiefvader heeft hard gewerkt om tot afspraken te komen waar alle betrokkenen voordeel van hebben. Afspraken waardoor Toscane voor je behouden blijft, zonder dat Godfried de Jongere gezichtsverlies lijdt. Bovendien zul je daardoor beschermd zijn tegen de meer bizarre en onwettige maatregelen waarmee je toekomstige man heeft gedreigd.'
'Mijn zoon heeft ermee ingestemd een document te ondertekenen waarin staat dat hij alleen aanspraak kan maken op Toscane zolang hij met jou is getrouwd,' vervolgde Godfried de Oudere. 'Als hij om welke reden dan ook besluit van je te scheiden, verliest hij al zijn aanspraken. Verder heb je het recht om hem te verlaten en terug te keren naar Toscane als hij zich ooit schuldig maakt aan enige vorm van lichamelijke wreedheid, en tevens in een aantal specifieke wettelijke omstandigheden die in het document zorgvuldig worden omschreven. Je behoudt het recht om Toscane jaarlijks te bezoeken en je bezittingen te blijven besturen.'
Matilda was met stomheid geslagen. Een dergelijke regeling was ongekend, uniek, maar Godfried was een groot kenner van de wet en ze twijfelde er niet aan of hij had onderzocht of de afspraken legaal waren. Het was absoluut een betere optie dan met zowel Hendrik als de bultenaar oorlog te moeten voeren voor het behoud van haar erfenis.
'Zou dit aanvaardbaar voor je zijn, mijn dochter?'
Matilda knikte langzaam, haar strategische positie overwegend. Ze stond heel sterk. Dus ze besloot nog een stap verder te gaan.
'Toen ik vandaag door de bossen reed, kreeg ik een visioen. Ik wil hier een grote abdij bouwen en die wijden aan de glorie van de Moeder van God, met Patricio als abt. En daarom zou ik mijn aanstaande man willen vragen me daarvoor de middelen te geven, bij wijze van huwelijksgeschenk.'
Zowel Godfried de Oudere als Beatrice wist maar al te goed aan wie de abdij werkelijk gewijd zou zijn en met welk doel het monument werd opgericht, maar ze zwegen wijselijk. Als de bouw van een abdij voor de Orde, in de wouden van Lotharingen, Matilda zou helpen te berusten in haar lot, dan moest dat maar. Misschien zou het bovendien een gunstige invloed hebben op Matilda's reputatie wanneer ze zich opwierp als begunstiger van een grote abdij. Er werd druk over haar gefluisterd, maar een

hertogin die zo toegewijd was aan haar Heer en Zijn Heilige Moeder dat ze zich volledig inzette voor de bouw van een heiligdom voor hen, kon toch zeker geen heks zijn?
Haar stiefvader schonk haar een glimlach, waarin weer iets van zijn oude vitaliteit doorschemerde. 'Ik ben ervan overtuigd dat mijn zoon meer dan bereid zal zijn de middelen te verschaffen voor zo'n waardig project, en dat hij zal overlopen van vreugde als hij merkt dat zijn aanstaande vrouw zo vroom is, en zo'n devoot katholiek.'
Met een diepe reverence bedankte Matilda haar ouders voor hun ruimhartigheid, waarna ze zich terugtrok in haar eigen vertrekken. Het was bepaald geen ideaal scenario, maar ze zou kunnen leren ermee te leven. En het voornaamste was dat ze in staat zou zijn onmiddellijk met de bouw te beginnen van de gemeenschap die ze 'de abdij van Onze-Lieve-Vrouwe van Orval' zou noemen. Ze zou haar plicht vervullen als de Voorzegde, net zoals ze haar belofte aan het Heilige Gelaat gestand had gedaan. Dat was het allerbelangrijkste.
'Uw wil geschiede,' fluisterde Matilda terwijl ze door de koude paleisgang liep, met haar blik omhooggericht. Ze ging op zoek naar Patricio om hem het goede nieuws te vertellen van zijn officiële nieuwe opdracht: de positie van abt in de nieuw te bouwen abdij.

❂

Patricio hield toezicht op het aanvankelijke ontwerp en de bouw van de abdij, met de hulp van de benedictijner raadsmannen van de oude Godfried. Het sprak vanzelf dat Matilda over alle belangrijke zaken werd geraadpleegd. Er werden boodschappers gestuurd naar de Orde in Lucca, om Isobel en de Meester te melden dat ze de Vallei van Goud hadden gevonden, en dat de monniken uit Calabrië die *Het Libro Rosso* en andere geschiedenissen zouden kopiëren, zich erop moesten voorbereiden tegen de zomer van 1070 naar het noorden te reizen.
In haar vertrekken bewaarde Matilda een bewerkt ivoren kistje, een geschenk van haar vader ter ere van haar zesde verjaardag. Het was haar erg dierbaar, omdat het was versierd met het wapen van de Lucchesi-kant van de familie – Siegfrieds wapen – in halfedelstenen. In het kistje bewaarde ze iets wat haar ook heel dierbaar was, namelijk de rol met het rood satijnen lint waarop de Meester de zesbladige roos had getekend. Ze haalde de rol uit het kistje en bracht hem naar de grote zaal waar Patricio een bespreking had met de architecten.

'Ik wil een raam met dit patroon.' Ze rolde het perkament af om het symbool te laten zien. 'Het daglicht moet door de bladeren van de roos schijnen en op de vloer daaronder vallen. En op die vloer wil ik een labyrint. Patricio heeft de afmetingen.'
Salomo's tekening van het labyrint en de specificaties voor de aanleg van de elf concentrische cirkels naar het midden maakten deel uit van *Het Libro Rosso*. De opdracht zou een enorme uitdaging betekenen voor de steenhouwers en metselaars, omdat Matilda zowel binnen de muren als in de tuin van de abdij een labyrint wilde laten aanleggen. En ze was nog niet klaar met het uitdelen van moeilijke opdrachten.
'Ik heb gedroomd hoe het schip eruit zal zien. De abdij moet het hoogste, het indrukwekkendste gebouw in Lotharingen worden, de schat waardig die het zal bevatten. Ik bezit geen kunstzinnige talenten, maar ik zal proberen het voor u te tekenen zoals ik het in mijn visioen heb gezien.'
Matilda pakte de pen van de hoofdarchitect en begon te tekenen. Patricio glimlachte spottend om haar valse bescheidenheid. Ze was een briljant technisch tekenaar. Haar opdrachten naar aanleiding van de Tempel van Salomo had ze doorgaans sneller af gehad, en met meer oog voor detail, dan hij.
'Ik wil dit model bogen, hoog en toelopend in een punt,' legde ze de architect uit. 'Zo hoog als we kunnen bouwen, ondersteund door zuilen gemaakt van verguld marmer. Een lang schip, met een veelvoud aan zuilen en bogen. We bouwen een monument gewijd aan de glorie van Onze Heer en aan de macht van de Liefde. De grootsheid van die beide moet zijn af te lezen aan het ontwerp en de afmetingen.'
De architect keek de toekomstige hertogin van Lotharingen aan en knikte, vervuld van ontzag. Haar tekeningen en haar kennis van architecturale principes verrieden een verbijsterend talent. Tegen de tijd dat Matilda klaar was met haar uitleg, was het de architect alsof hij haar visioen – haar buitengewoon dure visioen – met eigen ogen had aanschouwd, en hij besefte dat hij de grootste, de meest indrukwekkende abdij in Noord-Europa ging bouwen.

❂

Ze had het onvermijdelijke zo lang mogelijk uitgesteld. Maar het ging steeds slechter met Godfried de Oudere, en over drie dagen zou Matilda haar trouwbelofte moeten afleggen aan de gruwelijke bultenaar. Patricio was in de kapel toen ze hem zocht.

'Patricio, je moet me helpen. Ik weet dat ik geen keus heb, maar ik ben doodsbang om me door hem te laten aanraken. Wat moet ik doen?'
Patricio en Matilda hadden samen hetzelfde onderricht ontvangen, dus hij was zich maar al te bewust van de heiligheid van het bruidsvertrek. Net zoals hij zich ervan bewust was dat Matilda het heilige verbond uit hun geschriften niet zou vinden in dit huwelijk met een weerzinwekkende man die ze verachtte. Maar praktisch gesproken had hij bedroevend weinig ervaring met dit soort zaken. Matilda plaagde hem vaak dat ze probeerde tussen de blonde Duitse schonen in haar huishouden een geschikte abdis voor hem te vinden, maar zover was het nog niet. Niet wetend wat hij met de kwestie aan moest, vroeg hij dan ook: 'Wat heeft Isobel je geadviseerd?'
Matilda haalde diep adem en probeerde zich haar laatste gesprek met Issie te herinneren. 'Ze zei dat ik hem niet moest kussen.'
Patricio knikte. Dat was een advies dat hij begreep. *Het Boek der Liefde* en het Lied der Liederen spraken over de kus als een heilige daad. Want het was in de kus dat twee geesten elkaar vonden, dat twee zielen zich met elkaar vermengden dankzij de gedeelde adem. De kus werd net als – of misschien wel sterker dan – de uiteindelijke intimiteit van de gemeenschap beschouwd als een integraal onderdeel van het goddelijk verbond.
'Als je man heeft hij het recht kinderen bij je te verwekken, Tilda,' had Isobel gezegd. 'Je zult je lichaam aan hem moeten overleveren, vanaf de heupen naar beneden zul je je aan hem moeten geven wanneer hij maar wil. Maar dat geldt niet voor je ziel. Alles vanaf het hart omhoog behoort jou toe. Gun hem zijn rechten als echtgenoot, maar behoud ook je eigen rechten. Laat je niet door hem kussen als je hem afstotelijk vindt. Dat is een kostbaarheid die je mag bewaren voor je ware geliefde.'
Daarop had Issie haar doen blozen door haar te instrueren in een exclusieve reeks schokkende afleidingsmanoeuvres waardoor een man zou vergeten dat hij zijn vrouw wilde kussen. Ze had aandachtig en enigszins geschokt geluisterd, maar alles goed in haar geheugen geprent. Nu de onheilspellende dag naderde, was ze blij dat ze zo goed had opgelet.
Matilda was een uitmuntende leerling. Toen drie dagen later na het vallen van de avond de geloften werden uitgesproken in de kapel van Verdun, beefde ze, zowel van de kou als van angst voor de huwelijksnacht. Maar ze had besloten ook deze uitdaging weer strategisch aan te pakken, als het zoveelste slagveld waarop ze moest vechten voor wat rechtens van haar was. In dit geval haar ziel.
Toen de bultenaar zich bij haar voegde in het bruidsvertrek, choqueerde ze hem door met overtuiging de rol van losbandige vrouw te spelen. Ze

begroette hem in de volle glorie van haar volmaakte naaktheid – een visioen van wilde, koperblonde lokken die een opvallend contrast vormden met haar smetteloze albasten huid. Dat haar legendarische rode haar, symbool van het kwaad, niet ophield bij haar hoofd, maar ook zacht kroezend haar vrouwelijkste delen bedekte, deed hem watertanden, terwijl hij het als vrome christen tegelijkertijd als schokkend ervoer. Hij was ervan overtuigd dat dit tegennatuurlijke wezen inderdaad een heks was, zoals werd gefluisterd. Ze was Lilith, de slang, de demonische verleidster, de bijslaap van de Duivel. Maar zelfs als dat zo was, dan nog was hij op dat moment bereid zijn sterfelijke ziel te riskeren. De Duivel had gewonnen.
Godfried was als gehypnotiseerd door zijn nieuwe vrouw, en vervuld van afschuw. Op haar beurt verloor ze geen tijd om misbruik te maken van zijn verbijstering. Zich bedienend van de wellustige listen die Isobel haar had geleerd, zorgde Matilda er zonder uitstel voor dat haar man er niet in geïnteresseerd zou zijn haar te kussen. Het was dan ook niet verrassend dat het snel voorbij was. Godfried met de Bult rolde zich op zijn andere zij en begon te snurken, Matilda voelde zich gebruikt, maar haar ziel was onbezoedeld gebleven.
Toen de mannen uit zijn gevolg de volgende dag informeerden naar de huwelijksnacht bromde de bultenaar: 'Wat ze zeggen over vrouwen met rood haar – dat is allemaal waar.'
Het wellustige gelach dat hierop volgde, bewees dat iedereen in Lotharingen maar al te goed wist wat roodharige vrouwen achter de gesloten deur van de slaapkamer wisten te bewerkstelligen.

❂

Godfried de Oude, hertog van Lotharingen, raakte de dag daarop in een diep coma en stierf drie dagen later, op kerstavond van het jaar 1069. Matilda treurde om hem met de eer en de oprechtheid die ze haar biologische vader zou hebben bewezen, en dat was meer dan ze kon zeggen van haar man. Godfried de Jongere had als een aasgier gewacht op de dood van zijn vader, waardoor hij al diens bezittingen erfde, samen met de bezittingen van Matilda.
Het positieve gevolg van zijn hebzucht was dat hij het nu te druk had om zich veel met haar te bemoeien. Matilda kon doen en laten wat ze wilde, en ze bracht zo veel mogelijk tijd door met Patricio, om toezicht te houden op het project in Orval. Met de daadwerkelijke bouw zou pas in de lente worden begonnen, maar ze hadden hun handen vol aan de voorbe-

reidingen. De Ark van het Nieuwe Verbond met daarin *Het Libro Rosso* werd bewaard in een privékapel waarvan alleen Matilda en Patricio de sleutel hadden; dat maakte deel uit van haar voorhuwelijkse eisen. En zo zou het blijven tot de bouw in Orval was voltooid en het boek daarheen kon worden overgebracht, zodat de kopiisten ermee aan het werk konden. Natuurlijk had Matilda tegen de bultenaar gelogen over de inhoud van de Ark, maar traag van begrip als hij was, had hij dat niet in de gaten gehad. Patricio bracht het merendeel van zijn tijd door in de privékapel, waar hij probeerde de tekeningen van Salomo's labyrint, die onderdeel vormden van *Het Boek der Liefde*, zo nauwkeurig mogelijk over te nemen. Want ze zouden een voorbeeld moeten hebben aan de hand waarvan de meestersteenhouwer aan het werk kon.

Matilda zat dagelijks uren bij haar moeder. Beatrice was voor de tweede keer weduwe geworden, en beide keren had ze een man verloren van wie ze oprecht had gehouden. Ze droeg haar verdriet met dezelfde gratie en waardigheid waarmee ze alles in haar leven deed, maar Matilda zag dat het zijn tol eiste. In het eens gitzwarte haar van haar moeder was een brede zilveren lok verschenen, en haar legendarische schoonheid begon te verwelken door de tand des tijds en de zware last van alles wat ze te dragen had gekregen.

'Wanneer de sneeuw begint te dooien, ga ik terug naar Mantua,' zei Beatrice op een avond onverwacht tijdens het diner.

Matilda reageerde geschokt. Beatrice kwam uit Lotharingen, dus Matilda had gedacht dat ze gelukkig was in haar voorouderlijk huis.

'Na al die jaren is Toscane mijn thuis geworden, Matilda,' legde Beatrice uit. 'Veel meer dan Lotharingen dat ooit zal zijn. Bovendien vertrouw ik je man niet zoals ik mijn man vertrouwde. Hij zal het druk hebben met zijn taken hier in Lotharingen, en ik wil terug naar ons land, om erop toe te zien dat het goed wordt bestuurd. Zowel ter bescherming van jouw belangen als de mijne.'

'Ik wilde dat ik met je mee kon.' Matilda zuchtte.

Beatrice legde een hand op de arm van haar dochter. 'Die dag komt, kindje. Echt waar. Wanhoop niet. Je bent nog jong en je zult Toscane weerzien.'

Volkomen onverwacht deed Matilda iets wat ze zichzelf maar zelden toestond: ze begon te huilen. Snikkend sloeg ze haar handen voor haar gezicht en huilde, om haar verloren vaderland, om haar dode vaders, om haar vrienden die zo ver weg waren, om haar tragische neef, om haar weerzinwekkende huwelijk, om haar spirituele verantwoordelijkheden, en nu ook om het vertrek van haar moeder. Beatrice liet haar huilen tot haar tranen op waren, haar strelend in een zeldzaam vertoon van moederlijke genegenheid.

Bid zoals ik je dat heb geleerd, met de roos als model voor de Heilige Geest. Want door de voorspraak van de Moeder zul je de Vader vinden.
Werkend van links naar rechts betreed je de veilige haven van het eerste blad van de heilige roos, het blad van het VERTROUWEN, en je bidt:

*Onze Vader Goedertieren Die in de Hemel Zijt,*
*Uw naam worde aanbeden en geheiligd.*

Denk na over je Vertrouwen in God de Heer en in de genade van de Heilige Geest, terwijl je dank zegt voor hun aanwezigheid in je leven en op aarde.
Betreed daarna het tweede blad, het blad van het OVERGEVEN, en bid:

*Uw koninkrijk kome tot ons door gehoorzaamheid aan Uw wil.*
*Uw wil geschiede.*

Luister naar de stem van je Vader, opdat je Zijn wil mag horen en die onbevreesd en zonder falen mag uitvoeren. Blijf in de beslotenheid van dit blad zo lang je nodig hebt om je in de woorden onder te dompelen en om de gezegende bevrijding te vinden van de overgave aan Zijn wil en de jouwe daaraan ondergeschikt te maken.
Dan komt het derde blad, het blad van de DIENSTBAARHEID, en je bidt:

*Gelijk in de Hemel alzo ook op Aarde.*

Hier zul je opnieuw je belofte bevestigen, aan God en jezelf, als je volledig anthropos bent geworden en je daarvan bewust bent. Als je die staat van verwezenlijking nog niet hebt bereikt, zul je getuigen van je toewijding om de hemel op aarde te scheppen door te leven en te handelen volgens de Weg van de Liefde, door God de Heer boven alles lief te hebben, en door je broeders en zusters op Aarde lief te hebben als jezelf, want ze zijn een deel van jou. Dan zul je bidden om verlichting; dat je je door gnosis de aard van je eeuwige belofte zult herinneren.
Betreed dan het vierde blad, het blad van de OVERVLOED, en bid:

*Geef ons heden ons dagelijks brood, het manna.*

Zeg de Heer dank voor alles wat Hij je heeft gegeven, en weet dat je, door te leven in harmonie met Zijn wil en met je belofte van dienstbaarheid, het geschenk van de overvloed zult ontvangen en nooit een dag van gebrek zult ken-

nen. Er is niets wat je behoeft of begeert dat je niet zal worden gegeven wanneer je leeft in Gods genade en wanneer je Gods wil tot leidraad hebt gekozen.
En dan het vijfde bloemblad, het blad van de VERGEVING. Daar bid je:

*En vergeef ons onze schulden en tekortkomingen,*
*zoals ook wij onszelf en anderen vergeven.*

Hier ga je na wie je kwaad hebben gedaan, wie slechte getuigenissen tegen je hebben afgelegd, of je op een andere manier hebben gekwetst. Je moet hen vergeven, biddend dat ze op een dag volledig anthropos zullen worden en zich in het besef van hun band met God hun belofte zullen herinneren. Zo vraag je ook dat iedereen die jij hebt gekwetst jou op dezelfde manier zal vergeven. Maar het belangrijkste is dat je jezelf alle daden en gedachten vergeeft waarmee je je door je menselijke zwakheden te schande hebt gemaakt. Want alle vergeving is de balsem van onze barmhartige Moeder, maar jezelf vergeven is van alles het meest nodig.
Betreed ten slotte het zesde blad, het blad van de KRACHT, en bid:

*Help me op het pad der gerechtigheid te blijven*
*en verlos me van de verleidingen van het kwaad.*

Want het is de verleiding die ons ervan weerhoudt de waarlijke verwezenlijking te bereiken, het is de verleiding die ons belemmert om onze belofte aan God en aan onszelf en elkaar gestand te doen. Verleiding die tot ons komt door hebzucht, trots, onkuisheid, toorn, onmatigheid en boven alles afgunst. Overdenk deze zonden en bid voor je bevrijding van al wat je in verleiding brengt en weglokt van het pad van de anthropos.
Bid zoals ik je dat heb geleerd, en leer je spirituele broeders en zusters hetzelfde te doen. Door vanuit dit gebed te leven zullen mannen en vrouwen de hemel op aarde scheppen. Door dit gebed zullen ze leven vanuit de liefde.
*Liefde Overwint Alles.*

Wie oren heeft om te horen, die hore.

– Het Gebed van de Zesbladige Roos
Uit *Het Boek der Liefde*
zoals bewaard gebleven in *Het Libro Rosso*

*Paleis van Verdun*
*Voorjaar 1071*

Matilda was zwanger.
Ze wist het zeker. De maan had al twee keer zijn volledige cyclus afgelegd sinds ze voor het laatst had gebloed, en haar maag was bij het opstaan zo opstandig dat ze zelfs geen droog brood kon eten.
Ze verkeerde in een dilemma. Als ze vertelde dat ze zwanger was, kon ze zich beroepen op de bescherming van het kind en eisen dat de bultenaar haar niet meer aanraakte. Dat zou een buitengewoon welkom respijt betekken van zijn grommende, bronstige driftenspel dat haar met weerzin vervulde. Misschien zou ze zelfs privévertrekken kunnen eisen voor de duur van haar toestand. Tot haar ontzetting en geheel tegen haar verwachting in was haar man hevig opgewonden geraakt door haar losbandige optreden in de eerste huwelijksnacht. Zijn verlangen naar haar was een obsessie geworden, een onzalige verslaving aan zijn exotische vrouw en haar tegennatuurlijke lichaam. Veel te vaak naar haar zin kwam hij bij haar, dwingend, wanhopig snakkend naar meer.
Haar optreden in de slaapkamer maakte haar misselijk, maar ze was er nog altijd in geslaagd te voorkomen dat de bultenaar haar kuste. Om te zorgen dat hij daar weinig animo voor aan de dag legde, omdat hij volledig in beslag werd genomen door de andere geneugten van haar vrouwelijkheid. Dat was het enige wat haar hielp niet krankzinnig te worden van weerzin en wanhoop zodra de zon onderging.
Anderzijds, als ze hem vertelde dat ze zijn kind verwachtte, zou hij haar het rijden verbieden. En dat zou betekenen dat ze niet langer toezicht kon houden op de bouw in Orval, de enige ware vreugde in haar leven. Ze zou het niet kunnen verdragen dat te moeten opgeven. Inmiddels bijna een jaar geleden, op de lente-evening van 1070, had ze eigenhandig de eerste steen gelegd, en ze was betrokken geweest bij alle beslissingen die de bouw betroffen. Verder hadden ze bericht ontvangen van de Orde dat Patricio's monniken uit Calabrië, die *Het Libro Rosso* zouden gaan kopiëren, op weg waren naar het noorden. Aanvankelijk zou ze hen in het paleis onderbrengen, maar wanneer het werk aan de vertalingen serieus begon, zouden ze niet in Verdun kunnen blijven, waar Godfried hen ongetwijfeld dagelijks aan een kruisverhoor zou onderwerpen. Ze wilde haar vrijheid om de bouw te bezoeken niet eerder opgeven dan nodig.
Het lot wilde echter dat Matilda tot openheid van zaken werd gedwongen,

op een avond kort nadat ze zekerheid had gekregen omtrent haar toestand. De bultenaar was nog laat op pad, zoals zo vaak, want zijn bezittingen strekten zich uit tot ver voorbij Stenay. Normaliter kwam hij – tot Matilda's grote opluchting – pas de volgende dag thuis wanneer hij tot aan de grenzen van zijn gebied was gereden. Die avond was Matilda uitgeput naar bed gegaan, doodmoe van het huishouden dat ze moest besturen, van het toezicht houden op de bouw van de grootste abdij in Europa, en van het nieuwe leven dat in haar groeide. Omdat het al zo laat was, rekende ze er vast op dat haar man de nacht elders zou doorbrengen.
Maar ze had zich vergist.
Matilda hoorde hem van verre aankomen. En ze rook hem al voordat hij de kamer binnenkwam.
'Waar is mijn vrouw?' Hij strompelde naar het bed, stinkend naar bier en naar iets wat Matilda pas kon benoemen toen hij vlak bij haar was. Braaksel! Hij was weerzinwekkend smerig, alsof hij urenlang had zitten slempen in een van de slonzige bierhuizen die hij zo graag bezocht. Het was zijn manier om zijn frustraties over zijn gebrek af te reageren. Want ondanks zijn lichamelijke tekortkomingen was hij een gezonde kerel, en voorafgaand aan zijn huwelijk was hij regelmatig te vinden geweest in bierhuizen en bordelen. Sinds hij met de rode heks getrouwd was, had hij meer dan ooit behoefte zijn toevlucht te zoeken in de veilige vertrouwdheid van stroblonde Duitse meisjes, in de hoop de betovering van zijn duivelse vrouw te verbreken. Zijn kwelling werd nog verergerd door de wetenschap dat ze hem haatte, dat hij haar vervulde met weerzin.
Eerdere keren dat Godfried naar de bordelen was gevlucht, waar hij altijd veel te veel bier dronk, was hij al in zwijm gevallen voordat hij zijn vrouw kon lastigvallen. Die avond was dat geluk haar niet vergund. In zijn koortsige brein waren de nietszeggende melkmeisjes in het bierhuis simpelweg geen partij geweest voor Matilda. Zelfs toen hij zich had teruggetrokken met twee weelderige sloeries, had hij het beeld van de vurige verleidster die hem in zijn eigen bed wachtte niet uit zijn gedachten kunnen zetten. Tegen de tijd dat hij terugkeerde naar het paleis, was hij bezeten door zowel zijn lusten als zijn demonen.
'Kom bij je man en echtgenoot, losbandige snol,' zei hij met een dubbele tong terwijl hij ongecontroleerd aan zijn broek begon te trekken.
Matilda was al half in slaap geweest toen hij binnenkwam. Ze probeerde uit alle macht de situatie onder controle te krijgen, maar haar snelle reflexen lieten haar in de steek, want ze werd vertraagd door haar slaperigheid en haar toestand. Zijn onverwachte aankomst had haar volledig over-

vallen. Door de snelheid waarmee hij boven op haar klom, had ze amper de tijd om haar hoofd om te draaien toen hij probeerde zijn stinkende mond op haar volle, zachte lippen te drukken. Hij kwam niet verder dan haar wang, waar hij grommend zijn tanden in zette. Met haar vaardige handen probeerde ze wanhopig hem af te leiden, maar die avond mislukte die tactiek.

Godfried sloeg haar met de rug van zijn hand keihard in haar gezicht. 'Kijk me aan, vrouw.'

Hij wachtte niet tot ze gehoorzaamde, maar begroef zijn knuisten in haar haar en drukte zijn lippen op de hare. Ze vocht als een furie om haar tanden op elkaar te houden, maar de bultenaar overweldigde haar en stak zijn glibberige, zoekende tong in haar mond. In haar wanhoop om zich van hem te bevrijden, gebruikte Matilda een gevechtstechniek die ze van Conn had geleerd: ze drukte haar knie in zijn maag en rolde hem in een razendsnelle, pijnlijke manoeuvre om.

De bultenaar viel grommend en met een dreun op de grond. Even lag hij roerloos op adem te komen. Toen kwam hij langzaam, dreigend overeind. Met gebalde vuisten kwam hij naar haar toe.

'Ik eis mijn rechten op als je man. Wanneer ik dat wil en hoe ik het wil. Daar kan ook dat kostbare contract van je niks tegen doen.'

Toen flapte Matilda het eruit, voordat hij al zwalkend nog dichterbij kwam. 'Laat me met rust! Ik ben zwanger!'

Hij knipperde met zijn ogen, alsof hij haar niet goed had verstaan, wat niet onwaarschijnlijk was gezien zijn ernstige beneveling. 'Wat zeg je?' lalde hij.

'Ik zei dat ik zwanger ben. En omdat ik erg tenger gebouwd ben, zegt de vroedvrouw dat ik het kind zou kunnen verliezen als je me aanraakt.'

Dat was natuurlijk gelogen, maar hij was te onnozel om zulke dingen te weten, ook wanneer hij nuchter was.

Hij deed welbewust nog een stap in haar richting, greep met verrassende snelheid een pluk van haar haar en trok haar naar zich toe. 'Waarom zou ik een leugenachtige heks als jij geloven?' Zijn lust en zijn dronkenschap vormden een gevaarlijke, onredelijke combinatie. En de bultenaar was groot en sterk. Ze moest zorgen dat het tot hem doordrong wat ze had gezegd. En snel ook.

'Omdat je jaren hebt gewacht op een erfgenaam. En omdat je misschien je enige kans op een zoon verspeelt als je me aanraakt.'

Hij ontspande zijn greep, maar liet haar niet los. Matilda's boosheid begon de overhand te krijgen. 'Er zijn hier in het paleis dienstmeiden genoeg die je maar al te graag ter wille zijn, in ruil voor een kleine attentie,' beet ze

hem toe. Er keerde weer iets van de krijger in haar terug. 'Moet je per se ons kind in gevaar brengen – de toekomstige hertog van Lotharingen – met je dronken wellust?'
Het werkte. Hoe beneveld hij ook was – door het bier en door haar – Matilda slaagde erin dat deel van zijn brein te bereiken waar zijn ultieme ambitie huisde. De bultenaar mompelde dat hij er de volgende dag op terug zou komen. Toen strompelde hij de kamer uit, zonder nog achterom te kijken.
Bij de gedachte aan het arme dienstmeisje dat haar hertog die avond in zijn wellust ter wille moest zijn, werd Matilda overmand door medelijden en schuldgevoel. Ze zou navraag doen bij de bedienden en het loon van het arme kind verdubbelen, als compensatie voor de vernedering. Dat was wel het minste wat ze kon doen.
Maar heimelijk was ze oneindig opgelucht dat het vleselijke genot van de bultenaar de komende zeven maanden niet haar verantwoordelijkheid was. Zeven maanden op z'n allerminst.

❂

Matilda zat gevangen in het paleis. Zoals ze al had gevreesd, was Godfried met een hele lijst van verboden activiteiten gekomen. Paardrijden stond bovenaan. Bovendien kwam ze onder voortdurende bewaking van een van de stafleden van de bultenaar te staan: priesters, chirurgijnen, vroedvrouwen, die haar voortdurend bestookten met vragen en haar amper een moment rust gunden. Zelfs de kok hield toezicht op elke hap die ze in haar mond stak, en hij had bedienden in de eetkamer gestationeerd die hij had geïnstrueerd erop toe te zien dat ze alles at wat haar werd voorgezet.
Gelukkig had haar man haar gemeden als de pest sinds de voor hem zo vernederende gebeurtenissen in de slaapkamer. Matilda was ervan overtuigd dat hij haar niet vertrouwde. Sterker nog: dat hij haar ervan verdacht hun kind welbewust te willen schaden. Vandaar de intensieve en alomtegenwoordige bewaking. Ze moest er niet aan denken dat men haar in staat achtte tot zoiets gruwelijks. Maar het was ook afschuwelijk te voelen hoe het nieuwe leven in haar groeide en te beseffen dat het niet zuiver was verwekt, in harmonie met de leer van de Orde. Dit arme kind, dat geen enkele blaam trof, was niet geschapen in een gewijde omgeving. *Het Boek der Liefde* leerde dat alle kinderen die werden geboren uit het verbond van ware geliefden in Gods ogen onbevlekt waren ontvangen. Een kind dat zonder liefde werd verwekt, kende die zegen niet. De Orde onderwees dat niet als veroordeling van de arme zuigeling, die immers geen stem in het

kapittel had, maar als waarschuwing voor mannen en vrouwen om geen kinderen te verwekken buiten het domein van de liefde.
*Ach Heer, waarom hebt U beschikt dat ik het in een tijd als deze zonder Isobel en de Meester moet stellen?* Matilda had nu meer dan ooit behoefte aan spirituele leiding. Ze hongerde ernaar, en ze voelde zich diepongelukkig. Haar enige wijkplaats was de privékapel. Alleen daar kon ze aan de spionnen van de bultenaar ontsnappen en de deur achter zich sluiten. Bij het betreden van de kapel streek ze, zoals altijd, eerst over het beeldje van de Heilige Modesta, dat op een verguld altaar stond.
Bij wijze van verrassing voor haar verjaardag op de lente-evening had Patricio een zesbladige roos op de vloer van de kapel geschilderd. Hoewel ze in Lotharingen geen labyrint zou hebben tot Orval klaar was, kon hij wel zorgen dat ze een gewijde plek had voor hun heiligste gebed. Misschien zou dat haar de spirituele kracht geven om zich staande te houden in haar beproeving.
Matilda was hem daar erg dankbaar voor en betrad het eerste rozenblad om met haar gebed te beginnen. Nadat ze had dank gezegd voor alle zegen die ze in haar leven mocht ontvangen, ging ze over naar het tweede blad.
'Uw wil geschiede,' fluisterde ze telkens weer. 'Lieve God, waarom eist U dit van mij? Waarom ben ik ver weg van iedereen die ik liefheb, en van de enige plek die ik ooit mijn thuis zal noemen? Leer me Uw wil begrijpen.'
Soms kon ze Zijn stem duidelijk horen, vooral in het labyrint. Op andere momenten hoorde ze alleen het geluid van de stilte. Maar vandaag klonk Zijn stem met een kracht die haar verraste: '*Wanneer de Vallei van Goud klaar is, mag je naar huis terugkeren, en daar zul je een grote liefde vinden als beloning voor je trouw aan je bestemming en je belofte.*'
De woorden riepen vragen op, zoals hoe ze toestemming zou kunnen verkrijgen om naar huis terug te keren. Maar ze was getroost door wat ze had gehoord. Het was Gods wil dat ze de abdij in Orval bouwde, en dat was precies waar ze mee bezig was. De bouw vorderde in hoog tempo. Dankzij de zachte winter hadden de arbeiders veel langer kunnen doorwerken dan gebruikelijk. En de Calabriërs waren gearriveerd en serieus begonnen aan het kopiëren van *Het Libro Rosso*. Alles verliep volgens plan.
Ze voltooide haar gebed in de zes bladeren, waarbij ze geruime tijd doorbracht in het vijfde blad, het blad van de vergeving. Ze bad dat ze de kracht zou vinden om Godfried te vergeven, door mededogen met hem te hebben om zijn verminking en om de pijn die hij daardoor leed. Ze smeekte God haar te vergeven dat ze haar man minachtte en verachtte, dat

ze hem niet liefhebbender tegemoet trad. Toen ze klaar was, werd ze zich bewust van een innerlijke vrede die haar tot op dat moment was ontsnapt. En God beloonde haar voor haar vroomheid, want diezelfde middag arriveerde Patricio onverwacht vanuit Orval.

Hij kwam haar op de hoogte brengen van de snelle vorderingen aan de prachtige abdij. Bij de aanblik van de tekeningen die hij had gemaakt, om de luister en de majesteit van de gebouwen te illustreren, wenste ze meer dan wat ook dat ze het grote zesbladige roosvenster zou kunnen zien. De contouren ervan waren zichtbaar vanuit het labyrint in de tuin waarvan de aanleg net was begonnen. Patricio was verrukt van de schoonheid van het bouwwerk en probeerde haar deelgenoot te maken van zijn passie, zonder haar ongelukkig te maken omdat ze niet met hem kon uitrijden. Hij las het smachtende verlangen in haar ogen.

'O Patricio, ik wilde dat ik met je mee kon, om alles te zien.'

'De tijd gaat zo snel. Voor je het weet, is het zover. En tegen de tijd dat je weer kunt reizen, zijn we bijna klaar met de eerste gebouwen en heb ik een volmaakt labyrint voor je aangelegd in de tuin.'

'Ik kijk ernaar uit. Meer dan je beseft.'

✿

In het begin van de herfst diende Patricio zich vroeg op een ochtend bij Matilda aan, met het nieuws dat het labyrint gereed was. De opwinding straalde van hem af, want hij had het zelf ingewijd door de avond tevoren als eerste de elf concentrische omlopen te volgen naar het hart. Dit succes wilde hij met haar delen. Ze hadden samen niet alleen een schitterende bibliotheek gecreëerd, maar ook een plek waar de leer van de Weg van de Liefde zou worden onderwezen, en dat moesten ze vieren.

De Matilda die hem begroette, was zichzelf niet. Ze kon het zelfs nauwelijks opbrengen om blij te zijn om wat hij vertelde. Ze was inmiddels zeven maanden zwanger, en het kind tekende zich duidelijk af op haar tengere gestalte. Toen ze in de richting van de stallen liepen, keek Matilda verlangend naar de paarden. 'Wat zou ik er niet voor overhebben om nu het labyrint te kunnen lopen. Het is de enige plek waar ik ooit echt vrede heb gevonden.' Ze bleef abrupt staan en keek om zich heen. Niemand had hen gevolgd, wist ze. Patricio kende haar heel goed. Hij wist wat ze dacht. De Meester had niet voor niets gezegd dat ze geestelijke tweelingen waren.

'Nee, Matilda. Daar kan geen sprake van zijn. Het is veel te gevaarlijk.'

'Godfried is drie dagen weg. Als we nu vertrekken, kunnen we voor het

donker terug zijn. Ik blijf niet lang, Patricio. Net lang genoeg om de nieuwbouw te zien en om één keer mijn labyrint te lopen.'
'Matilda, wees toch verstandig! Je toestand staat het niet toe om te rijden. Trouwens, al kon je dat wel, je hebt niet de goede kleding aan.'
'Patricio, ken je íémand die meer op haar gemak is op een paard dan ik? Het is in wezen niet anders dan op een stoel zitten. Ik neem een van de oudere, rustige paarden. Dat kost me zowel heen als terug wel een uur extra, maar als we nu meteen vertrekken, moet het kunnen. En er ligt rijkleding in de zadelkamer. Mannenkleding, maar dat is alleen maar gunstig om niet herkend te worden, en om mijn toestand te verdoezelen.'
'Vraag me dit niet, Tilda. Alsjeblieft.'
'Ach broeder, wie kan ik het anders vragen?'
Haar zeegroene ogen vulden zich met tranen. 'Alsjeblieft. Ik heb de afgelopen zes maanden geen moment van blijdschap gekend. Zoals je zegt, we moeten vieren wat we in Orval tot stand hebben gebracht. Dat zal me mijn levenskracht teruggeven, zodat ik de rest van mijn zwangerschap aankan.'
'Moge God me vergeven als er iets gebeurt met jou of het kind,' bromde Patricio hoofdschuddend. 'Nou, vooruit. Vlug dan maar. Voordat ze ons zien.'

❁

Eenmaal in het woud vergat Matilda dat ze zwanger was. Ze dreef het paard aan tot galop en joeg in haar gebruikelijke halsbrekende tempo door de bomen.
'Matilda, niet zo snel!' Ondanks de vroege herfstkilte brak het zweet Patricio uit. Vanaf dat moment bij de stallen, het moment waarop hij het verlangen in haar ogen had gelezen, werd hij gekweld door een onheilspellend voorgevoel. Hoewel hij wist dat ze het kind nooit welbewust zou schaden, gedroeg ze zich volstrekt roekeloos.
Matilda hield haar paard in. 'Het spijt me. Maar het is zo heerlijk om eindelijk weer eens buiten te zijn.' Ze ademde de kruidige geur in van de dennenbomen. Het was nu niet ver meer, en alles in haar tintelde van gespannen verwachting. Toen ze langs het meertje kwamen, waar de eenzame zwaan over het water gleed, hield Matilda van ontzag haar adem in.
De puntvormige bogen van het schip van de kerk rezen statig op naar de hemel, met goud belegde, marmeren zuilen glansden in het zonlicht. Het was absoluut schitterend. 'O, Patricio. En dat hebben wij tot stand gebracht!'

Geholpen door haar vriend steeg ze voorzichtig af. Toen liep ze naar het indrukwekkende gebouw. Het voldeed in alle opzichten aan haar dromen, haar verwachtingen. Een waardig monument voor de Weg van de Liefde.
'Kom mee. Dit moet je zien!' Patricio's opwinding kreeg weer de overhand nu ze veilig waren gearriveerd en Matilda geen schade leek te hebben opgelopen van de rit. Integendeel, ze had er tijdens haar hele zwangerschap nog niet zo stralend uitgezien. Hij hielp haar over de drempel, de grote ruimte in waar zich het zesbladige roosvenster bevond.
Matilda ging ervoor staan. Er kwamen tranen in haar ogen. Toen ze eindelijk de stilte verbrak, was haar stem slechts een fluistering. 'Het is volmaakt. Precies zoals in mijn droom.'
Daarop nam hij haar mee naar het scriptorium, waar de drie monniken uit Calabrië, twee oudere mannen en een leerling, aan het werk waren met de vertalingen van *Het Libro Rosso*. Matilda had hen niet meer gezien sinds hun aankomst in Lotharingen en was blij de kennismaking te kunnen hernieuwen. De broeders waren duidelijk verrast haar te zien, maar begroetten haar hartelijk en nodigden haar uit wat te rusten terwijl ze zorgden voor een middagmaal van brood, met water aangelengd bier en kaas, allemaal afkomstig van de abdij zelf. Orval was al hard op weg een bloeiende, zelfvoorzienende gemeenschap te worden. Matilda was dolgelukkig met alles wat er was bereikt.
Na het middagmaal en nadat de Calabriërs haar op de hoogte hadden gebracht van de stand van zaken betreffende de vertalingen – ze waren al veel verder dan ze had verwacht – verlangde Matilda ernaar het pièce de résistance te zien.
'Breng me naar ons labyrint,' zei ze tegen Patricio, die nederig gevolg gaf aan haar verzoek.
Het was schitterend. Patricio was met een aantal meestersteenhouwers meer dan een jaar lang in touw geweest om de honderden bijpassende tegels te maken die zorgvuldig, een voor een, in de grond waren gelegd om de elf omlopen te creëren. In het hart van het labyrint bevond zich een volmaakte roos, bij wijze van contrast samengesteld uit lichter gekleurde stenen. Het was een meesterwerk!
'Kijk.' Patricio leidde haar naar de ingang, die pal op het westen lag. Vandaar liep hij een stuk of tien passen bij haar vandaan; toen knielde hij om haar de ijzeren ring aan te wijzen, ingebed in de aarde. 'Voor *Notre Dame*, Onze Vrouwe van het Labyrint.'
Matilda keek hem stralend aan. Toen pakte ze een pluk van haar haar en bond die met een bruidsknoop aan de ring. Met een kus op zijn wang

bedankte ze Patricio, waarop ze eindelijk begon aan de langverwachte wandeling door haar labyrint, waar God op haar wachtte in het hart.

❂

Matilda beleefde een heerlijke, zij het ook verwarrende tijd in het labyrint. Ze zag een visioen van zichzelf in Toscane, met Conn en bisschop Anselmo en Isobel, en er was nog iemand bij, een man, een krachtige, opvallende verschijning die ze niet herkende. Ze vond het merkwaardig dat ze er niet ouder uitzag dan op dit moment. Als Toscane haar toekomst was, dan toch zeker een toekomst die nog ver in het verschiet lag. Wanneer het kind er eenmaal was, zou Godfried haar nooit toestemming geven om te reizen. Opnieuw een visioen, deze keer van Lucca, in de kersttijd. Ze stond voor de kathedraal van San Martino. Haar kathedraal. En in beide visioenen was ze gelukkig, bijna ondraaglijk gelukkig. Was een dergelijk geluk mogelijk? En van welke tijd in de toekomst ving ze een glimp op? Misschien was het slechts een droom, een verlangen dat huisde in haar ziel, in plaats van een visioen van een werkelijkheid die op haar wachtte. Ze vond het ontmoedigend dat ze geen visioen kreeg van haar kind. Toch voelde ze het bewegen in haar schoot. Misschien wilde God niet dat ze het al voor de geboorte zou zien.
Patricio, die buiten het labyrint op haar wachtte, begon zich zorgen te maken. Ze was er al erg lang, en als ze niet snel naar buiten kwam, zouden ze nooit voor het donker terug zijn in Verdun. Hij sloot zijn ogen en bad met al zijn overtuiging dat ze zich onmiddellijk bij hem zou voegen. Maar hij moest nog heel lang wachten voordat ze naar buiten kwam, ademloos door de visioenen die ze had gekregen.
'Daar is nu geen tijd voor, Tilda. We moeten direct naar de paarden. Vertel het me onderweg maar.'
Ze knikte, en toen ze naar de lucht keek, besefte ze geschrokken dat het veel later was dan ze had verwacht. Patricio hielp haar met opstijgen en volgde dicht achter haar toen ze de terugweg naar Verdun aanvaardden.
De herfst was in het land, de dagen begonnen korter te worden. Matilda moest een keuze maken: een snelle rit om nog zo veel mogelijk van het daglicht te profiteren, of een veiliger tempo dat veel lager lag, waardoor ze riskeerden het laatste stuk in het donker te moeten rijden. Ze koos voor het eerste en dreef haar paard aan tot galop.
'God helpe ons,' mompelde Patricio terwijl hij zijn best deed haar bij te houden.

Matilda zou nooit weten of het zo bestemd was geweest, of dat ze zelf oorzaak was van wat er gebeurde. Hoe dan ook, het steeds schaarsere licht en het hoge tempo waartoe ze het oudere paard dwong, vormden een fatale combinatie. Het dier verstapte zich, in volle galop, en struikelde. Onder normale omstandigheden zou Matilda zich met een atletische koprol uit het zadel hebben laten vallen en op z'n ongunstigst een paar blauwe plekken hebben opgelopen. Maar haar evenwicht was verstoord door de logheid die het gevolg was van haar zwangerschap, en ze was niet in staat adequaat te reageren. Ze werd uit het zadel geworpen en kwam hard op haar zij terecht.
Patricio, die dicht achter haar reed, zag het gebeuren en schreeuwde het uit van angst en wanhoop. Hij sprong van zijn paard en rende naar haar toe, opgelucht toen bleek dat ze nog ademde, ook al had ze het bewustzijn verloren. Hij inspecteerde haar of ze gewond was, maar zag nergens bloed. Uiterlijk bleek uit niets dat ze levensbedreigende verwondingen had opgelopen. Nadat hij zijn beste vriendin had toegedekt met de zware wollen deken van zijn paard, sprak hij het vurigste gebed van zijn leven. Toen sprong hij op zijn paard, en alsof de duivel hem op de hielen zat, reed hij naar het paleis van Verdun om hulp te halen.

❂

Pijn joeg door haar buik, alsof er van alle kanten gloeiend hete zwaarden in werden gestoken. Ze kwam weer bij, maar besefte onmiddellijk hoe gezegend ze was geweest in haar ijltoestand. Weer een brandende pijnscheut, gevolgd door het gevoel van warm vocht dat langs haar dijen stroomde. Ze had haar ogen geopend en zag dat ze in haar slaapkamer was, met aan weerskanten een van Godfrieds spionnen. Vroedvrouwen. De jongste, Greta, mocht ze wel. Ze was de enige van Godfrieds personeel die haar best deed vriendelijk te zijn tegen de nieuwe hertogin. Op dit moment streek ze met een koele, vochtige lap over Matilda's gezicht, en ze zei sussend in het Duits dat het allemaal goed kwam, dat ze thuis was.
De oudste van de twee was niet zo vriendelijk. Ze deelde op scherpe toon bevelen uit en ondertussen drukte ze voortdurend op Matilda's baarmoeder.
'Persen!' commandeerde ze op afgemeten toon. 'Als er nog enige hoop is voor het kind, moet het nu geboren worden.' Naar de rest van haar woorden, in gemompeld, bozig Duits, kon Matilda slechts gissen. Het was ongetwijfeld een vervloeking aan het adres van de hertogin van Lotharin-

gen, die zo slecht was geweest om het kind van de hertog in gevaar te brengen.
Matilda perste. Ze had geen keus. De druk op haar buik was bijna ondraaglijk, en met een vreemd geluid, alsof er een verstopping werd opgeheven, vergezeld van opnieuw een scherpe pijnscheut, voelde ze het kind door het geboortekanaal glijden en in de wachtende handen van de vroedvrouw belanden.
Het was te vroeg. Ze wisten het allemaal. Deze kraamkamer zou geen pril geluk kennen. Matilda verkeerde in shock, ze was uitgeput van angst en pijn, maar toch was ze niet zo ver heen dat het haar allemaal onverschillig liet. In de stilte die volgde, wachtte ze af terwijl de oudere vroedvrouw het bloed van het kindje veegde.
'Een meisje,' zei ze zonder enige emotie. En toen ineens, onverwacht, een licht koerend geluidje. Matilda hield haar adem in. Kon het toch waar zijn? Leefde haar kind? Ze probeerde rechtop te gaan zitten, maar de jonge vroedvrouw drukte haar met zachte drang weer in de kussens.
De andere vroedvrouw, die Matilda met niets dan grofheid had bejegend, was verrassend teder en voorzichtig met de boreling. Ze masseerde het kindje liefkozend en fluisterde onophoudelijk zachte woordjes. 'Ga de priester halen,' beet ze haar jongere collega toe.
Ze legde de zuigeling op een schone deken van nog maagdelijke wol en bracht Matilda's piepkleine dochtertje toen naar haar moeder.
'Ze leeft,' zei ze, opnieuw zonder enig blijk van emotie, terwijl ze het kindje naast de moeder in bed legde. 'Maar dat zal niet lang duren. Ze is te klein, haar longen werken niet. Voor de nacht om is, zal ze sterven. En voordat haar vader de kans heeft haar levend te zien.' Dit laatste klonk nadrukkelijk als een beschuldiging. 'U moet haar een naam geven, zodat de priester haar kan dopen en haar ziel niet verloren gaat. Een christelijke naam.' De nadruk op 'christelijk' ontging Matilda niet. De vroedvrouw zou het niet laten gebeuren dat deze heks het kind van de hertog nog meer verdoemde dan het al verdoemd was.
Met inspanning van al haar krachten richtte Matilda zich op en nam het kleine bundeltje in haar armen. Het kindje was zo klein dat het niet echt leek. Een volmaakt klein meisje, zelfs in miniatuur. Niets wees op een aangeboren misvorming zoals haar vader die had. De enige gelaatstrek die Matilda herkende, was het kuiltje in het kinnetje, een erfenis van haar moeder. Er groeiden nog maar weinig haartjes op het hoofdje, maar Matilda kon zien dat ze dieprood van kleur waren.
Gedurende een moment dat een eeuwigheid leek te duren, keken Matilda

en het kindje elkaar aan. Matilda was ervan overtuigd dat het kindje haar zag. Het duurde maar even, een blik van herkenning, een blik waaruit intelligentie sprak, een glimp van de ziel van dit kind dat voor zo korte tijd ter wereld was gekomen. In dat ene hartverscheurende moment waren ze met elkaar verbonden, moeder en dochter, en Matilda dacht dat haar hart zou breken. Het was haar schuld wat er was gebeurd. Ze bad dat God haar zou geven wat ze haar kostbare, onschuldige kind had aangedaan.

Het duurde niet lang of de priester kwam – Godfrieds strenge biechtvader die ook onder de gunstigste omstandigheden niets anders dan afkeuring jegens Matilda koesterde. Hij sprenkelde in grote haast wijwater op het hoofdje van het kindje, alsof hij verwachtte dat het elk moment kon sterven.

'Hebt u haar een christelijke naam gegeven?'

Matilda streek met haar vinger over het kuiltje in de kin van het kindje. Ze knikte vluchtig.

'Ja. Ik noem haar Beatrice Magdalena.'

De priester trok een misprijzend gezicht, maar zei niets. Hij doopte het kind en gaf het meteen daarop het laatste oliesel, in een tijdsbestek van slechts enkele ademtochten. Een vreemd sacrament van leven en dood tegelijk. Toen liep hij de kamer uit, zonder Matilda nog een blik waardig te keuren.

Ze legde haar kindje tegen haar borst en wiegde het meisje voor de rest van haar korte leventje. Slaapliedjes kende ze niet, dus het kindje luisterde in haar laatste ogenblikken naar haar snikkende moeder, die haperend het enige lied zong dat haar ooit had getroost. Het lied in het Frans, over de liefde.

✿

Matilda had het gevoel dat ze stikte. Er lag iets op haar gezicht en ze kreeg geen lucht. Hoezeer ze ook worstelde om zich te bevrijden, het was tevergeefs. Haar belager was sterker dan zij, zeker in haar huidige, verzwakte toestand. Net toen ze het bewustzijn zou verliezen, hoorde ze een mannenstem die op luide toon alarm sloeg. Er volgde een worsteling in de slaapkamer, vergezeld van geschreeuw in het Duits. Toen werd het kussen van haar gezicht genomen.

Happend naar lucht probeerde Matilda te begrijpen wat er aan de hand was. Het duizelde haar en haar zicht was vertroebeld. De bultenaar stond over haar heen gebogen met een kussen – het potentiële moordwapen – in

zijn handen. Maar hij was niet degene die haar had aangevallen. Tegen alle verwachtingen in bleek dat Godfried haar had gered. De moordpoging was gedaan door de oudste van de twee vroedvrouwen, die Matilda met een blik van haat in haar ogen aankeek en naar haar spuugde.
'Duivelin! Moordzuchtige heks! Je had dat kind net zo goed haar strot kunnen doorsnijden.'
'Zo is het genoeg!' Godfried zou later met de vroedvrouw moeten afrekenen. Een poging tot moord kon hij niet toestaan in zijn slaapkamer, zelfs al werd die poging door het grootste deel van zijn huishouden als rechtvaardig beschouwd. Terwijl de vroedvrouw de kamer uit stormde, keerde Godfried zich naar zijn vrouw. Matilda probeerde iets te zeggen, maar de woorden bleven steken in haar keel.
Zonder mededogen en vol haat keek de gebochelde op haar neer. 'Je hoeft me niet te bedanken, vrouw. Ik heb je vervloekte leven niet gered omdat het me iets waard is. Maar voor een vrouwelijke nazaat wil ik mijn sterfelijke ziel niet in gevaar brengen door moord toe te staan in mijn huis. Als het kind een jongen was geweest, had ik de vroedvrouw geen strobreed in de weg gelegd en je laten vermoorden. Het is maar dat je het weet.'

Ze moest hier weg, nu meteen. Zolang ze in Verdun bleef, liep haar leven gevaar. Daar was Matilda van overtuigd. Het hele huishouden was loyaal aan de bultenaar, en iedereen in het paleis geloofde dat ze een moordzuchtige heks was die welbewust zijn kind had gedood. Greta, de jongste van de twee vroedvrouwen, bleek als enige op haar hand te zijn, want het meisje kwam controleren of het goed met haar ging en bracht haar brood en wat wijn, aangelengd met water. Door in te spelen op haar schuldgevoel en door omkoperij wist Matilda haar aan de praat te krijgen.
Zo kwam ze te weten dat er in het paleis werd gefluisterd dat het maar goed was dat de zuigeling was gestorven, omdat het meisje hetzelfde onzalige rode haar had gehad als haar moeder. Er was geen twijfel over mogelijk dat ze ook een heks zou zijn geworden, en dus een vloek voor hun goede hertog. De hertogin liep echter rechtstreeks gevaar, aldus Greta. Er was meer dan eens gezegd dat, als Matilda in de komende dagen zou sterven, dat moeiteloos kon worden geweten aan complicaties bij de bevalling. Er was niemand in het paleis die dat zou bestrijden, en Godfried zou al haar bezittingen erven en de vrijheid hebben een nieuwe start te maken met een jongere vrouw.

Matilda bood het meisje een deel van de inhoud van haar sieradenkist als ze een boodschap naar Orval wist te krijgen. Sinds het ongeluk in het bos was het Patricio verboden zich in de buurt van Verdun te wagen, want Godfried beschouwde hem als medeplichtig. Maar hij moest weten in welk gevaar ze verkeerde, en dat de toekomst van hun geliefde Orval misschien ook gevaar liep. Het toeval wilde dat de broer van het meisje als stalknecht op het paleis werkte, en in ruil voor een robijnen collier dat een koningin niet zou hebben misstaan, was hij maar al te graag bereid een paard voor Greta in gereedheid te brengen zodat Matilda een boodschap naar Patricio kon brengen.

In het holst van de nacht verliet ze het paleis. Door de bediendenuitgang. Met niets anders dan de kleren die ze droeg. In de stal wachtte ze op de komst van de jongen. Toen het paard was gezadeld, reed ze de nacht in, vurig biddend dat de maan helder genoeg zou zijn om haar bij te lichten. Ze dwong zichzelf rustig te rijden, bang als ze was om opnieuw noodlottig ten val te komen.

❁

'Ik moet hier blijven, Matilda. Alles wat we hebben opgebouwd, loopt gevaar. De bultenaar zal me niets doen. Dat zou hij niet durven. Ik ben een monnik, dit is een godshuis. Bovendien moet je niet vergeten dat hij geen idee heeft wat de werkelijke bedoeling is van deze abdij. Trouwens, dat heeft niemand. In de ogen van heel Lotharingen bouwen we simpelweg het mooiste klooster van heel Noord-Europa. Dat is iets waar Godfried alleen maar trots op kan zijn.'

Matilda knikte, vurig wensend dat hij gelijk had. Ze wilde dat Patricio hier in Orval bleef, om het werk af te maken en de bouw te voltooien van hun grootse visioen dat op zo'n schitterende manier tot leven kwam. Ze had er al geruime tijd eerder voor gezorgd dat alle beschikbare gelden in de schatkist van de abdij waren gestort die door Patricio werd beheerd, zodat Godfried de bouw niet kon dwarsbomen door de benodigde middelen te blokkeren. Maar ze was bang dat haar echtgenoot Patricio op een andere manier zou proberen te schaden, als vergelding voor wat hij zag als medeplichtigheid aan haar verraad.

'Ik maak me meer zorgen over hoe het verder moet met jou. Je moet hier onmiddellijk weg, maar als vrouw alleen kun je onmogelijk de reis over de Alpen maken.'

'Mijn moeder heeft hier familie, even buiten Stenay. Een nicht. Daar ga ik

naartoe, om te vertellen wat er is gebeurd. En vervolgens stuur ik een boodschapper naar Toscane, met de vraag of ze een escorte willen sturen om me naar huis te begeleiden.'
'Kun je die nicht van je moeder vertrouwen?'
'Ik heb haar nooit ontmoet, maar ze bestiert als hertogin haar eigen bezittingen, en ze heeft zich meer dan eens verzet tegen Hendrik. Dus volgens mij hebben we veel gemeen. Dat hoop ik tenminste. En eerlijk gezegd, ik heb geen andere keus dan haar te vertrouwen.'
'Dat is waar. Het ga je goed, zuster. En neem contact met me op zodra je kunt. Van nu af aan zullen we de Sator-Rotas-code moeten gebruiken voor onze correspondentie.'
De Meester had hun als kinderen een code geleerd om te zorgen dat bepaalde teksten alleen door ingewijden konden worden gelezen. De code stamde uit de eerste dagen van het christendom in het oude Rome, toen iedereen die werd ontmaskerd als belijdend christen een wisse dood wachtte. Dankzij deze code hadden de vroegste bekeerlingen in het geheim met elkaar kunnen communiceren. Voor de jonge Matilda en Patricio was het een avontuurlijk spel geweest: het heen en weer sturen van briefjes in de vreemde volgorde van letters en cijfers zoals ze voorkwamen in het magische vierkant. Nu zouden ze de code opnieuw gebruiken om het ware christendom te beschermen, en om Matilda's veiligheid te garanderen.

❂

*God zorgt voor de Zijnen.*
Het was iets wat de Meester bij herhaling tegen haar had gezegd, en haar hele leven had ze geweten dat het waar was. Wanneer ze in nood verkeerde en dringend behoefte had aan goddelijke bijstand, was die altijd gekomen. In dit geval manifesteerde de goddelijke bijstand zich in de persoon van de nicht van haar moeder, Giselda, genoemd naar de koningin die Beatrice had grootgebracht toen deze wees was geworden. Het bleek dat de naam binnen hun familie synoniem was met kracht en gratie. Giselda, een excentrieke, ontwikkelde vrouw, was vervuld van afschuw en verontwaardiging door zowel de verdorven reputatie als de hebzuchtige aard van Hendrik IV die net iets te vaak haar erflanden was binnen gevallen. Hij mocht dan koning zijn, zij stamde rechtstreeks af van Karel de Grote en verdiende als zodanig een betere behandeling dan ze ontving van deze decadente parvenu.

Matilda's verschijning aan haar deur was een godsgeschenk, en al snel hadden de vrouwen een band gesloten en afgesproken hun krachten te bundelen. Matilda beloofde plechtig hulp vanuit Toscane wanneer en als het ooit nodig mocht zijn Giselda's gebieden te beschermen, en die zorgde op haar beurt voor luxueus onderdak, competente doktoren en aangenaam gezelschap. Bovendien stuurde ze haar meest capabele boodschapper naar Mantua.
Het duurde weken voordat het escorte uit Toscane in Lotharingen arriveerde, hetgeen Matilda de broodnodige tijd gaf om te herstellen. Ze moest het verdriet om haar verlies verwerken, ze moest in het reine zien te komen met het verpletterende schuldgevoel, en ze moest genezen van het trauma dat de gruwelijke, nachtmerrieachtige nasleep van haar bevalling haar had bezorgd. Giselda's meelevende oor en de rust van een vreedzaam oord waar ze veilig was, voedden Matilda's ziel met nieuwe kracht, terwijl de deskundige doktoren van haar nicht haar lichaam hielpen te genezen voordat het tijd werd de Alpen over te steken. De winter stond voor de deur, dus al te lang kon ze daar niet meer mee wachten.
Toen de Toscanen in zicht kwamen en de zon weerkaatste op het gemberkleurige haar van de reusachtige ruiter die Matilda kwam halen om haar veilig thuis te brengen, was ze klaar voor de reis.

✿

De volgende dag, terwijl Matilda en haar Toscaanse escorte zich voorbereidden op hun vertrek, bracht een boodschapper van een benedictijner klooster een brief van Patricio. De wanhopige smeekbede was in geheimschrift geschreven, dus het vereiste enige tijd om de tekst te ontcijferen. Matilda pijnigde haar geheugen en tekende het magische vierkant, waarin letters werden omgezet in cijfers en vervolgens weer in letters. Uiteindelijk had ze een samenhangende boodschap op papier staan:

*Mijn lieve zuster,*

*De bultenaar heeft beslag gelegd op Orval en* Het Libro Rosso.
*Goddank zijn de voltooide kopieën veilig in het scriptorium, maar het origineel en de Ark van het Nieuwe Verbond heeft hij meegenomen.*
*Hij weet niet wat hij daarmee in handen heeft, ook al beseft hij wel dat het boek en de ark voor mij heel dierbaar en waardevol zijn. Ik neem aan dat hij ze wil gebruiken om jou te dwingen terug te keren.*

*Mij gaat het goed, net als de broeders. Maar ik ben wanhopig over het lot van ons heiligste geschrift.*
*Ik denk dat het zich in het paleis van Verdun bevindt. Als je jongere broeder vraag ik je om raad. Wat moet ik doen? Wees ervan overtuigd dat ik je raad zal opvolgen, omdat ik weet dat je in harmonie bent met wat God met de onzen voorheeft.*
*Ik bid regelmatig voor je en wens niets liever dan dat je veilig en gelukkig bent.*
*Het ga je goed.*

*Je liefhebbende broeder Patricio*

Matilda was ziedend. En met stomheid geslagen. Na wat er was gebeurd, had ze niet gedacht dat Godfried haar terug wilde. En ze had al helemaal niet verwacht dat hij haar op een dergelijke manier zou chanteren. Ze vroeg Giselda om perkament en inkt en schreef haar antwoord, zowel aan Patricio als aan de bultenaar. Het voordeel van haar intellect en uitstekende opleiding was dat Matilda nooit op een klerk hoefde te wachten. Het merendeel van haar correspondentie handelde ze zelf af, en daar ontleende ze grote vreugde aan, vooral wanneer ze zich kon uiten zoals vandaag.
De eerste brief verschafte loutering. Ze legde al haar verontwaardiging, al haar verbolgenheid in haar woorden:

*Aan hertog Godfried van Lotharingen, van gravin Matilda van Canossa,*

*In de naam van het volk van Toscane en het adellijke geslacht van Canossa eis ik de onmiddellijke teruggave van onze heiligste voorwerpen van aanbidding die onwettig in beslag zijn genomen door het Huis van Lotharingen. In het bijzonder* Het Libro Rosso, *mijn dierbare rode boek, moet onmiddellijk worden teruggebracht naar de broeders van Orval, opdat zij het kunnen bewaren in de veilige kluis die daar speciaal voor is gebouwd.*

*Als* Het Libro Rosso *niet onmiddellijk wordt teruggebracht zal het Huis van Toscane een rechtvaardige en heilige oorlog uitroepen tegen het Huis van Lotharingen. Indien nodig zal ik iedere beschikbare krijger in Noord-Italië onder de wapenen roepen en hoogstpersoonlijk aan het hoofd van die troepenmacht optrekken naar Stenay om de heilige voorwerpen met geweld terug te vorderen.*

Ze ondertekende de brief met de krachtige streken van haar stoutmoedigste ondertekening: *Matilda, bij de Gratie van God Die Is*, met een kruis tussen de letters en gevolgd door de symbolen van Pisces en Aries, die de symbolen van haar handtekening waren geworden, als de christelijke dochter van de profetie van de equinox. Ze hield niet langer de schijn op voor de bultenaar, of voor wie dan ook. Ze presenteerde zich in de volle luister van haar identiteit en zou terugnemen wat haar rechtens toekwam en wat onder haar bescherming stond. Vanaf die dag zou Matilda haar handtekening vergezeld laten gaan van deze radicale verklaring, om aan te geven dat ze dankzij Gods gratie recht had op alles wat ze bezat, als Zijn uitverkoren dochter. Ze had geen verdere erkenning nodig, van echtgenoot noch koning, om aanspraak te maken op al wat haar was gegeven en om dat te behouden.

De tweede brief was gericht aan Patricio. Daarin liet ze hem weten dat Conn haar brief persoonlijk bij Godfried zou afleveren en namens haar over de voorwaarden van een overeenkomst zou onderhandelen. Dit was een missie die niet mocht mislukken, dus aan die mogelijkheid wilde ze niet eens denken. Ze verzekerde Patricio dat de ark en zijn kostbare inhoud, *Het Libro Rosso*, onmiddellijk onder zijn veilige hoede zou terugkeren. Vervolgens zou ze opdracht geven het boek aan haar over te dragen voor de reis over de Alpen, terug naar huis, waar het hoorde. Terug naar Lucca.

✿

Godfried van Lotharingen was hevig geïntimideerd door de Keltische reus die in naam van Matilda met oorlog dreigde, maar het sierde hem dat hij weigerde zich te laten kennen. Hij eiste de terugkeer van zijn vrouw in ruil voor de artefacten die hij in Orval in beslag had genomen.

Conn lachte hem in zijn gezicht uit en herinnerde de bultenaar eraan dat een door hem persoonlijk ingehuurd personeelslid had geprobeerd de hulpeloze Matilda in haar eigen bed te vermoorden na het verlies van haar kind, het meest tragisch denkbare verlies voor een vrouw. Hij gebruikte welbewust het woord 'vermoorden' en niet 'doden' omdat de politieke associaties Godfrieds juridische positie verzwakten. De hertog was in het nauw gedreven in een door hemzelf gecreëerd moeras, en hij wist het.

Daarop leverde Conn de rest van de voorwaarden af. Matilda was niet geheel onredelijk in haar eisen, want op dat moment kende ze slechts twee prioriteiten: de teruggave van de meest heilige bezittingen van de Orde, en haar veilige en ongestoorde vertrek uit Lotharingen. Wanneer ze eenmaal terug was in Toscane, zou ze zich met haar adviseurs – van wie haar moeder de voornaamste was – buigen over haar huwelijkse omstandigheden. Ze hoopte dat Godfried snel en zonder verzet met haar eisen zou instemmen, omdat ze niet voorstelde van hem te scheiden. Nog niet, in elk geval, hoewel het voorhuwelijkse contract haar wettelijk het recht gaf dat te doen wegens wreedheid. Hij zou zijn titels in Toscane behouden, zolang hij zich niet bemoeide met het bestuur van haar bezittingen op een manier die zij als offensief ervoer. Dit behelsde dat al haar gebieden achter Hendrik zouden staan. Ze had Conn zelfs opdracht gegeven er tegenover de bultenaar op te zinspelen dat ze, wanneer de tijd haar wonden had genezen, misschien bereid zou zijn te overwegen terug te keren naar het huwelijksbed. Tenminste, als hij blijk gaf van zijn vertrouwen in deze moeilijke tijd door haar bezittingen terug te geven.

De Alpen zouden verkruimelen, de wateren van de Arno niet meer stromen, voordat ze Godfried ooit nog de kans zou geven haar aan te raken! Maar ze hoopte dat hij te onnozel was om dat te beseffen. Zijn obsessie was nog altijd haar meest waardevolle onderhandelingsinstrument in de oorlog met haar man, en het werkte. Godfried stemde in met de teruggave van wat rechtens van haar was, inclusief een aantal persoonlijke bezittingen die ze noodgedwongen in het paleis had achtergelaten. Het meest waardevolle daarvan was het kostbare ivoren kistje dat een geschenk was geweest van Bonifacio, en haar beeldje van Modesta. Verder zou Godfried haar zes maanden de tijd geven om haar gebieden en haar moeder te bezoeken, voordat hij haar terugkeer als zijn vrouw zou eisen. Conn stemde hiermee in, maar al te goed wetend dat Matilda elke denkbare strategie zou gebruiken om een terugkeer naar haar man te voorkomen. Hij hield Matilda's woedende brief bij zich. Het was beter om zoiets belastends als het dreigen met oorlog niet in handen van de vijand te laten. Dat kon later tegen haar worden gebruikt. Bovendien was er de kwestie van de ketterse ondertekening. Het leek hem het best de brief aan Matilda terug te geven. Misschien zou hij in de toekomst van pas komen, dacht hij enigszins afwezig.

❂

Conn escorteerde de Ark met zijn heilige inhoud naar Patricio ter inspectie en bracht – met de Ark – een nacht door in Orval. Samen met de kopiisten uit Calabrië controleerden ze of de kopieën compleet waren, met alle teke-

ningen en diagrammen, en of het origineel intact en onbeschadigd was. Nadat ze een voor een het vergulde en met edelstenen ingelegde omslag eerbiedig hadden gekust, werd *Het Libro Rosso* teruggelegd in de Ark en onder de hoede geplaatst van Conn van de Honderd Slagen, die met onverwachte en uitzonderlijke bezieling plechtig beloofde het te beschermen.
Tijdens een rondgang over het terrein van Orval prees de Keltische reus Patricio voor het schitterende werk dat hij had verricht. Hij had waarlijk een gouden abdij gebouwd, een waardig onderkomen voor het meest gewijde geschrift, het Ware Woord van de Heer en de profetieën van Zijn heilige dochter. De bogen van het schip, ontworpen door Matilda, rezen in ongekende hoogte en majesteit ten hemel. Het metselwerk en de gekozen stenen waren buitengewoon nauwgezet en in artistiek opzicht briljant. Het hele gebouw was een meesterwerk, tot stand gekomen door de macht van de liefde. Conn was diep onder de indruk van het uitgestrekte labyrint in de tuin en vroeg verlof om in alle afzondering de omlopen naar het hart te volgen.
Na de dag die hij met Conn had doorgebracht, was Patricio geschokt en verbijsterd door Conns intieme kennis van de inhoud van *Het Libro Rosso*. Voor zover hij wist, was de grote Kelt nooit lid geweest van de Orde en Patricio vroeg zich af hoe het kon dat hij zo goed op de hoogte was van hun tradities. Het was ondenkbaar dat Matilda hem had ingewijd, want hij wist dat ze haar belofte van geheimhouding nooit zou verraden door er met buitenstaanders over te praten. Wist Matilda eigenlijk wel dat Conn uitgebreid kon citeren uit *Het Boek der Liefde*? En dat hij ook precies wist hoe hij het labyrint moest lopen en wat de achterliggende gedachte daarvan was?
Het was een mysterie, maar Conn liet niets los over zijn geschiedenis. Patricio overwoog een Sator-Rotas-brief naar Matilda te sturen, maar hij kon niet het risico nemen dat de Kelt die code ook kende. Het leek Patricio beter hem niet te kwetsen. Conn was duidelijk een bondgenoot die zichzelf zag als een heilige verdediger van hun kostbare Voorzegde. Hij zou geen moment aarzelen om zijn leven voor Matilda te geven. Patricio besloot dat Conn waarschijnlijk een van Gods uitverkorenen was, en het was niet aan hem om zich te bemoeien met wat hij wist, en hoe hij dat wist. De schat van de Orde van het Heilige Graf zou veilig zijn onder de bescherming van Conns zwaard en dat van Matilda. *Het Libro Rosso* en de Ark van het Nieuwe Verbond zouden behouden terugkeren naar Italië, waar ze hoorden. Althans, voorlopig.

Precies zes maanden later begon Godfried boodschappers naar Mantua te sturen, met brieven waarin hij de terugkeer van zijn vrouw naar Verdun eiste, uiterlijk in juni 1072. Matilda negeerde hem. Zijn brieven kwamen steeds frequenter, de toon werd steeds milder, maar Matilda bleef ze negeren. Na acht maanden smeekte Godfried van Lotharingen zijn vrouw hem tenminste te ontmoeten om de toekomst van hun huwelijk te bespreken. Toen ze weigerde zijn brieven zelfs maar te beantwoorden, marcheerde hij naar Toscane om zijn rechten te doen gelden als hertog en hof te houden in Mantua. Opnieuw pleitte hij bij Matilda om zich bij hem te voegen, om als zijn hertogin aan zijn zijde te zitten en samen te regeren in Italië. Ze verhuisde simpelweg naar haar burcht op de heuvel van Canossa om hem te ontwijken.
Beatrice bleef achter om balsem op de wonden van de gekwelde Godfried te smeren. Ze smeekte hem geduld te hebben met Matilda en haar te vergeven dat ze weigerde hem te ontmoeten. Door hem met de situatie te verzoenen hoopte ze hem milder te stemmen, want Beatrice had zich vast voorgenomen elk potentieel gevaar dat Matilda's erfenis bedreigde uit de weg te ruimen. Ze legde op gedempte toon uit dat haar dochter sinds het verlies van haar kind niet meer dezelfde was geweest, en dat haar man haar simpelweg wat meer tijd moest geven. Deze tactiek werkte een poosje, maar uiteindelijk keerde de versmade en gekwetste bultenaar hevig geagiteerd naar Lotharingen terug. Spoedig daarop deed hij zijn beklag bij Hendrik IV, die Godfrieds aanspraken als enige erkende heerser op de troon van Toscane maar al te graag erkende – in ruil voor de eed van trouw en de militaire macht van Lotharingen. Hendrik verklaarde dat Matilda de Salische wet had overtreden, volgens welke vrouwen niet het recht hadden te erven, en verklaarde al haar bezittingen verbeurd. Met de steun van de koning zette Godfried een volgende stap om de vrouw die hem had verlaten razend te maken: hij benoemde zijn neef, Godfried van Bouillon, tot zijn enige erfgenaam, waardoor Lotharingen – en Toscane – bij de dood van de bultenaar aan hem zouden toevallen.
Ook dit negeerde Matilda botweg. Ze was aan geen andere meester verantwoording schuldig dan aan God, en het was aan Hem dat ze haar bezittingen dankte. Ze koesterde voor Hendrik een zo mogelijk nog diepere minachting dan voor de bultenaar, en ze had reeds lang geleden besloten dat geen van beiden haar ooit nog van haar bezittingen zou beroven. In haar ogen was bezit de wet, en ze bezat Toscane: het land en het volk. Ze bleef rondtrekken door haar rijk, samen met haar moeder, om uitspraak te doen in geschillen en vergaderingen te beleggen, niet alleen in de belangrijkste

gebieden, maar ook in de kleinste gehuchten. Ze was voor iedereen zichtbaar als leider van haar volk, dat haar aanbad. Haar reputatie als rechtvaardig en barmhartig bestuurder verspreidde zich over Italië, terwijl Matilda indruk maakte door programma's te verwezenlijken die de behoeftigen verlichting brachten en die leidden tot herbouw van de stadjes en dorpen die tijdens de schismatische conflicten in puin waren gelegd. Ze zette bouwprojecten op om kloosters en kerken te herbouwen en te verfraaien voor de glorie van God en voor het spirituele welzijn van Zijn kudde. Liefdadigheidsprogramma's werden bestuurd door monniken en nonnen vanuit de kloosters, waar op regelmatige basis voedsel werd verstrekt aan de armen.
Haar hoofdkwartier in Canossa werd 'het Nieuwe Rome' genoemd. Het bloeide als een centrum van levendige handel en scholing. Ze versterkte en restaureerde het klooster van San Benedetto de Po even buiten Mantua, haar residentie. Het klooster was gebouwd door haar grootvader, ter nagedachtenis aan haar heilig verklaarde grootmoeder. Ze had een ware liefde ontwikkeld voor inspirerende architectuur, een liefde die was begonnen met de herbouw van de San Martino in Lucca, en die in Orval haar hoogtepunt had bereikt. Ze miste Orval en Patricio en alles wat ze samen tot stand hadden gebracht enorm. Dat was het enige wat haar speet over haar vertrek uit de nachtmerrie van het noorden. Het gevolg was dat ze San Benedetto begon te ontwikkelen als het Italiaanse Orval en er leden van de Orde naartoe haalde om met haar te werken aan haar begrip van *Het Libro Rosso*. De Meester was hecht verbonden met het hoofdkwartier van de Orde in Lucca en niet geneigd tot reizen, dus Matilda zag hem niet zo vaak als ze zou willen. Anselmo kwam echter vaak langs. Wanneer hij in Mantua was, bracht hij zijn dagen door met Matilda, om te studeren, en zijn nachten met zijn geliefde, Isobel.
Toscane bloeide onder Matilda's bewind, net zoals het dat had gedaan in de tijd van haar vader. Een slimme en charismatische jonge generaal van een adellijke Toscaanse familie die banden onderhield met de Orde, een zekere Arduino della Paluda, voerde het bevel over haar garnizoenen en nam een reeks strategische maatregelen waardoor de piraterij in Matilda's rijk werd uitgeroeid en de straf voor beroving zo zwaar werd dat niemand zich meer aan een dergelijk misdrijf waagde. Arduino zorgde ervoor dat er belastingen werden geïnd van buitenlandse kooplieden, in ruil voor de herstelde rust en veiligheid op de handelsroutes. Om het verkeer van personen en goederen te bevorderen werden bruggen gebouwd, sommige ontworpen door Matilda. De handel bloeide nog uitbundiger dan in de tijd van Bonifacio.

Vrede en welvaart keerden terug naar Toscane onder het bewind van de gravin die erom bekendstond dat ze met de armste van haar onderdanen aan tafel zat, en het brood brak met iedereen die haar daartoe uitnodigde. Dit waren haar mensen, en ze waren haar allemaal even dierbaar. Want dat was de leer van haar eeuwig geprezen Heer, in zowel de canonieke geschriften – bijvoorbeeld Mattheüs 22 – als in *Het Boek der Liefde*: om uw naaste lief te hebben als uzelf. En Matilda begreep dat al haar mensen, niemand uitgezonderd, haar naasten waren. Ze onderwees dit gebod door zelf het goede voorbeeld te geven. Sinds mensenheugenis had geen feodaal leider ooit een dergelijke positie ingenomen.

Tijdens haar groei als leider had Matilda haar eigen strategie ontwikkeld, een strategie die in overeenstemming was met haar diepgekoesterde spirituele overtuigingen. Ze koos niet alleen loyale, sterke en intelligente adviseurs. Ze verzekerde zich ervan dat ze in haar rechtstreekse omgeving werd omgeven door mensen die haar dierbaar waren. Ze omringde zich met diegenen van wie ze zeker wist dat ze tot haar 'familie van de geest' behoorden, zoals *Het Boek der Liefde* spirituele geestverwanten omschreef: mensen die lang geleden de belofte hadden afgelegd, aan elkaar, aan zichzelf en aan God, om hier te zijn op deze plek, in deze tijd. *De Tijd Keert Weder*. Haar viend Arduino leidde de legers die de veiligheid van het Toscaanse volk garandeerden. Conn, die haar nader stond dan een bloedbroeder, had de leiding van haar persoonlijke garde. Bisschop Anselmo van Lucca zag toe op het zielenheil van Toscane en steunde de hervormingen van zijn oom, paus Alexander II, terwijl hij in het geheim de Orde en zijn doelstellingen beschermde. Isobel, haar naaste vertrouweling, bleef de meesteres van haar huishouden, en Beatrice was haar sociaal en politiek mentrix in zaken van publiek belang.

De grootste zorg van deze uitgebreide feodale familie was Hendrik en Godfried op een afstand te houden. Matilda en de haren waren de facto een Toscaans bewind geworden dat het gebied controleerde van de Alpen, bijna helemaal tot aan Rome. Maar toen gebeurde er iets wat niemand had verwacht. In april 1073 stierf paus Alexander II, hun dierbare bondgenoot en geestelijk leider.

# 10

*Vaticaanstad*
*Heden*

Father Peter Healy liep over het Sint-Pietersplein, vervuld van ontzag door de schoonheid van Gianlorenzo Bernini's architecturale meesterwerk. Hoewel de ogen hem recent waren geopend voor de meedogenloze politiek van de Kerk waaraan hij zijn leven had gewijd, bleef hij met hart en ziel toegewijd aan de roeping die hem ertoe had gebracht de gelofte af te leggen. Voor hem was de Sint-Pieter nog altijd een heilige plek, de zetel van de eerste apostel en zijn opvolgers.

De lentezon scheen warm op zijn donkere haar, dat aan de slapen grijs begon te worden. Grappig: voordat hij zich in het Vaticaan vestigde had hij nog niet zoveel grijze haren gehad. Hij haalde de legitimatie uit zijn zak die hij nodig zou hebben om langs de Zwitserse Garde te komen en toegang te krijgen tot het kantoor van Zijne Eminentie, kardinaal DeCaro. Mede dankzij het feit dat hij vandaag in zijn volledige priesteruitmonstering was, kwam hij vlot en zonder problemen door de veiligheidscontroles.

Eind van de week zou de commissie die het evangelie van Arques bestudeerde weer bij elkaar komen, en Peter was hier voor overleg met zijn mentor, want de bijeenkomst beloofde nogal een beproeving te worden.

Hij haatte de commissie. Die was de vloek van zijn bestaan, en tegelijkertijd vertegenwoordigde ze datgene waarvoor hij leefde. Zijn leven hier in het Vaticaan was als de zevende kring van de hel. De commissie was in het leven geroepen om niet alleen de authenticiteit van het evangelie van Arques, geschreven door Maria Magdalena, te onderzoeken – het evangelie dat Maureen had ontdekt in het zuiden van Frankrijk –, maar ook om de controversiële kwesties die daarin aan de orde kwamen te plaatsen in een katholiek perspectief dat voor de gelovigen verteerbaar was. En dit laatste bewees een onmogelijke opgave te zijn.

De commissie van twaalf was een militant, ongemakkelijk gezelschap geworden, en dat was ook niet verbazend, want ze bestond voor het overgrote deel uit oudere, conservatieve geestelijken. Peter en kardinaal DeCaro waren de enigen die zich onomwonden voorstander hadden verklaard van de waarheid, tegen elke prijs. Er waren enkele leden die geen partij leken te kiezen en hun bijdrage leverden aan de interne worstelingen over de controversiële kwesties, maar de rest stond op het standpunt dat dit materiaal onder geen enkele voorwaarde openbaar mocht worden gemaakt en dat het tot in lengte van dagen geheim moest blijven. Peters vertaling was op diverse punten ter discussie gesteld, en hij zou zijn interpretatie op de bijeenkomst van deze week moeten verdedigen. Bij wijze van voorbereiding was hij begonnen met aantekeningen te maken naar aanleiding van de voornaamste punten van controverse die in het evangelie van Arques, het evangelie volgens Maria Magdalena, waren aangetroffen.

Hij zou met krachtige en overtuigende argumenten moeten komen waarom deze punten niet in strijd waren met de huidige leer van het katholicisme. Triest genoeg ging het er niet om of ze al dan niet overeenkomstig de waarheid waren. De afgelopen twee jaar had Peter geleerd dat de waarheid buitengewoon subjectief was. Dat gold overal, maar nergens zo overweldigend als in Rome. De waarheid deed er aanzienlijk minder toe dan het handhaven van de status-quo. Wandelend door het Vaticaan dacht Peter weleens dat ze banieren in de zuilengaanderijen zouden moeten hangen met EERST DE LEER, DAN DE WAARHEID erop. Hij was ervan overtuigd dat sommige oudere leden van de commissie dit op hun hart hadden laten tatoeëren.

Het zou een zware strijd worden, maar een strijd die hij zou moeten voeren met alle kracht en toewijding die hij in zich had. Hij had dit gruwelijke dilemma geschapen, dus nu moest hij ook doorbijten. Gelukkig stond hij niet alleen.

'Kom binnen, mijn jongen.' Kardinaal Tomas Borgia DeCaro ontving Peter hartelijk in zijn kantoor, dat even elegant en Italiaans was als de kardinaal zelf. Zoals zijn naam al deed vermoeden, was kardinaal DeCaro geparenteerd aan een van de rijkste en adellijkste families in Rome. Hij bewoog zich met de gratie die een product is van een leven van privileges en *noblesse oblige*. Het was aan zijn machtige, Italiaanse afkomst te danken dat hij in Rome zo'n hoge positie kon bekleden, ondanks het feit dat zijn theologische opvattingen door de huidige conservatieve kerkhiërarchie als radicaal werden beschouwd.

'Dankjewel, Tomas.' DeCaro was Peters mentor en naaste vriend in een wereld waar vrienden even belangrijk als zeldzaam waren. Hoewel ze elkaar bij de voornaam noemden wanneer ze onder elkaar waren, zou

Peter hem nooit met 'Tomas' hebben aangesproken als hij had geweten dat ze niet alleen waren. Hij schrok dan ook toen hij kardinaal Marcelo Barberini uit de antichambre zag komen.
'Father Healy, wat een genoegen u te zien.' Kardinaal Barberini stak Peter zijn hand toe, die deze hartelijk schudde. Barberini was een van de toonaangevende leden van de commissie die het Magdalena-materiaal bestudeerde. Een van de weinigen die het grootste deel van de tijd zwegen en luisterden, terwijl hij leek te worstelen met sommige van de belangrijkste punten. Daarnaast bekleedde hij een hoge positie in de naaste kring van medewerkers van de paus. Peter werd plotseling erg nerveus.
'Ga zitten, vrienden. Ga zitten.' DeCaro sloot de deuren aan weerskanten van het kantoor om te garanderen dat ze onder elkaar waren. Toen ging hij bij hen zitten in een van de zacht leren fauteuils in de hoek waar hij zijn gasten ontving. 'Peter, wat hier gezegd wordt, moet absoluut onder ons blijven. Althans, voorlopig. Ik heb Marcelo gevraagd hierheen te komen om met je te praten over recente ontwikkelingen in de zaak-Arques.'
DeCaro was sinds het allereerste begin betrokken geweest bij het evangelie van Arques. Hij was na de ontdekking zelfs naar het chateau gekomen om Maureen te ontmoeten en haar met raad en daad terzijde te staan. DeCaro was volledig overtuigd van de authenticiteit van het Magdalena-evangelie. Meer dan wie ook beschikte Tomas DeCaro over de kennis om het belang van deze documenten te begrijpen. Gezien zijn hoge rang had hij toegang tot materialen in het Vaticaan waar de meesten niet eens van konden dromen.
'Zoals je maar al te goed weet, zijn er leden van de commissie die niet uit de voeten kunnen met de mogelijkheid dat dit evangelie authentiek is,' vervolgde DeCaro. 'Ongeacht het bewijs dat de authenticiteit aantoont. Hoewel je presentaties uitstekend waren en goed gedocumenteerd, zijn de conservatievere leden van onze commissie er daardoor in sterke mate van doordrongen geraakt hoe controversieel en potentieel gevaarlijk dit evangelie kan zijn.'
Peter knikte, maar zei niets. Het leek hem beter af te wachten waar Barberini heen wilde. Tenslotte wist hij nog altijd niet waar hij hem moest plaatsen in de controverse.
Barberini, een gedrongen kleine man met een plezierig, blozend gezicht, boog zich naar voren. 'Father Healy, ik ben geschokt door de ontwikkelingen binnen de commissie. Men richt zich meer op de vraag hoe dit materiaal voor iedereen buiten de commissie moet worden afgeschermd dan op een eventuele authenticiteitsverklaring.'

Peter koos zijn woorden met zorg. 'En met afschermen bedoelt u...'
DeCaro boog zich geruststellend naar hem toe. 'Je kunt vrijuit spreken, mijn zoon. Marcelo is... hij staat aan onze kant.'
Dankbaar voor de bevestiging maakte Peter zijn zin af. '... dat ze het willen verdonkeremanen.'
Barberini knikte. 'Ik vrees van wel. Ik maak me ernstig zorgen dat dit buitengewoon belangrijke document nooit het daglicht zal zien. Sterker nog: ik ben ervan overtuigd dat we collega's in ons midden hebben die misschien zelfs bereid zijn het te vernietigen en te beweren dat het nooit heeft bestaan.'
Peter streek geërgerd met zijn handen over zijn gezicht. Dat was ook zijn grootste angst.
'Wanhoop niet, Peter. Zover is het nog niet,' zei Barberini.
DeCaro nam het van hem over. 'Maar wij drieën moeten – hier en nu – bepalen wie onze meester is. Dienen we een raad van feilbare mannen, die hun beslissingen laten beïnvloeden door hun aardse zorgen, of dienen we Onze Heer Jezus Christus? En als we Onze Heer Jezus Christus dienen, en Zijn waarheid, hebben we dan niet de plicht om, hoe klein de kans op een overwinning misschien ook is, te vechten voor de waarheid? Ongeacht de wegen die we daarvoor zullen moeten bewandelen?'
Kardinaal Barberini verraste Peter door de passie die steeds nadrukkelijker in zijn stem doorklonk. 'Ik kan wel huilen om deze mannen die we onze broeders noemen. Ze dragen de gewaden van hun macht en ze vertegenwoordigen het spiritueel gezag. Maar ook al waren ze ooit bezield met de beste bedoelingen, ze zijn de weg kwijtgeraakt. Ze beroepen zich op hun heiligheid, maar ze belichamen niets van de liefde en het inzicht die daarmee onverbrekelijk verbonden zijn. Wanneer we in vergadering zijn, denk ik weleens: wat zou Onze Heer tegen hen zeggen als Hij hier bij ons was? Ik heb geen antwoord op die vraag. Die vervult me alleen met verdriet.'
Even verzonken ze alle drie in gedachten. Ieder van hen was zich het afgelopen jaar in toenemende mate bewust geworden van eenzelfde gevoel van verdriet. Peter verbrak de stilte door een vraag te stellen die hem had beziggehouden sinds zijn eerste ontmoeting met De Pazzi, bij de Broederschap van de Heilige Verschijning. 'Waar staat Girolamo de Pazzi in deze zaak?'
'Zoals je weet, is hij geen lid van de commissie. En dat zou hij ook niet willen zijn. Hij is oud, Peter, en hij heeft een heel specifieke roeping, namelijk het vieren van de verschijningen van Onze-Lieve-Vrouwe. Als zodanig heeft hij geen belangstelling voor de commissie. Ook al geloof ik

wel dat hij in Maureen is geïnteresseerd, vanwege haar visioenen. Daar ligt zijn passie, en daar weet hij ook alles van.'
'Vertrouw je hem? Zou ik hem moeten vertrouwen?'
DeCaro haalde zijn schouders op. 'Hij heeft me nooit reden gegeven om hem niet te vertrouwen, ook al is hij natuurlijk duidelijk van conservatieve signatuur. Volgens mij is hij volkomen onschuldig. Maar dat gezegd hebbende... geloof ik niet dat ik buiten deze vier muren ook maar iemand vertrouw.'
'Dit kan voor ons allemaal de ultieme proef van ons geloof worden,' zei Barberini zacht. 'We zullen heel zorgvuldig en slim moeten zijn met de stappen die we nemen om het evangelie van Arques te beschermen. De situatie zou van ons kunnen vereisen dat we onze toevlucht nemen tot... guerrillatactieken.'
Peter schrok ervan zulke opstandige taal te horen uit de mond van deze kleine, vriendelijke man, die hij nooit anders dan rustig en bescheiden had meegemaakt. Hij zei niets, maar keek naar DeCaro toen die het overnam: 'De mogelijkheid bestaat dat we gedwongen zullen worden het origineel uit het Vaticaan te smokkelen. En als we dat doen... dan zijn we hier niet langer welkom.'
'Voor Tomas en mij is dit leven het enige leven dat we ooit hebben gekend.' Barberini slaakte een zucht.
'Toch hebben we eigenlijk altijd geweten dat deze dag, dit uur, ooit zou aanbreken,' voegde DeCaro eraan toe. 'We zijn er van jongs af aan op voorbereid geweest. Alleen wisten we niet welke loop de ontwikkelingen zouden nemen. Toch hebben we allemaal onze eigen bestemming gekozen, lang geleden toen we onze gelofte aflegden aan God. Nu is het moment aangebroken waarop we ons die belofte moeten herinneren. En dat geldt voor ons allemaal.'

In Alexandrië bracht Jozef hen onder in het huis van een groot man, een Romein die Maximinus heette. Jozef vertrouwde hem, na de vele jaren dat ze handel hadden gedreven. Maximinus was een balling uit Rome en op zijn manier ook een vluchteling. Hij kende de gevaren van vervolging door Rome maar al te goed en had grote compassie met ieder die daaronder had geleden.
Bij aankomst in het huis van Maximinus waren Maria Magdalena en haar kinderen uitgeput, door de reis en door alles wat ze hadden doorstaan. Hij verwelkomde hen allerhartelijkst en zorgde ervoor dat de vrouwe in alle opzichten goed werd verzorgd tijdens de laatste dagen van haar zwangerschap.
Maximinus had veel geleerd van de mysteriescholen in Egypte. Hij was een man die hongerde naar kennis, wijsheid en de waarheid. Tijdens Maria Magdalena's verblijf in zijn huis ontstond er een hechte vriendschap met Onze Vrouwe, en hij verwierf een diep inzicht in de Nazareense Weg van de Liefde, die immers vele tradities kende, afkomstig uit het rijke land Egypte. Ze hadden veel om over te praten en om van elkaar te leren, en de band die tussen Magdalena en Maximinus ontstond, was heel bijzonder en uniek.
Maximinus had in zijn leven veel geleden en grote drama's gekend. Zijn vrouw en kind waren omgekomen door kraamvrouwenkoorts toen ze waren gedwongen Rome te ontvluchten en in ballingschap te gaan. Hij zorgde dan ook voor de beste vroedvrouw die in heel Alexandrië te vinden was om Magdalena bij te staan tijdens de bevalling. En dankzij Gods gratie kon Sarai, een Egyptische priesteres, de heilige zuigeling die bekend zou worden als Jeshua-David, veilig en gezond in dit leven verwelkomen.
Zowel Jozef van Arimathea als de Romein Maximinus nam de zorg voor de zuigeling op zich, en de zorg voor de andere kinderen van Magdalena. Tijdens hun verblijf in Alexandrië begon Maria Magdalena met het inwijden van Maximinus in de wijsheid van *Het Boek der Liefde* en hij werd een van de meest toegewijde bekeerlingen in de leer van de Weg.
Toen de tijd was gekomen waarop de heilige familie Alexandrië verliet en scheepging naar Gallië, stond Maximinus erop Maria en de haren te vergezellen. Dat deed hij, en hij bleef voor altijd bij hen. Tijdens de rest van het lange leven van Magdalena was hij haar beschermer en metgezel, een man van uitzonderlijke devotie, en een voorbeeld van vaderliefde voor haar kinderen. Er wordt beweerd dat de liefde van Maximinus voor Magdalena geen grenzen kende, maar zuiver geestelijk was, door de nood der omstandigheden.
Maximinus schreef gedichten waarin hij haar uitzonderlijke gratie prees en zijn liefde voor haar kuis en eerzaam beleed. De eerste grote dichters van Frankrijk, de zogenoemde 'troubadours', zijn de erfgenamen van deze traditie en bezingen

hun hoofse liefde voor de heilige vrouw die voor hen onbereikbaar blijft omdat ze in de hieros gamos is beloofd aan een ander. Maar de liefde voor een dergelijk volmaakte vrouw duurt tot de dood en daarvoorbij. Zo kwam het dat Maria Magdalena de meest inspirerende artistieke muze werd, en Maximinus de eerste dichter-troubadour.
Het Franse woord troubadour betekent 'verloren goud vinden', en het is in het inzicht in de mysteries die ons zijn nagelaten door de wijsheid van Het Boek der Liefde dat we deze gezegende schat zullen vinden.
Het beroemdste gedicht van Maximinus leefde voort, in het Frans bewaard door de troubadours, omdat het een van de gekoesterde waarheden van onze leer bevatte, de waarheid over de terugkeer van liefde die een geschenk is van God:

Je t'ai aimé dans le passé
je t'aime aujourd'hui
je t'aimerai encore dans l'avenir.
Le Temps Revient.

Ooit had ik je lief
net als vandaag
en ooit zal ik je opnieuw liefhebben.
De Tijd Keert Weder

Maximinus werd in zijn tijd een groot leider van de Weg en diende Maria Magdalena de laatste sacramenten toe bij haar aardse dood. Toen zijn tijd was gekomen, vroeg hij aan haar voeten te worden begraven, en aldus geschiedde. Zo rustten ze samen vele jaren lang in het oord dat naar deze grote en heilige man is genoemd, Saint Maximin.

Wie oren heeft om te horen, die hore.

– Het verhaal van Maximinus de Romein
en hoe hij de Heilige Maximinus werd,
zoals bewaard gebleven in *Het Libro Rosso*

---

*Rome*
*April 1073*

Van de zeven legendarische heuvels van Rome was de Esquilijn de hoogste. Aan de voet van de westelijke helling lagen slonzige, overbevolkte krottenwijken, aan de oostkant de villa's van vooraanstaande burgers en adviseurs van de Caesars. Daartussenin stonden de huizen van Romeinse edelen en bestuurders die behoorden tot de middenklasse. In deze huizen bloeide het christendom in de eerste eeuw heimelijk, terwijl burgers op sleutelposities werden bekeerd door niemand minder dan de Heilige Petrus zelf. Tegen de tijd van Matilda werden deze eerste geheime centra van aanbidding erkend als de oudste kerken in Rome.
De kerk van San Pietro in Vincoli, de Heilige Petrus in Ketenen, was een van deze plekken. Hij stond boven op de steile heuvel, een heilig monument voor christenen in het hart van de Eeuwige Stad. De kerk was genoemd naar een relikwie dat van grote betekenis was voor de vroege christenheid en dat onsterfelijk was dankzij een tekst in de Handelingen der Apostelen. In Handelingen 12 schreef Lucas over de gevangenneming van Petrus, die door Herodes werd opgesloten in de Marmentijnse gevangenis, in de nasleep van de terechtstelling van de apostel Jacob de Mindere. Petrus werd in ketenen geslagen en in een bedompte kerker aan de muur gekluisterd, tot het wonder zich voltrok dat in vers zeven wordt beschreven:

> *En zie, een engel des Heren stond bij hem en er scheen licht in het vertrek, en hij stootte Petrus in de zijde om hem te wekken en zeide: 'Sta snel op!' En de ketenen vielen van zijn handen.*

De engel die de ketenen verbrak, leidde Petrus de gevangenis uit, naar de vrijheid, daarmee het wonder voltooiend. De ketenen die Petrus in gevangenschap had gedragen, werden naar Constantinopel gestuurd om als heilige relikwieën en bewijs van het wonder te worden bewaard. Daar bleven ze tot de vijfde eeuw, toen keizerin Eudoxia de ene helft naar haar dochter in Rome stuurde en de andere helft naar paus Leo I. De paus koos de plek waar een van de eerste christenen had gewoond en waar Petrus in het geheim vele gelovigen had gedoopt, om er de indrukwekkende kerk te laten bouwen als schrijn voor de ketenen.
Het leek een voor de hand liggende locatie voor wonderbaarlijke gebeurtenissen.

In deze kerk werd de uitvaartmis voor de diepbetreurde paus Alexander II gehouden, en het was ook daar dat zich op diezelfde dag een uitzonderlijk incident voordeed: de spontane verkiezing van een nieuwe kerkvorst door een emotionele menigte van geestelijken en mannen van de Kerk. Een man die op de dag dat hij werd gekozen om het hoogste en meest heilige ambt in het christendom te bekleden zelfs nooit de priesterwijding had ontvangen.

Het begon langzaam, bijna ongemerkt, terwijl de bisschoppen die waren gekomen om hun paus te betreuren zacht fluisterden over de toekomst. Er was een sterke figuur nodig die de pauselijke tiara zou dragen, een krachtig hervormer die in staat zou zijn het verzet tegen de tirannie van de Duitse koning voort te zetten. Hendrik maakte zich schuldig aan vele ongeoorloofde praktijken, waaronder simonie. Ondanks de drastische wetten die waren aangenomen om een dergelijke vorm van corruptie te bestrijden, bleef de Duitse vorst handeldrijven in geestelijke ambten en privileges en had hij een reeks bisschopstitels gekocht voor zijn naaste aanhangers. Het zou een leider met grote wijsheid, ervaring en kracht vereisen om de Kerk weer te maken tot een spirituele eenheid, zonder banden met een wereldlijk heerser. Een stoutmoedig man, onbevreesd en bereid desnoods geweld te gebruiken. Alle bisschoppen waren het erover eens dat slechts één man in hun midden beschikte over het uitzonderlijke potentieel om die bestemming te kunnen vervullen: Ildebrando Pierleoni. Aan de vooravond van zijn vijftigste levensjaar was Brando beduidend jonger dan veel van de pausen die hem waren voorgegaan, zodat zijn mannelijke, krachtige persoonlijkheid een extra voordeel betekende. Zelfs zijn uiterlijke verschijning markeerde hem als een sterk en capabel leider.

Een van de Romeinse bisschoppen stond als eerste op en hield een kort, maar hartstochtelijk betoog omtrent de noodzaak Brando naar voren te schuiven als hun nieuwe paus. Er ontstond een aanzwellende vloedgolf van bijval, en het duurde niet lang of de verzamelde rouwenden hadden een spreekkoor aangeheven waarin Brando werd opgeroepen zijn benoeming tot paus te aanvaarden. 'God heeft de nieuwe paus aangewezen,' klonk het, steeds luider, eerst in de kerk, maar al snel verspreidde de mare zich door de straten van Rome. Brando, die immens populair was bij de inwoners van zijn stad, werd op overweldigende wijze door zowel bisschoppen als Romeinen aangewezen als enig aanvaardbare erfgenaam van de sleutels van de Heilige Petrus.

Niemand leek zich ervan bewust te zijn dat Ildebrando Pierleoni nooit enige soort klerikale gelofte had afgelegd, of dat hij zojuist tot paus was gekozen door middel van een onwettige en verouderde methode, volledig in strijd met het verkiezingsdecreet dat hij nota bene zelf had geschreven en dat onder paus Nicolaas II was geëffectueerd.

✪

Sinds Petrus had iedere paus bij het bestijgen van de pauselijke troon een nieuwe naam gekozen. Ildebrando Pierleoni hoefde geen moment na te denken over de zijne. Ter ere van zijn oom, de onttroonde paus Gregorius VI, die zijn mentor en grote leermeester was geweest, nam ook hij de naam Gregorius aan, 'hij die zorgt voor zijn kudde'. Schrandere bestuurders begrepen onmiddellijk hoe deze naam was bedoeld: als een krachtige, welbewust provocatieve positiebepaling, die Hendrik IV en met hem heel Europa duidelijk maakte dat de strijd tussen de Duitse kroon en de macht van Rome nog lang niet voorbij was.

In de laatste dagen van juni 1073 werden de plechtigheden georganiseerd om de nieuw gekozen Brando tot het priesterschap te wijden en hem op de troon van de Heilige Petrus te installeren onder de naam Gregorius VII. Matilda en Beatrice arriveerden aan het hoofd van een royaal gevolg in Rome, om de installatieplechtigheid van de nieuwe paus bij te wonen en om hun steun te betuigen aan deze man die trouw was geweest aan hun dierbare Lucca en tijdens diens leven aan Godfried de Oudere. Terwijl Isobel bezig was Matilda's haar op te maken als voorbereiding op de plechtigheid, instrueerde Beatrice haar dochter over het protocol van de gebeurtenis en over de politieke afwegingen die daarbij een rol zouden spelen.

'We zullen ongetwijfeld een voor iedereen zichtbare plaats krijgen, en daarom wil ik ook dat je zoveel zorg besteedt aan je uiterlijk. Want we vertegenwoordigen de steun van bijna de helft van de Italiaanse plattelandsbevolking. Sterker nog: ik verwacht dat we een ereplaats krijgen toegewezen.'

Matilda streek lachend over de kostbare, uitgelezen zijde van haar gewaad. Isobel glimlachte om de ondeugende schittering in de ogen van haar pupil.

'De Romeinen hebben altijd uit de hoogte en met een scheef oog naar de Toscaners gekeken,' zei Matilda. 'En wat erger is: ze laten hier geen vrouwen toe op invloedrijke posities. Dus het zal me een ware vreugde zijn ze te laten kennismaken met een Toscaanse gravin! Ik hoop dat ze ons op de eerste rij zetten, zodat we langs de voltallige Romeinse aristocratie kunnen paraderen en iedereen choqueren.'

Matilda van Toscane was inmiddels zevenentwintig, ongehoord rijk en extreem machtig. Ze genoot van het idee commotie te veroorzaken in het conservatieve Rome door de ceremonie van die dag op te luisteren met een uitbundig staaltje van de kleurrijke Toscaanse cultuur, terwijl ze de stoffige Romeinse adel er tegelijkertijd aan herinnerde dat ze een van de rijkste en machtigste vorsten in Europa was. Alles wat Toscane in de achting van de Romeinen – en de paus – deed stijgen, zou uiteindelijk ten goede komen aan haar en haar volk.

Onder haar weelderige uiterlijk school een krachtige persoonlijkheid, een vrouw met invloed. Matilda was een bekwaam strateeg en opperbevelhebber van een troepenmacht van enkele tienduizenden die elk moment konden worden gemobiliseerd. Haar militaire steun, gevoegd bij het feit dat ze de doorgang door de Apennijnen controleerde, zou een beslissende factor zijn in een oorlog met Duitsland.

Anders dan Isobel kon er bij Beatrice geen lachje af op Matilda's overmoedige commentaar. Ze keerde terug naar het onderwerp van hun politieke invloed.

'Je militaire macht zal voor de nieuwe paus ongetwijfeld van groter belang zijn dan al het andere. Dus het is goed dat we onze rijkdom tonen, maar bedenk wat er op het spel staat en laat je niet meeslepen door frivoliteit.'

'Natuurlijk niet, moeder.' Ook al heerste Matilda inmiddels over half Italië en trok ze aan het hoofd van haar troepen ten strijde, toch behandelde Beatrice haar nog altijd als een kind. Ze had dan ook allang geleerd gehoorzaam te knikken en vervolgens precies te doen wat ze zelf wilde.

In dit geval dacht ze echter dat Beatrice weleens gelijk zou kunnen hebben. Deze paus was tenslotte een Romeins edelman. Dus waarschijnlijk was hij net zo saai en net zo conservatief als zijn stadgenoten.

✲

Voorafgaand aan de installatieplechtigheid werd de toekomstige paus Gregorius VII op gelijksoortige wijze geïnstrueerd in zijn privévertrekken. Zijn adviseurs namen de lijst met invloedrijke gasten met hem door en verschaften de bijbehorende details.

'En dan komen we bij Matilda, gravin van Toscane. U hebt ongetwijfeld van haar gehoord, Uwe Heiligheid. Ze is nogal... controversieel.'

Gregorius was razend nieuwsgierig naar deze vrouw die in de noordelijke streken een legende was. Alles wat de gravin betrof, had mythische vormen aangenomen: haar rijkdom, haar macht, haar verschijning en haar gedrag, wat volstrekt ongehoord was voor iedere feodale leider, laat staan voor een vrouw.

'Ik heb geen behoefte me te verdiepen in haar buitensporige gewoonten. Waar het me om gaat, is haar militaire macht. En haar grondgebied, want dat is strategisch van cruciaal belang. Zorg dat ze een ereplaats krijgt. We moeten er alles aan doen om ervoor te zorgen dat ze ons welgezind blijft.'
Hij had haar één keer gezien, jaren geleden, toen ze nog weinig meer was dan een kind. Inmiddels was ze een getrouwde vrouw, zij het – volgens de berichten – een behoorlijk opstandige, die weigerde de positie van haar echtgenoot, de hertog van Lotharingen, te erkennen. Dit was een van de kwesties die hij met haar wilde bespreken.
'Godfried van Lotharingen is Hendriks schoothond, en dus gevaarlijk,' peinsde Gregorius hardop. 'Ik moet weten waar de gravin staat in relatie tot haar echtgenoot, en dat moet ik vandaag weten. In geval van oorlog kan haar steun van doorslaggevend belang zijn.'
Gregorius had zich sinds diens troonsbestijging op vijftienjarige leeftijd bijna dagelijks verzet tegen de Duitse koning. De spanningen tussen de heilige en de wereldlijke vorst, de Kerk en de Duitse kroon, dreigden tot epische hoogte te stijgen. De nieuwe paus was vastbesloten de scheiding tussen het pausschap en de invloed van wereldlijke heersers nog verder aan te scherpen, terwijl Hendrik zich even vast had voorgenomen om de twee te verenigen door zichzelf aan te duiden als Heilige Roomse Keizer. Een compromis was ondenkbaar, voor allebei.
'In dit geval zou het in ons voordeel kunnen zijn dat gravin Matilda er niet de vrouw naar is om zich te gedragen als een goede christelijke echtgenote. Als haar daden ons in staat stellen de Kerk te bevrijden van Hendriks greep, zal God haar ongetwijfeld alle overtredingen vergeven waaraan ze zich mogelijk schuldig maakt. Dat glorierijke doel zal zeker alle denkbare middelen rechtvaardigen.'

❂

Toen Gregorius VII het altaar beklom om zijn zetel te bestijgen, keerde hij zich om en keek uit over de verzamelde bisschoppen, edelen en gelovigen. Hij straalde kracht en zelfvertrouwen uit op deze belangrijkste dag van zijn politieke carrière. De dag die de culminatie betekende van alles waarvoor hij had gewerkt, de beloning voor de jaren van ballingschap en ontberingen bij het verdedigen van het pausschap. Hij geloofde niet dat iets zijn gevoel kon overtreffen terwijl hij de treden beklom naar de zetel van de hoogste spiritueel leider van de wereld.
Toen keek hij naar beneden.

Op een ereplaats in de allervoorste rij trof hem een fascinerende aanblik, en hij was als verlamd, als aan de grond genageld zoals dat hem nog nooit was overkomen. Matilda van Toscane zat naast haar moeder, als een visioen van azuurblauwe zijde. Snoeren parels waren door haar opmerkelijke haar geweven, dat slechts gedeeltelijk werd bedekt door een ragdunne sluier. Op haar kapsel troonde een gouden kroon van heraldische lelies, bezet met edelstenen, als om alle aanwezigen eraan te herinneren dat Matilda via haar moeder rechtstreeks afstamde van de heilige keizer, de verheven Karel de Grote. Om haar ranke hals prijkte een fortuin aan sieraden. Ze was een adembenemende verschijning die het hem moeilijk maakte zich op de plechtigheid te concentreren. Gregorius VII was zelfs zo onder de indruk dat hij bij het aanvaarden van de sleutel van de Heilige Petrus – het symbool van zijn nieuwe positie – zijn blik van de menigte moest afwenden om niet te worden afgeleid.
De nieuwe paus was die dag niet de enige die er moeite mee had zich te concentreren. De gravin van Canossa, hertogin van Toscane en Lotharingen, zat tijdens de hele plechtigheid roerloos, met stomheid geslagen. Ze kon haar ogen niet afhouden van de machtige, charismatische man die de pauselijke tiara zou dragen. Hoewel hij inderdaad een indrukwekkende persoonlijkheid was en een buitengewoon knappe verschijning, was Matilda vooral verbijsterd door het feit dat ze hem eerder had gezien – in een visioen, in het hart van het labyrint, net voordat ze op die noodlottige dag uit Orval was vertrokken.

❂

Beatrice van Lotharingen was een wijze vrouw, en een vrouw met ervaring. Bovendien was ze niet blind. De verhitte, zij het stilzwijgende uitwisseling tussen haar dochter en de nieuwe paus was haar bepaald niet ontgaan. Als ooit een relatie de moeite waard was geweest om te worden gecultiveerd, dan was het deze. Een bondgenootschap tussen de Heilige Roomse Kerk en het rijke, machtige Toscane kon een onstuitbare macht opleveren. Toen het later die dag tijd werd voor de pauselijke audiëntie met haar dochter, wendde ze een grote vermoeidheid voor en stond ze erop dat Matilda alleen ging. Als getrouwde vrouw en gravin had ze geen chaperonne nodig bij een gesprek met de Heilige Vader.
Matilda werd naar de audiëntiezaal geëscorteerd, waar ze slechts even hoefde te wachten tot de deur openging en Gregorius binnenkwam. Ze wenste vurig dat hij niet zou horen hoe haar hart bonsde in haar borst,

want in haar eigen oren klonk het als het geroffel van wel tien oorlogstrommels. Hij stak haar zijn hand toe, en ze maakte een diepe reverence en kuste de pauselijke ring. Toen keek ze naar hem op, haar zeegroene ogen vonden zijn staalgrijze, en ze deed haar uiterste best om haar stem in bedwang te houden.
'Ik ben gekomen om de loyaliteit van Toscane te verklaren jegens de zaak van de Heilige Petrus. U kunt rekenen op mijn steun en op de steun van mijn volk aan al wat onze bescherming verdient bij het bewaren van de leer van Onze Heer als het fundament van onze maatschappij. Daarbij sluiten we ons aan bij de Kerk die u heeft gekozen tot haar leider, als Gods uitverkoren apostel.'
Onder de indruk van haar krachtige woorden bedankte Gregorius haar voor haar steun, en hij beduidde dat ze kon gaan zitten. Na het uitwisselen van beleefdheden, waarbij hij informeerde naar de gezondheid van haar moeder en haar vroeg zijn groet over te brengen aan bisschop Anselmo, verbijsterde de paus Matilda door het buitensporige karakter van zijn eerste vraag.
'Ik begrijp dat u bent ingewijd in de eeuwenoude ketterse tradities zoals die in Lucca nog altijd in ere worden gehouden. Wat moet ik daaruit opmaken?'
Matilda zat als verlamd; ze voelde zich wanhopig in het nauw gedreven. Door zijn steun aan Alexander had ze deze man beschouwd als een bondgenoot, maar misschien had ze zich misrekend. Ze dacht koortsachtig na, op zoek naar een veilig antwoord om zichzelf enig respijt te bezorgen. Het bleek niet nodig.
'Het is niet mijn bedoeling u in verlegenheid te brengen,' vervolgde de paus bijna onmiddellijk. 'Integendeel, ik wil meteen duidelijk maken dat ik me bewust ben van uw overtuigingen en uw achtergronden. Ik ben de paus, unaniem gekozen door de geestelijkheid en het volk vanwege mijn kennis van de problemen en kwesties waarmee mijn Kerk zich geconfronteerd ziet. Het kan geen verrassing voor u zijn dat ik op de hoogte ben van de fluisteringen over ketterij die uit Lucca komen.'
Matilda knikte, maar zei nog altijd niets. Gregorius schonk haar een brede glimlach en deed zijn uiterste best de ongerustheid die hij van haar gezicht kon aflezen te sussen.
'U hebt niets van me te vrezen, Matilda van Canossa. Ik ben niet als priester geboren en ik bezit geen van de vooroordelen die verbonden zijn met de beperkte opvattingen zoals sommigen die me voorgingen koesterden. Ik zie mezelf graag als wetenschapper, als iemand die de volle omvang van het christen-zijn zal leren niet door de populaire leerstellin-

gen te herhalen, maar door alle documenten en tradities te bestuderen die voor mij toegankelijk zijn. Mijn grootvader was joods, wat mijn religieuze perspectief verbreedt, en mijn verlangen om te leren zelfs nog sterker maakt. Sommigen zouden me daarom toejuichen, anderen zouden me erom veroordelen. Er is me verteld dat de tradities van Lucca door velen als schokkend worden gezien, maar dat ze geheimen in zich bergen die rechtstreeks kunnen worden herleid tot de eerste christenen. Zelfs naar de tijdgenoten van Onze Heer Jezus Christus en naar Zijn familie. Bent u het niet met me eens dat ik mijn positie als spiritueel leider ernstig tekort zou doen wanneer ik deze tradities en leerstellingen niet diepgaand zou bestuderen? Ik heb genoeg tijd doorgebracht in Lucca, met zowel Anselmo de Oudere als de Jongere, om te begrijpen dat de manier waarop het christendom daar wordt beleden vele lagen kent. Voor wie ogen heeft om te zien en oren om te horen, is het niet? Dus we hebben veel te bespreken, Matilda. Tenminste, als u daartoe bereid bent.'

Het kostte Matilda de grootste moeite om haar stem terug te vinden. Hij had haar volkomen verrast en op het verkeerde been gezet. 'Vraagt u mij om u te instrueren in de leer van de Orde?' vroeg ze zacht.

'Als u daartoe bereid bent.'

Daarop knikte ze, vervuld van ontzag door de merkwaardige situatie waarin ze verzeild was geraakt. De paus die haar vroeg hem te instrueren in haar ketterse leer? Het was nauwelijks voor te stellen!

Zijn kapelaan kwam de kamer binnen om te waarschuwen dat de volgende gast stond te wachten en dat de audiëntie moest worden beëindigd. Toen de kapelaan weer vertrokken was, stak Gregorius Matilda zijn hand toe, en deze keer pakte hij de hare en bracht die naar zijn lippen. Bij de aanblik van haar ring gebruikte hij die als excuus om haar hand langer vast te houden dan nodig was.

'Waar is dit het symbool van?'

Matilda schonk hem een kokette glimlach. Voor het eerst op deze lange, veeleisende dag had ze het gevoel dat zij de touwtjes in handen had. 'Dat kan ik u nog niet zeggen. Het maakt deel uit van uw... onderricht.'

'Aha, ik begrijp het. Ik zie er verlangend naar uit, dus ik stel voor dat we zo snel mogelijk beginnen. Wat dacht u van morgen?'

'Afgesproken.'

Matilda vertrok, met een laatste diepe reverence en een vrouwelijk, zwierig ruisen van haar elegante zijden gewaad. Hij keek haar na, verrast door zijn eigen extreme, ademloze reactie. De man die de wereld nu kende als

Gregorius VII, de paus die met succes de wetten van het klerikale celibaat als een belangrijke hervorming had geëffectueerd, had zijn hart verloren – en misschien ook een deel van zijn hoofd – aan de opmerkelijke en charmante gravin van Toscane.

✿

Elke vorm van dweepzucht was Matilda vreemd.

Dus vrouwe Isobel van Lucca stond sprakeloos en was danig uit haar evenwicht gebracht door de spraakwaterval van haar pleegdochter toen die terugkwam van haar tweede ontmoeting met Gregorius VII. In een opwelling en tot Matilda's verrassing had de nieuwe paus haar uitgenodigd voor overleg, onmiddellijk volgend op het installatiebanket, teneinde de strategie te bespreken in een kritische zaak die behoorde tot de erfenis van Alexander. Vlak voor zijn dood had de vorige paus vijf van Hendriks Duitse bisschoppen geëxcommuniceerd en de koning berispt vanwege het feit dat hij hun het bisschopsambt had verkocht. Hendrik zelf riskeerde excommunicatie als hij zich niet schikte naar dit pauselijk decreet en de excommunicatie van zijn bisschoppen erkende door hen onmiddellijk de laan uit te sturen. Het was een openlijke daad van oorlog, en een daad waar Gregorius achter wenste te blijven staan. Hij had Matilda's verzekering nodig dat ze hem zo nodig vanuit Toscane zou steunen.

Hun bespreking was een intensieve, inspirerende krachtmeting geweest van scherpzinnigheid en scherts, waarbij aan beide kanten de emoties hoog waren opgelopen. Het was een bewijs van hun beider scherpe intellect dat ze in staat waren een buitengewoon productieve politieke bespreking te voeren tegen de achtergrond van de bovennatuurlijke manier waarop ze zich tot elkaar aangetrokken voelden. Ze hadden elkaar de ruimte en de gelegenheid gegeven om de gedachtegang en de strategische benadering van de ander op zich te laten inwerken en waren tot de conclusie gekomen dat ze op wonderbaarlijke wijze in nagenoeg alle opzichten op hetzelfde spoor zaten. Het overleg was een succesvolle en stimulerende ontmoeting geweest van twee grote geesten. Wanneer ze bij elkaar waren, trad er een onmiskenbare vermenging van natuurkrachten op, als sterren die op elkaar botsten en een uitzonderlijke explosie van licht veroorzaakten.

Gregorius had de bespreking afgesloten door Matilda te herinneren aan haar belofte de volgende dag te beginnen met zijn inwijding in de leer van

de Weg, zoals die sinds de eerste eeuw door de Orde was onderwezen. Dat was de reden van Matilda's agitatie en ongebruikelijke uitgelatenheid.
'O Isobel, hij is zo wijs als Salomo en net zo schitterend. In zijn aanwezigheid voelde ik me Makeda, de koningin van Sheba. Het was precies zoals je me altijd hebt verteld, maar ik had nooit gedacht dat ik het uit eigen ervaring zou leren kennen. Wat moet ik doen? Wat hij vraagt, is ongehoord, en tegelijkertijd een wonder. Kan ik hem inwijden in onze leer? Durf ik dat wel?'
'Wat zegt je hart, mijn kind? En je ziel?'
'Die zeggen me dat ik hem moet vertrouwen. Meer dan vertrouwen.'
'Hoe bedoel je, meer dan vertrouwen?'
'Ik kan het niet uitleggen, Issie. Maar toen ik hem voor het eerst zag, herkende ik hem. Ik had hem eerder gezien, in mijn visioen. Maar dat was het niet alleen. Ik beleefde een moment van groot geluk. En toen... toen hij naar me keek... was het alsof een mes mijn hart doorboorde. Er was een moment, voor het oog van het hele pauselijke hof en de voltallige Lateraanse raad, dat ik het gevoel had alsof hij en ik alleen waren. Hoe is dat mogelijk? Op dat moment kende ik hem. En ik wist...'
Ze zweeg, verloren in het ogenblik, ademloos door de overweldigende vervoering die ermee gepaard ging. Het leek bijna een soort waanzin. Het was een emotie die ze nooit eerder had gevoeld. Verschrikkelijk en verrukkelijk tegelijk, en volstrekt verlammend. Isobel moest erop aandringen dat ze verder sprak.
'Ga door, Tilda.'
'Ik wist dat... ik eerder van hem had gehouden. In dat ene moment begreep ik de leer van onze profetes, en het gedicht van Maximus op een manier zoals ik die nooit eerder had begrepen: *Ooit had ik je lief, net als vandaag, en ooit zal ik je opnieuw liefhebben.* Het was heel vreemd, maar ook iets heel eeuwigs. En ik geloof dat hij het net zo voelt. Dat zag ik aan de manier waarop hij me aankeek. Hij weet het, net zoals ik het weet. Dit is de hand van het lot. En volgens mij is hij er niet bang voor. Maar ik wel.'
Matilda stond op uit haar stoel en begon gejaagd heen en weer te lopen. Onder normale omstandigheden had ze al geen rust om te blijven zitten, en in haar opwinding van dat moment al helemaal niet. Ze trok aan haar rokken terwijl ze verder sprak. 'Want het is verschrikkelijk angstaanjagend, waar of niet? Dit gevoel. Het is onbeheersbaar. Ik heb op het strijdtoneel oog in oog gestaan met de vurigste tegenstanders, mannen met de scherpste zwaarden en de kwaadste bedoelingen, maar nooit ben ik zo bang ge-

weest als op dit moment. Het is alsof ik geen lucht krijg, Isobel. Je moet me helpen.'
Met een diepe zucht nam Isobel de hand van Matilda in de hare. 'Ach kindje. Ik kan je niet helpen, anders dan door te zeggen dat wat je voelt – zwaar, machtig, overweldigend – Gods grootste geschenk aan ons is. Ik heb altijd geweten dat het een diepe betekenis zou hebben wanneer het jou gebeurde, misschien zelfs in de vorm van een relatie die de wereld zou kunnen veranderen, zoals de relatie tussen Veronica en Praetorus, en zelfs zoals die tussen Salomo en Sheba. Maar ik had niet kunnen voorzien...'
'Wat had je niet kunnen voorzien?'
'Dat de man met wie je was voorbestemd de liefde te leren kennen, de "Grote Ware Liefde" zoals die is voorspeld in de profetie, niemand minder dan de paus zou zijn.' Isobel zweeg even om na te denken hoe ze dit haar zo dierbare kind het best kon raden op dit cruciale moment in haar leven. 'Tilda, je zult heel voorzichtig moeten zijn. In geval van een indiscretie hebben jullie allebei veel te verliezen. Maar ik denk dat je zelfs nog meer te verliezen hebt als je hier niet in meegaat om te zien waar het je brengt, want het lijkt te zijn bepaald door God. Ik hoef geen profeet te zijn om te weten dat je door deze liefde op grote uitdagingen zult stuiten en zware tijden zult doormaken, een liefde waarvan de wereld nooit iets zal mogen weten, simpelweg vanwege jullie beider positie. Niemand mag ervan weten, en je mag nooit, tegen niemand, verraden dat jullie ook maar enige vorm van intimiteit hebben gedeeld. Nooit.'
'Maar dat is ook niet zo.'
'Nog niet, Tilda. Nog niet. Maar sommige dingen zijn onvermijdelijk, en dit lijkt me er een van. Bedenk altijd dat intimiteit tussen jullie zal worden veroordeeld als verkeerd, zelfs misdadig, als jullie worden ontdekt. Jullie hebben machtige vijanden, die van een dergelijk vergrijp gebruik zouden maken om jullie allebei kapot te maken. Doe wat je wilt, doe wat je moet doen, maar hou altijd voor ogen dat je tegen elke prijs discreet moet zijn. Hij is de paus en jij bent een getrouwde vrouw; dat zijn onmiskenbare en onveranderlijke feiten.'
'Ik kan scheiden van Godfried.'
'O ja? Voor de wet mischien, maar een scheiding is in strijd met de leer van de Kerk, en je kunt niet verwachten dat de paus die scheiding zal erkennen. Zeker niet deze paus, die is gekozen om zijn krachtige positie waar het gaat om het handhaven en doorvoeren van strenge hervormingen. Bovendien zou een dergelijke actie alleen maar de aandacht vestigen op jullie relatie. Jullie zitten gevangen in een val die jullie zelf hebben

gezet, lieverd. Maar als dit werkelijk de grote liefde uit de profetie is, dan twijfel ik er niet aan of jullie zullen een modus vivendi weten te vinden. Zo gaat het in de liefde altijd. Die is belangrijker dan de wetten van de mens, omdat ze een wet van God is. De rite van het heilige verbond, de hieros gamos tussen ware geliefden en zielsverwanten, is de hoogste wet die uitstijgt boven alle andere wetten. Dat is eigenlijk het enige wat je hoeft te weten. Er is maar één overtuiging waaraan je je in de dagen die komen gaan moet vastklampen, en dat is de eenvoudigste lering van onze Weg: *Liefde Overwint Alles.*'

# 11

*Mantua*
*Oktober 1073*

Matilda voelde zich doodongelukkig. Ze kon zich niet concentreren op kwesties of activiteiten die haar anders zowel intellectueel als emotioneel volledig in beslag namen. Ze had in geen weken goed gegeten of geslapen, en ze had niemand bij wie ze haar hart kon luchten. Isobel was in Lucca voor zaken die de Orde betroffen, en om Anselmo en de Meester te bezoeken. En Beatrice mocht dan een briljant adviseur en politiek strateeg zijn, met emotionele kwesties kon haar dochter niet bij haar terecht.

In deze staat trof Conn haar aan, alleen rondzwervend langs de rand van het bos. Ze schrok toen hij plotseling achter haar stond.

'Je zou gewapend moeten zijn als je alleen het bos in gaat, zonder escorte.'

'Als ik gewapend was geweest, had jij allang een flinke jaap opgelopen en waren we nu druk doende om het bloeden te stelpen.'

'En ik zou tevreden zijn dat ik mijn werk blijkbaar goed had gedaan. Wat loop je hier te mokken?'

'Ik mok niet.'

'Dat zie ik.'

Matilda zuchtte dramatisch. Liegen tegen Conn was net zo zinloos als liegen tegen Isobel. Zij kenden haar beter dan ze zichzelf kende.

'Ik heb al in geen zes maanden meer iets van de Heilige Vader gehoord.'

'En ook niet van Gregorius.'

'Wat wil je daarmee zeggen?'

'Dat je niet de paus mist, maar de man.'

'Met andere woorden: ik ben een zielige stumper.'

'Je bent helemaal niet zielig. Je bent verliefd. En ik weet niet beter of de liefde is bij de Orde een heilig sacrament.'

'Hij is me vergeten, Conn. En dat is ondraaglijk. Ik kan me niets ergers voorstellen. Hoe kan iets wat zo prachtig is ook zo gruwelijk zijn?'

'Denk je echt dat hij je vergeten is? Of ben jij degene die vergeetachtig is? Hij is de paus, Tilda. De paus. De spiritueel leider van de wereld.'
'Bedankt. Dat was ik even vergeten,' snauwde ze. 'Want je begrijpt natuurlijk wel dat ik niet elke minuut van de dag door die wetenschap word achtervolgd.'
Conn verbeet een zucht van ergernis en dwong zichzelf geduld met haar te hebben. 'Wil je weten wat ik denk? Of heb je liever dat ik je met rust laat, zodat je je ongestoord kunt wentelen in wanhoop en liefdesverdriet?'
'Je laat me toch niet met rust. Dus ik zal naar je luisteren, want ik neem aan dat je me een verhaal gaat vertellen om te zorgen dat ik me minder ellendig voel.'
'Je boft. Ik heb precies het goede verhaal voor je. Dus laten we in deze berg bladeren gaan zitten. Dan vertel ik je het verhaal van prinses Niamh met het Gouden Haar en de Dichter-Prins die Oisin heette.'
Hij sprak beide namen uit met de zware Ierse tongval waar Matilda zo van hield: *Niehv* en *Oesj-ien*. De Keltische taal klonk haar zo vreemd, zo prachtig in de oren. Soms citeerde Conn religieuze poëzie over Easa met een heleboel lyrische, magische klanken.
'Prinses Niamh was de lieftallige en zachtmoedige dochter van Mannanan Mac Lir, de zeegod, en ze woonde op Tir n'Og, het Land van de Jeugd, dat schitterende eiland in het westen. Niamhs moeder was koningin van de elfenwereld, en als dochter van twee onsterfelijke ouders had Niamh geen druppel sterfelijk bloed in haar aderen. Daarom hield haar vader haar op het eiland en vond hij het niet goed dat ze toegang zocht tot de sterfelijke wereld. Want als Niamh verliefd zou worden op een sterveling, zou dat gruwelijke gevolgen hebben.
Maar de schone Niamh had zoveel verhalen gehoord over de legendarische helden en dichters van Ierland dat ze er vurig naar verlangde ze met eigen ogen te zien. Ze luisterde naar de avonturen van de Fianna, de krijgerstroep die het opnam voor de onschuldigen en de zwakken. En ze hoorde over prins Oisin, een jongeling die deel uitmaakte van de Fianna en die legendarisch was om zijn ridderschap, om zijn dapperheid in de strijd en om zijn gave voor poëzie en muziek. Op het eiland had Niamh een dergelijk schepsel nooit ontmoet, en de gedachte dat mensenmannen begaafd waren in zowel de liefde als de oorlog, fascineerde haar. In de magische rijken bestond zoiets niet. Er was nooit oorlog, dus er was geen reden waarom er krijgers zouden bestaan. En zo kwam het dat de zeegod na lang zeuren van Niamh uiteindelijk zwichtte voor het verlangen van zijn dochter – tenslotte weten we hoe jonge meisjes kunnen zeuren wanneer ze iets

graag willen, nietwaar? Hij gaf Niamh zijn magische witte paard mee, dat over de wolken kon scheren om de oversteek te maken naar het vasteland, maar hij waarschuwde haar dat ze uit het zicht van de mensen moest blijven en geen contact met ze mocht zoeken. Dat beloofde Niamh, en ze aanvaardde de reis over het water.

Nu was Niamh een braaf meisje, en ze begon niet aan dit avontuur om haar vader ongehoorzaam te zijn. Maar terwijl ze door het Hazelwoud reed, stuitte ze op een troep mannen. Ze waren jong, sterk en vitaal, want dit waren de legendarische krijgers die bekendstonden als de Fianna. Niamh sloeg hen muisstil gade van tussen de bomen en luisterde terwijl ze spraken over het dorp dat ze hadden bevrijd van een wrede tiran die een schrikbewind voerde over de vrouwen. De mannen waren allemaal schitterend, maar er was er één die met kop en schouders boven de rest uitstak. Hij was beeldschoon, met kastanjebruine krullen en saffierblauwe ogen. Niamh was meteen van hem onder de indruk. Hij droeg een harp van eikenhout, en toen de mannen ten slotte zwegen, begon hij te spelen. Net als Orpheus bezat hij een magische gave voor muziek en poëzie, en Niamh besefte dat dit de legendarische prins Oisin moest zijn. Ze werd zo betoverd door zijn spel dat ze in zwijm viel en van haar paard gleed. De mannen schrokken, en omdat ze krijgers waren stormden ze met getrokken zwaard op het geluid af. De Dichter-Prins bereikte Niamh als eerste. Oisin was degene die haar redde, want dat was zijn bestemming.

Nu moet je wel bedenken dat Niamh niet alleen ongelooflijk mooi was, met haar gouden haar dat schitterde in het zonlicht en ogen als flonkerende zeegroene meren, ze was bovendien onsterfelijk en gezegend met magie. Ze bezat een magie waartegen geen sterfelijke man weerstand kon bieden. Dus toen Oisins ogen die van Niamh ontmoetten, bestond er onmiddellijk een band tussen hen, die onverbrekelijk was. Ze zouden elkaar nooit vergeten, vanaf die dag tot in eeuwigheid. Helaas kwamen ze uit verschillende werelden. Oisin smeekte haar bij hem te blijven, maar Niamh kon haar vader niet teleurstellen, noch kon ze haar verantwoordelijkheden als prinses jegens haar koninkrijk ontkennen. "Jouw wereld is niet de mijne," zei ze dan ook verdrietig. "En de mijne is de jouwe niet." Ze keerde zich naar het witte paard dat haar naar huis zou brengen.

"Neem me met je mee!" smeekte Oisin, die niet wilde dat dit magische wezen hem achterliet. Maar Niamh kon hem niet meenemen, daarvoor hield ze te veel van hem. Als Oisin met Niamh meeging, zou hij nooit meer kunnen terugkeren naar zijn eigen wereld. Wanneer een sterveling zich in het diepste hart van de magie en de onsterfelijkheid waagt, kan hij

nooit meer terug naar een leven als gewoon mens, en dat geldt helemaal als hij een vrouw uit de magische rijken kust.
En dus liet Niamh hem achter in het woud, waar hij hoorde, met zijn kameraden van de Fianna en zijn muziek. Haar hart voelde als lood, maar ze kon hem niet vragen zijn heerlijke leven in de steek te laten voor haar, noch kon zij het hare verlaten voor hem. In het jaar dat volgde, verlangde Oisin echter wanhopig naar de prinses en naar de glimp van magie die hij dankzij haar had opgevangen. Hij droomde elke nacht van haar en vroeg zijn wapenbroeders wat zij in zijn plaats zouden doen. Stuk voor stuk verklaarden ze dat ze de beeldschone Niamh onweerstaanbaar vonden, en ze adviseerden Oisin om haar achterna te reizen.
"Maar dat kan niet," zei hij. "Als ik achter haar aan ga, zal ik nooit meer naar hier kunnen terugkeren, naar dit land dat ik zo goed ken, waar alles me vertrouwd is en waar ik word gezien als de opperdichter en de prins van mijn volk. Dat kan ik niet opgeven. Dat is veel te riskant."
Een jaar lang probeerde Oisin de vrouw die hij liefhad te vergeten, maar het was tevergeefs. Ze achtervolgde hem voortdurend in zijn dromen en in zijn herinneringen. Het was ondraaglijk. Dus op de verjaardag van hun ontmoeting ging hij naar de kust, en hij sprak een bezwering om de grote god Mannanan Mac Lir aan te roepen. Toen de zeeheer antwoordde, vertelde Oisin dat hij wilde trouwen met zijn dochter, en hij vroeg nederig om toestemming. Mannanan vroeg of Oisin begreep welke offers hij moest brengen om met Niamh te kunnen trouwen – dat hij de reis op het witte paard zou moeten maken, over de golven naar Tir n'Og, en dat hij zijn huis en zijn vrienden nooit meer zou terugzien. Hij moest bereid zijn om zijn oude bestaan op te geven voor een nieuw. Natuurlijk was het leven op het eiland vreugdevol en vredig, vol licht en vol muziek, verzekerde Mannanan hem. Het was een bestaan dat met niets te vergelijken was, gevuld met geluk en pure magie, en – dat was het belangrijkste – met liefde.
Toch hebben de mensen de neiging vast te houden aan het oude, aan wat ze kennen en waar ze greep op hebben, waar of niet? Zou Oisin in staat zijn om alles los te laten voor een leven vol geluk met zijn onsterfelijke geliefde? Want ook hij zou onsterfelijk worden wanneer hij met haar trouwde en ook in fysiek opzicht één met haar werd.'
Conn onderbrak zijn verhaal om Matilda de gelegenheid te geven de parallellen te herkennen.
'Ik voel me gevleid dat je me blijkbaar net zo verleidelijk vindt als de legendarische Niamh,' zei ze met een wrange glimlach.
'Hou jezelf maar niet voor de gek, kleine zuster. Je bent net zo betoverend,

en net zo gevaarlijk. Vooral voor een man die zoveel te verliezen heeft als de paus. Dus op dit moment worstelt Gregorius met het besef dat als hij die noodlottige reis op het witte paard maakt, als hij de onsterfelijke en mystieke kus van de magische vrouw ontvangt... dat hij dan nooit meer terug kan naar de gewone wereld. Dat is de reden waarom je zo lang niets van hem hebt gehoord, Matilda: omdat hij worstelt met een machtige demon – de demon van zijn eigen sterfelijkheid, en alles wat die met zich meebrengt.'

Ze dacht over zijn woorden na en kwam tot haar verbazing tot de conclusie dat ze zich beter voelde. Dat gebeurde altijd wanneer Conn haar een verhaal vertelde. 'Hoe loopt het verhaal af?' vroeg ze ten slotte.

Conn glimlachte. 'Oisin rijdt naar Tir n'Og en trouwt met Niamh, waar hij ontdekt dat de magische wereld nog wonderbaarlijker is dan hij had verwacht en dat zijn onsterfelijke vrouw hem omringt met liefde en vol verrukkelijke verrassingen zit, zodat hij nooit verveeld raakt. Niamh en hij krijgen een zoon, Oscar, die de zon van hun leven wordt. Omdat Oscar zowel sterfelijk als onsterfelijk is, kan hij heen en weer reizen tussen de twee werelden en de vreugden van beide smaken. Zijn ouders zijn daar op hun beurt weer verheugd over. Dus het loopt goed af, kleine zuster.'

Conn vertelde haar niet dat de legende van Niamh en Oisin twee eindes kende, afhankelijk van de verteller. Het andere einde was lang niet zo stralend, maar hij had gekozen voor de gelukkige afloop, om haar een beetje uit de put te halen. Zijn verantwoordelijkheid als verhalenverteller vereiste dat hij dergelijke keuzes maakte.

'Er wacht ook jou een gelukkige afloop, als je maar net zoveel geduld hebt als Niamh – en, ik durf het nauwelijks te zeggen: als je net zo onzelfzuchtig bent – om Oisin zijn eigen beslissing te laten nemen. Want ik ben bereid alles wat ik ooit heb bezeten erom te verwedden dat het moment zal aanbreken waarop hij snakt naar je nabijheid. Dan zet hij alle redelijkheid overboord, hij zadelt het witte paard en hij komt over de golven naar je toe om je tot de zijne te maken.'

In de hieros gamos, het heilige verbond tussen geliefden, is God aanwezig. Om Gods zegen te ontvangen dient bij een eenwording zowel *vertrouwen* als *bewustheid* in de omhelzing tot uiting te worden gebracht.

Wanneer geliefden samenkomen is dat een viering van hun liefde in den vleze: niet langer zijn ze twee afzonderlijke wezens, maar ze zijn één geworden. Buiten het bruidsvertrek zullen ze leven als de vleesgeworden liefde.

In haar gewijde vorm kent de liefde in haar uiting de volgende zes aspecten:

AGAPE – liefde die is vervuld van de vreugde die de geliefden ontlenen aan elkaar en aan de wereld, een volstrekt zuivere vorm van spirituele expressie, waarbij de heilige omhelzing stoelt op bewustheid;

PHILIA – liefde die een uiting is van vriendschap en respect, tussen de zuster-bruid en de broeder-bruidegom, maar ook de liefde tussen bloedbroeders en -zusters en ware kameraden, waarbij de heilige omhelzing stoelt op vertrouwen;

CHARIS – liefde die zich uit in goedertierenheid, in toewijding en in de lofzang op Gods aanwezigheid in het bruidsvertrek; dit is de liefde van onze vader en moeder, gelijk in de hemel, alzo ook op aarde;

EUNOIA – liefde die inspireert tot diepgevoelde compassie en inzet jegens de wereld en al Gods kinderen; dit is de liefde die zich uit in liefdadigheid en in goede werken voor de gemeenschap;

STORGE – een zuivere vorm van liefde vervuld van tederheid, zorg en empathie; dit is de liefde die we voelen voor kinderen;

EROS – liefde als intens beleefde lichamelijke viering waarin de zielen samenkomen in de eenwording van het vlees; dit is de ultieme expressie van geliefden die haar heiligste vorm vindt in de hieros gamos.

Er is geen duisternis die niet kan worden verslagen door het licht van de liefde in een van deze uitingsvormen. En wanneer deze voltallig en in harmonie op Aarde bestaan, is daar voor duisternis geen plaats.

*Liefde Overwint Alles.*

Wie oren heeft om te horen, die hore.

– Uit *Het Boek der Liefde*
zoals bewaard gebleven in *Het Libro Rosso*

---

*Fiano, ten noorden van Rome*
*Juni 1074*

Als het om Matilda ging, had Conn het zelden bij het verkeerde eind. Het zou een heel jaar duren voordat Matilda en Gregorius de kans kregen te beginnen met zijn inwijding in de ware leer van de Weg van de Liefde. Het vijandige politieke klimaat waarmee ze zich geconfronteerd zagen onmiddellijk volgend op zijn wijding tot paus vereiste hun volledige inzet als leiders en politici voor de bescherming van het pausschap en liet geen ruimte voor iets anders. Hendrik IV weigerde zijn bisschoppen te berispen en hun excommunicatie te erkennen zoals Rome had opgedragen, met als gevolg een escalatie van de spanningen tussen Duitsland en Rome. Matilda toonde zich daarentegen vurig loyaal jegens de paus, wat de woede van haar echtgenoot nog verder aanwakkerde. Godfried hield, als vazal van Hendrik IV, vast aan zijn rechten als hertog van Toscane, zodat de strijd tussen de echtelieden werd gekenmerkt door een in Europa ongeëvenaarde kwaadaardigheid. Maar Matilda was in Toscane – Godfried niet. Matilda bezat de heerschappij over het volk van de Apennijnen, dat haar steunde met het hart en het zwaard – Godfried niet. Zoals altijd trok ze zich niets aan van wat haar man zei of deed, en negeerde ze hem volledig. Schandalig genoeg werd ze daarbij gesteund door de paus, die weigerde haar te bejegenen als een getrouwde vrouw en die haar – naast haar moeder – erkende als wettige vorst van Toscane. Voor zover het paus Gregorius VII betrof, bestond Godfried niet buiten de grenzen van Lotharingen.

Uiteindelijk werd Hendrik door het bloedige karakter van de Saksische opstand in eigen land gedwongen tot een vernederende verzoening met Rome. Zijn middelen waren uitgeput, en hij had het uiterste gevergd van de edelen die hem steunden, onder wie Godfried. In november 1073 legde Hendrik in

de stad Neurenberg de eed van trouw af jegens paus Gregorius VII, ten overstaan van een gehoor waaronder zich ook diverse pauselijke afgevaardigden bevonden. Hij vroeg vergiffenis voor zijn ongehoorzaamheid en zwoer de hervormingen van de Kerk na te leven zoals ze werden gedicteerd door de paus. Gregorius koesterde weliswaar de hoop dat deze wapenstilstand duurzaam zou blijken, maar hij was wijs en ervaren genoeg om te beseffen dat de koning niet oprecht was in zijn bedoelingen. Het was slechts lippendienst die Hendrik hem had bewezen, maar gezien het grote aantal getuigen zou Hendrik op z'n minst gedwongen zijn althans voorlopig onderdanigheid te betrachten. Als gevolg van 's konings hervonden loyaliteit jegens de paus was ook Godfried gedwongen in te binden. Hij liet Matilda met rust en concentreerde zich op Lotharingen en zijn gebieden in het noorden.
Na maanden van stilte begon de paus ineens te schrijven en wist toen ook van geen ophouden. In het daaropvolgende halfjaar onderhielden de Toscaanse gravin en paus Gregorius VII een levendige correspondentie. Ondanks de afstand die hen scheidde, of misschien juist wel daardoor, groeide hun wederzijdse genegenheid. Omdat dergelijke brieven van nature publiek waren, formuleerden ze beiden uiterst zorgvuldig en wisten op die manier toch uiting te geven aan hun grote bewondering voor elkaar, zonder de grenzen van het betamelijke te overschrijden. Matilda verwees met grote regelmaat naar haar 'innige en eeuwige liefde voor de Heilige Petrus' en Gregorius gaf in zelfs nog nadrukkelijker bewoordingen uiting aan zijn gevoelens. Hij richtte zijn brieven aan 'Mijn dochter in Christus', maar gebruikte formuleringen als: 'Je moet je bewust zijn van de grote liefde die ik voor je voel', waarmee hij ruimschoots over de schreef ging. Uiteindelijk smeekte hij haar min of meer bij hem terug te keren en naar Rome te komen:

> *Ik verlang niets liever dan onze gesprekken te kunnen voortzetten en u, als een zuster en dochter van de Heilige Petrus om raad te vragen. Alstublieft, stel mijn geduld niet nog langer op de proef.*

In antwoord op zijn smeekbede reisde Matilda naar een particuliere villa in Fiano, ten noorden van Rome. Ze verlangde net zo hevig als hij naar 'voortzetting van onze gesprekken'. Beatrice vergezelde haar, samen met Isobel, in de rol van chaperonne voor het geval dat iemand het ongepast zou vinden dat de twee elkaar ontmoetten op een privéadres, ver weg van de nieuwsgierige blikken aan het pauselijke hof in Rome, slechts omringd door de naaste vertrouwelingen uit hun beider intiemste kring.

De vertrekken die Gregorius in gereedheid had laten brengen voor hun gesprekken, waren schitterend: weelderig gemeubileerd en gestoffeerd met de prachtigste stoffen uit de Oriënt, een hereniging tussen koning Salomo en de koningin van Sheba waardig. Het was een slimme en welbewust gekozen, verleidelijke locatie. Want ook al was hij nog niet ingevoerd in de leer van Matilda's dierbare Orde, hij was zich er terdege van bewust dat de legendarische eenwording tussen de exotische koning en koningin uit de Bijbel daarvan een hoeksteen vormde.
Ook Matilda had zich goed voorbereid op haar rol in de grootse geschiedenis. Isobel, die nog altijd meesterlijk de kunst verstond haar goed voor de dag te laten komen, was uren bezig met haar te kleden, tot Matilda eruitzag als een verleidelijk visioen van mysterieuze vrouwelijkheid. De gravin liet zich in de privévertrekken van de paus aandienen, gehuld in weelderig geplooide turkooisblauwe zijde met daaronder een laag uitgesneden keursje van Turks damast, bezet met edelstenen. Haar decolleté was, net als haar haar, bedekt met een ragdunne sluier om een schijn van gepastheid te wekken. Maar inderdaad slechts een schijn, want de sluiers waren zo luchtig en zo losjes geweven dat ze nauwelijks iets verhulden. Onder de doorschijnende sluier waren haar weelderige, roodblonde lokken geborsteld tot ze glansden. Matilda droeg haar haar los, wat bij een verschijning in het openbaar ongepast zou zijn geweest. Aquamarijnen en parels waren door haar zachte krullen gevlochten en in haar oorsieraden verwerkt. Voor het eerst in haar leven had Matilda haar huid uitbundig geparfumeerd en ingesmeerd met een olie van rozen, wierookhars, mirre en nardusolie uit het Heilige Land. Dit kostbare en gewijde preparaat was sinds de oudheid gebruikt, geheel in overeenstemming met het Lied der Liederen, om de bruid te zalven in de voorbereidingen van de hieros gamos, het heilige huwelijk tussen ware geliefden.
Gregorius was met stomheid geslagen toen hij haar zag. De herinnering aan deze vrouw had hem een jaar lang achtervolgd en hem nauwelijks een rustig moment gegund, maar nu hij haar eindelijk weerzag, besefte hij dat het beeld dat hij van haar had bewaard haar geen recht had gedaan. Hij kuste haar hand, zij drukte haar lippen op zijn ring, maar voor het overige bewaarden ze een gepaste afstand terwijl ze tegenover elkaar op de met kussens bedekte banken gingen zitten.
Precies zoals hij had verwacht, begon ze met de legende van Salomo en Sheba. Er was geen beter thema denkbaar om zijn inwijding in de leer van het heilige verbond mee te beginnen.
Gregorius was natuurlijk bekend met de passages in het Eerste Boek der

Koningen, hoofdstuk 10, waarin de komst van Sheba naar Jeruzalem wordt beschreven. Maar de uitgebreide versie zoals die werd onderwezen door de Orde verbaasde en fascineerde hem. Het was onvermijdelijk de parallellen te zien met hun eigen situatie: twee grote leiders van beiderlei kunne die bijeenkwamen voor een ontmoeting van het hoofd en het hart. Hij besloot onmiddellijk haar uit te dagen, benieuwd hoe ze deze hoeksteen van de leer van de Orde zou verdedigen. 'Waar komt deze versie van het verhaal vandaan? In de Bijbel blijkt uit niets dat Salomo en Sheba een dergelijke relatie hebben gehad.'
Matilda had dit materiaal haar leven lang bestudeerd, ze was er volledig aan toegewijd en ze kende het net zo goed als iedere officiële leermeester van de Orde. Haar antwoord kwam dan ook zonder aarzelen.
'Koningen I, hoofdstuk 10, de verzen 2 en 3: *Nadat zij bij Salomo gekomen was, sprak zij tot hem alles wat zij op haar hart had. En Salomo loste al haar vraagstukken op;* niets *was voor de koning te diepzinnig om voor haar op te lossen.* Het woord "niets" wordt benadrukt in de Bijbel. Dat geeft aan dat Salomo, ondanks het feit dat hij de belangrijkste vorst van de wereld is, met de grootste wijsheid, niets voor deze vrouw verbergt. Dit is een aanwijzing voor de diepe intimiteit die tussen hen moet hebben bestaan. En hetzelfde geldt voor de formulering dat ze "alles sprak wat zij op haar hart had". Een koningin op een strikt politieke missie opent haar hart niet voor een machtige vorst. Dus dat is opnieuw een aanwijzing die duidt op een diepe intimiteit en – naar mijn stellige overtuiging – passie tussen hen.'
De parallellen hingen nadrukkelijk in de lucht, maar ze genoten beiden te zeer van het opwindende spel om zich daar rechtstreeks rekenschap van te geven.
'Misschien. Maar dat verschaft ons niet zo'n complete biografie als u beweert te hebben.'
'Het verhaal van Salomo en Sheba is met het doorgeven en opschrijven van onze tradities opgenomen in *Het Libro Rosso*. Maar er wordt ook naar het samenkomen van Salomo en Sheba verwezen in *Het Boek der Liefde*, in het handschrift van niemand minder dan de apostel Filippus.'
'Maar dat is geen bewijs.'
'Ik zou niet de euvele moed durven hebben de paus zelf te onderwijzen over de kern van het geloof. Maar zoals met alle zaken van de geest ligt het enige ware bewijs in ons hart. Inkt noch papier kan de waarheid verschaffen. Alleen ons hart kan ons vertellen of wat daar geschreven staat, hetzij in uw Bijbel, hetzij in mijn Boek, de waarheid is. Iedere man of vrouw moet vanuit zijn of haar eigen geloof tot die overtuiging zien te komen.'

Hij zwichtte voor haar elegante betoogtrant. 'Ik zie ernaar uit dat heilige boek te mogen bestuderen en misschien tot dieper inzicht te komen omtrent de vraag waarom het u tot zo'n uitzonderlijk geloof heeft geïnspireerd.'
'En ik zie ernaar uit om het u te tonen. Als uw tijd dat toestaat, zou u in de nabije toekomst naar Lucca moeten komen. Misschien hebben we dan de gelegenheid om samen *Het Libro Rosso* te bestuderen.'
Vervolgens nam ze met hem de oudtestamentische versie van het Lied der Liederen door en voorzag ook dat van een voor hem nieuwe interpretatie – die in wezen de oudste interpretatie was – door de ogen van de Orde, via het heilige boek van haar geloofsverwanten. Dat zo'n openlijk erotisch stuk poëzie een geaccepteerd en hoogstaand onderdeel vormde van de Heilige Schrift, was iets wat in Bijbelstudies vaak over het hoofd werd gezien, zelfs bij een zo grondige opleiding als Gregorius had genoten. Kerkleiders benadrukten de idee dat het Lied der Liederen, dat werd verondersteld te zijn geschreven door Salomo, waarna het in de vijfde eeuw voor Christus was herschreven, een allegorie was van Gods liefde voor de mens en Zijn Kerk. Matilda zag in het Lied der Liederen het ultieme bewijs dat Salomo en Sheba de prototypische geliefden waren van het heilige verbond en beschouwde het als een episch gedicht dat de grootste mysteries van de liefde behelsde, geschreven door Salomo met Sheba als zijn muze. De eerste regel van dit Bijbelgedeelte, zo merkte ze nadrukkelijk op, luidde niet voor niets: *Hooglied. Van Salomo.*
Gregorius voerde de traditionele argumenten aan tegen het Lied als een lofzang op de erotische liefde en verklaarde dat de Kerk geen andere positie kon innemen dan dat het ging om gewijde poëzie over Gods liefde – alleen Gods liefde – voor de Kerk en Zijn kinderen. Matilda pareerde met de bedrevenheid van de meest geleerde geestelijken die hij ooit had ontmoet.
'Het een hoeft het ander toch niet uit te sluiten? Het probleem met veel Bijbelinterpretaties die zijn aanvaard door de Kerk, is dat ze zo strikt eenduidig zijn. Of het Lied der Liederen handelt over Gods liefde en de liefde van de Kerk, die goddelijk is, of het handelt over menselijke liefde, en is dus profaan. Maar dat is niet wat Jezus ons leert in *Het Boek der Liefde*. Jezus leert ons dat beide interpretaties waar zijn, en dat ook moeten zijn. Dat we als mensen door onze onderlinge liefde in staat zijn God te vinden. God is aanwezig in het bruidsvertrek wanneer ware geliefden worden verenigd. Deze kerngedachte vinden we terug in de eerste versregels: *Met recht heeft men u lief!* Dit is wat de geliefden zeggen wanneer ze God vinden in hun eenwording. Waarom zou dat niet waar kunnen zijn? Het is immers prachtig!'

'Vertel me dan eens, Matilda: heb jij God gevonden, God in het bruidsvertrek?'
Even zweeg ze geschokt op die buitengewoon persoonlijke vraag. Gregorius had zich nooit eerder op zulk intiem terrein gewaagd. Uiteindelijk antwoordde ze op de enige manier die ze kende: in alle eerlijkheid.
'Ik ben gedwongen tot een huwelijk met een man die ik niet liefhad en die ik ook nooit zou kunnen liefhebben. Sterker nog: er bestond zelfs geen vriendschap tussen ons. Dat is de vloek van veel vrouwen: dat ze de ware liefde nooit leren kennen en dientengevolge ook nooit die bijzondere weg vinden naar God, de weg van inzicht en bewustheid. Ik vind dergelijke gedwongen huwelijken een onmenselijk misdrijf tegen de leer van de liefde. In mijn huwelijksbed heb ik op geen enkel moment ook maar enige vorm van vertrouwen of bewustheid ervaren. En de leer is heel duidelijk in de verklaring dat beide aanwezig moeten zijn om een verbond heilig te maken. Dus het antwoord op uw vraag is: nee, ik heb God niet gevonden in het bruidsvertrek.'
Hij keek haar aandachtig aan, en ze besefte dat hij haar probeerde te peilen. 'Dus je zit met een raadsel. Je hebt een dergelijke eenheid nooit ervaren, maar toch wordt die door jou en je geloofsverwanten gezien als het ultieme sacrament. Zonder dit begrip van het gewijde verbond ben je spiritueel niet vervuld. Maar om een dergelijke ervaring buiten het huwelijk te zoeken, dat is overspel, een doodzonde. Hoe kom je daarmee in je spirituele welzijn in het reine?'
Ze was op de vraag voorbereid, had er talloze malen over nagedacht. 'Overspel, zoals u het omschrijft, is in de katholieke Kerk een doodzonde, dat is waar. Maar in *Het Boek der Liefde* wordt overspel anders gedefinieerd. Onze Heilige Schrift verklaart dat elke omhelzing die indruist tegen de wil van de ander, of die de geest van vertrouwen en bewustheid anderszins geweld aandoet, overspelig is. En dus zijn de meeste gearrangeerde huwelijken, waarin vrouwen gedwongen worden hun lichaam tegen hun wil aan te bieden, een vorm van overspel. Maar ze hebben de goedkeuring van de Kerk en van door de mens gemaakte wetten.
Hoe zou ware liefde ooit overspel kunnen zijn, als liefde ons grootste geschenk is van onze liefhebbende Vader in de Hemel? Salomo en Sheba waren niet getrouwd. Sterker nog: hij was getrouwd met andere vrouwen. Toch zijn ze nooit overspelig genoemd. Omdat hun liefde een hogere wet was. Hoe zou het kunnen dat twee zielen, door God in de hemel samengevoegd bij het ochtendgloren van de eeuwigheid, een zonde plegen door

zich in den vleze op aarde te verenigen? Want staat er niet in de Bijbel: *Hetgeen God dan heeft samengevoegd, scheide de mens niet?* Ik zeg u dat de wet van de liefde de wet van de mens altijd zal tarten, wanneer en als dat zo moet zijn. En dat elke keer dat Godfried me heeft aangeraakt, dat overspel was, ondanks de wetten van de mens en de Kerk volgens welke hij mijn echtgenoot is.

Maar om de andere helft van mijn ziel te omhelzen, om volledig samen te smelten met mijn zielsbroeder door samenvoeging van onze lichamen als een uiting van pure eenwording... dat is een sacrament zonder zonde, en daar zal ik pal voor staan, in Gods aangezicht op de dag van het Laatste Oordeel.'

Ze keek hem recht in zijn ogen. Toen ze geen van beiden iets wisten te zeggen, onder de indruk door haar verklaring, was uiteindelijk Matilda degene die de stilte verbrak en koos voor een veiliger onderwerp – al was het misschien maar tijdelijk – in de vorm van de voortzetting van hun Bijbelstudie.

'Het Lied der Liederen bergt in zich de leer van de zes aspecten van de liefde, die Jezus later afzonderlijk benadrukt in Zijn evangelie, óns meest heilige geschrift.' Bij het gebruik van dat bezittelijke voornaamwoord stak ze met een zweem van hooghartigheid haar kin naar voren. 'Een van deze aspecten is Eros, een intense, schitterende lichamelijke uiting van liefde. De gewijde eenwording.'

Gregorius reageerde enigszins opgelucht op de geestelijke uitdaging, dankbaar weer op vaste grond te zijn. 'Maar je gaat er wederom van uit dat de versregels een intieme, lichamelijke gevoelswaarde hebben. De wetenschappelijke interpretaties zijn dat niet met je eens. Die zijn heel stellig in hun overtuiging dat het Lied der Liederen niet over erotische liefde handelt.'

Matilda wilde al antwoorden, maar aarzelde toen even. Uiteindelijk boog ze naar voren, zodat haar golvende, koperblonde haar een verleidelijk contrast vormde met haar roomblanke huid. Haar blauwgroene ogen schitterden koortsachtig, gedreven, toen ze begon te citeren uit het Lied der Liederen. Zonder ook maar één moment het oogcontact te verbreken, fluisterde ze hees:

*'Hoeveel heerlijker uw liefde dan wijn!*
*Van honigzeem druppelen uw lippen, bruid.*
*Honig en melk is onder uw tong.'*

Stoutmoedig als ze was, na een leven dat altijd al was gekenmerkt door durf, stond ze op van de bank en liep naar hem toe. Ze knielde aan zijn voeten, nog altijd citerend, langzaam en gedragen, en keek naar hem op. Met trage, zorgvuldige bewegingen nam ze de sluiers van haar haar, terwijl ze zijn ogen nog altijd vasthield met de hare.

*'Ik at mijn raat en mijn honig,*
*ik dronk mijn wijn en mijn melk.*
*Ik sliep maar mijn hart was wakker.*
*Hoor, mijn geliefde klopt aan.*
*"Doe mij open, mijn liefste,*
*Mijn duive, mijn volmaakte."'*

De volgende sluiers die werden afgelegd, zorgvuldig, sierlijk, waren de sluiers die haar volle borsten bedekten. Ze zweefden naar de grond en onthulden haar roomblanke vlees, haar tere, roze gekleurde tepels. Hij keek naar haar, niet in staat zich te verroeren, terwijl de versregels over haar lippen stroomden en ze naar voren boog om luchtig met haar vingertoppen zijn dijen te strelen.

*'Op mijn legerstede des nachts*
*zocht ik mijn zielsbeminde.*
*Mijn geliefde stak zijn hand door de opening*
*en mijn hart werd onstuimig over hem.*
*Ik stond op om mijn geliefde open te doen.'*

Ze boog zich nog dichter naar hem toe, knielend aan zijn voeten, haar wang rustte op zijn dij, met haar vingertoppen streek ze over zijn andere been. Ze besloot het Lied, haar adem streek langs zijn zwelling:

*'Mijn handen dropen van mirre,*
*mijn vingers van vloeiende mirre.*
*Ik deed mijn geliefde open.'*

De laatste woorden sprak ze met een tedere loomheid. In haar enigszins schuinstaande, zeegroene ogen schitterde triomf bij het zien van zijn ongemak, zijn fascinatie, zijn passie. Nooit had een Bijbelcitaat zo verleidelijk geklonken.
'En dus vraag ik je,' fluisterde ze, en ze richtte zich op haar knieën op om

hem van aangezicht tot aangezicht te ontmoeten, waarbij ze met haar vingertoppen de druk op zijn dijen opvoerde, 'klinkt dat als een lied geïnspireerd door de ingetogenheid, de kuisheid van de Kerk?'
'Ik geef me gewonnen,' fluisterde hij schor, met zijn lippen tegen de hare. Ze verroerden zich niet, hun adem vermengde zich met elkaar, en ze waren zich bewust van dit moment van verboden nabijheid. Ze zouden beiden leren genieten van elk moment van afzondering dat hun werd geschonken, van elke gelegenheid die ze kregen elkaar op deze manier aan te raken, maar tegelijkertijd was het wachten een zoete kwelling. Toen hun lippen elkaar eindelijk in al hun volheid vonden, betekende dat een intens zinnelijk en uitgelezen voorspel op de verdere samensmelting van hun lichamen. De daaropvolgende uren brachten ze door in innige verstrengeling, gevangen in de bijzondere, alchemistische magie die optreedt wanneer het harde mannelijke bezit neemt van het zachte vrouwelijke en dat binnendringt.
*Zo zijn ze niet meer twee, maar één vlees. Hetgeen dan God heeft samengevoegd, scheide de mens niet.*
Hun eenwording was vervuld van vertrouwen en bewustheid, een volmaakte uiting van de hieros gamos. De geliefden uit de Heilige Schrift hadden elkaar opnieuw gevonden.

✿

In navolging van Salomo en Sheba bleven ze bijna een hele week samen. Een tijd waarin ze nauwelijks werden gestoord. In de gewijde geborgenheid waarin ze verkeerden, liet Matilda haar geliefde kennismaken met de intiemste geheimen van de hieros gamos zoals die waren bewaard door de Orde. Het ging om zorgvuldig beschermde en heilige leringen, duizenden jaren lang van vrouw op vrouw doorgegeven, om extase te verschaffen op een manier die voor niet-ingewijden niet voor te stellen was. Een benadering die de nadruk legde op het aanbidden van het lichaam van de geliefde, in het volle besef dat het lichaam het gewijde omhulsel was van de ziel. Matilda had deze lessen geleerd als onderdeel van haar instructie, maar ze had zich niet kunnen voorstellen hoe ze in de praktijk zouden voelen. Wie ze eenmaal had ervaren, was nooit meer dezelfde. Dat gold evenzeer voor vrouwen als voor mannen.
Isobel had aanvankelijk gelachen toen ze Matilda instrueerde en ze had gezegd dat ze medelijden had met degenen die nooit zouden weten hoe uitgelezen de goddelijke eenwording kon zijn.

'Weet je, Matilda, dat in de hele geschiedenis van de Orde nooit een man zijn geliefde heeft verlaten? Want wanneer de hieros gamos eenmaal is geconsummeerd volgens de geheime leringen, kan hij nergens anders meer naartoe! Hij zal nooit meer een andere vrouw begeren, omdat hij maar al te goed weet dat eenzelfde extase bij geen andere vrouw kan worden gevonden. Het is een extase die raakt aan het goddelijke. Zijn verlangen naar zijn geliefde wordt zo uitzonderlijk, zo intens, dat zijn toewijding nooit zal wankelen en zijn trouw verzekerd is. Dat op zich is een groots geschenk van God.'

Toen werd Isobel ernstig en ze verklaarde dat het waarlijk tragisch was dat dit gezegende ervaren van genot voor de meeste mensen verloren was gegaan. Dit specifieke pad naar het vinden van God door gewijde eenwording was nog slechts aan weinigen bekend, en de veranderende tijden zouden de geheimen blijven bedreigen tot ze zo goed als uitgewist waren. Zelfs de openbare en openlijke leringen, zoals die in het evangelie van Mattheüs, hoofdstuk 19: *Zo zijn ze niet meer twee, maar één vlees. Hetgeen dan God heeft samengevoegd, scheide de mens niet*, waren qua interpretatie afgezwakt, om de zinnelijke aard uit te wissen van het prachtige geschenk dat Jezus probeerde de mens te geven.

Paus Gregorius VII was geen oppervlakkige man. Het was niet alleen Matilda's schoonheid die hem aantrok, niet alleen haar macht en alles wat ze hem te bieden had als resultaat van die combinatie. Hij was intens en volledig gevallen voor deze vrouw van wie hij geloofde dat God haar voor hem had geschapen; hij had de hieros gamos leren begrijpen als een waarlijk religieuze ervaring in zijn dagen en nachten met de schitterende gravin. Hij had met deze vrouw God gevonden op een manier waarvan hij tijdens zijn studies nooit had kunnen dromen. Meer dan ooit was hij gefascineerd – geobsedeerd – geraakt door al deze oorspronkelijke leringen van het vroege christendom. Hij had zich als hervormer tot paus laten kiezen, met de bedoeling de Kerk opnieuw te maken tot een gewijd en spiritueel instituut, waar de leringen van Christus centraal stonden en boven alles gingen. Dat Matilda zo'n enorme uitdaging vertegenwoordigde voor wat dat in werkelijkheid zou kunnen betekenen, was zowel belangrijk als intrigerend, in een mate die zijn begrip bijna te boven ging.

'Ik ben geen paus geworden omdat ik een heilige ben, Tilda,' vertrouwde hij haar toe op hun laatste avond in Fiano, terwijl ze aan het diner zaten. 'Ik ben paus geworden omdat ik een pragmatisch mens ben en bovendien een slimme politicus die het welzijn van Rome en zijn Kerk ter harte gaat. Maar ik meen het oprecht wanneer ik zeg dat ik hoop heilig te worden ter-

wijl ik deze verheven positie bekleed. En wat zal me heilig maken, gezeten op de troon van de apostel Petrus? Ik zou heilig zijn door Jezus Christus na te volgen. Maar hoe meer ik lees, hoe meer ik studeer – en hoe meer ik leer van jou, des te meer begin ik me af te vragen wat het precies betekent om Christus na te volgen.
Is het mogelijk om een Kerk te handhaven met de macht en de structuur om een kudde te regeren die heel Europa bedekt en tot zelfs daarbuiten reikt, terwijl die Kerk tegelijkertijd volledig is gebaseerd op deze ideeën over de liefde die jij uitdraagt? Dat is een groot dilemma, want ik denk niet dat zoiets mogelijk is. Liefde kent geen rede, Matilda. Liefde kent geen logica, geen strategie, geen wet behalve haar eigen. Liefde is niet iets wat kan worden beheerst, bestuurd, gekanaliseerd via wetten. Je kunt de liefde geen belastingen opleggen, je kunt er niet van profiteren. Ik heb nota bene wetten uitgevaardigd die mijn eigen geestelijkheid de liefde verbieden. Toch beschermen diezelfde wetten elementen van de Kerk die bewaard dienen te blijven. Ze beschermen de Kerk als instituut, iets wat ik heb gezworen te zullen doen. Ik moet die wetten trouw blijven, omdat ze noodzakelijk zijn voor het hogere goed.
Maar wat betekent het als dit hogere goed dat ik probeer te beschermen regelrecht indruist tegen wat Onze Heer ons wil doen begrijpen? Dit zijn de beproevingen die we onder ogen moeten zien, beproevingen van het geloof en de vrije wil. Ik zal je nodig hebben, aan mijn zijde, zo vaak als maar mogelijk is, om me te helpen door deze nog onbekende wateren te navigeren. God heeft ons beiden onze plaats gewezen en ons bij elkaar gebracht. We hebben de kans om de geschiedenis te veranderen, om te verzekeren dat de Kerk sterk blijft en dat onze mensen Christus op de centrale plaats blijven stellen in hun leven. De vorm die een en ander gaat krijgen, is misschien niet wat jij voor ogen hebt. Het is misschien niet mogelijk om de wereld zoals wij die kennen ooit in te wijden in jouw Weg. Maar we zullen doen wat we kunnen om de Weg te beschermen. En ondertussen zullen we ermee doorgaan de Liefde te verkennen.'
Matilda daagde hem uit, zoals ze dat elke dag van hun leven samen zou blijven doen. 'Ik denk dat je anders zult gaan denken en voelen naarmate je meer vertrouwd raakt met de simpele en ontzagwekkende macht die de Weg van de Liefde is. Want de Weg is er voor iedereen, Gregorius, net zoals het Koninkrijk Gods er voor iedereen is. Rijk en arm, mannen en vrouwen, van hoge en lage komaf. De Weg van de Liefde is sterk genoeg om alles te doorstaan, sterk genoeg om de wereld vrede te brengen.'
Gregorius dacht na over haar woorden, de pragmatische politicus bond de

strijd aan met de nieuw ontwaakte poëet in hem. 'De liefde. Het is verrassend ingewikkeld, vooral als het om staatszaken gaat. Het is zorgwekkend. Prachtig. Maar het is vooral iets waar ik geen enkele ervaring mee heb. Dus voordat je morgenochtend naar Toscane vertrekt, moet ik het je vragen: zweer je dat je me zult steunen, Matilda? Dat je me zult helpen inzicht te verwerven in hoe we de Kerk naar ons beste vermogen kunnen bewaren zonder haar te verzwakken? Hoe we ervoor kunnen zorgen dat ze stand zal weten te houden tegen de grote bedreigingen waarmee we ons dagelijks geconfronteerd zien. En hoe we tegelijkertijd ook deze tradities kunnen bewaren die voor jou de heilige waarheid zijn?'

Over de tafel heen nam ze zijn handen in de hare, en ze antwoordde heel eenvoudig, met de belofte die ze nooit zou breken: '*Semper*. Altijd.'

*Rome*
*Heden*

Maureen en Berenger wandelden hand in hand door de San Pietro in Vincoli. Zijn komst naar Rome had haar verrast. Maar toen ze eenmaal begreep dat hij eerst bij Peter was geweest om hun geschil bij te leggen, voordat hij haar zelfs maar had laten weten dat hij er was, had ze zich enorm opgelucht gevoeld. Dat was de manier van doen van een echte man – een optreden dat duidde op nederigheid en verantwoordelijkheidsbesef. Ze had de vorige avond met hem gedineerd en hem tijdens de maaltijd bijgepraat over wat ze tot op dat moment uit de autobiografische teksten van Matilda aan de weet was gekomen. Bovendien vertelde ze hem over de man in het sweatshirt met capuchon die ze erop had betrapt dat hij haar raam in de gaten hield.

'Ik ben meteen naar je kamer gerend, maar je was er niet. En tegen de tijd dat ik terugkwam in mijn eigen kamer, was hij verdwenen.'

Berenger luisterde aandachtig, bezorgd. 'Laten we afspreken dat je nergens heen gaat in de stad zonder dat een van ons bij je is.'

Terwijl ze tegenover hem zat, gaf Maureen zichzelf alle ruimte om te beseffen waarom ze zo dol op hem was. Met hem praten gaf haar een gevoel van thuiskomen. Hij begreep haar, hij was net als zij, bij hem voelde ze zich thuis. En nu had hij zichzelf ook nog uitgeroepen tot haar officiële waakhond zolang ze in Rome was. Wanneer ze de plekken wilde bezoeken die een belangrijke rol hadden gespeeld in het leven van Matilda, stond Beren-

ger erop haar te vergezellen. Ze genoot enorm van zijn gezelschap.
Dwalend door de kerk die was gewijd aan de Heilige Petrus in Ketenen, herhaalde Maureen het verhaal van de eerste ontmoeting tussen Matilda en Gregorius.
'Het was absoluut liefde op het eerste gezicht, van beide kanten. Dat blijkt uit alle bronnen.'
Berenger knikte. 'En waar kwam die liefde op het eerste gezicht uit voort? Zou het niet juister zijn om te zeggen dat het liefde uit... herkenning was? Is het niet zo dat we als een blok voor iemand vallen omdat we in die persoon iemand herkennen die we eerder hebben liefgehad en die door het lot is voorbestemd om opnieuw door ons te worden bemind? Voelen we ons misschien onmiddellijk verbonden met of aangetrokken tot iemand omdat we ergens diep vanbinnen weten dat de persoon in kwestie als het ware een aanvulling is op onze eigen ziel?'
Al lopend door de enorme kerk dacht Maureen hierover na. Van de drommen toeristen bleven de meeste staan bij het gehoornde standbeeld van Mozes, het meesterwerk van Michelangelo. Ze gooiden onder luid gerinkel euromuntjes in de gleuf van de lichtbak, zodat het beeld gedurende enkele minuten baadde in een heldere gloed, waardoor ze het beter konden bekijken. Het gebouw was ingrijpend veranderd sinds de spontane verkiezing van Gregorius. Het was in de Renaissance op grote schaal gerenoveerd en had ook in de eeuwen daarna een reeks vernieuwingen ondergaan.
'Misschien heb je gelijk. Misschien is ook dit weer een vorm van "De Tijd Keert Weder".'
'Licht dat eens toe.'
'Nou, dan denk ik aan de paren over wie wordt gesproken door de Orde. Zoals Veronica en Praetorus. Keren ze terug in de gedaante van andere invloedrijke paren die als leermeesters hebben opgetreden? Net als Easa en Magdalena? Zijn ze de reïncarnatie van Salomo en Sheba? Het lijkt erop dat Matilda in die trant over zichzelf en Gregorius dacht. Moeten we dat letterlijk zien, of herleefden ze een archetype? Een archetype dat bereikbaar is voor ieder die het geluk heeft een dergelijke connectie te vinden? Ik weet het niet. Ik worstel er nog mee. Met alle ideeën in dit verband.'
Hij keek haar aan. Boeiend. Voor heel veel mensen zou de gedachte van een eeuwigdurende liefde onvoorstelbaar zijn, maar voor hem was het iets heel natuurlijks, iets heel simpels. En bovendien zo onbeschrijflijk mooi. Hij zei niets, maar bewaarde zijn diepere gedachten totdat ze was uitgesproken. Geduld was de deugd die hij nodig had om ervoor te zorgen dat deze eenhoorn uit eigen vrije wil in zijn tuin bleef.

Ze sloten aan bij de korte rij voor de relikwieën waaraan de kerk zijn naam dankte, de ketenen van enorme schakels die werden bewaard in een reliekhouder van goud en glas. Niemand kon met zekerheid zeggen of ze inderdaad de ketenen waren waarmee de Heilige Petrus vastgeklonken was geweest, maar ze werden omgeven door een vreemde aura, een mystiek patina dat alleen wordt aangetroffen op voorwerpen die eeuwenlang zijn aanbeden.

Enkele minuten later kwamen ze weer naar buiten, in het goudgele zonlicht van de Romeinse middag die op zijn eind begon te lopen. Terwijl ze zorgvuldig de marmeren treden afdaalde, kwam Maureen terug op het onderwerp dat ze eerder hadden besproken. 'Wat gebeurt er als het eenzijdig is?'

'Hoe bedoel je?'

'Nou, in dit geval is duidelijk dat Matilda en Gregorius de connectie beiden herkenden. Ze waren zich er allebei onmiddellijk van bewust. Gaat het altijd zo in dat soort gevallen van een voorbestemde liefde? Of beseft soms een van de twee het eerder dan de ander?'

Berenger hoefde niet over zijn antwoord na te denken. 'Volgens mij beseft een van de twee het vaak eerder dan de ander, soms zelfs veel eerder. En dan wordt het een kwestie van geduld, wat misschien wel de grootste beproeving is van een dergelijke liefde.'

Ze liepen langzaam door de smalle straten van het *centro storico*, helemaal opgaand in hun gesprek en in alles wat dat voor hen betekende. 'Het kan niet anders dan heel zwaar zijn voor de partner die het herkent, terwijl de ander zich nog van niets bewust is. Alsof de een wakker is en de ander slaapt.'

'Ongetwijfeld. Zalig de onwetenden. En dat is inderdaad waar. Wanneer we onwetend zijn, kunnen we ons leven leiden in de onbekommerde overtuiging dat we ons lot in eigen hand hebben. Maar wanneer we de verlichting bereiken, wanneer we gaan inzien dat het onze bestemming is ons over te geven aan Gods wil... Dat is niet altijd even gemakkelijk. En misschien is het Gods wil dat we heel veel geduld hebben met onze slapende geliefde, zodat we haar – of hem – zachtjes wakker kunnen maken.'

Maureen bleef staan.

'Wat is er?' Berenger was bang dat hij te ver was gegaan, dat die laatste toespeling te persoonlijk was geweest. Maar dat was niet de reden dat ze bleef staan. Hij slaakte een zucht van verlichting toen ze reageerde op de opgewonden manier die hij inmiddels van haar kende, wanneer de stukjes van de puzzel in elkaar begonnen te vallen.

'Wat je net zei! Haar zachtjes wakker maken. Dat is net als in de sprookjes. Doornroosje wordt gewekt, Sneeuwwitje wordt gewekt, allebei uit een soort "slapende dood". En hoe worden ze gewekt?'
'Met een kus.'
'Precies. Met de kus van de ware liefde. In de oudste versie van deze verhalen wordt heel specifiek gezegd dat de prinses wordt gewekt door de kus van de ware liefde. Niet zomaar een kus, een heilige. Misschien wel een kus die de levenskrachten van de geliefden met elkaar verbindt, een kus die het samenkomen van de zielen symboliseert. En die "slapende dood"? Die symboliseert de ziel vóór de verlichting.'
Berenger was net zo opgewonden als Maureen door deze gedachtegang. 'Vandaar de allegorie. Een gewijde lering die in het volle zicht moest worden verborgen, maar die met zo'n kracht moest worden onderwezen dat hij nooit verloren zou raken.'
Maureen knikte peinzend. 'En die moest worden onderwezen op een manier waardoor kinderen konden worden ingewijd in dit buitengewoon cruciale concept. Denk je dat het zo zou kunnen zijn? Jij hebt me geleerd dat de verbanden eindeloos doorgaan. Dat we telkens opnieuw waarheden zullen ontdekken, die zich in het volle zicht verbergen. Als we onze ogen maar openhouden. Zou het kunnen zijn dat zelfs onze meest geliefde kinderverhalen zijn gecreëerd rond de geheimen van *Het Boek der Liefde*? Dat we telkens wanneer we een van die verhalen vertellen eer bewijzen aan de oorspronkelijke leringen van Jezus? En misschien gaan we nog wel verder terug, bijna drieduizend jaar, naar het samenkomen van Salomo en Sheba?'
'Je bent een genie! Zo heb ik het nooit gezien. Terwijl we weten dat de kathaarse cultussen al heel vroeg in de ontwikkeling van hun kinderen begonnen met hun inwijding. En we hebben kunnen lezen hoe Isobel op die manier Matilda vertrouwd maakte met belangrijke concepten. Misschien was dat wel de oorspronkelijke bedoeling van verhaaltjes voor het slapengaan: om niet alleen de verbeelding van kinderen te prikkelen, maar ook om hen te onderwijzen. Verhaaltjes voor het naar bed gaan kunnen worden verwerkt, opgenomen in de slaap, door de onbewuste geest in de droomtoestand. Het is echt een geweldige gedachte!'
Maureen was nog niet aan het eind van haar gedachtegang. 'Er zijn ook mannelijke versies van het verhaal. Zoals de Kikvorsprins. De prinses gelooft erin dat ze haar geliefde heeft gevonden, ook al ziet hij eruit als een wrattige pad. Ze kijkt door de fysieke illusie heen, ze herként hem, en vervolgens verandert ze hem concreet in degene die altijd al in hem had geze-

ten. Met de kus van de ware liefde maakt ze een echte prins van hem. Hetzelfde geldt voor Belle en het Beest. Belle herkent de prins in het monster en redt zijn leven wanneer hij stervende is van liefde – met haar kus. Natuurlijk, dat moet het zijn!'
'Natuurlijk, je hebt gelijk.' Berenger snakte ernaar om haar een van de grote geheimen te vertellen die ze nog moest ontdekken, namelijk dat er een reden was voor het feit dat de geliefde in deze verhalen altijd een prins was. Maar ze was er nog niet klaar voor om alles te weten. Hij zou niets overhaasten, maar besloot de basis te leggen voor toekomstige discussies.
'Volgens mij heb je nog iets anders te pakken.'
'O? Wat dan?'
'Dat er een mannelijke en een vrouwelijke versie van het verhaal bestaan bewijst dat er bij de waarheid altijd sprake is van een balans. Als er een legende of een profetie bestaat over een vrouw, dan is er een equivalent met een man in de hoofdrol. Dat is alchemie. En het is ook niet meer dan natuurlijk: het samenkomen van tegenpolen. Tegenover elke actie staat een gelijksoortige, maar tegengestelde actie. Het is zowel Isaac Newton als Maria Magdalena. Verstandelijk en emotioneel, aarde en water, mannelijk en vrouwelijk, bewust en onbewust.'
'Prins en kikker.' Ze glimlachte naar hem, zoals hij haar dat nog maar zelden had zien doen: zonder reserve, bijna onbekommerd, gelukkig. En misschien verried haar glimlach zelfs nog iets meer. Hij wilde niets liever dan haar kussen, midden op die straat in Rome, maar hij hield zich in. Ze werkten aan een nieuw inzicht in de heiligheid van wat ooit was gezien als een simpele daad, lippen die elkaar in een reflex vonden. Voor hen bestond er niet langer meer zoiets als een simpele kus. Hij zou wachten tot hét moment, tot ze allebei volledig waren toegewijd aan wat het werkelijk zou betekenen om elkaar te vinden in de eenwording van hun adem en hun levenskracht.
Tot het zover was, zou hij simpelweg genieten van de tijd die hij met haar doorbracht. Ondanks de emotionele uitdagingen waarmee ze zich bij hun samenkomst geconfronteerd zouden zien, besefte hij dat ze zich gelukkiger mochten prijzen dan de door het lot aangewezen paren die hun in de geschiedenis waren voorgegaan.
Om te beginnen was hij niet de paus. En zij was niet getrouwd met een onbetrouwbare bultenaar. In vergelijking daarmee was hun uitgangspositie bepaald veelbelovend.

*Vaticaanstad*
*Heden*

Pater Girolamo keek de lijst door en besefte dat die niet volledig was. Hij miste een aantal vrouwen die voldeden aan de criteria, dus hij zou zijn aantekeningen opnieuw moeten raadplegen. Hij moest toegeven dat zijn geheugen hem met het klimmen der jaren in de steek begon te laten. Er was een tijd geweest waarin hij de namen uit zijn hoofd had kunnen spuien, maar dat werd steeds moeilijker. Het deed er niet toe; ze waren allemaal gedocumenteerd, voorzien van de ter zake doende bijzonderheden, waaronder de werkelijke geboortedatum en de vaak tragische manier waarop deze vrouwen, van wie vele inmiddels waren erkend als heiligen en martelaren, de dood hadden gevonden.
Tot zijn grote frustratie besefte hij dat hij met zijn werk in een impasse was terechtgekomen. Uit zijn hoofd stelde hij de lijst op, in de hoop dat die hem zou helpen te bepalen wat zijn volgende stap moest zijn. De namen verschenen in chronologische volgorde:

*Sara-Tamar – eerste eeuw, geboortejaar en dood onbekend (doodsoorzaak onbekend).*
*Catharina van Alexandrië – geboren 287, gestorven 305 (gemarteld en onthoofd).*
*Margaretha van Antiochië – geboortejaar onbekend, gestorven 304 (gemarteld en onthoofd).*
*Lucia – geboren 284, gestorven 304 (onteerd in een bordeel, ogen uitgestoken en onthoofd).*
*Modesta – vierde eeuw, geboorte- en sterfjaar onbekend (gemarteld en vervolgens verdronken in de bron bij Chartres).*
*Barbara – geboren en gestorven begin vierde eeuw (onthoofd). Apocrief?*
*Ursula – geboren en gestorven in de vierde eeuw. Afgeslacht, samen met duizend maagden. Apocrief?*
*Godelieve van Vlaanderen – geboren 1046(?), gestorven 1070 (gewurgd, toen verdronken in een put).*
*Matilda van Toscane – geboren 1046, gestorven 1115 (gestorven aan complicaties van jicht).*
*Catharina van Siena – geboren 1347, gestorven 1380 (stierf als gevolg van een beroerte op drieëndertigjarige leeftijd).*

*Jeanne d'Arc – geboren 1412, gestorven 1431 (verkracht en levend verbrand).*
*Lucrezia Donati – geboren 1455(?), gestorven ? (stierf een natuurlijke dood).*
*Giovanna Albizzi – geboren 1465(?), gestorven 1489(?) (stierf in het kraambed).*
*Theresa van Avila – geboren 1515, gestorven 1582 (stierf aan een onbekende ziekte).*
*Germaine van Pibrac – geboren 1579, gestorven 1601 (vergiftigd).*
*Margherita Luti (La Fornarina) – zestiende eeuw, geen exacte gegevens bekend (vergiftigd?).*
*Lucia dos Santos – geboren 1907, gestorven 2005 (stierf een natuurlijke dood).*

Tevreden dat hij nu in elk geval iets had om van uit te gaan, voegde hij de laatste naam toe. Deze vrouw, die deel uitmaakte van de contemporaine geschiedenis, was bijzonder in die zin dat ze had bereikt waartoe geen van de anderen in staat was geweest, en pater Girolamo hoopte inzicht te krijgen in het hoe en waarom.

*Maureen Paschal*

Misschien lag de sleutel uiteindelijk toch niet in het verleden. Misschien bevond alles wat hij nodig had zich op ditzelfde moment hier in Rome.

# 12

*Rome*
*Maart 1075*

Matilda was terug in Rome, en gelukkiger dan ooit omdat ze bij haar geliefde kon zijn. Ze hadden net de buitengewoon succesvolle tweede synode van Gregorius' pausschap achter de rug, waarbij zijn *Dictatus Papae* aan de wereld was gepresenteerd. De *Dictatus* was het resultaat van hun dagen en nachten samen, een gepassioneerd project van twee zielen die vast van plan waren de Kerk te hervormen en zowel haar structuur als haar geest te beschermen tegen haar belangrijkste vijanden.

Het document leek in niets op wat ooit vanaf de troon van de Heilige Petrus was verkondigd. Het was radicaal, stoutmoedig en briljant geconstrueerd. In de kern kwam het erop neer dat paus Gregorius VII de moed had de Kerk en al haar gelovigen te bevrijden van elke vorm van invloed van monarchen en andere seculiere leiders, waar ook ter wereld. De Kerk werd aangewezen als de enige instantie op aarde die mocht oordelen over de gerechtigheid, en binnen die gerechtigheid waren alle mensen gelijk geschapen voor Gods aangezicht. De *Dictatus* bepaalde dat deze wet van gelijkheid, zoals bekrachtigd door Jezus Christus, voor iedereen gold, ook voor vrouwen en slaven, en zelfs voor koningen. Niemand was beter of slechter dan zijn medemens; en in de ogen van God was niemand belangrijker of meer waard dan een ander. Het was het eerste document in de geschiedenis van het pausschap dat sprak over menselijke gelijkheid die losstond van geslacht en economische status. Het was absoluut revolutionair.

De invloed van Matilda was in de *Dictatus* maar al te duidelijk aanwijsbaar – voor wie ogen had om te zien.

In deze nieuwe wereld waarin iedereen gelijk was voor Gods aangezicht, was het feodalisme – het sociale en economische stelsel dat op het hele Europese continent het fundament van de maatschappij vormde – in wezen dood. Van nu af aan was de paus de enige autoriteit in de wereld als het ging om gerechtigheid. En om de macht van de Kerk onder haar goddelijk gekozen beschermer te versterken, verklaarde de *Dictatus* bovendien dat de paus onfeilbaar was. Rome vormde het centrum van de beschaafde wereld, God was de enige heerser. En in de naam van God zou de paus waken over de gerechtigheid, en over verspreiding vanuit de Kerk van rijkdom en macht.

Het was ongehoord. De *Dictatus Papae* betekende een ongekende revolutie in de geschiedenis. Hij scheidde Rome, als enige vertegenwoordiger van Gods wil, van elke seculiere invloed en probeerde de meerderheid van de wereldlijke heersers in Europa hun macht te ontnemen, onder wie niet in de laatste plaats Hendrik IV. De *Dictatus* plaatste Rome en het pausschap als almachtig in het hart van het universum.

Maar Gregorius, die leek te gedijen bij controverse, was nog niet klaar. Er deden geruchten de ronde over zijn relatie met de beeldschone gravin van Canossa, en ze werd dan ook fel gehaat door de hoogste kringen in Rome, die haar zagen als een gevaarlijke, invloedrijke buitenstaander. De aanhangers van Gregorius en Matilda deden de geruchten af als politieke chantage en blijken van jaloezie, en dit werd – althans voorlopig – aanvaard door de inwoners van Rome die nog altijd achter de charismatische Gregorius stonden. De paus was echter van plan een eind aan de geruchten te maken, voordat ze een reële bedreiging konden vormen voor hem en zijn geliefde. Als scherpzinnig politicus wist hij dat de aanval de beste verdediging is, en dus vaardigde Gregorius diverse dictaten uit betreffende de klerikale seksualiteit, als aanvulling op de wetgeving waarvan hij de initiator was geweest onder paus Nicolaas II. Hij eiste dat iedere priester die zich niet hield aan de wetten van het celibaat onmiddellijk uit het ambt werd ontheven, en hij riep zijn bisschoppen op om de noodzaak van het celibaat te prediken voor alle leden van de clerus, van wie mocht worden verwacht dat ze onbezoedeld waren van lichaam en geest. Verder scherpte hij de wetten aan die het een priester verboden zich in een situatie te begeven waarin de mogelijkheid bestond dat hij alleen zou worden gelaten met een vrouw.

Het gegeven van een zuivere gedragscode voor priesters werd met zoveel kracht benadrukt dat het onmogelijk werd te beweren dat de paus zelf allesbehalve celibatair was. Tenslotte zou niemand de vermetelheid hebben met zoveel passie een dergelijke strenge wet af te kondigen en die vervolgens zelf te overtreden. Dankzij de dictaten kwam er een abrupt einde aan al het gefluister omtrent verondersteld ongepast gedrag met Matilda. Zoiets was simpelweg ondenkbaar.

Maar de mensen in Europa vergaten, vervuld van ontzag door nieuwe wetten, dat Gregorius VII geen gewone man was. Noch was hij zomaar de eerste de beste priester. Hij was de paus! En als zodanig hoefde hij aan geen enkele wet verantwoording af te leggen, alleen aan de wet van God zelf. Hij was, dankzij zijn eigen dictaten – en die van de vrouw die hij liefhad en met wie hij het bed deelde – onfeilbaar.

❂

'Hendriks beloften betekenen niets! Hij is een koning zonder eer, en dus geen koning!'
Matilda liep rusteloos door de zalen van het versterkte landhuis met wachttoren op het Isola Tiberina, het eiland in de Tiber, dat diende als haar Romeinse hoofdkwartier tijdens haar langdurige bezoeken aan Gregorius. Haar uitval was een reactie op het nieuws dat Hendrik zijn eed van trouw aan paus Gregorius had gebroken. Aan het hoofd van zijn Duitse troepen had hij, met substantiële steun vanuit Lotharingen, op 9 juni 1075 tijdens de Slag bij Hohenberg na jaren van oorlog voeren de Saksen verslagen. De beslissende overwinning en de steun die de koning daarop ontving in de noordelijke gebieden versterkten zijn trots en zijn ambitie, en Hendrik besloot actie te ondernemen tegen Gregorius. De *Dictatus Papae*, die inmiddels drie maanden oud was, deed hem zieden van woede, en hetzelfde gold voor zijn bisschoppen in Duitsland en Lombardije. In hun ogen was deze nieuwe paus een omhooggevallen arrivist en bovendien gevaarlijk. Hoe durfde iemand zich hoger te verklaren dan de koning zelf?
Hendrik was gedwongen geweest zijn tijd af te wachten, maar het tij van de macht dreigde te keren ten gunste van Duitsland. Om zijn standpunt duidelijk te maken ging Hendrik over tot herinstallatie van de geëxcommuniceerde bisschoppen, die hem daarvoor reusachtige sommen geld betaalden. Bisschop Teobaldo, die het radicaalst had gerebelleerd tegen de hervormingen van Gregorius, werd gewijd tot aartsbisschop van Milaan, waardoor heel Lombardije tegenover de paus kwam te staan. Hendrik maakte zich hiermee schuldig aan grove acties, van zowel simonie als lekeninvestituur, welbewuste schendingen van alles waar Gregorius voor stond. Er volgde een officiële oorlogsverklaring.
Conn keek naar de rusteloos heen en weer lopende Matilda, maar bleef zitten op zijn stoel. Gezien deze nieuwe dreiging zouden ze onmiddellijk terug moeten naar Toscane. Hij moest zorgen dat ze dat begreep. Het viel haar altijd zwaar om Rome en Gregorius achter zich te laten, maar ze hadden geen keus.

'Hendrik is niet ons enige probleem, Matilda. Godfried heeft ook weer een brief gestuurd, waarin hij zijn rechten opeist als hertog van Toscane, niet alleen op de gebiedsdelen, maar ook zijn rechten als je echtgenoot. Hendrik heeft aangeboden hem zo nodig militair te steunen, om zowel jou als Toscane in bezit te nemen. Blijkbaar hebben je recente acties in Montecatini de bultenaar tot het uiterste gedreven. Gevoegd bij wat hem toch al dwarszat.'

In de maand daarvoor had Matilda haar bezittingen in Montecatini op naam van Anselmo van Lucca laten zetten, als een geschenk aan de Orde. De gebieden waren van haar, ze had ze geërfd van Bonifacio, en wat haar betrof had ze het recht ermee te doen wat zij wilde. Volgens de wetten zoals die door de Duitse koning werden toegepast, had Godfried echter als enige het recht om Toscane te besturen. Het sprak vanzelf dat de paus zich achter Matilda had geschaard en had geweigerd Godfrieds protest zelfs maar in behandeling te nemen.

Godfried van Lotharingen mocht dan een reeks afschuwelijke tekortkomingen hebben, hij was niet achterlijk. Zo was hij zich dan ook terdege bewust van de geruchten omtrent de buitengewoon hechte relatie tussen zijn vrouw en Gregorius. Geruchten die een onuitsprekelijke kwelling voor hem betekenden. Tijdens zijn veldtocht tegen de Saksen had de Duitse koning zelfs wellustige opmerkingen gemaakt over de demonische roodharige verleidster die niemand minder dan de paus zelf had gecorrumpeerd. Na Matilda's in zijn ogen schandalige handelwijze in Montecatini had de waanzin, die diep in Godfried huisde, zeker waar het zijn vrouw betrof, definitief bezit van hem genomen.

'Ik ben niet bang voor hem, Conn. Ik ga vanavond met zijn brief naar Gregorius, om te vragen wat me te doen staat.'

'Daar is geen tijd voor,' reageerde Conn geërgerd. 'We moeten onmiddellijk vertrekken. Nu meteen. Als de bultenaar Toscane binnentrekt, en jij bent er niet om je bezittingen te verdedigen, valt niet te voorspellen wat er zal gebeuren.'

'Arduino is er toch, en mijn moeder?'

'Toscane, dat zijn wij. Niet Arduino en je moeder. Wanneer de geruchtenstroom op gang komt, hebben je mensen je nodig. Dan willen ze je in hun midden zien.'

'Over welke geruchten heb je het? De gebruikelijke? Die gelooft niemand meer. Daar heeft Gregorius wel voor gezorgd.'

De grote krijger stond op en haalde diep adem. 'Matilda, luister nou eens naar me. Godfried en dat kwaadaardige gebroed van een koning zijn eropuit je te vernietigen. Dat moet je heel goed beseffen. Ze zijn begonnen met een campagne gericht tegen jou en je reputatie. Ik had je dit willen besparen. Want ik ken je, en ik weet dat zulke dingen je raken tot in het diepst van je ziel, hoe sterk je naar buiten toe ook mag lijken.'

Matilda staakte haar rusteloze gedrentel en zette zich schrap. 'Ga door.'

'Er is vanuit Lotharingen het gerucht verspreid dat je je eigen kind hebt vermoord. Sterker nog: er doen verschillende geruchten de ronde, want zo gaat dat wanneer de geruchtenmolen eenmaal draait, dat weet je. Ze zijn natuurlijk allemaal volstrekt uit de lucht gegrepen – bijgelovig gebazel van onwetenden. Maar ze zijn ook gevaarlijk. Er wordt beweerd dat je je dochter aan de duivel hebt geofferd en dat je op die manier je extreme macht en rijkdom hebt verworven. Dat is nog lang niet alles, maar laat ik volstaan met te zeggen dat er tussen jou en de duivel een onfatsoenlijke relatie zou bestaan, waarover in buitengewoon beeldende details wordt gespeculeerd. En dan is er ook nog het gerucht dat je het kind meteen na de geboorte voor de ogen van je echtgenoot hebt gewurgd, om hem de stuipen op het lijf te jagen en zijn onderdanigheid af te dwingen, opnieuw met hulp van de duivel. Ik geloof dat Godfried dat laatste gerucht verspreidt om sympathie te vergaren. In Lotharingen wordt om je bloed geroepen, omdat je een heks zou zijn.'

Ze ging langzaam zitten, ziek door wat ze zojuist had gehoord. Conn had gelijk. Zulke afschuwelijke geruchten raakten haar tot in het diepst van haar ziel. En ook al wist ze dat het inderdaad ging om bijgelovig gebazel van onwetenden, toch deed het haar gruwelijk veel pijn. Waarom had God haar zoveel verantwoordelijkheid gegeven, en zelfs zulke uitzonderlijke vermogens als krijger, maar geen weerstand tegen emotionele pijn? Haar hele leven lang zou ze in stilte om dit soort dingen lijden, in de donkere nachten wanneer de slaap maar al te vaak niet wilde komen.

Conn antwoordde met al zijn Keltische passie, wetend hoe hij haar moest inspireren wanneer ze zich verslagen voelde, namelijk door de aandacht af te leiden van haar persoonlijke omstandigheden en te zorgen dat ze zich richtte op de verheven zaak van de gerechtigheid. 'Het is een propagandastrijd, Matilda. Te lang is het de gesel geweest van de mensheid om de naam van een vrouw te besmeuren en haar op die manier te verzwakken. Een smerige oorlog. Machtige vrouwen zijn altijd een bedreiging geweest voor zwakkelingen van mannen. Je moet ertegen vechten zoals Boudica dat heeft gedaan. Sterker nog, je moet haar strijdkreet overnemen.'

Matilda keek naar hem op, nog niet zo gedreven en onbevreesd als anders, maar in een hevige strijd met zichzelf gewikkeld om te aanvaarden wat

haar te doen stond. Ze richtte zich op, kwam bij hem staan en stak haar hand uit. 'De Waarheid Tegen de Wereld?'
Hij pakte haar hand en omhelsde haar. 'Zo mag ik het horen. De Waarheid Tegen de Wereld. Kom, kleine zuster, op naar Toscane, om op bultenaars en Duitse adders te jagen.'

✲

Op 8 december 1075 vuurde paus Gregorius VII een salvo af op koning Hendrik IV. Ter ere van het feest van de Onbevlekte Ontvangenis riep hij Hendrik ter verantwoording voor zijn leugens en wandaden, en hij eiste dat de koning zijn geweten zou zuiveren door boete te doen en om vergiffenis te vragen, op straffe van onmiddellijke excommunicatie. Geen paus had ooit een regerend monarch geëxcommuniceerd, een ongekend dreigement in de Europese politiek.
Hendrik reageerde op de manier die hem het meest vertrouwd was: met geweld. Hij schakelde de hulp in van de Cenci's in Rome, oude rivalen van de Pierleoni's die zich moeiteloos lieten omkopen door het Duitse goud. Ze ronselden huurlingen om te infiltreren in de dienst op kerstavond in de Santa Maria Maggiore. Toen ze naar voren traden om de communie te ontvangen uit handen van de paus, braken de huurlingen door de gelederen en knuppelden ze de paus neer. Vervolgens sleepten ze de bloedende en bewusteloze Gregorius de kathedraal uit, en ze sloten hem op in een toren die eigendom was van de familie Cenci. Niemand zou ooit weten waarom Gregorius niet ter plekke door zijn overvallers was vermoord. Verondersteld werd dat in de haast om een dergelijke duivelse ontvoering te organiseren, de exacte orders – over wat te doen met de paus wanneer ze hem eenmaal gegijzeld hadden – niet afdoende waren doorgenomen. En niemand van de betrokkenen wilde het bloed van de Heilige Vader aan zijn handen, als de koning niet uitdrukkelijk opdracht had gegeven tot – en had betaald voor – moord. Het gevolg was dat ze hem een nacht gevangen hielden tot er een beslissing kon worden genomen.
De schande van het geheel – bloedvergieten op het altaar met als slachtoffer een paus die nog altijd werd gesteund door de bevolking van Rome, leidde op kerstochtend tot een volksoproer. Het paleis van de Cenci's werd bestormd door een woedende menigte, onder aanvoering van de Pierleoni's. Gregorius werd bevrijd, en de Cenci's werden de stad uit gejaagd.
Paus Gregorius VII keerde terug naar zijn voornaamste residentie, het Lateraans Paleis. Nadat hij behandeld was aan zijn hoofdverwondingen,

liet hij pen en inkt komen en schreef hij onmiddellijk een brief aan zijn geliefde opdat ze zich niet nodeloos ongerust zou maken.

❂

Matilda reed met Conn in een halsbrekend tempo door Toscane, op weg naar Pisa. Haar moeder, die in de stad bestuurlijke zaken afhandelde, was ernstig ziek geworden, en Matilda wilde niets liever dan zo snel mogelijk bij haar zijn. Onder het rijden bad ze vurig dat haar moeder bij haar aankomst nog zou leven en bij kennis zou zijn. Ze kon de gedachte Beatrice te verliezen al nauwelijks verdragen, maar haar te verliezen zonder haar nog te hebben gesproken zou pas echt ondraaglijk zijn.
Tot Matilda's opluchting leefde Beatrice nog, ook al was ze niet bij kennis. Afhankelijk van het stijgen en dalen van de koorts kwam ze af en toe even bij. Op dat moment was ze in diepe slaap, wat Matilda de gelegenheid gaf na te denken over andere zaken die zwaar op haar drukten.
Bij haar vertrek uit Toscane had ze bericht ontvangen van Gregorius – de brief waarin hij haar verzekerde dat alles goed met hem was, maar waarin hij ook verslag deed van zijn gewelddadige ontvoering. Wat zou ze op dit moment graag naar hem toe zijn gegaan! Ze moest hem zien, aanraken, om zich gerustgesteld te voelen dat alles goed zou komen. Maar gezien de toestand van haar moeder was dat ondenkbaar. Ze schreef hem een brief, met de zorgvuldige formuleringen die noodzakelijk waren in een openbaar schrijven, waarin ze uiting gaf aan haar liefde in bewoordingen waaruit niets ongepasts kon worden opgemaakt als ze werden gelezen door pauselijke gezanten, of – erger nog – als ze werden onderschept door de vijand:

*Geliefde Heilige Vader,*
*Hoe diep heeft het mij geschokt te horen over wat u is aangedaan, maar hoe dankbaar ben ik God dat Hij Zijn enige ware en gekozen Apostel heeft gespaard.*
*Het liefst zou ik alles in het werk stellen om, als uw geliefde dochter en dienares, naar Rome te komen en voor u te zorgen, maar ik kan mijn zieke moeder niet in de steek laten. Ik smeek u bij God voorbede te doen ten haren gunste.*
*Ook al ben ik door afstand van u gescheiden, weet dat rampspoed noch smart, honger noch gevaar, vervolging noch het zwaard, de dood noch het leven, principes noch deugden me ooit kunnen scheiden van mijn liefde voor de Heilige Petrus.*
*Voor eeuwig de uwe.*

Gregorius zou weten hoe hij tussen de regels door moest lezen, want de brief was geformuleerd volgens hun persoonlijke code. Ze verwees naar zichzelf als zijn geliefde, en naar hem als de hare, maar in de zorgvuldige woordkeuze die een dergelijke openbare verklaring veilig maakte. Dus wanneer ze de passage uit hun Lied der Liederen aanhaalde, *Mijn geliefde is van mij en ik ben van hem*, dan zou dat voor een buitenstaander niet ongepast lijken, omdat deze slechts een liefhebbende dochter van de Kerk zag die uiting gaf aan haar toewijding jegens de Heilige Vader. Haar bezielde laatste woorden dat niets haar zou kunnen scheiden van haar liefde voor de 'Heilige Petrus', verwees naar een van de belangrijkste leringen uit *Het Boek der Liefde*: dat ware geliefden nooit en door niets op deze wereld of in deze tijd kunnen worden gescheiden, omdat hun zielen voor eeuwig met elkaar verbonden zijn.
Na ontvangst van Matilda's hartstochtelijke brief schreef een sombere en gekwelde Gregorius haar opnieuw. Misschien kwam het door zijn hoofdwond dat hij onvoorzichtig werd, of misschien had hij simpelweg genoeg van het doen alsof, maar in zijn schrijven naar zijn geliefde stond hij zichzelf voor één keer toe te vergeten dat hij de paus was en zij de vrouw van de hertog van Lotharingen. Het werd een prachtige en hartstochtelijke brief, waarin hij duidelijk maakte hoezeer hij wenste dat ze beiden hun verantwoordelijkheden konden afleggen en konden vluchten naar een plek waar ze niet voortdurend door nieuwsgierige ogen werden bekeken. Hij besloot de brief met de regels uit het Lied die hen beiden het jaar daarop zouden achtervolgen, woorden die voor hen beiden tot grote problemen zouden leiden omdat ze in verkeerde handen vielen:

*Ik zal met smart wachten tot ik u zie in den vleze, mijn volmaakte, mijn duif. Wachten tot u zich weer voor me opent, in het besef dat het al te vluchtig is. Tot we voor eeuwig samen kunnen zijn, tot u voor altijd aan mijn zijde zult zijn voor het aangezicht van Onze Heer, tot die tijd wacht ik op u.*

Paus Gregorius koos zijn koeriers heel zorgvuldig, in het bijzonder voor zijn briefwisseling met Toscane. Wat hij niet kon weten, was dat zijn meest vertrouwde boodschapper in een hinderlaag zou lopen, gezet door de hertog van Lotharingen, en dat zijn onschuldige keel zou worden doorgesneden voor de prijs van een enkel velletje papier.
De hartstochtelijke brief van de paus aan zijn eeuwige geliefde zou haar nooit bereiken, maar in handen vallen van haar echtgenoot.

Conn wist het zeker en Matilda was het met hem eens: Godfried had een rol gespeeld bij de aanslag op het leven van de paus. Het was zelfs bepaald niet ondenkbaar dat hij het brein achter de operatie was geweest.
'Natuurlijk zat Godfried erachter. De aanslag is tenslotte mislukt!' Matilda spuugde de woorden uit in woede en frustratie. 'En goddank! Ik had me geen raad geweten als ze hun zin hadden gekregen! Stel je voor dat ik mijn Gregorius en mijn moeder tegelijkertijd zou hebben verloren. Zoveel verdriet had ik niet overleefd.'
'Maar dat is niet gebeurd, Matilda. Alles is goed met Gregorius. God zorgt voor de zijnen.'
Ze knikte, te zeer overweldigd door de omstandigheden om te beseffen dat Conn had geciteerd uit de leer van de Orde. Want ondanks het feit dat Gregorius was gered en ondanks de duidelijke aanwijzingen die wezen in de richting van de koning en zijn hertog, had Hendrik zich niet teruggetrokken. Hij was zo onbeschaamd te weigeren om vergiffenis te smeken voor de aanslag. Sterker nog: hij verklaarde dat het Duitse koninklijk hof van plan was de paus voor het gerecht te slepen, en tegenover de heersers van Europa met keiharde bewijzen aan te tonen dat hij een misdadiger was en diende te worden afgezet. Er werd een datum voor het proces vastgesteld – 24 januari, 1076 – en vanuit heel Europa werden de edelen uitgenodigd om naar de Duitse stad Worms te komen, waar ze zich zouden kunnen wreken op de parvenupaus die zichzelf had uitgeroepen tot alleenheerser over de wereld.

*De Synode van Worms,*
*Duitsland*
*24 januari 1076*

De bisschoppen van Duitsland hadden gesproken.
Gregorius VII werd beschuldigd van een veelvoud aan misdrijven tegen de bewoners van Europa en hun rechtmatige koning. Haastig waren er petities opgesteld en ondertekend om zijn schuld officieel te bezegelen. Kern van de bewijsvoering was Gregorius' eigen wet. Hij had de troon van de Heilige Petrus gestolen in een onwettige verkiezing; hij was niet benoemd door het college van kardinalen en hij had zijn eigen verkiezingsdecreet met voeten getreden. Verder werd hij veroordeeld wegens zijn hoogmoed om de bisschoppen hun rechten en hun invloed te willen ontnemen en

zichzelf uit te roepen tot enige bekleder van alle heilige macht.
De presentatie van de bewijzen was in volle gang, in aanwezigheid van de koning, toen Godfried de bultenaar, hertog van Lotharingen, met een rood hoofd kwam binnenstormen, zwaaiend met een document dat hij in zijn gebalde vuist geklemd hield.
'Ik wens nog een beschuldiging toe te voegen aan het adres van deze duivel die heel Europa probeerde te bedriegen en zichzelf tot paus heeft uitgeroepen.'
Gezeten op zijn troon was Hendrik IV erg met zichzelf ingenomen. Hij genoot van dit soort chaotische en dramatische situaties, en hij wist dat wat Godfried in de procesgang wenste in te brengen het verrukkelijkste en smeuiigste bewijsstuk zou zijn dat tot op dat moment aan de orde was gekomen.
'Treed naar voren, mijn beste hertog. U hebt een persoonlijke klacht tegen de pauselijke usurpator, is me verteld.'
'Inderdaad, excellentie.'
'Dan verzoek ik u dringend uw beschuldiging toe te lichten voor deze raad.'
'Ik wens deze man te beschuldigen van overspel.' De stem van de gekwelde bultenaar werd steeds luider in zijn verontwaardiging en weerkaatste tegen de muren van de raadszaal. Het geluid bereikte een crescendo met zijn laatste, nadrukkelijke verklaring. 'Met mijn vrouw!'
In de raadskamer barstte een pandemonium los. Hoewel alle aanwezigen de geruchten omtrent de relatie tussen Gregorius en Matilda kenden, had niemand verwacht dat er een formele beschuldiging zou worden uitgebracht wegens overspel door de echtgenoot van de vrouw in kwestie.
'En welk bewijs hebt u van dit verschrikkelijke onrecht u aangedaan, heer Godfried?'
Die stak het document naar voren. 'Deze brief, geschreven door de valse paus, werd op de dag van de Heilige Stefanus naar mijn vrouw gestuurd. Hij staat vol met de meest schaamteloze taal en bevestigt hun slechte en wellustige verbond.'
'Lees hem voor.' Hendrik likte zijn lippen in gespannen verwachting.
Godfried voelde zich duidelijk niet op zijn gemak. Het was één ding om ten overstaan van zijn gelijken te worden bedrogen, maar iets heel anders om de vernedering nog erger te maken door een brief van de minnaar van zijn vrouw hardop aan het hof voor te lezen. 'Ik zou er de voorkeur aan geven de brief bij het bewijsmateriaal te voegen, zodat de leden van de raad hem zelf kunnen lezen.'

De koning reikte naar de brief en griste het bewijsstuk uit de hand van de bultenaar. 'Dan lees ik hem voor.'
Hendrik ontleende grote vreugde aan het voorlezen van de privécorrespondentie tussen Gregorius en Matilda. Bij een van de passages haperde hij even; toen vervolgde hij, duidelijk genietend terwijl zijn stem droop van wellust: '*Ik zal met smart wachten tot ik u zie in den vleze, mijn volmaakte, mijn duif. Wachten tot u zich weer voor me opent.*'
Er heerste doodse stilte in de zaal, tot de koning die uiteindelijk verbrak. 'Mijn beste heer Godfried, het spijt me dat u bent geconfronteerd met de ongelukkige ontdekking dat uw vrouw een lichtekooi is, maar ik ben u buitengewoon dankbaar dat u met dit bewijsstuk naar voren bent gekomen, in het belang van heel Europa. Is iedereen hier het erover eens dat deze brief, samen met de verslagen die velen van ons hebben ontvangen over de onzalige seksuele relaties tussen de valse paus en de hoer die nog altijd de echtgenote is van deze ongelukkige, ruimschoots bewijst dat er sprake is van crimineel gedrag? Als niemand daartegen bezwaar aantekent, verklaar ik hierbij officieel dat zowel paus Gregorius VII als Matilda, gravin van Canossa, wordt beschuldigd van overspel.'

✿

Het formele decreet dat bij Gregorius werd afgeleverd, luidde:

> *U hebt de Kerk bezoedeld door de smet van een buitengewoon ernstige beschuldiging, namelijk die van een te vertrouwd samenleven en cohabiteren met een vrouw, die bovendien de wettige echtgenote is van een ander.*

Daar liet Hendrik het niet bij. Hij had diverse rekeningen te vereffenen en vierde zijn vrouwenhaat bot door Gregorius' respect voor vrouwen in het algemeen te veroordelen:

> *Het is ons duidelijk geworden, tot schande voor u en de Kerk, dat al uw decreten zijn geïnspireerd door vrouwen, zodat de hele Kerk nu door vrouwen wordt bestuurd.*

Dat Gregorius vaak had overlegd met niet alleen Matilda, maar ook met haar wijze en ervaren moeder, was voor veel mannen van de Kerk een bron van woede, omdat ze vurig geloofden dat de apostel Paulus nooit goddelijker geïnspireerd was geweest dan in zijn eerste brief aan Timótheüs waarin

hij schrijft: 'Ik sta niet toe dat een vrouw onderricht geeft of gezag over de man heeft; zij moet zich rustig houden.' Ook Hendriks moeder, die afstand van hem had genomen en inmiddels zijn bitterste vijand was, had zich achter Gregorius geschaard en diende hem van advies. De koning noemde deze vrouwen 'Gregorius' onzalige drie-eenheid', en het was uiteindelijk deze bewijsvoering – dat de paus werd geadviseerd en beïnvloed door vrouwen – die de bisschoppen over de streep trok om het decreet van onttroning te tekenen. Raad inwinnen van vrouwen wanneer het ging om staatszaken werd beschouwd als aanzienlijk schandaliger en onvergeeflijker dan overspel plegen.
Hendrik ondertekende alle beschuldigingen, alsmede de verklaring waarin werd bepaald dat Gregorius was afgezet als paus en diende terug te treden, met wat later een beruchte ondertekening zou worden:

> *Ik Hendrik, koning niet door usurpatie, maar bij de gratie Gods, zeg u, Ildebrando Pierleoni, niet langer paus maar een valse monnik: doe afstand, doe afstand, en wees verdoemd tot in eeuwigheid.*

❂

Ildebrando Pierleoni was niet de tot op dat moment machtigste paus in de geschiedenis geworden door te zwichten voor dergelijke mannen. Hij wist wat er broeide in Worms, maar verkoos het te negeren tot de Duitse bisschoppen met de formele presentatie van de aanklachten kwamen. Dat verkozen ze te doen bij de derde synode tijdens zijn pausschap, in februari 1076, bezocht door tweehonderd bisschoppen en diverse edelen uit heel Frankrijk en Italië. Van de Duitse bisschoppen was er niet één die de moed had – of de brutaliteit – om aanwezig te zijn en persoonlijk de beschuldigingen te overhandigen. Deze taak viel toe aan een slecht voorbereide priester die waarschijnlijk het kortste strootje had getrokken en daarom de brief aan de paus moest overhandigen. Zijn optreden in de raad was bot: 'U wordt door de koning en de bisschoppen opgedragen afstand te doen van deze troon die u niet waardig bent!'
Ervaren als hij was in het theatrale aspect van het pausschap, gaf Gregorius uiting aan zijn medeleven met de arme man, die duidelijk rampzalig verkeerd was geïnformeerd en die het ongelukkige lot had getroffen dergelijke belachelijke uitspraken te moeten doen aan het adres van de paus. Op de beschuldigingen reageerde Gregorius met een welsprekende verklaring en een fraaie lezing van de Heilige Schrift, die het voor het voltallige publiek

duidelijk maakte dat hij in alle opzichten de grote leider was die de gelovigen in hem zagen. Tegen het eind van Gregorius' indrukwekkende optreden was de priester-koerier gereduceerd tot een nietig hoopje mens, doodsbang voor de woede van de aanwezige bisschoppen die de paus onvoorwaardelijk steunden en hun gramschap tegen de boodschapper richtten. Er werd unaniem besloten dat geen andere actie mogelijk en gepaster was dan de excommunicatie van Hendrik IV, de koning van Duitsland.
De paus wachtte met zijn proclamatie tot 22 februari 1076, de dag van de Heilige Petrus, om zijn uitspraak nog meer kracht bij te zetten:

*Ik ontneem koning Hendrik, zoon van keizer Hendrik, die met ongehoorde onbeschaamdheid in opstand is gekomen tegen de Kerk, de regering over de koninkrijken Duitsland en Italië, ik ontsla alle christenen van elke eed van trouw die ze hem hebben gezworen, en ik verbied het eenieder hem als koning te dienen.*

Voor het eerst in de geschiedenis was een regerend en wettig gekozen vorst een formele banvloek opgelegd. Het deed een siddering door de christelijke wereld gaan. En nu zou moeten worden afgewacht wie de grootste macht bezat: de koning die de paus had afgezet, of de paus die de koning had geëxcommuniceerd. Een boeiende en kritieke factor in de uitkomst van deze strijd was het feit dat de landen en gebiedsdelen die de twee bittere vijanden scheidden en die in strategisch opzicht beslissend zouden zijn voor de overwinning, weliswaar officieel eigendom waren van hertog Godfried van Lotharingen, maar volledig werden gecontroleerd door Matilda van Toscane.

*Pisa*
*Februari 1076*

Zoals alle gruwelen die haar door Godfried de Bultenaar waren aangedaan, negeerde Matilda ook de beschuldigingen van overspel uitgesproken tijdens de Synode van Worms. Ze wist dat Gregorius in zijn wijsheid om een aantal redenen een grootse en dramatische vertoning had gemaakt van Hendriks excommunicatie, en dat hij daarmee vooral de aandacht had willen afleiden van de aanklacht wegens overspel jegens haar. Daarmee had hij voorlopig tijd voor haar gekocht. Tijd die ze nodig had om bij haar

stervende moeder te kunnen zijn. Bovendien deed Matilda er alles aan om haar legers op peil te houden, voor het geval dat Hendrik zou proberen de Alpen over te steken en door haar gebiedsdelen op te trekken naar Rome. Dat zou ze niet laten gebeuren, maar het Duitse leger was groter dan ooit, en het zou niet meevallen Hendrik tegen te houden wanneer hij met die indrukwekkende legermacht tegen haar optrok. Ze had boodschappers gestuurd naar Arduino in Canossa, maar vertrouwde erop dat hij de situatie zoals altijd goed in de hand had.
Ondanks haar bravoure en haar zelfverzekerheid maakte Matilda zich grote zorgen, en ze was bijna de hele nacht opgebleven om met Conn haar strategie te bespreken. Er deden geruchten de ronde dat Godfried op de terugweg was naar Lotharingen, om zijn troepen te verzamelen en op te trekken naar Toscane, in het vaste en vurige voornemen opnieuw zijn titels op te eisen. Omdat Matilda zich geconfronteerd zag met een formele en door bewijzen gestaafde aanklacht wegens overspel, ingediend door niemand minder dan de koning zelf, had haar man het recht haar op te sluiten in een klooster. Op die manier zou hij haar invloed elimineren en zouden Hendriks troepen vrije doorgang hebben door de Apennijnse passen, zodat de koning Rome kon innemen en zijn eigen man op de troon van de Heilige Petrus kon zetten.
In de hoop dat de frisse, winterse kilte helderheid zou brengen in haar hoofd, besloot Matilda een wandeling te gaan maken. Ze had de eerste ochtenduren doorgebracht met haar moeder, haar een paar slokjes bouillon gevoerd en haar voorhoofd gebet in de weinige momenten dat deze weer even bij krachten leek. Maar zelfs die geringe inspanningen hadden Beatrice uitgeput, en ze was weer in slaap gevallen.
Matilda bleef abrupt staan toen ze Conn in de gaten kreeg, druk doende zadeltassen op zijn paard te binden, omringd door een klein escorte. En het waren niet de minsten waaruit het escorte bestond. Dit waren de mannen die de bijnaam 'de Onverbeterlijken' droegen, de meest geharde leden van de wacht, bij wie Matilda zich altijd het meest op haar gemak voelde. Ze hanteerde strenge gedragscodes bij haar troepen en duldde daarbij geen enkel compromis. Plundering of slachting op grote schaal werd door haar niet getolereerd, en de regels van de oorlog dienden te allen tijde in acht te worden genomen. De mannen die Conns escorte vormden, hadden op enig moment een berisping ontvangen en waren zelfs bedreigd met ontslag vanwege hun extreem gewelddadige gedrag. De Keltische reus had haar van haar drastische maatregelen weerhouden voordat ze hen van zich kon vervreemden. Want ondanks hun tekortkomingen waren ze vurig loyaal jegens

haar, net zoals ze dat waren geweest jegens Bonifacio. En soms, legde Conn geduldig uit, had je in een leger nu eenmaal zulke geharde mannen nodig. Iedere commandant had behoefte aan een paar onverbeterlijken. Conn beloofde dat hij de verantwoordelijkheid op zich nam voor hun gedrag en ervoor zou zorgen dat ze niet plunderden of onschuldigen lastigvielen, onder welke omstandigheden dan ook. Matilda zwichtte, met tegenzin. Maar ze wist dat ze haar vriend de vrije teugel moest geven om zijn plicht te doen en om haar onvoorwaardelijke vertrouwen in zijn oordeel te herbevestigen. Toen de nieuwsgierigheid haar te veel werd, liep ze naar hem toe.

'Waar ga je heen?'

'Ik heb zaken af te handelen,' antwoordde hij afgemeten terwijl hij een dubbelzijdige bijl aan het zadel van zijn favoriete strijdros bond. Het was duidelijk geen koeriersmissie waar hij zich op voorbereidde.

'Wat voor zaken?'

'Mijn zaken.'

Hij gaf geen duimbreed toe. Maar zij ook niet. Ten slotte doorbrak Conn de impasse. 'Hoe maakt je moeder het vandaag?'

Ze maakte spottend een reverence. 'Hetzelfde, maar dank u voor uw belangstelling voor het welzijn van mijn moeder, goede heer.' Toen veranderde ze van toon. 'Probeer me maar niet af te leiden,' snauwde ze. 'Ik moet weten wat je van plan bent, Conn.'

'Nee, dat hoef je helemaal niet te weten. En vraag het me alsjeblieft niet nog eens. Als jij niks vraagt, hoef ik niks te zeggen. En als ik je niks vertel, weet je ook van niks. Is dat duidelijk?'

'Wat me vooral duidelijk is, is het soort mannen dat je meeneemt.'

'De mannen die ik meeneem, zijn loyaal en kennen geen angst.'

Het zat haar helemaal niet lekker, dus ze besloot in te spelen op zijn beschermingsdrang. 'Je maakt me bang.'

Hij trapte er niet in. 'Er is niets wat jou bang maakt.'

'Jawel, jij. Op dit moment.'

Hij keerde zich naar haar toe en legde zijn handen op haar schouders. 'Tilda, ik ben misschien wel de enige op deze hele wereld voor wie je nooit bang hoeft te zijn. Ik heb in dit ondermaanse geen andere missie dan jou beschermen, tegen alle kwaad, alle bedreigingen. Vertrouw je me?'

Ze knikte ernstig. 'Ja, natuurlijk.'

'Bid dan voor mijn behouden terugkeer, kleine zuster. En zorg dat je niet in de problemen komt tot we elkaar weerzien.' Hij drukte een kus op haar kruin en maakte haar haar in de war, zoals hij dat altijd had gedaan, al sinds ze een klein meisje was.

Matilda keek hem na toen hij vertrok, gevolgd door de troep Onverbeterlijken, die zonder uitzondering een rijke verzameling wapens aan hun zadel hadden gehangen. Angstig schudde ze haar hoofd. Deze mannen waren tot alles in staat.

*Antwerpen, België*
*26 februari 1076*

Conns mannen reden in hoog tempo over de Alpen naar het noorden, om Vlaanderen tijdig te bereiken, zodat ze de soldaten uit Lotharingen konden onderscheppen. Na de triomf van zijn beschuldiging van overspel in Worms keerde Godfried aan het hoofd van zijn troepen terug naar het paleis in Verdun. Ze werden op veilige afstand gevolgd door de Onverbeterlijken, die dieper in het woud bleven om niet te worden opgemerkt. Toen het leger uit Lotharingen zijn kamp opsloeg voor de nacht, deden Conn en zijn krijgers hetzelfde – dichtbij, maar beschut door het dichte woud.
Ze waren van plan om bij het eerste licht van de nieuwe dag aan te vallen en daarbij de indruk te wekken dat de hertog het slachtoffer was geworden van struikrovers. Niet bepaald een eerzame strategie, om half slaperige soldaten volledig onvoorbereid in een hinderlaag te lokken, moest Conn toegeven. Maar de inzet – Toscane en Matilda's veiligheid in het bijzonder – was zo hoog dat hij had besloten eer en eerlijkheid overboord te zetten. Dat was de reden waarom hij niet had gewild dat Matilda op de hoogte was van zijn plan. Ze zou er nooit haar toestemming voor hebben gegeven. Moord was iets wat ze zelfs niet wilde overwegen. Ze mocht dan een sterke vrouw zijn, ze was meer een mystica dan een krijger. Hij wist dat ze na een veldslag dagenlang ziek was en leed aan nachtmerries, iets wat alleen haar allernaasten wisten. Ze vocht en voerde oorlog omdat het moest, niet omdat ze ervan genoot.
Conn en zijn mannen waren veruit in de minderheid tegenover de soldaten uit Lotharingen. Bovendien waren ze in het nadeel doordat het gebied hun vreemd was. Godfrieds krijgers kenden de streek ongetwijfeld op hun duimpje, en bovendien vormde de ijzige februarikoude een extra obstakel voor de warmbloedige Toscanen. Voor Italianen was kou net zoiets als pijn, en het kostte hun de grootste moeite om te vechten met bevroren vingers. De Duitsers daarentegen waren gewend aan het onzalige strenge klimaat. Dus had Conn een plan moeten bedenken waardoor de partijen

in evenwicht waren en zijn risico's zo gering mogelijk zouden zijn. Hij bad vurig dat het zou slagen.
Het had hem geen moeite gekost de Onverbeterlijken over te halen om hem op deze missie te vergezellen, al helemaal niet nadat hij hun in geuren en kleuren – en met de nodige overdrijving en fantasie ter verhoging van het dramatisch effect – had verteld over de gruwelijke en perverse seksuele praktijken waarvan de bultenaar hun goddelijke en volmaakte gravin het slachtoffer had doen worden. De Onverbeterlijken waren vervuld geweest van afschuw en stemden er onmiddellijk mee in wraak te nemen op het monster.
Umberto, de oudste van de troep die als jeugdige wees bij Bonifacio in dienst was getreden voor diens campagne tegen de piraterij, was in de ijzige nacht op wacht gezet om het kamp van de hertog in de gaten te houden. Umberto was niet de meest respectabele krijger, maar op zijn manier koesterde hij een grote genegenheid voor Bonifacio's kleine meid, en net als zijn makkers hield hij er een merkwaardige erecode op na. Zoals het merendeel van Matilda's mannen haatte hij de bultenaar, omdat die een bedreiging vormde voor hun dierbare gravin en omdat hij het volk van Toscane slechts als een speelbal zag voor de grillen van de Duitse koning. En op dit moment haatte hij hem zelfs nog meer omdat hij in deze van God verlaten bevroren hel woonde, waar de koude zijn tenen in zijn laarzen in ijspegels had veranderd.
In deze staat van frustratie en opwinding ontdekte Umberto de Onverbeterlijke beweging in het Lotharingse kamp. Gewapend met zijn lange, vlijmscherpe, tweesnijdende zwaard sloop hij soepel en geruisloos als een wild dier dichterbij.
Hij kon zijn ogen niet geloven. De gestalte die zijn kant uit kwam, was niemand minder dan Godfried de bultenaar zelf. Had deze hem in de gaten? Nee. Umberto kon zien dat hij ongewapend was. Wat bezielde hem om... Ach, natuurlijk. Wat bezielde een man om in het pikkedonker de ijzige vrieskou van een donker woud te trotseren? De roep van de natuur! Godfried moest plassen.
Even nog aarzelde Umberto. Hij had veel van de grote Bonifacio geleerd, onder andere dat je, wanneer je in de minderheid was, elke kans moest grijpen die op je pad kwam. Overleving ging boven alles, aldus Bonifacio. En in de meeste gevallen heiligde het doel de middelen. En dan was er nog iets wat Umberto van Bonifacio had geleerd: iedereen die een bedreiging vormde voor zijn kleine meisje, diende te worden uitgeroeid.
Aangevuurd door Conns verhalen over de ontaardheid van de bultenaar,

nam Umberto kordaat het besluit dat deze man geen nobel einde verdiende. 'Voor Bonifacio en Matilda,' fluisterde hij. Toen stortte hij zich van achteren op de bultenaar, waarbij hij het dubbelzijdige zwaard in de billen van Godfried van Lotharingen boorde. De kling sneed dwars door de ingewanden van de bultenaar, die de tijd noch de kans kreeg om een kreet te slaken. Nadat hij zijn bebloede zwaard had teruggetrokken, haastte Umberto zich naar Conn, die hij beduidde de mannen opdracht te geven hun kamp op te breken en te vertrekken. Hij zou later wel uitleggen wat hij had gedaan. Het was weinig fraai geweest, maar hun doelwit was uitgeschakeld, zonder de risico's die aan een rechtstreeks gevecht verbonden waren.

De bultenaar deed er dagen over om te sterven, gekweld door martelende pijnen. Zijn gruwelijke liquidatie – onverwacht en in het wilde weg – had voor Matilda een interessant en heilzaam bijeffect door de boodschap die ervan uitging voor heel Europa: iedereen die het waagde Matilda van Toscane te bedreigen, zou uit de weg worden geruimd, ongeacht de middelen die daarvoor nodig waren. Zelfs de bescherming van de koning was niet voldoende om haar vijanden te vrijwaren van de woede van haar verdedigers. De mannen van Italië waren vervuld van respect voor dit vertoon van kracht, en hun steun aan Matilda steeg tot ongekende hoogte, hetgeen zich vertaalde in termen van militaire macht en krijgers die zich aansloten bij haar troepen.

Voor Hendrik IV betekende dit alles een buitengewoon slecht voorteken.

*Duitsland*
*Pasen 1076*

Het nieuws van de banvloek bereikte koning Hendrik aan het begin van de Heilige Week in het Jaar Onzes Heren 1076. Het kwam niet als een verrassing, en de Duitsers hadden hun formele reactie al klaar voor de man die zich ten onrechte paus noemde. Er kon geen sprake zijn van terugtrekking nu de oorlog was verklaard. Na de criminele bevindingen van de Synode van Worms zou de aanval op Gregorius om diverse redenen moeten worden voortgezet, maar vooral om te zorgen dat de feodale heren van Duitsland zich achter Hendriks strategie bleven scharen. Velen wantrouwden de inhalige, narcistische koning, over wie bovendien werd gefluisterd dat hij er duistere, perverse voorkeuren op na hield. Daar

kwam bij dat de Duitsers van nature een bijgelovig volk waren, en het afzetten van een paus die door God zelf was gered van een woedende meute, leidde bij velen tot grote bezorgdheid.
Hendriks naaste 'persoonlijk adviseur', bisschop Willem, verkoos als eerste in het geweer te komen vanaf zijn kansel in de kathedraal van Utrecht, op paaszondag. In aansluiting op de viering van de opstanding van Christus predikte Willem een bijtende veroordeling van de bedrieger die zich paus noemde. Hij verklaarde met nadruk dat God Hendrik tot koning had gekozen en dat de gelovigen zich daaraan moesten blijven vasthouden. Als Hendrik Gods gezalfde koning was, dan volgde daaruit dat de paus die zichzelf had uitgeroepen tot wereldheerser een bedrieger was die uit zijn macht moest worden ontzet.
Het was een controversiële preek, en buitengewoon ongelukkig op een dag als paaszondag. Voor veel gelovigen was een dergelijk vitriool op de heiligste dag van het jaar volstrekt ongepast. Geschokt door de handelwijze van hun bisschop kwamen de edelen van Utrecht in het geheim overeen om voor de volgende dag een spoedberaad te beleggen om de stand van zaken te bespreken. Uiteindelijk werd het beraad nooit gehouden. Toen de burgers van Utrecht de volgende morgen wakker werden, ontdekten ze dat hun kathedraal in de heiligste nacht van het jaar tot de grond toe was afgebrand. Het hoe en waarom van de brand werd nooit opgehelderd, maar de ramp werd algemeen gezien als een waarschuwing van God, om duidelijk te maken dat de gelovigen de verkeerde weg hadden ingeslagen door Zijn gekozen paus te veroordelen.
Bisschop Willem gaf echter niet op. Gesteund door de koning zette hij zijn beschimping van de paus voort, en hij legde de verantwoordelijkheid voor de verwoesting van de kathedraal bij sympathisanten van de paus die eropuit waren angst te zaaien, en die daarmee blijkbaar succes hadden. Drie weken na de rampzalige brand hield de bisschop opnieuw een gepassioneerde preek, in een poging steun te verzamelen van geestelijken verspreid over heel Europa. Hij zou nooit weten wat het resultaat was van zijn oproep. Toen bisschop Willem die avond naar bed ging, was hij kerngezond, een man in de bloei van zijn leven, maar die nacht stierf hij in zijn slaap.
Dit leidde tot een ernstige crisis voor koning Hendrik IV. De plotselinge dood van zijn voornaamste spiritueel steunpilaar, amper een maand na de verwoesting van de kathedraal, was de meerderheid van de gewone burgers te machtig. Ze geloofden wat bisschop Willem had gezegd – namelijk dat God had gesproken –, maar waren ervan overtuigd dat hij zich had uitgesproken tegen hun koning en ten gunste van de zittende paus.

En die paus, Gregorius VII, was zoals altijd de geslepen politicus met een wonderbaarlijk talent om het juiste moment te kiezen. Hij liet geen ogenblik verloren gaan en lanceerde een campagne op grote schaal om de naam van de koning aan te tasten. Daarbij werd hij enthousiast bijgestaan door Matilda. Ze bewees haar heldin, de Keltische krijger-koningin Boudica, eer door het imiteren van de propagandastrategie waarmee deze duizend jaar eerder het machtige Rome had verslagen. Door heel Italië en Duitsland werden pamfletten verspreid waarop te lezen viel hoe pervers en verdorven het karakter van Hendrik IV was.

De geschriften die de paus over Hendrik verspreidde, waren aanzienlijk vager en spraken slechts over 'duistere daden', 'oneerzame praktijken' en 'ongehoorde slechtheid' zonder met concrete bewijzen te komen. Omdat de geruchten over Hendriks verdorvenheid de ronde deden door heel Duitsland en het noorden van Italië, konden Gregorius en Matilda zich uitleven in een vorm van onbeperkte, meedogenloze speculatie.

Het effect bleef niet uit. De nerveuze Duitse feodale heren en onderdanen waren dusdanig opgeschrikt door de recente gebeurtenissen en tot verontwaardiging gedreven door de vindingrijke propaganda van Gregorius en Matilda, dat ze van hun koning eisten dat deze zich verzoende met de paus. De geëxcommuniceerde vorst kreeg een jaar de tijd, met ingang van de dag waarop de banvloek over hem was uitgesproken, om boete te doen voor zijn slechte daden en zijn eed van trouw jegens de Heilige Vader te hernieuwen. Hendrik haastte zich om steun te winnen, maar de macabere en bloedige moord op Godfried de bultenaar lag als een schaduw over de feodale heren van Duitsland. Niemand wilde een dergelijk gruwelijk lot riskeren, al helemaal niet voor een koning die zelf een gruwel was in de ogen van God.

*Pisa*
*April 1076*

'Ik ben nooit een moeder voor je geweest zoals Isobel dat was.'

Beatrice was stervende. Haar lippen waren gebarsten, net als haar stem. Al maanden ging ze met de dag meer achteruit en werd ze gekweld door pijn. Het was een langzaam proces, maar Matilda begreep – net als haar moeder – dat het einde nu snel naderde. Ze wilden allebei nog vóór het onvermijdelijke afscheid dingen tegen elkaar zeggen.

'Zo moet je niet praten, moeder.' Matilda bette het voorhoofd van Beatrice met een koude, natte doek. 'Je bent altijd mijn beste vriendin en raadsvrouwe geweest. Zonder jou had ik nooit kunnen doen wat ik allemaal heb gedaan.' Er kwamen tranen in haar ogen. Ze had zo haar best gedaan om niet te huilen, maar nu kon ze zich niet langer beheersen.
'Ik wil dat je weet...' Het praten kostte Beatrice moeite. 'Ik hou zoveel van je... en... ik heb spijt van alle keren... alle keren dat ik... Ik vind het zo verdrietig dat je niet gelukkig bent geworden in je huwelijk.'
Matilda knikte. Ze besefte hoe zwaar de tol was geweest die de beslissing van haar huwelijk van haar moeder had geëist, net zoals ze wist hoeveel spijt haar moeder jarenlang had gehad van die verschrikkelijke periode. Beatrice wist niet dat de bultenaar inmiddels was geliquideerd. Matilda had besloten dat ze het haar beter niet kon vertellen, uit angst dat haar moeder bang zou zijn dat de verantwoordelijkheid daarvoor bij haar – Matilda – werd gelegd.
De rest van de dag verkeerde Beatrice met tussenpozen in een delirium, zodat ze nu eens ijlde en dan weer helder was. Aan het eind van de middag schoot ze ineens overeind en greep Matilda's hand.
'Ik zie hem, Tilda.'
'Wie, moeder?'
'Je vader. O, ik heb zoveel van hem gehouden, en dat doe ik nog steeds.' Ze zweeg even, verloren in de aanblik die alleen zij kon zien. Er gleed een lome glimlach over haar gezicht. 'Hij is trots op je. Op onze dochter. Hij kijkt naar je vanaf zijn plaats naast God. En ik... ik ga naar hem toe.' Met haar laatste krachten drukte Beatrice de hand van haar dochter. 'Hij houdt van je, Matilda. Net als ik. Liefde...'
Haar stem stierf weg na dat ene simpele woord waarmee alles was gezegd wat er in haar veelbewogen leven het meest toe had gedaan: haar gevoelens voor haar geliefde en haar dochter, voor wat ze samen als gezin hadden betekend. Haar glimlach werd breder; toen sloot ze voor het laatst haar ogen. Beatrice van Lotharingen had deze aarde verlaten en was op reis gegaan naar de volgende wereld, waar haar enige ware liefde op haar wachtte om haar te verwelkomen in de armen van God, waar ze voor altijd samen zouden zijn.

# 13

*Rome*
*September 1076*

Matilda beende door haar slaapkamer op het Isola Tiberina, in de versterkte burcht die haar veilige haven was in Rome. Ze ging voor het raam staan en keek naar buiten, naar de zon die opkwam boven de Tiber, de kloppende ader die door de stad en de omliggende gebieden stroomde. Gregorius sliep nog. Tenminste, dat dacht ze. Tot hij haar deed opschrikken uit haar gedachten.

'Wat ben je rusteloos, mijn lief.'

Matilda sliep weinig, en onrustig, iets wat Gregorius had ontdekt in de zeldzame en kostbare nachten die hij met haar doorbracht. Eenmaal wakker was ze voortdurend in beweging. Ze gunde zichzelf geen ogenblik rust. Dat was haar aard, al sinds ze heel klein was. Ze wilde zoveel doen, er was zoveel om over na te denken, en bovendien had ze het gevoel dat er nooit een eind kwam aan haar verantwoordelijkheden voor haar volk en haar land.

Matilda keerde het raam de rug toe en schonk hem een glimlach, verrassend teder en verdrietig tegelijk. 'God heeft me rijk gezegend in dit leven. Maar niet met vrede.'

Hij knikte begrijpend. 'En wat zit je vanochtend dwars?'

'Godfried van Bouillon. De neef en naamgenoot van de bultenaar. Ik heb bericht ontvangen dat hij zijn voordeel doet met de moord op zijn oom en dat hij als diens erfgenaam aanspraak maakt op mijn gebieden. Komt er dan nooit een eind aan wat die mannen me denken te kunnen ontnemen?'

'Waarom heb je me dat niet eerder verteld?'

'Omdat ik je in geen maanden heb gezien, en omdat ik onze eerste nacht samen niet wilde verspillen aan strategische besprekingen terwijl we belangrijker zaken hadden om ons mee bezig te houden.'

Gregorius werkte zich overeind op een elleboog en keek haar aan. Ze hadden een verrukkelijke nacht samen doorgebracht. Een nacht waarvan hij niet wilde dat er nu al een eind aan kwam. Hij hoefde pas die avond terug te zijn in het Lateraans Paleis. 'Ik wil niet dat je je daar nog één moment zorgen over maakt, mijn lief. Hendrik kan geen kant uit, en dat weet je. Zijn hertogen en bisschoppen eisen dat hij zich met mij verzoent. Godfried zal een dergelijke aanspraak niet durven doen zonder de steun van de koning en diens bisschoppen, en die krijgt hij niet. Ik zal vandaag nog bericht sturen naar de bisschop van Verdun dat hij je belangen moet behartigen in Lotharingen en je erfenis daar moet beschermen.'

Na Tribur, waar de Duitse adel bijeen was gekomen om zich achter de troonsafzetting te scharen en een besluit te nemen over een opvolger, was Hendriks positie ernstig verzwakt. De verzamelde adel was er niet in geslaagd tot overeenstemming te komen over de nieuwe koning, dus Hendrik was voorlopig nog aan de macht. Maar de bijeenkomst in Tribur had zich nadrukkelijk uitgesproken voor een onmiddellijke verzoening van Hendrik met de paus, aan wie de koning absolute gehoorzaamheid zou moeten beloven. Hendriks eigen hertogen en bisschoppen hadden verklaard dat hij de troon zou verspelen als hij de paus op 22 februari, de verjaardag van zijn excommunicatie, niet op gepaste wijze schadeloos had gesteld.

Gregorius had gelijk. Zijn gravin had op dat moment niets te vrezen.

De Romeinse zon viel stralend het vertrek binnen en verleende Matilda's weelderige krullen een schitterende gloed. Zoals zo vaak bedacht Gregorius hoe adembenemend de aanblik was die ze bood. Hij tilde het dek op. 'Kom, mijn duifje,' zei hij uitnodigend. 'Dan zal ik proberen je de vrede te geven waar je zo naar verlangt.'

Ze deed wat hij vroeg en liet zich de rest van de ochtend, tot diep in de middag, omhullen door de warmte van zijn liefde.

Toen het tijd was om Rome te verlaten, was Matilda niet zo van streek door het afscheid als anders. Gregorius had haar een belofte gedaan die haar dolgelukkig maakte en die haar iets heerlijks gaf om naar uit te zien. Hij had ermee ingestemd Kerstmis met haar te vieren. In haar geliefde Lucca.

*Lucca*
*Kerstavond 1076*

De eeuwenoude ondergrondse kapel, die al duizend jaar het gewijde hart was van de Orde, werd verlicht door de gloed van tientallen kaarsen van

bijenwas. De kandelaars aan de muren waren versierd met dennentakken en winterbloemen die met linten bij elkaar werden gehouden. Anselmo, tegenwoordig bisschop van Lucca, was bij de plechtigheid aanwezig. Hij hield Isobels hand stevig in de zijne terwijl ze hun plaats innamen terzijde van het altaar. Gregorius en Matilda stonden in de centrale ruimte tegenover elkaar, met hun uitgestrekte handen samengevoegd. Achter het altaar stond de Meester. *Het Libro Rosso* lag voor hem, opengeslagen op een bladzijde van *Het Boek der Liefde*. Niet dat hij het nodig had. De tekst die hij las, kende hij uit zijn hoofd. Woorden waarvan hij niet meer wist wanneer hij ze voor het eerst had gelezen.
Gregorius had zich de hele week gewijd aan studie bij de Meester. Soms waren ze samen, soms had Matilda zich bij hen gevoegd als voorbereiding op de gebeurtenissen van vandaag. Gregorius had zich een gretige leerling getoond, verlangend om alles te weten over *Het Libro Rosso*, het uitzonderlijke rode boek en zijn geschiedenis. Hij had het diepgaand bestudeerd om inzicht te verwerven in de passage die hem als voorbereiding op deze dag was gegeven. Terwijl hij zijn geliefde diep in de ogen keek, sprak hij vol overtuiging en passie de woorden die Maximinus had gedicht:

*'Ooit had ik je lief*
*net als vandaag*
*en ooit zal ik je opnieuw liefhebben.*
*De Tijd Keert Weder.'*

Tranen stroomden over Matilda's gezicht terwijl ze de woorden herhaalde, met verstikte stem, bijna fluisterend. Het gedicht was voor haar heel bijzonder, heel heilig. Ze had het uitgesproken vanaf het moment dat ze kon praten: met Isobel, met haar vrienden in de Orde, zelfs met Bonifacio. Want het gold voor de liefde in al zijn varianten: de liefde van ouders voor hun kinderen, van verwanten jegens elkaar, de liefde tussen broeders en zusters, en de romantische liefde. Maar wanneer de dichtregels werden gesproken tot de meest geliefde, dan kregen ze een betekenis die uitzonderlijk was in zijn kracht, in dit geval zelfs overweldigend.
Toen de geloften eenmaal waren gesproken, kwam de Meester naar voren met in zijn hand een gevlochten zijden koord, een *cordelière*, met aan beide uiteinden een sierlijke kwast. Hij wond het teder om de polsen van de geliefden en legde er een knoop in, die het samenvoegen van dit paar symboliseerde zoals God het had bepaald bij het begin der tijden. Terwijl de Meester zijn handen zegenend over die van het paar liet

gaan, begon Isobel met haar zoete, welluidende stem het Franse lied over de liefde te zingen dat Matilda zo dierbaar was.

*'Lang heb ik van u gehouden*
*Nooit zal ik u vergeten...'*

Na de laatste woorden maakte de Meester de cordelière los en nodigde het paar uit tot het geven van de traditionele huwelijksgeschenken – kleine, vergulde spiegels –, waarbij hij een van de gewijde leringen van de Orde citeerde: 'In je weerspiegeling zul je vinden wat je zoekt. Wanneer jullie van twee Een zijn geworden, zullen jullie God weerspiegeld vinden in de ogen van je geliefde, en je geliefde in je eigen ogen.'
De Meester besloot de ceremonie met de prachtige woorden uit *Het Boek der Liefde*, dezelfde woorden die ook zijn terug te vinden in het evangelie volgens Mattheüs: 'Want jullie zijn niet langer twee, maar één vlees, één in de geest. Hetgeen dan God heeft samengevoegd, scheide de mens niet.'
Hij keerde zich naar Gregorius. 'Dan mag de bruidegom de bruid nu de *nashakh* geven, de heilige kus die de zielen samenvoegt.'
Gregorius deed een stap naar voren, nam zijn geliefde in zijn armen en trok haar dicht tegen zich aan. Ook in zijn ogen brandden nu tranen. In de gewijde, verborgen beslotenheid van deze eeuwenoude ruimte, waar de ware woorden van de Heer waren bewaard en aanbeden sinds hun aankomst op Italiës kusten, was de paus zojuist in een heilig en geheim huwelijk verbonden met de vrouw die hij liefhad.
De machtigste vrouw in Europa, misschien zelfs van de wereld, was nu de vrouw van de paus, een geheim dat zou zijn voorbehouden aan hen die van de plechtigheid getuige waren geweest: Anselmo, Isobel, de Meester, het paar zelf en het ongeboren kind in Matilda's schoot dat in vertrouwen en bewustheid was verwekt tijdens de samenkomst van zijn ouders, drie maanden eerder in Rome.

❂

Matilda zou zich die dag herinneren als de mooiste van haar leven. Die twee weken in Lucca leefden Gregorius en zij als man en vrouw in de beschutting en afzondering van het terrein en de gebouwen van de Orde. Het was voor het eerst dat ze bij elkaar waren zonder dat hun samenzijn werd overschaduwd door de noodzaak de schijn op te houden en zich gepast te gedragen. Hier waren ze volledig afgeschermd van de buitenwe-

reld en konden ze de geboorte van Jezus vieren met hun broeders en zusters in de Weg. Hier konden ze – al was het maar gedurende twee gelukzalige weken – doen alsof ze een gewoon, pasgetrouwd stel waren dat leefde in een vrije wereld.
Gregorius zette zijn studie voort, geboeid en betoverd door de leringen van liefde die rechtstreeks afkomstig waren van de Heer Zelf, zoals de Orde hem vertelde. Als spiritueel mens was hij in staat ze volledig te omhelzen. Als wetenschapper vond hij ze uitdagend, maar tegelijkertijd verrassend logisch en aanvaardbaar. Er was maar heel weinig dat als ketters zou moeten worden beschouwd wanneer het werd vergeleken met de canonieke evangeliën. Sterker nog: de 'ketterij' in deze oorspronkelijke leringen stond in geen enkel verband met de Bijbelse geschriften, maar had alles te maken met tradities die de mens in de afgelopen duizend jaar had ontwikkeld – inclusief de tradities die hij, Gregorius, recent zelf had opgelegd. Als paus zag hij zich nu geconfronteerd met het feit dat veel van waar de Kerk voor stond in strijd was met de eerste leringen van het christendom. Het verontrustte hem te beseffen wat dit betekende voor zijn eigen nalatenschap. Wat hem vooral zorgen baarde, was de vraag hoe de leringen van de liefde zich ooit zouden weten te handhaven in een wereld die werd geregeerd door geld en politiek. Hij was er niet van overtuigd dat dit mogelijk was. Toch had zijn tijd met Matilda zijn spiritualiteit vleugels gegeven en hem leren geloven in de liefde. Zou hij erin slagen de huidige structuur van de Kerk te ontmantelen, de oude tradities en de politieke geschiedenis te wissen en daarvoor in de plaats een nieuwe vorm te creëren waarin de liefde regeerde? Het leek even schitterend als onmogelijk.
Matilda liet zich echter niet ontmoedigen en werkte dagelijks met hem aan hun overtuigingen. '*Solvitur ambulando*,' drukte ze hem op het hart, en ze onderwees hem in de machtige traditie om te leren de wil van God te accepteren door de ontmoeting met het Goddelijke in het hart van het labyrint. Ze las hem de legende voor van de Minotaurus uit *Het Libro Rosso*, en ze spraken uitvoerig over de parallellen van de allegorie met hun eigen verhaal.
Na een van hun studiesessies waarbij Gregorius bijzonder geïnspireerd was geraakt, vroeg hij Matilda hem mee te nemen naar het Volto Santo. Anselmo sloot de deuren van de kathedraal van San Martino, zodat ze die helemaal voor zich alleen hadden en door niemand werden gestoord.
Geknield voor het prachtige beeldhouwwerk van de hand van Nicodemus beloofde Gregorius dat hij de Kerk naar zijn beste vermogen zou bewaren op een manier die in harmonie was met de ware leringen van de Weg. Hij wist dat het een uitdaging zou worden, maar hij was vast van plan het te

doen – voor zijn geliefde en voor zijn Heer. Hij begreep dat hij met dat doel op deze positie van ongeëvenaard gezag was geplaatst, dus zou hij een manier weten te vinden om zijn belofte gestand te doen. Het zou een zware tijd voor hem betekenen, en hij zou bij elke stap die hij zette vijanden tegenover zich krijgen, maar zijn geliefde beloofde opnieuw hem bij alles terzijde te staan, hem te inspireren, schouder aan schouder met hem te strijden en om altijd en onder alle omstandigheden van hem te blijven houden. *Semper*. Altijd.

Toen ze zes was, had Matilda op deze zelfde plek haar allereerste gelofte afgelegd. En ze had die gelofte op spectaculaire wijze gestand gedaan. Zoals ze dat zou doen met elke belofte die ze ooit deed.

✿

Bij zonsopgang op de dag van de Heilige Stefanus werden Matilda en Gregorius door Anselmo, Isobel en de Meester begeleid naar de zuilengaanderij van de San Martino. Daar werden de pasgehuwden verrast met een geschenk van de Orde. Op de westelijke pilaar van de façade was in een diepe karmozijnrode kleur een volledig labyrint van elf omlopen geschilderd. Naast het gewijde symbool stond in een verticale tekst het volgende edict:

DIT IS HET LABYRINT DAT DAEDALUS DE KRETENZER SCHIEP
EN DAT NIEMAND DIE EENMAAL BINNEN IS, WEER KAN VERLATEN.
ALLEEN THESEUS IS DAARIN GESLAAGD
DANKZIJ DE DRAAD VAN ARIADNE

In het ronde hart van het labyrint stonden de laatste woorden van de mythe: ALLES VOOR DE LIEFDE.

Anselmo legde uit dat hij de tekening en het motto had ontworpen, geholpen door de Meester en Isobel, om Gregorius' geloften aan zowel Matilda als de Orde te herdenken, tijdens deze zo gezegende heilige dagen in aanwezigheid van God en elkaar. Het was een monument voor de nalatenschap van Gregorius, voor het aanvaarden van de beloften die hij ooit in de hemel had gedaan: aan zichzelf, aan de anderen en aan God. De allegorie van Theseus en Ariadne was gebruikt om hun waarheid zodanig te verbergen dat alleen wie ogen had om te zien en oren om te horen die beloften zou herkennen. Want Gregorius was Theseus, de held die zou ontsnappen aan het duistere labyrint van de corruptie en de intriges van de Kerk, bedoeld om onschuldigen te strikken in een web van wrede dog-

ma's en onwaarheden. Geholpen door de reddende draad van de waarheid, verschaft door Matilda/Ariadne, zou de herboren Theseus verlichting vinden en zijn volk redden, daarmee opnieuw het bewijs leverend van de leerstelling: De Tijd Keert Weder.
Iets meer dan een eeuw later, in het jaar 1200, zou een beeldhouwer in Lucca de verblekende verf op de façade van de San Martino met een beitel omwerken tot een duurzaam monument voor het geheime huwelijk van Gregorius en Matilda, dat tot in eeuwigheid zou standhouden.
Alles voor de liefde.

Aan de idyllische bruidsdagen van Matilda en Gregorius kwam abrupt een einde toen er een boodschapper in Lucca arriveerde met het nieuws dat Hendrik IV bezig was de Alpen over te steken, op weg naar Toscane. Hij was bereid zich te verzoenen met de Heilige Vader en trouw en gehoorzaamheid te zweren aan de troon van de Heilige Petrus.
Vanwege de onneembare en beschutte ligging werd besloten dat Matilda's burcht in Canossa de veiligste plek zou zijn voor Gregorius om Hendrik te ontvangen. Ze gingen op weg, en op aandringen van Conn werden ze in Florence opgewacht door een indrukwekkend Toscaans escorte. De Toscanen hadden zich vast voorgenomen om zowel hun paus als hun gravin te beschermen en wilden niet het risico nemen dat deze in een hinderlaag werden gelokt.
Hoewel het gezien Hendriks verzwakte positie onwaarschijnlijk was dat hij verraad zou plegen, was het bij Matilda's onvoorspelbare neef nooit helemaal uit te sluiten.

*Canossa*
*Januari 1077*

Als Hendrik IV had verwacht om bij aankomst in Matilda's gebieden als een koning te worden behandeld en onmiddellijk door de paus te worden ontvangen, dan werd hij bitter teleurgesteld. Gregorius VII was vast van plan het machtsspel zo lang mogelijk te rekken en zijn eigen positie van absoluut gezag te benadrukken. Hij weigerde dan ook botweg Hendrik audiëntie te verlenen, zonder enige aanwijzing wanneer – en of – hij van gedachten zou veranderen. De koning arriveerde met een gevolg van koninklijke verwanten en bisschoppen, die hoopten opnieuw bij de paus

in de gunst te komen door hem om vergiffenis te smeken voor hun verraad tijdens de Synode van Worms. Gregorius wist precies wie zich tegen hem – en tegen zijn Matilda – had gekeerd, en had hen zonder uitzondering streng berispt. Hij voelde er weinig voor zich nu grootmoedig te tonen, tegenover wie dan ook.
Tot het gezelschap van Hendrik behoorde ook een indrukwekkende bondgenoot die zich niet liet negeren. Hugo, abt van Cluny, was een van de leiders van het Duitse escorte, mede dankzij het feit dat hij tot Hendriks pleegvader was benoemd toen de koning nog maar een kind was. Gregorius was echter niet onder de indruk van diens machtsvertoon. Tenslotte was hij de paus, en ook al stond Hugo aan het hoofd van het machtige kloostercomplex in Cluny, hij was slechts abt. Uiteindelijk was Matilda degene die erop aandrong een eind te maken aan de impasse en aanbood de eerste ontmoeting met haar neef en abt Hugo voor haar rekening te nemen. Regelingen werden getroffen voor een treffen in haar fort in Bianello, op enige afstand van Canossa.
De gravin van Toscane was een buitengewoon intelligente, stoutmoedige en capabele vrouw. Bovendien had ze genoeg ervaring met haar neef om te weten dat hij niet te vertrouwen was. Maar toen hij zich als smekeling tot haar wendde en ervoor pleitte dat ze als zijn 'geliefde en grootmoedige nicht' een goed woordje voor hem zou doen bij Gregorius, raakte ze milder gestemd. Met al haar militaire ervaring en genialiteit was Matilda in de eerste plaats een leerling van de Weg van de Liefde, en ze geloofde in de macht van de leringen daarvan, waaronder vergevingsgezindheid. Het was dit geloof dat leidde tot haar eerste wezenlijke meningsverschil met Gregorius.
'Het is niet te geloven dat je je zand in de ogen hebt laten strooien door zijn valse smeekbeden.' Gregorius keek uit het raam van hun slaapkamer in Canossa naar de grillige, besneeuwde bergtoppen in de verte. Hij probeerde zijn woede in bedwang te houden, maar het was hem ten enen male onmogelijk te begrijpen hoe een briljante vrouw als Matilda zich zo gemakkelijk kon laten bedriegen.
Ook Matilda moest zich beheersen. 'Ik ben niet gek, Gregorius!' Ze liep driftig de kamer door. 'Niemand kent Hendrik beter dan ik.'
'Misschien heeft je toestand je scherpzinnigheid aangetast,' beet hij haar toe. 'En misschien is dat de reden waarom vrouwen beter niet kunnen regeren.'
Matilda bleef abrupt en als verstijfd staan. Ze was inmiddels drie maanden zwanger en wist dat nog altijd moeiteloos verborgen te houden dankzij de wijdvallende rokken die in de mode waren. Gregorius was zich er echter

voortdurend van bewust, en het was een onophoudelijke bron van zorg voor hem. De verantwoordelijkheden die op zijn brede schouders rustten als paus, als leider en als man, waren reusachtig. Het was wel duidelijk dat die hun tol begonnen te eisen. Toen hij zag dat alle kleur wegtrok uit Matilda's gezicht, kreeg hij onmiddellijk spijt van zijn uitbarsting. Hij kwam naar haar toe en nam haar handen in de zijne.
'Het spijt me, Tilda. Dat was onredelijk van me. En bovendien niet waar.'
Ze deinsde niet voor hem terug, maar ze omhelsde hem ook niet. Er kwamen tranen in haar ogen, die ze uit alle macht probeerde terug te dringen. 'Als er meer vrouwen regeerden, zou er misschien minder oorlog zijn, minder dood, minder vernietiging,' zei ze met een kalmte die ze niet voelde. 'Heb je in Lucca dan helemaal niets geleerd? Ben je vergeten dat juist het verlies van het vrouwelijke aspect in het leiderschap en in de spiritualiteit tot zoveel verwoesting heeft geleid? Het evenwicht is verstoord met de Val van de Mens, toen vrouwen werden onterfd en van hun invloed beroofd. Toen al wat zuiver en machtig is aan de vrouwelijke wijsheid in ballingschap werd gestuurd, zodat de mens tot slaaf werd van een drang naar macht, zonder iets wat die drang kon temperen. Zelfs mannen zoals jij – hoe groot je ook bent van hart en geest – slagen er meestal niet in hun aard te ontstijgen. En het ligt in de mannelijke aard om te verlangen naar macht en om oorlog te voeren wanneer ze worden bedreigd of stuiten op verzet. Vrouwen zijn anders. Het ligt in onze aard om samen te werken, om te bemiddelen, om te streven naar vrede in plaats van dood. Zoals ik hier voor je sta, met ons kind dat groeit in mijn schoot, wil ik dat hij – of zij – wordt geboren in een wereld waar vrede en welvaart heersen. Als dat me zwak maakt, dan zij het zo. Gods wil heeft bepaald dat ik hier en nu in deze conditie verkeer. En die conditie maakt dat ik wil dat er een einde komt aan zinloos lijden.'
Gregorius was te geagiteerd om aandachtig te luisteren naar wat voelde als een uitbrander. 'Ik probeer je tegen Hendrik te beschermen, jou en ons kind – en misschien wel heel Italië. Na alles wat hij je heeft aangedaan, kan ik simpelweg niet geloven dat je zo gemakkelijk bereid bent hem te vergeven.'
Nu was het definitief gedaan met haar kalmte. 'Ik weiger hypocriet te zijn, Gregorius. Jezus leert ons dat we moeten vergeven. Dat is de leer van de Weg, zoals die mij is onderwezen, en daar houd ik me aan. Dus als een man zegt dat hij berouw heeft en om vergiffenis smeekt, wie ben ik dan om te oordelen over zijn oprechtheid? Dat oordeel is alleen aan God.'
'Ik ben de paus,' snauwde hij. 'Het is mijn plicht om op te treden als Gods

plaatsvervanger op aarde. En als zodanig heb ik bepaald dat Hendriks verontschuldigingen onoprecht en onaanvaardbaar zijn. Zeg maar dat hij teruggaat naar Duitsland. Laat zijn eigen mensen maar met hem afrekenen. Ik heb begrepen dat Rudolf van Zwaben bereid is de troon over te nemen als ik weiger Hendrik te vergeven. En dat weiger ik.'

Matilda voelde zich verscheurd. Temperamentvol als ze was, zou ze het liefst de kamer uit stormen en hem in zijn arrogante sop laten gaarkoken. Maar ze hield van hem, meer dan van haar eigen leven, en ze wist dat het tot haar taak als zijn vrouw behoorde om hem door deze spirituele uitdagingen heen te helpen. En had ze niet zojuist nadrukkelijk verklaard dat vrouwelijke leiders in tijden van oorlog bij uitstek capabel waren als het ging om diplomatie en bemiddeling? Ze haalde diep adem. 'Wat wil je dat ik doe, mijn lief?' vroeg ze kalm maar beslist. 'Ik moet abt Hugo antwoord geven en ik ben niet van plan te zeggen dat hij Hendrik maar moet terugsturen naar Duitsland. Wat verwacht je van Hendrik om zijn boetedoening meer kracht bij te zetten?'

Gregorius dacht even na. Zijn eerste impuls was om te snauwen dat Hendrik niets kon doen en dat zijn besluit definitief was. Maar toen keek hij haar aan, en hij zwichtte. De donkere kringen onder haar ogen vormden een scherp contrast met haar albasten huid. Ze leek enorm kwetsbaar. Dit eiste ook van haar een zware tol.

'Zeg maar tegen abt Hugo dat ik van Hendrik verwacht dat hij in alle openheid boete doet, ten overstaan van alle inwoners van Canossa. Ik wil hem in een haren hemd zien knielen voor de poorten, in de sneeuw, ontdaan van alle uiterlijke versierselen van het koningschap, als de nederigste pelgrim smekend om door mij te worden ontvangen. Zeg dat hij morgen op deze manier aan de poorten van Canossa verschijnt. Dan zal ik overwegen om zijn smeekschrift in ontvangst te nemen.'

Matilda aanvaardde deze concessie. Het was bepaald niet ideaal, maar hij had de deur althans op een kier gezet. Ze liet Gregorius achter in hun vertrekken en ging op zoek naar haar boodschapper om de voorwaarden die de paus stelde bij Hendrik af te leveren. Die nacht keerde ze niet terug naar hun kamers, maar koos ze ervoor om bij Isobel te slapen.

❂

De volgende dag begon grijs en ijzig. Tegen een achtergrond van een dreigende hemel en ijskoude winden naderde Hendrik IV de indrukwekkende poorten van Canossa, samen met zijn gevolg van boetelingen. Abt Hugo

van Cluny liep voorop, gewapend met een herdersstaf en onder het uitspreken van boetvaardige gebeden, terwijl de processie de lange, kronkelende bergweg naar Matilda's burcht beklom. Achter hem volgde de vernederde koning, gekleed in het cilicium, het boetekleed gemaakt van ruwe stof en geitenhaar. Het was ontworpen om de huid te irriteren, te schaven en een gruwelijke jeuk te veroorzaken als kastijding van het vlees. Om de omvang van zijn berouw nog duidelijker te maken liep Hendrik op blote voeten, de rotsachtige bodem en de ijzige kou trotserend. Een verzameling van eens trotse bisschoppen en edellieden, die Gregorius tijdens de Synode van Worms hadden aangevallen en hadden geroepen om zijn afzetting, volgde hun koning in een gelijksoortige boetvaardige uitmonstering.
De inwoners van Canossa en omgeving waren massaal uitgelopen om getuige te zijn van dit historische schouwspel en stonden langs de weg naar de burcht. Sommigen jouwden de tiran uit die zich hun vorst had willen noemen, en bekogelden hem met rotte groenten. Anderen keken zwijgend toe, zich bewust van het feit dat hier geschiedenis werd geschreven, of misschien simpelweg vervuld van ontzag door het aangrijpende drama dat zich afspeelde tussen een paus en een koning.
Toen hij de poorten bereikte, deed de koning een stap naar voren om aan te kloppen en formeel om toelating te verzoeken. Zijn zorgvuldig ingestudeerde woorden schalden door de ijzige kou: 'Ik verzoek om audiëntie bij de Heilige Vader. Ik kom als boeteling, om boete te doen voor mijn zonden jegens hem en jegens de Kerk die hij vertegenwoordigt. Ik kom in alle nederigheid. Ik kom als man en als koning, om zijn zegen en zijn vergiffenis af te smeken.'
Op de toren die uitkeek op de voorkant van de burcht, verscheen een pauselijke gezant die het antwoord afleverde. 'De Heilige Vader heeft uw verzoek afgewezen. Hij heeft niet het gevoel dat u hebt bewezen dat uw berouw oprecht is.'
Er viel een doodse stilte. Iedereen was met stomheid geslagen. Hoe was het mogelijk dat de paus zelfs na een dergelijke zelfvernedering de koning niet wilde ontvangen? Hendrik keerde zich naar abt Hugo, zoekend naar steun. 'De koning heeft zich vernederd voor God en Zijn gezegende plaatsvervanger hier op aarde,' sprak de bisschop van Cluny. 'Zie hoe hij bloedt om zijn berouw te tonen! Kan de Heilige Vader niet met de hand over het hart strijken en zich bereid verklaren althans een verdere bede om vergiffenis en een gelofte van gehoorzaamheid aan te horen?'
Na de tocht door de rotsachtige bergen waren Hendriks voeten er verschrikkelijk aan toe. Bloed sijpelde over de uitslag die zijn armen bedekte

als gevolg van het gruwelijke haren hemd. Hij bood een indrukwekkende en ellendige aanblik. Het was duidelijk hoezeer hij op zijn tocht had geleden. Maar de afgezant herhaalde slechts zijn eerdere verklaring zoals de paus hem die had gegeven, en verdween weer naar binnen. De machtigste koning en de machtigste abt van Europa bleven achter voor de gesloten poorten. Uit de hemel begon opnieuw sneeuw neer te dalen.

❂

Matilda was buiten zichzelf van frustratie. Ze begreep niet hoe Gregorius zo koppig kon zijn. Hendrik mocht zich dan afschuwelijk hebben misdragen, hij had op buitengewoon dramatische en openbare wijze blijk gegeven van zijn berouw. Hij had zich vernederd en verlaagd zoals nog nooit een koning dat in de geschiedenis had gedaan, en toch weigerde Gregorius hem te ontvangen. De paus luisterde naar niemand, zelfs niet naar de vrouw die hij boven alles liefhad. Ze was opgehouden met hem te praten, want dat leidde alleen maar tot ruzie.

Nadat Matilda aanvankelijk Isobel had geraadpleegd, besloot ze dat ze ook behoefte had aan een mannelijk perspectief, en dus ging ze op zoek naar Conn. Ze vond hem in de stallen. Hij was duidelijk niet blij haar te zien.

'Wat doe je hier buiten? Het is ijskoud.'

'Ik heb je nodig.'

'Kom dan maar mee naar binnen, kleine zuster. Ik weet waar het over gaat, en ik zal je een verhaal vertellen waarvan ik denk dat het een wijze les voor je is.'

Hij loodste haar haastig terug naar binnen, naar de warme antichambre bij de keuken van het kasteel. De kamer had het voordeel dat hij vlak bij de kookvuren lag en bovendien een eigen haard bezat. Matilda's grootvader had hem laten maken om er 's winters besprekingen te houden, veilig beschut tegen de felle kou in de bergen. Matilda warmde haar handen boven het vuur en ging op de weelderig gestoffeerde bank zitten, met haar rug tegen de muur. Met een diepe zucht leunde ze tegen de harde stenen.

'O, Conn, wat moet ik toch met hem beginnen? Hij gedraagt zich als een tiran.'

Conn haalde zijn schouders op. 'O ja?'

Matilda keek hem verbijsterd aan. Ze had verwacht dat hij het met haar eens zou zijn. 'Natuurlijk. Na alles wat Hendrik heeft gedaan om zijn berouw te tonen, weigert Gregorius nog steeds hem te ontvangen. Het is schandalig.'

'Nee, dat is het niet. Het geeft blijk van kracht. Dat moet je respecteren. Dus ik stel voor dat je hem met rust laat.'
'Dat meen je niet!'
'Dat meen ik wel.'
'Maar...'
'Er is geen maar. Gregorius weet drommels goed wat voor vlees hij met Hendrik in de kuip heeft. Net zoals hij weet dat Hendrik nooit zal veranderen. Deze man is een monster met een kroon, Matilda. Onderschat nooit waartoe hij in staat is. Nu ben ík degene die bij jóú komt smeken. Wat het ook is waardoor je milder bent gaan denken over je kwaadaardige neef, vergeet nooit wat je weet over zijn verleden, over wat hij heeft gedaan. Hendrik is gevaarlijk, erg gevaarlijk. Als mens. En nog gevaarlijker als koning. Hij is de dodelijkste vijand die je hebt. Ik begrijp niet dat je dat niet inziet. En geloof me, je mag dan boos zijn op Gregorius, maar wat hij doet, is meer om jou te beschermen dan zichzelf.'
Matilda dacht na over zijn woorden. Maar terwijl ze dat deed, wilde ze blijven geloven dat ze het bij het rechte eind had. Afgaande op zijn dramatische vertoning van die dag, wilde ze blijven geloven dat Hendriks berouw oprecht was. 'Dus jij gelooft niet dat een slecht mens ooit kan veranderen?'
'Ik geloof niet dat deze slechte mens ooit kan veranderen. En dat brengt me op het verhaal dat ik je wil vertellen.'
Matilda knikte en maakte het zich gemakkelijk om te luisteren naar de grote Keltische krijger die de magie van zijn volk door zijn verhaal zou weven.
'Tijdens mijn studie aan de school van Chartres...'
'Chartres?' Matilda schoot overeind bij het noemen van de heilige stad waarover Conn nooit had willen praten.
Hij keek haar dreigend aan. 'Daar hebben we het later nog weleens over. Val me niet in de rede. Naar de beroemde school van Chartres kwamen geleerde mannen vanuit heel Europa, en ik had het geluk in contact te komen met een man uit het oosten. Een soefimeester. Hij vertelde me dit verhaal, dat ik nu aan jou ga vertellen. Het verhaal van de pad en de schorpioen.
Pad was een zachtmoedig, vriendelijk schepsel dat zielsgelukkig rondzwom in zijn waterplas en heel veel vrienden had omdat iedereen hem graag mocht. Op een dag hoorde hij tijdens het baden een stem die hem riep vanaf de waterkant. "Hé Pad, kom eens hier!"
Dus Pad zwom naar de kant, en daar zag hij dat het Schorpioen was die

hem riep. Bedenk wel: Pad mocht dan van nature goed van vertrouwen en zachtaardig zijn, hij was niet dom. Hij wist dat Schorpioen gevaarlijk was en bekendstond om zijn giftige angel waarmee hij elk moment – en vaak zonder reden – kon toeslaan. Dus bleef Pad op een afstand, maar vroeg beleefd: "Wat kan ik voor je doen, broeder Schorpioen?"
"Ik moet naar de overkant," antwoordde Schorpioen. "Als ik moet lopen, gaat dat me dagen kosten. Maar als jij me op je rug wilt nemen en me wilt brengen, ben ik er zo. Ik heb gehoord dat je vriendelijk en grootmoedig bent, dus ik hoop dat je me deze enorme gunst wilt bewijzen. Daar zou je me enorm mee helpen, en ik zou het buitengewoon waarderen."
Nu zat Pad in een lastig parket. Het lag in zijn aard om te helpen, maar hij was bang voor de slechte reputatie van Schorpioen. Hij besloot eerlijk te zijn. "Broeder Schorpioen, ik zou je graag helpen, maar je staat bekend om je lichtgeraaktheid en je dodelijke angel. Als ik je op mijn rug neem en naar de overkant zwem, wat doe ik dan als je besluit me te steken? Dan ga ik dood, en dat wil ik niet."
Schorpioen begon te lachen. "Doe toch niet zo belachelijk, broeder Pad! Denk nou eens na. Als ik je tijdens de oversteek zou steken, zou je zinken, en dan verdrinken we allebei. Ik ben bepaald niet van plan je dood te maken, en mezelf al helemaal niet. Dus waarom zou ik zoiets doen? Ik moet simpelweg naar de overkant, en daar heb ik jouw hulp bij nodig. Alsjeblieft, broeder."
Dus stond de goedgelovige pad Schorpioen toe om op zijn rug te klimmen, en hij begon te zwemmen. Toen ze halverwege waren, voelde Pad een scherpe, afschuwelijke pijn. "Au!" riep hij. "Wat was dat?" Waarop Schorpioen antwoordde: "Ai! Ik heb je gestoken. Het spijt me." Pad kon het niet geloven, en terwijl het gif zich door zijn lichaam verspreidde en hij begon te zinken, vroeg hij: "Maar waarom heb je dat gedaan, broeder? Waarom heb je me gestoken, terwijl je zeker weet dat we nu allebei verdrinken?"'
De Schorpioen zuchtte. Wegzinkend met Pad, terwijl hij zich voorbereidde op de dood, legde hij uit: "Ik kon er niets aan doen. Het is gewoon mijn aard."'
Conn liet de moraal even in de lucht hangen. 'Dus je ziet, Matilda,' zei hij toen, 'wat net zo belangrijk is als de afloop van het verhaal, is het inzicht dat Schorpioen oprecht leek toen hij zei dat hij Pad geen pijn wilde doen, omdat hij oprecht wás. Op dat moment. Op dat moment wilde hij hem echt niet steken, wilde hij niets doen waarmee hij ook zichzelf zou schaden. Maar zijn aard was te machtig. Zo was het altijd al geweest, en zo zou het altijd zijn. Hij kon er simpelweg niets aan doen.'

Matilda zuchtte toen de waarheid tot haar doordrong. 'Je hebt gelijk. Hendrik is een Schorpioen.'
'Dat is hij inderdaad. Dus misschien gelooft hij zelf oprecht dat hij berouw heeft, maar denk niet dat hij zijn ware aard heeft overwonnen. En, Matilda...'
'Ja?'
'De laatste les is dat Pad net zoveel schuld heeft aan zijn eigen dood als Schorpioen. Hij wist wat de aard was van Schorpioen, en al zijn instincten zeiden hem dat hij Schorpioen niet moest vertrouwen. Maar hij ontkende zijn eigen hogere wijsheid.'
'Dus wat wil je nu precies tegen me zeggen?'
'Wees geen pad, kleine zuster. Wees geen pad.'

❂

De Duitse afvaardiging sloeg zijn kamp op aan de voet van de heuvel, onder de burcht. Het schouwspel van Hendriks boetedoening, en dat van zijn nobele gevolg, werd drie dagen herhaald. Bij het ochtendgloren van de vierde dag verklaarde de pauselijke gezant dat Hendriks berouw was aanvaard en dat de Heilige Vader bereid was hem te ontvangen.
Wat Hendrik, en de geschiedenis, nooit zouden weten was hoe cruciaal de rol was die Matilda had gespeeld bij de uiteindelijke aanvaarding van het berouw van de koning door paus Gregorius VII. De gravin van Canossa wilde weliswaar niet dezelfde fout maken als de tragische pad uit de fabel van Conn, maar ze was doodsbang dat haar neef de koning letterlijk zou doodvriezen voor de poorten van haar burcht. Dat kon ze simpelweg niet laten gebeuren. Het was onmenselijk en in strijd met alles waar ze spiritueel en persoonlijk voor stond. Bovendien zou het voornemen van Gregorius om de positie van de Kerk te versterken er niet mee gediend zijn, al helemaal niet omdat hij streefde naar een Kerk van liefde en barmhartigheid. Ze vreesde dat de acties van Gregorius uiteindelijk als tiranniek, wreed en onverzoenlijk zouden worden beschouwd. Zelfs haar eigen mensen in Canossa begonnen zich – ondanks hun loyaliteit jegens haar – duidelijk ongemakkelijk te voelen. Ze waren getuige van het dagelijkse schouwspel van een koning die wegkwijnde door het vasten en van de kou. De vernederde monarch smeekte simpelweg om door de paus te worden ontvangen, om ten overstaan van de Heilige Vader zijn smeekbede en zijn vernedering voort te zetten. De vastberadenheid van Gregorius grensde aan meedogenloosheid. Dat kon zo niet doorgaan.

Voordat ze op de avond van de derde dag naar bed ging, legde Matilda Gregorius een ultimatum voor dat de moeilijkste keuze van haar leven vertegenwoordigde. Hoewel ze hem boven alles liefhad, lag haar eerste, haar duurste plicht bij haar missie en bij de belofte die ze God had gedaan in haar rol als Zijn dienaar op aarde. De belofte om te leven volgens de leer van de man die Vredesvorst werd genoemd. In het licht daarvan kon Matilda dit vernederende schouwspel niet langer laten duren. Dus óf Gregorius verklaarde zich bereid Hendrik te ontvangen, óf zij verliet Canossa. Ze wilde niet langer deelhebben aan een handelwijze waarvan ze het gevoel had dat deze in strijd was met de wil van God of met de leringen van Zijn zoon.

De paus was met stomheid geslagen door de extreme positie die ze innam, maar aanvankelijk weigerde hij zich door haar ultimatum te laten beïnvloeden. Pas toen hij hoorde dat ze orders gaf om voorbereidingen te treffen voor haar vertrek, besefte hij dat het haar ernst was. En uiteindelijk kwam Gregorius tot de slotsom dat hij zich minder star moest gaan opstellen om te behouden wat hem het meest dierbaar was.

Dezelfde uitzonderlijke passie en intensiteit die Gregorius en Matilda bij elkaar had gebracht, vormde tevens een uitdaging op dit kritieke kruispunt in hun relatie. Van twee zulke sterke geesten en persoonlijkheden kon niet worden verwacht dat ze voortdurend in volmaakte harmonie met elkaar leefden. Het was een les die ze allebei moesten leren. Een van de vele lessen die aan het licht kwamen in Canossa, in de winter van 1077.

Op 28 januari, aan het eind van de middag, werd koning Hendrik IV ontvangen door paus Gregorius VII met Matilda aan zijn zijde. Hendrik bood een jammerlijke aanblik met al zijn schrammen en verwondingen en zijn gehavende voetzolen. Een gebroken man zoals hij zich in volmaakte overgave en bijna in tranen voor de paus op de grond wierp. Matilda voelde slechts medelijden terwijl ze naar hem keek. Hendrik was inderdaad het slachtoffer van zijn eigen natuur. Het was zijn kwaadaardigheid die hem hier had gebracht, half dood, volledig gedemoraliseerd, met zijn gezicht op de koude stenen vloer, terwijl hij smeekte om vergeving tot een man die hij haatte.

Gregorius verklaarde zich bereid hem te vergeven, als mens, niet als koning. De excommunicatie werd opgeheven, en Hendrik kreeg toestemming ter communie te gaan in de kleine kapel van de burcht. Daarop werd hij verwelkomd in Canossa, waar hij royaal te eten kreeg en werd ondergebracht in fraaie vertrekken om te herstellen van zijn beproeving.

Hij bleef lang genoeg om zijn nicht gade te slaan in haar domein, en om

haar gedrag te observeren. In een poging haar sterke en haar zwakke punten te peilen, vroeg hij diverse malen belet. Hoewel Matilda hem nooit zou vertrouwen, was ze gul met haar tijd, in haar oprechte hoop op vrede en verzoening. Haar neef leek oprecht verlangend eindelijk een grote koning te worden, en hij bracht uren met haar door waarin hij haar om raad vroeg over verstandig leiderschap. De bewoners van Noord-Italië aanbaden Matilda, en hij verklaarde dat hij haar daden in de toekomst zou navolgen, in een poging de liefde van zijn onderdanen te heroveren. Omdat ze neef en nicht waren en elkaar al kenden sinds hun prille jeugd, konden ze hun geschillen misschien vergeten en als grote leiders ernaar streven om in harmonie samen te werken, stelde hij voor.
En misschien zou de schorpioen de pad in staat stellen in alle rust en vrede naar de overkant van het water te zwemmen.
Hendriks tijd in Canossa betekende inderdaad een keerpunt voor zijn vergiftigde, heerszuchtige psyche. De vernedering die Gregorius hem had aangedaan, brandde in hem als een vuurzee die het laatste restje menselijkheid – als hij dat ooit had bezeten – in zijn verwrongen geest verzengde. Het ergst van alles vond hij dat zijn nicht – die hoer – duidelijk achter dit alles zat. Ze had de paus in haar macht, dat was duidelijk. Net zoals duidelijk was dat zo'n heks iedere man kon manipuleren met haar demonische, vrouwelijke listen. Het kon alleen Matilda zijn geweest die had geëist dat Hendrik drie dagen en nachten in de sneeuw had moeten bivakkeren. Ze zou boeten voor wat ze hem had aangedaan, net als die huichelaar van een paus. Bij Matilda zou zijn wraak echter vooral persoonlijk zijn.
Want niets zou zijn nicht meer bezeren dan de vernietiging van haar kostbare Toscane. Niets zou ze erger vinden dan wanneer hij het Toscaanse volk liet inzien wat de prijs was voor zijn loyaliteit jegens een demon, een tegennatuurlijk schepsel als Matilda. Misschien zou hij beginnen met Lucca. Of met Mantua. Dat waren de steden die haar het meest dierbaar waren, dus dat waren de plekken die zouden lijden.
Toen koning Hendrik IV over de Alpen terugkeerde naar zijn eigen land, maakte hij zorgvuldig de inventaris op van de streken waar hij doorheen kwam en begon plannen te maken voor zijn vergelding, voor de koers van verwoesting die hij zou volgen tegen Matilda's kostbare Toscane. Hij hield halt in Lombardije om opnieuw een bijeenkomst te beleggen van de schismatische edelen die zich tegen Gregorius verzetten. Binnen enkele dagen na zijn vergiffenis had Hendrik zichzelf opnieuw uitgeroepen tot de bittere vijand van de paus – en de nemesis van de gravin van Toscane.
Dat was tenslotte zijn aard.

Wees gegroet Maria.
Het is een buitengewoon heilige naam, die zijn oorsprong vindt in talloze bronnen en tradities, en die overal dezelfde heiligheid bezit, want alle versies bevatten zonder uitzondering het zaad van de kennis en de waarheid. De naam is over de hele wereld bekend, in diverse varianten: Mary, Maria, Miriam, Maura, Miriamne.
Uit Egypte stamt Meryam, de naam van de zuster van Mozes en Aäron. De wortel van het woord is 'mer', dat 'liefde' betekent, en dat zich ontwikkelt tot de naam Mery, wat zoveel wil zeggen als 'de gekoesterde'. Of 'de geliefde'. De naam werd gebruikt voor dochters die waren voorbestemd een bijzondere rol te vervullen, uitverkoren door de goden voor een goddelijke bestemming gebaseerd op hun geboortedatum, hun afkomst of profetieën die met hen in verband werden gebracht.
Er wordt beweerd dat de variant Mirjam diverse woorden combineert om tot de betekenis 'mirre van de zee' te komen, of ook 'vrouwe van de zee'.
Er schuilt echter nog een groot geheim in deze vervolmaakte, vrouwelijke naam. Deze vermengt namelijk de Hebreeuwse met de Egyptische traditie: het Egyptische mer, 'liefde', en het Hebreeuwse Jam, een heilige afkorting voor 'Jahweh'. Dus wanneer de tradities worden gecombineerd, betekent de naam 'Zij die de geliefde is van Jahweh'.
Tijdens het leven van Onze Heer en ook daarna werd de naam vaak gegeven bij het bereiken van de meerderjarigheid, als een eretitel voor een jong meisje dat haar waarde en haar bijzondere aard had bewezen.
Het was een zegen om een Maria te worden.

– De geschiedenis van de Heilige Naam
zoals bewaard gebleven in *Het Libro Rosso*

# 14

*Broederschap van de Heilige Verschijning*
*Vaticaanstad, Rome*
*Heden*

Peter escorteerde Maureen en Berenger de zaal binnen waar de maandelijkse vergaderingen van de Broederschap van de Heilige Verschijning werden gehouden.

Peter was vanavond aanwezig ter ondersteuning van zowel pater Girolamo als zijn huishoudster, Maggie Cusack. Maggie was een zeer toegewijd lid van de Broederschap en had een groot deel van haar vrije tijd besteed aan het vieren en gedenken van de wonderbaarlijke verschijningen van Onze-Lieve-Vrouwe door heel Europa: bij Fátima, La Salette, Medjugorje, Parijs en Lourdes, en het Belgische Beauraing en Banneaux. Het voornaamste agendapunt bij deze besprekingen, waarbij toehoorders welkom waren, was een presentatie waarbij aandacht werd besteed aan een specifieke verschijning van Onze-Lieve-Vrouwe. Vanavond ging het om Onze-Lieve-Vrouwe van de Stilte, de verschijning die zich had voorgedaan in het westen van Ierland, bij het dorpje Knock, aan het eind van de negentiende eeuw. Maggie zou de presentatie verzorgen en was weken bezig geweest met de voorbereidingen, waarbij ze Peter vaak om zijn mening had gevraagd en om zijn kijk op wat er over de verschijning bekend was. Peters familie was afkomstig uit een aangrenzend graafschap, en vanuit het huis in Galway was Knock gemakkelijk te bereizen geweest. Als kinderen waren Maureen en hij met zijn moeder diverse keren op pelgrimstocht naar Knock geweest, en ze kenden het dorp en zijn geschiedenis dan ook goed.

Berenger Sinclair was gefascineerd door het bestaan van de Broederschap en had te kennen gegeven graag een bijeenkomst te willen bijwonen. Maar als hij hoopte enige overeenkomst aan te treffen met de geheime activiteiten waarmee veel broederschappen zich in de middeleeuwen en tijdens de Renaissance hadden beziggehouden, werd hij teleurgesteld. De eenentwintigste-eeuwse Broederschapsvariant was er een van Italiaanse matrones die koffie serveerden met zelfgebakken biscotti en folders uitdeelden met daarin informatie over de Broederschap en een gebed gericht tot Onze-Lieve-Vrouwe van Fátima. Er heerste een vriendelijke, open sfeer, zonder enige geheimzinnigheid. Er druppelden wat priesters binnen en een paar plaatselijke families, die ongetwijfeld banden onderhielden met de biscotti-baksters. Peter zag tot zijn grote verrassing dat Marcelo Barberini, de kardinaal met wie hij in de commissie zitting had, stilletjes binnenglipte en achter in de zaal bleef staan. Uiteindelijk ging iedereen zitten en beklom pater Girolamo het podium om alle aanwezigen welkom te heten. Hij bedankte Maggie Cusack voor het vele werk dat ze had gedaan en stelde haar voor aan de groep, die beleefd applaudisseerde toen ze achter de microfoon plaatsnam en het verhaal over het wonder van Knock begon te vertellen.

*Knock, graafschap Mayo, Ierland*
*21 augustus, 1879*

Het was maar een klein plaatsje, een onbeduidend dorpje, in de zuidoosthoek van het graafschap Mayo. Zelfs de naam was weinig verbeeldingsrijk: Cnoc. Simpelweg het Ierse woord voor 'heuvel', verwijzend naar de winderige ligging van het plaatsje. Trouwens, het was nauwelijks een echte heuvel. Dus waarom Onze-Lieve-Vrouwe deze plek uitkoos om haar zegen uit te storten, was nog altijd een groot mysterie.
Het enige in de geschiedenis wat wees op Gods genade, was iets wat dertienhonderd jaar voorafgaand aan de verschijning was gebeurd. Toen had niemand minder dan Saint Patrick hier een visioen gekregen en de plek gezegend verklaard. Sterker nog: hij had voorspeld dat Cnoc ooit een oord van devotie en aanbidding zou worden, een heilige plaats waar pelgrims vanuit de hele wereld naartoe zouden stromen. De 'heuvel' was heilig verklaard.
In 1859 werd de nieuwe, maar onopvallende kerk in Knock ingewijd en opgedragen aan Johannes de Doper. Het waren moeilijke tijden voor de arme bevolking van Mayo, in de nasleep van de verschrikkelijke hongersnood waarbij naar schatting een derde van de Ierse bevolking was omgekomen. Bovendien hadden de Britse landheren misbruik gemaakt van de armoede die het gevolg was van de hongersnood door de berooide boeren

van hun land te zetten. Land dat sinds de vroegste dagen van de Kelten door Ierse boeren was bewerkt. Ook in het graafschap Mayo was een aantal families dat de pacht niet kon betalen door rijke Engelse edellieden brodeloos gemaakt en door gewetenloze landeigenaren overgeleverd aan de elementen, aan een leven in armoede, en in veel gevallen aan de dood.
In deze sombere tijd kwam in 1867 een nobel en vroom man, een zekere father Cavanaugh, naar Knock. Op het hoogtepunt van de Grote Hongersnood had hij zich onvermoeibaar ingezet om de nood van de armen te verlichten. Hij verkocht al zijn bezittingen, waaronder een prachtig paard en een horloge dat hij van zijn vader had gekregen, om geld bij elkaar te brengen zodat hij de kinderen van zijn parochie te eten kon geven. Maar daarnaast drukte hij zijn parochianen op het hart dat ze nooit echte armoede zouden kennen zolang ze hun geloof hadden. Father Cavanaugh werd het kloppende hart van de gemeenschap. Niet alleen de inwoners van Knock droegen hem op handen, ook de mensen in naburige parochies.
Begin augustus in het jaar 1879 richtte een afschuwelijk noodweer grote schade aan in het dorp. Er werd een gat in het dak van de kerk geslagen en twee beelden werden vernietigd – dat van de Heilige Maagd Maria en van de Heilige Jozef. Geduldig en zorgvuldig als hij was, repareerde father Cavanaugh het dak en bestelde hij nieuwe beelden om de kapotte te vervangen. Door een bizar ongeluk werden beide beelden onherstelbaar vernield tijdens het transport van Dublin naar Knock. Father Cavanaugh had het gevoel dat de krachten van het kwaad het om welke reden dan ook op zijn kleine parochie hadden voorzien, maar hij zwoer dat hij zich niet gewonnen zou geven en bad vuriger dan ooit voor de verlossing van Knock. De twee nieuwe beelden die hij bestelde, arriveerden ongeschonden en werden in de kerk geplaatst.
De volgende avond was er opnieuw een hevig noodweer. De huishoudster van father Cavanaugh, Miss Mary McLoughlin, verliet de pastorie om op bezoek te gaan bij vrienden, de familie Byrne, die aan de andere kant van het dorp woonde. Toen ze langs de kerk kwam, ontdekte ze in de regen, buiten de kerk, drie beelden die door een onzichtbare lichtbron leken te worden beschenen. In verwarring gebracht bleef ze even staan. Had de goede father Cavanaugh nog meer beelden besteld, om de beschadigde te vervangen? Merkwaardig. Daar had hij niets van gezegd. En hij vertelde haar altijd alles. Sinds de vernieling van de eerste beelden hadden ze het over weinig anders gehad. En ze had hem de vorige dag geholpen de nieuwe beelden op hun plaats te zetten. Wat waren dit dan, en waarom stonden ze buiten in de regen?

De Byrnes waren eerlijke, devote parochianen die trots waren op hun taak als kosters van de kerk. Aangekomen bij huize Byrne, werd de verregende huishoudster haastig binnengelaten, en werd er thee gedronken in de zitkamer. De dochter van de Byrnes, een opgroeiende jongedame die Margaret heette, kwam op dat moment thuis na het afsluiten van de kerkdeuren. Ze vertelde dat ze bij het betreden van de kerk een vreemde, witte gloed had gezien bij de zuidelijke geveltop. Misschien was het een speling van het licht, veroorzaakt door de regen. Bij het verlaten van de kerk was het haar weer opgevallen. Enigszins in verwarring gebracht had ze het verschijnsel gadegeslagen; toen had ze zich naar huis gehaast.
Even later kwam er een andere parochiaan bij huize Byrne langs, Mrs. Mary Carty. Ook zij had de beelden en het vreemde licht gezien, en ze vroeg zich af waarom father Cavanaugh nog meer beelden voor de kerk had aangeschaft. Was dat niet wat overdreven? Gezien de ontberingen die er in het dorp en omstreken nog altijd werden geleden, had het geld ongetwijfeld beter gebruikt kunnen worden. Het leek lichtzinnig en onverantwoordelijk zo snel na de hongersnood en de uitzettingen, de buitenkant van de kerk met beelden te verfraaien. En bovendien leek het helemaal niets voor de sociaal voelende priester die zo begaan was met het lot van zijn kudde. De huishoudster verzekerde Mrs. Carty dan ook dat father Cavanaugh zoiets nooit zou doen.
Nieuwsgierig geworden nu bleek dat drie getuigen onafhankelijk van elkaar de vreemde verschijnselen hadden opgemerkt, besloten de huishoudster en haar gastvrouw op onderzoek uit te gaan. Samen trotseerden ze het noodweer en liepen ze door de storm naar de kerk, waar ze allebei de vreemde beelden zagen die nog altijd in de regen stonden.
'Wanneer heeft father Cavanaugh ze daar neergezet?' vroeg Mary Byrne.
'Dat heeft hij niet gedaan,' antwoordde Mary McLoughlin. 'Dat weet ik heel zeker. Dus ik begrijp er niets van.' Ze knepen hun ogen tot spleetjes en tuurden naar de beelden, om te zien of ze konden herkennen welke heiligen deze moesten voorstellen.
Plotseling slaakte Mary Byrne een gil van schrik. 'Ze bewegen! Het zijn geen beelden, Mary. Ze bewegen. Kijk!'
Zwijgend toekijkend beseften ze dat het inderdaad geen beelden waren. Helemaal links stond een oudere man met een grijze baard, helemaal rechts een jongeman met lang haar, en in het midden een stralende vrouwenverschijning. De vrouwenverschijning zweefde boven het gras, omschenen door een schitterend wit licht. Ze werd door de twee Mary's onmiddellijk herkend als de Maagd Maria. Van de andere figuren wisten de twee vrou-

wen, volgens de verklaring die ze later zouden afleggen, zeker dat het ging om de Heilige Jozef en Johannes de Evangelist. Desgevraagd konden ze geen van beiden zeggen waarop ze zich daarbij baseerden, anders dan op de leeftijd van de mannen.

Mary Byrne haastte zich naar huis en vertelde haar gezin ademloos dat zich in de kerk een wonder aan het voltrekken was. Daarop volgde de hele familie haar naar buiten, om getuige te zijn van de verschijning van de drie heilige figuren in de regen. Bij een later, officieel onderzoek door de Kerk verklaarden veertien personen getuige te zijn geweest van het visioen: zes vrouwen, drie mannen en vijf kinderen, van wie drie in de adolescentie.

Allemaal spraken ze van een magische gloed, aanvankelijk goudkleurig en geleidelijk aan veranderend in stralend wit, die de hele muur van de kerk verlichtte. Alle getuigen zagen drie gedaanten, maar de bijzonderheden varieerden. Een vrouw beweerde dat ze een jong lam op een altaar had gezien, en ze hield bij hoog en bij laag vol dat het lam naar het westen keek, en dat het belangrijk was om te weten dat het naar het westen keek. Volgens de vrouw was dit het paaslam. Diverse andere getuigen verklaarden dat ze engelen hadden gezien die boven de plek vlogen of zweefden, of boven het lam en een groot kruis.

Onze-Lieve-Vrouwe was gekleed in een glanzend wit gewaad dat leek te zijn gemaakt van vloeibaar zilver. Op haar hoofd droeg ze een flonkerende kroon, met in het midden een bloedrode roos. Ze hield haar handen uitgestrekt. 'Net zoals een priester dat doet wanneer hij de mis opdraagt,' verklaarde een van de getuigen. En ze keek omhoog naar de hemel, alsof ze bad. Sommigen zeiden zelfs dat het leek alsof ze predikte. Maar in tegenstelling tot andere Mariaverschijningen was er geen contact geweest tussen Onze-Lieve-Vrouwe en de inwoners van Knock. Ze had niets tegen hen gezegd en geen geheimen geopenbaard.

Achteraf beschreven alle getuigen de mannelijke gestalte als de Heilige Jozef, vanwege zijn grijze baard, en misschien omdat de bestelde beelden die van Maria en Jozef waren geweest. Jozef stond links en de jonge figuur die werd herkend als Johannes de Evangelist stond rechts van Maria. Merkwaardig was dat de langharige jongeman de mijter en het gewaad van een bisschop droeg, terwijl de gewaden die werden gedragen door Onze-Lieve-Vrouwe en de Heilige Jozef uit de eerste eeuw dateerden. 'Johannes' hield een groot boek in zijn linkerhand en gebaarde met zijn rechterhand alsof hij predikte. Ook een van de kinderen zei zeker te weten dat Johannes predikte, en dat dit belangrijk was, al waren zijn woorden dan niet te verstaan geweest. Een aantal getuigen benadrukte de betekenis

van het boek, en de uitzonderlijke afmetingen daarvan. Ten slotte zou er achter de verschijningen een altaar zichtbaar zijn geweest, met daarop een jong lam dat naar het westen keek, en daar weer achter een kruis. Engelen hadden het geheel omringd.
Mary McLoughlin haastte zich door de regen naar de pastorie, om alles aan father Cavanaugh te vertellen. Die was niet onder de indruk en zei dat het waarschijnlijk de speling van het licht was geweest door de beregende glas-in-loodramen. Van die reactie en van zijn besluit om niet naar de beelden te gaan kijken, zou hij de rest van zijn leven spijt hebben, want de Mariaverschijning van Knock werd legendarisch.
En Saint Patrick had natuurlijk gelijk, zoals alle grote heiligen altijd gelijk hebben. Hun visioenen zijn onfeilbaar. Er kwamen inderdaad vanuit de hele wereld pelgrims naar Knock omdat dit een van de latere Mariaverschijningen was die als authentiek werden erkend. Paus Johannes Paulus II bezocht Knock in 1979 op de honderdjarige gedenkdag van de verschijning. Bij die gelegenheid bood hij het dorp een gouden roos aan, ter herinnering aan de heilige gebeurtenis. De stad liet een internationaal vliegveld aanleggen om het reusachtige aantal pelgrims te kunnen verwerken dat Knock ter ere van de verschijning van Onze-Lieve-Vrouwe komt bezoeken.
Inmiddels telde de stad meer dan een miljoen pelgrims per jaar.

❂

Na de presentatie was Maureen ongewoon stil toen ze samen met Berenger en Peter van de Sint-Pieter naar hun hotel liep. Berenger merkte het.
'Waar loop je aan te denken?'
Maureen haalde haar schouders op. Maggie was zo gedreven en oprecht geweest in haar presentatie, maar toch zat het verhaal dat ze had verteld Maureen niet lekker. Sterker nog: zelfs toen ze Knock als kind had bezocht, had ze zich er al niet op haar gemak gevoeld. Het stadje was enorm vercommercialiseerd, met overal winkels waar souvenirs werden verkocht en plastic flessen gevuld met heilig water. Dat had ze altijd erg weinig spiritueel gevonden, maar op dit moment zat haar iets anders dwars.
'Ach... er zijn wel erg veel dingen die we maar moeten aannemen, vind je ook niet? Ik bedoel dat de verschijningen zich nooit kenbaar hebben gemaakt. De stralende vrouwe heeft niet gezegd: "Hallo, ik ben de Heilige Maagd, en dit zijn mijn vriend Johannes de Evangelist en mijn man de

Heilige Jozef." Ik heb zelf de nodige visioenen gehad, en dat gebeurt gewoon niet. Je komt tot je veronderstellingen op basis van de waarheden die je kent uit je eigen leven. De inwoners van Knock die getuige waren van de verschijningen, waren buitengewoon traditionele, conservatieve katholieken op het Ierse platteland van de negentiende eeuw. Ze trokken hun conclusies op basis van hun referentiekader.'

'Wat wil je daarmee zeggen?' vroeg Peter.

Maureen dacht nog even na. 'Zou het misschien kunnen zijn dat ze iets anders hebben gezien dan ze dachten?' vervolgde ze toen. 'Stel nu eens dat al deze verschijningen door heel Europa – een mooie vrouw die aan kinderen verschijnt en geheimen openbaart – een ander karakter hadden dan altijd is aangenomen? Dat er misschien sprake was van een andere Maria? Sommige getuigen in Knock hebben verklaard dat het leek alsof ze predikte, wat een integraal deel vormt van de nalatenschap van Maria Magdalena, maar niet van die van de Heilige Maagd. En de Johannes-figuur is overheersend, vooral omdat hij een enorm boek vasthoudt dat niet in verhouding staat tot de rest, en waaruit ook hij lijkt te prediken. Natuurlijk, het is zijn evangelie, vandaar de titel "de Evangelist". Maar ís het wel Johannes de Evangelist? Want als dat zo is, waarom is hij dan gekleed als bisschop en waarom klopt de rest van zijn iconografie niet? Zou het om iemand anders kunnen gaan? Een vertegenwoordiger van een andere traditie? Zijn alle drie de figuren misschien niet degenen voor wie ze altijd zijn aangezien?'

'Waar wil je naartoe?' vroeg Peter.

'Dat weet ik nog niet. Maar wat ik wel weet, is dat er een waarheid bestaat over de wortels van het christendom en dat de ware leer daarvan altijd is weggestopt. Dat brengt me tot de vraag of God misschien door de eeuwen heen wonderen heeft verricht om onze aandacht op die waarheid te richten. Anderzijds: misschien ben ik al te lang te eenzijdig op deze materie gericht. Het lijkt wel alsof ik tegenwoordig overal samenzweringen vermoed. Hoe dan ook, de enige vraag die ik in elk geval wil stellen is: wat is de consequentie als blijkt dat al deze Mariaverschijningen iets anders zijn dan ons altijd is verteld?'

Peter zweeg en dacht na.

Berenger reageerde meteen. 'Het is een fascinerende gedachte, en die brengt me op de volgende vraag: de verschijningen deden zich voor op het door hongersnood geteisterde Ierse platteland van halverwege de negentiende eeuw, waar niemand ook maar enig referentiekader kan hebben gehad voor het scenario dat jij oppert.'

'Inderdaad. Dus wat zou het voor nut hebben gehad?' haakte Peter hierop in. 'Waarom zouden ze zich aan het volk hebben getoond, als dat toch niet kon bevatten wat ze probeerden duidelijk te maken?'
Er kwam een gedachte bij Maureen op. Ze bleef met een ruk staan. 'Omdat ze de boodschap niet aan de toenmalige bevolking probeerden over te brengen.'
'Wat bedoel je?' Peter kon haar niet volgen.
'Nou, misschien... heel misschien was het wel de bedoeling de boodschap over te brengen aan ons. In de toekomst. In een tijd waarin we die boodschap konden herinterpreteren.'
'Maar waarom?' Dat vroeg Berenger.
'Vind je dat niet een beetje hoogmoedig?' vroeg Peter, 'om te denken dat het allemaal is gebeurd, opdat wij er ons voordeel mee konden doen?'
'Ik zeg niet dat het allemaal specifiek voor ons is gebeurd. Ik zeg alleen dat het is gebeurd om aanwijzingen achter te laten voor iedereen die gemotiveerd was deze te vinden en daar consequenties aan te verbinden. En dat zijn we. Het is onze plicht om die aanwijzingen niet onopgemerkt te laten.'
Nu kwam er bij Berenger een gedachte op. 'Maggie had het over Saint Patrick in haar presentatie. Dat hij Knock had aangewezen als een heilige plek. Denk eens na. Wat weten we over jullie beschermheilige?'
Peter antwoordde als eerste. Patricks erfenis in Ierland was een onderwerp dat zijn grote belangstelling en passie genoot. 'Het wonder van Patrick is dat hij geen druppel bloed heeft laten vloeien bij zijn bekering van de Ierse heidenen tot het christendom. Hij bekeerde ze door begrip en integratie.'
'En waar denk je dat hij die strategie heeft geleerd?'
Maureen wist niet goed waar hij heen wilde, dus luisterde ze aandachtig toen Berenger verder sprak.
'Van de Vredesvorst die zijn voorvader was. Saint Patrick was de achterneef van Martinus van Tours, de Franse heilige die overal in de geschiedenis van de bloedlijn opduikt. Ik heb zijn afstamming nagetrokken en kan bijna met zekerheid bewijzen dat hij een rechtstreekse nazaat was van Sara-Tamar.'
'San Martino!' riep Maureen uit, opgewonden door de verbanden die haar ineens duidelijk werden. 'Matilda's kerk van het Heilige Gelaat in Lucca was genoemd naar Martinus van Tours.'
Nu begreep Peter het ook. 'En hij werd gebouwd door een Ierse heilige die was geïnspireerd door Patrick.'
Peter schudde vol verwondering zijn hoofd. 'En weten jullie nog wie de

opvolger was van Saint Patrick? Saint Brigit. Een vrouw. Een heel machtige vrouw zelfs. Een van de grootste leiders van de vroege Kerk.'

Maureen begon sneller te praten nu alle stukjes van de puzzel in elkaar pasten. 'Dus Patrick is een rechtstreekse nazaat van Jezus en Maria Magdalena, en hij verklaart dat Knock een heilige plaats zal zijn, nadat hij dat heeft gezien in een visioen. Zijn opvolger is een machtige vrouw, die ook profetes is. Zeggen we daarmee dat de Keltische Kerk is gesticht door ketters?'

Berenger knikte. 'Ik denk dat we die mogelijkheid inderdaad moeten overwegen. Misschien waren er die avond in Knock ook anderen die de verschijningen hebben gezien – maar zagen die iets heel anders, iets wat de Kerk om voor de hand liggende redenen niet in de ooggetuigenverslagen heeft opgenomen.'

'Een visioen voor wie ogen heeft om te zien?' vroeg Peter. 'Je denkt dat er nog ketters waren in het graafschap Mayo van de negentiende eeuw?'

'Ik denk dat we het niet kunnen uitsluiten,' zei Berenger.

Maureen knikte instemmend, ondertussen koortsachtig nadenkend over de mogelijkheden. Ze vervolgden hun weg en staken de Tiber over via de monumentale brug die Vaticaanstad verbindt met de rest van Rome. Bernini's majestueuze engelen glansden in het maanlicht.

'Iets wat me altijd heeft gefascineerd in die visioenen van Maria, is dat ze vaak door kinderen werd gezien.' Maureen keerde zich naar Peter. 'Ze verschijnt aan de onschuldigen, aan wie heel jong is en heel arm. En ze vertelt hun geheimen.'

Peter knikte instemmend. 'Dat klopt. Ze heeft ook de neiging te verschijnen in tijden van grote spanningen. De verschijningen in Knock doen zich voor wanneer Ierland opkrabbelt van de hongersnood, die in La Salette wanneer Frankrijk zich herstelt van de Revolutie, en Fátima heeft de Eerste Wereldoorlog als achtergrond. Tegen het decor van al deze commotie worden geheimen van het geloof door de Heilige Moeder geopenbaard aan kinderen. Dat is een wezenlijk aspect van de verschijningen. Knock is uniek in die zin dat het een van de weinige Mariaverschijningen betreft waarbij geen geheimen zijn geopenbaard en waarbij er geen contact heeft plaatsgevonden, misschien omdat de getuigen niet alleen kinderen maar ook volwassenen waren. Hoe dan ook, daarom heet ze Onze-Lieve-Vrouwe van de Stilte.'

'Maar Knock is ook uniek – je moet het maar zeggen als ik het bij het verkeerde eind heb – in die zin dat de Mariafiguur niet alleen is. Ze wordt vergezeld door twee figuren die net zo belangrijk zijn als zij.'

Peter knikte. 'Dat klopt.'
'Wat weten we over de geheimen die Maria bij haar andere verschijningen aan de kinderen heeft onthuld?' vroeg Maureen. 'Zijn die ooit openbaar gemaakt?'
'In sommige gevallen, zoals in het geval van Fátima, zijn de geheimen in de loop der jaren beetje bij beetje bekendgemaakt,' vertelde Peter. 'Maar sommige andere geheimen zijn meegenomen in het graf, omdat de kinderen weigerden er iets over te zeggen.'
'En waarom denk je dat ze dat weigerden? Zou het kunnen zijn dat Maria hun iets had verteld dat ze niet wereldkundig durfden te maken? Iets waardoor ze misschien zouden worden gezien als... ketters?'
Berenger begreep waar Maureen heen wilde; hij merkte dat, naarmate ze meer tijd samen doorbrachten, hun denkprocessen op een griezelige manier synchroon begonnen te lopen. 'Dus jij denkt dat Moeder Maria is verschenen om de kinderen te vertellen dat de leringen van haar zoon niet werden nageleefd?'
'Dat is inderdaad de conclusie waar ik toe kom.'
Peter schudde zijn hoofd. 'Er is geen enkele manier waarop we dat met zekerheid kunnen concluderen. Ik moet bekennen dat ik er nooit op die manier naar heb gekeken, en ik denk ook niet dat ik daar nu toe in staat ben. Volgens mij gaat het om prachtige, religieuze ervaringen, beleefd door zuivere gelovigen, in periodes wanneer een versterking van het geloof van levensbelang was voor een gemeenschap. Kinderen kunnen Onze-Lieve-Vrouwe zien omdat ze net zo zuiver zijn als zij. Meer zit er volgens mij niet achter.'
Maureen was moe, en ze wist niet eens zeker of ze iets anders achter de Mariaverschijningen wilde zoeken dan altijd was aangenomen. Ze voelde simpelweg de behoefte om al deze vragen onder woorden te brengen. Het was interessant dat het heiligdom in Knock het brandpunt van de conservatieve katholieke beweging in Ierland was geworden. Campagnes tegen anticonceptie, echtscheiding en homoseksualiteit vonden niet zelden hun oorsprong in en rond Knock. Zou het niet ironisch zijn als de verschijningen die werden gebruikt als achtergrond voor onverdraagzaamheid in wezen van ketterse aard waren? Het was weer iets om over na te denken, zoals er zoveel was dat Maureens aandacht vroeg terwijl het kronkelende pad van de geschiedenis haar bleef meevoeren op een volstrekt onvoorspelbare reis.

Ze dineerden gedrieën nog laat op de Piazza della Rotonda. Maureen deed nauwelijks mee aan het gesprek. Uiteindelijk bekende ze dat ze graag een paar uur alleen wilde zijn, om in alle rust te kunnen nadenken over alles wat door haar hoofd speelde. Ergens knaagde er iets, en dat moest ze de ruimte geven, om te zien waar het haar naartoe zou leiden. Eenmaal op haar kamer klapte ze haar laptop open en begon ze online aan een zoektocht naar informatie over Mariaverschijningen. Ze wist niet eens goed waar ze naar zocht, of waarom die verschijningen plotseling zo belangrijk leken. Maar ze had geleerd te luisteren naar haar intuïtie. Misschien zou haar iets opvallen, iets wat haar zou helpen te begrijpen waarom het plotseling zo belangrijk was.
Peter had gelijk. Met uitzondering van Knock hadden alle verschijningen die ze kon vinden dezelfde kenmerken: de getuigen waren straatarme kinderen die bovendien niet konden lezen of schrijven. Maria onthulde de kinderen 'geheimen' – sommige om tot in eeuwigheid door het uitverkoren kind te worden bewaard, andere met de bedoeling dat ze op een aangegeven tijdstip wereldkundig werden gemaakt. Oefende de Kerk censuur uit op deze geheimen? Had de Kerk ze verzonnen? Sommige van de ooggetuigenverslagen waren geschreven in weelderige, bloemrijke bewoordingen, met formuleringen die simpelweg niet uit de mond van ongeletterde kinderen afkomstig konden zijn.
Een van de jonge visionairs uit een Frans dorpje bij de Zwitserse grens, La Salette, was een vijftienjarige herderin. Mélanie Calvat was zo arm dat haar ouders haar al vanaf haar derde uit bedelen hadden gestuurd. Ondanks haar gebrek aan opleiding wilde de geschiedenis doen geloven dat dit het woordelijke verslag was dat ze na haar visioen aan de Kerk had uitgebracht:

*De kleren van de Heilige Maagd waren schitterend, zilverwit. Haar verschijning was ongrijpbaar. Ze leek gemaakt van licht en luister, een en al oogverblindende flonkering. Niets op deze aarde is ermee te vergelijken, er bestaan geen woorden om haar aanblik te beschrijven... Ze had een schort die straalde als het gebundelde licht van diverse zonnen. Het materiaal was onstoffelijk, gesponnen heerlijkheid, en de heerlijkheid was schitterend, betoverend mooi. De kroon van rozen op haar hoofd was zo prachtig, zo stralend, dat het de verbeelding tart. De Heilige Maagd was een rijzige, goed geproportioneerde verschijning. Ze leek zo licht dat een vluchtige ademtocht haar had kunnen bewegen, maar toch was ze roerloos en volmaakt in evenwicht. Haar gezicht was majestueus, indrukwekkend. De stem van de Schone Vrouwe was zacht. Betoverend, verrukkelijk, een weldaad voor de oren. De ogen van de majestueuze Maria leken duizenden malen schoner dan de zeldzaamste briljanten, diamanten en edelstenen. Ze straalden als twee zonnen; maar ze waren ook mild, de zachtheid zelve, helder als een spiegel. De Heilige Maagd huilde bijna de hele tijd dat ze tot ons sprak. Haar tranen biggelden zachtjes, een voor een, naar haar knieën, en verdwenen dan als vonken van licht. Ze glinsterden en waren vervuld van liefde.*

Maureen dacht na over wat ze had gelezen. Ze kende niet één meisje van vijftien in de eenentwintigste eeuw dat woorden gebruikte als 'flonkerend' of 'ongrijpbaar', laat staan dit soort proza sprak. Het leek simpelweg onmogelijk dat deze woorden in 1851 waren gesproken door een ongeletterd en doodsbang meisje. De verklaring klonk als een persbericht van het Vaticaan: een onvervalst marketinginstrument.
Ze noteerde een interessante zin in de getuigenverklaring van Mélanie Calvat, die uitnodigde tot nadere bestudering. Het was de zin die verwees naar het 'tweede geheim':

*Toen gaf de Heilige Maagd me de regel van een nieuwe religieuze Orde. En toen Ze me die had gegeven, vervolgde de Heilige Vrouwe op dezelfde manier.*

Zoekend naar meer documentatie over Mélanies verklaringen, kon Maureen geen nadere informatie vinden over deze 'Nieuwe Religieuze Orde', noch over een eventuele reactie hierop door het Vaticaan. Was het mogelijk dat de Maagd had verwezen naar de Orde van het Heilige Graf? Was de 'nieuwe' religieuze orde in feite een verwijzing naar het in ere herstellen van de ware leer van haar zoon – en diens vrouw?
En er was nog een essentieel aspect dat Maureen opviel: bij zo goed als alle verslagen van een geheim dat tijdens een verschijning was onthuld, was sprake van een discrepantie of een conflict. Want óf het kind herriep zijn verklaring later, óf het beweerde verkeerd te zijn geciteerd. Sommige kinderen weigerden zelfs categorisch te praten over de onthullingen die Maria hun had gedaan.
En sommige werd nooit toegestaan erover te praten.
De beroemdste van deze laatsten was Lucia dos Santos, het oudste kind dat getuige was geweest van de veelvuldige verschijningen in het Portugese gehucht vlak bij Fátima. Lucia was een bijzonder kind met een zonnig karakter. Volgens haar familie had ze 'iets magisch'. Ze deed haar eerste communie toen ze zes was, jaren eerder dan gebruikelijk, omdat ze zo spi-

ritueel was aangelegd dat ze andere kinderen onderwees over de aard van God. Op haar tiende was de kleine herderin, samen met haar neefje en haar nichtje, Francisco en Jacinta, getuige van een verschijning van Onze-Lieve-Vrouwe toen ze door de velden in de buurt van hun huis liepen. Het was 13 mei 1917, en Lucia zou haar visioen later beschrijven in bewoordingen die overeenkwamen met de verschijning in het Boek Openbaringen, hoofdstuk 12: *En er werd een groot teken in de hemel gezien: een vrouw, met de zon bekleed.* De verschijning maakte zich kenbaar als 'Onze-Lieve-Vrouwe van de Rozenkrans' en benadrukte hoe belangrijk het was om dagelijks de rozenkrans te bidden. De Vrouwe legde de kinderen uit dat daarin de sleutel lag tot persoonlijke redding, maar ook tot de wereldvrede. Van mei tot oktober 1917 verscheen de Vrouwe op de dertiende dag van elke maand, telkens op hetzelfde tijdstip.
Meer dan zeventigduizend mensen waren getuige van de laatste verschijning, op 13 oktober 1917. De dag was donker en regenachtig begonnen, maar tegen de tijd dat de Vrouwe verscheen, brak de zon door de wolken in een schouwspel van licht en kleur, en leek heen en weer te bewegen langs de hemel. Dit verblindende, astronomische schouwspel werd in Portugal bekend als het Zonnewonder en bekeerde menig scepticus tot gelovige. Van alle Mariaverschijningen bleef Fátima de beroemdste, vanwege dit wonder van de dansende zon waarvan zovelen getuige waren.
Het wezenlijke van de Fátimaverschijningen waren de drie geheimen die de Vrouwe aan de kinderen onthulde. Ze werden niet onmiddellijk wereldkundig gemaakt. Sterker nog: ze werden nog vele jaren na de verschijningen bewaard als geheimen tussen de kinderen en hun religieuze raadslieden. Helaas stierf zowel Lucia's neefje als nichtje, Francisco en Jacinta, kort na de gebeurtenissen bij Fátima. Het schijnt dat ze – als zovele andere kinderen – omkwamen tijdens een griepepidemie waardoor het Iberische schiereiland in die periode werd geteisterd.
Lucia dos Santos was het enige overlevende kind dat de waarheid van de geheimen van de Vrouwe kende. In haar lange leven werd ze ondergebracht in een reeks van kloosters, en als karmelietes legde ze diverse zwijggeloftes af. Gezien het feit dat ze een diep spirituele vrouw was, leek het gerechtvaardigd aan te nemen dat haar geloftes vrijwillig werden gedaan en onderdeel vormden van haar roeping, maar Maureen zette vraagtekens bij de zwijggeloftes. Die leken haar erg extreem. Het ging bij Lucia niet alleen om de traditionele kloostergelofte; het Vaticaan had haar bovendien een verbod opgelegd om zonder uitdrukkelijke goedkeuring van de Heilige Stoel over de verschijningen te praten. Naarmate ze ouder werd, namen

deze restricties nog extremere vormen aan en werd het Lucia verboden bezoek te ontvangen dat de Kerk niet welgevallig was. Zelfs haar persoonlijke biechtvader werd na twintig jaar het recht ontzegd haar te bezoeken. In de laatste jaren van haar leven mochten alleen paus Johannes Paulus II en kardinaal Joseph Ratzinger haar bezoeken of anderen toestemming geven voor een bezoek. Het kwam erop neer dat Lucia dos Santos in een gedwongen isolement verkeerde. Ondanks beweringen van de Kerk dat Lucia een geacht en geëerbiedigd lid was van de geloofsgemeenschap, stierf ze in 2005 als gevolg van complicaties bij een infectie aan de bovenste luchtwegen, omdat haar kloostercel vochtig en beschimmeld was, en omdat haar oude lichaam niet langer weerstand kon bieden aan de veelvuldige langdurige infecties waaraan ze leed.
Onmiddellijk na haar dood werd er een edict uitgevaardigd door kardinaal Ratzinger, die hoofd was van de inquisitie – inmiddels bekend onder de politiek correcte benaming 'Congregatie van de Geloofsleer'. Lucia's kloostercel werd verzegeld als betrof het een plaats delict. Uit verklaringen was gebleken dat Lucia tot haar dood visioenen had gekregen, en dat ze daar misschien altijd over was blijven schrijven. Blijkbaar nam de Kerk geen enkel risico met mogelijke verklaringen van haar ervaringen die de visionaire non in haar cel had verborgen. Wat daar werd gevonden, kwam alleen de paus onder ogen, benevens het hoofd van de congregatie en de selecte raad van geestelijken wier taak het was de heilige verschijningen te inventariseren. Lucia's persoonlijke memoires werden gepubliceerd onder auspiciën van de Kerk. Omdat ze niet vrijuit over Fátima mocht spreken, was het onmogelijk vast te stellen of deze door het Vaticaan goedgekeurde biografieën inderdaad de weerslag waren van haar visioenen en ervaringen. Bij de uiteindelijke onthulling was het geen verrassing dat de geheimen van Fátima zich bleken te richten op de bekering van de wereld tot het katholicisme, te beginnen met Rusland, en op andere kwesties die specifiek waren voor het katholicisme en voor het behoud van het geloof in zijn traditionele, gevestigde vorm.
Het scherm van Maureens laptop vervaagde toen de tranen over haar gezicht begonnen te stromen. Ze was diep ontroerd door het verhaal van dit meisje. Er zat hier iets helemaal fout. Dit was een onrechtvaardigheid die erom schreeuwde nader te worden onderzocht. Lucia dos Santos was getuige geweest van een van de beroemdste en meest geaccepteerde wonderen in de geschiedenis, en bijna alle bronnen waren het erover eens dat ze een uitzonderlijke mystica en visionaire was geweest – misschien wel de grootste van haar tijd. Toch was ze achtentachtig jaar gevangengehouden, met een spreekverbod en vaak onder erbarmelijke omstandigheden, door

het instituut dat beweerde grote verering voor haar te koesteren. Toen ze op hoge leeftijd werd gekweld door ziekte, was haar zelfs geen warme, droge plek om te slapen vergund geweest.

In Maureens hart klonk luid en hartstochtelijk Boudica's strijdkreet: *De Waarheid Tegen de Wereld.* Er kon maar één reden zijn geweest om deze vrouw het spreken te beletten, één reden om haar aan het eind van haar leven de troost van vrienden, familie en zelfs haar persoonlijke biechtvader te onthouden: iemand was bang voor wat ze zou zeggen. En die 'iemand' was de hiërarchie van de katholieke Kerk. Waar was de Kerk zo bang voor dat Lucia gevangen was gehouden door niemand minder dan de paus en diens rechterhand, die Johannes Paulus II uiteindelijk zou opvolgen als Benedictus XVI? Was Lucia's waarheid in strijd met de zorgvuldig bewerkte geschiedenis van de visioenen bij Fátima? Of had de Heilige Maagd iets groters onthuld aan dit heel bijzondere kleine meisje? Iets wat nog veel schokkender was en ronduit gevaarlijk voor de Kerk?

En was het waar dat Lucia tot het eind van haar leven visioenen had gekregen? De wereld zou het nooit weten. Lucia dos Santos was met succes het zwijgen opgelegd. Het enige wat bleef van haar verhaal, was de gekuiste, 'officiële' versie, gecreëerd door haar gevangenhouders. De Kerk had volledige controle over de gedocumenteerde gebeurtenissen, om zeker te zijn dat er niets naar buiten kwam wat in strijd was met haar agenda. De waarheid was het slachtoffer geworden van politieke en economische machtsoverwegingen. Zo was het in de geschiedenis altijd gegaan. En zo zou het misschien wel altijd blijven.

Maureen wilde haar computer al uitzetten toen haar een laatste, schokkend detail opviel in Lucia's biografie. Ze hield haar adem in want het was haar ineens duidelijk waarom Lucia dos Santos door de Kerk als een gevaar was beschouwd.

Volgens Portugese documenten was ze geboren op 22 maart 1907.

*De Broederschap van de Heilige Verschijning*
*Vaticaanstad*
*Heden*

Ik moet weten wat er precies is gebeurd met Lucia dos Santos.' Maureens stem klonk dwingend, smekend.

Pater Girolamo was aangenaam verrast geweest toen hij die ochtend in alle

vroegte een telefoontje had ontvangen met de mededeling dat Maureen Paschal hem zo snel mogelijk wilde spreken. Peter had de afspraak geregeld.
'Aha. Ik zie dat onze presentatie over Knock uw interesse heeft gewekt in de verschijningen van Onze-Lieve-Vrouwe. Maar vanwaar die specifieke vraag naar Lucia?'
Van de andere kant van zijn bureau keek Maureen hem recht aan. 'Dat hoop ik van u te horen.'
Hij glimlachte. 'U hebt in korte tijd veel werk verzet, mijn beste. Ik begrijp dat ik niet langer de schijn hoef op te houden. Dus laten we afspreken dat we volkomen eerlijk tegen elkaar zijn. Ik heb Lucia dos Santos gekend.'
Maureen was verbijsterd. Ze wist dat pater Girolamo werd beschouwd als dé deskundige op het gebied van verschijningen, maar ze had niet verwacht dat hij persoonlijk ervaring had met de beroemde getuige van Fátima.
'Herinnert u zich nog wat we hebben besproken toen het over uw droom ging? Al voordat u me dat vertelde, wist ik dat het Boek dat Onze Heer leek te schrijven een blauwe gloed verspreidde. U hebt me toen gevraagd hoe ik dat wist.'
Maureen knikte, maar zei niets, benieuwd naar wat er ging komen.
'Dat wist ik doordat Lucia in haar dromen hetzelfde had gezien.'
Maureen hield geschokt haar adem in. 'Dus... Dus we hebben iets gemeen. Meer dan alleen onze geboortedatum.'
'Inderdaad. Lucia dos Santos was een van de opmerkelijkste visionairs in de hele geschiedenis. U zou het een eer moeten vinden om met haar te worden vergeleken.'
Er brandden hete tranen in Maureens ogen.
'Maar als u gelooft dat ze zo'n groot visionair was... Waarom is haar dan zo lang het zwijgen opgelegd? En waarom is ze zo slecht behandeld?'
'Het was niet zo erg als u denkt. Lucia had weliswaar ook visioenen, maar ze was niet zoals u. Sterker nog: u bent een zeldzaam geval. Beseft u dat wel? De meeste vrouwen die dergelijke ervaringen hadden, waren niet in staat een normaal leven te leiden. Dus ze gingen vrijwillig het klooster in, waar ze zich beschermd wisten. Velen van hen konden buiten hun visionaire ervaringen helemaal niets en hadden verzorging nodig. Dat gold ook voor Lucia. Een groot deel van de tijd leefde ze niet in onze wereld. Ze had behoefte aan eenzaamheid. Daar vroeg ze om. Ik kan u verzekeren dat er goed voor haar werd gezorgd, door iedereen in haar omgeving.'
Maureen had duizend-en-een vragen, maar ze besefte dat ze haar volgende

vraag zorgvuldig moest formuleren. 'En hoe zit het met de geheimen van Fátima? Hadden die ook maar iets te maken met het *Het Boek der Liefde*?'
De oude pater antwoordde resoluut, maar niet onvriendelijk. 'Nu waagt u zich op een terrein waar ik niet over mag praten, mijn beste. Met niemand. Voorlopig lijkt het me genoeg dat u weet dat Lucia dezelfde dromen had over Onze Heer als u. Misschien kan gebed u helpen. U hebt veel gemeen met Lucia dos Santos, en zij heeft enorm veel betekend voor de Kerk. Tot op de dag van vandaag is ze een inspiratie voor veel gelovigen. Misschien moet u uw perspectief veranderen. Richt uw aandacht op al het goede dat ze heeft bewerkstelligd en hou op te zoeken naar het kwaad. Als Lucia nu bij ons was, is dat wat ze zou willen. Dat weet ik zeker.'

✿

Peter liep met Maureen terug naar het hotel. Onderweg bespraken ze wat pater Girolamo haar had verteld. In het hotel hadden ze afgesproken met Berenger, om in zijn suite de laatste bladzijden van Matilda's autobiografie door te nemen.
Maureen ging via haar eigen kamer, om haar laptop en haar notitieblok te halen, die ze in haar leren attachékoffertje bewaarde.
Toen ze de deur opendeed van de kleine kast, was het koffertje verdwenen. Met haar laptop en haar notitieblok.
Na alles wat ze in de weken daarvoor had doorgemaakt, was dit voor Maureen de druppel die de emmer deed overlopen.
'Wanneer houdt het nou eindelijk eens op?' Ze ging op de rand van het bed zitten. 'Ik weet niet of ik het allemaal nog wel aankan.'
Peter legde zijn hand op haar schouder. 'Rustig, Maureen. Probeer rustig te blijven. Natuurlijk, het is verschrikkelijk, maar er zijn wel ergere dingen gebeurd. En die heb je ook doorstaan.'
Maureen knikte. 'Ik doe mijn best, Peter. Maar het wordt wel steeds moeilijker. Ik ben verschrikkelijk geschrokken van wat er in Orval is gebeurd. En nu dit weer. Ik heb het gevoel alsof ik voortdurend in de gaten word gehouden. Alsof ik totaal geen greep meer heb op mijn leven.'
'Maar dat heb je wel! Je bent een vrij mens.'
'Hm. Daar ben ik nog niet zo zeker van.'
'Natuurlijk wel. Na de aanwijzingen die je hebt gekregen, heb je zelf besloten naar Rome te gaan, om de waarheid te achterhalen over *Het Boek der Liefde*. Dat is volgens mij ook wat God van je verwacht, maar het blijft je eigen keuze. Je kunt tegen God zeggen dat hij op zoek moet gaan naar een

ander om het verhaal te vertellen. En vervolgens neem je de eerste de beste vlucht terug naar L.A. Op elk moment dat jij dat wilt, kun je dit hele proces de rug toekeren. Je hoeft het maar te zeggen. En dat betekent dat je een vrij mens bent.'

Ze was te moe. 'En De Tijd Keert Weder dan?' beet ze hem toe. 'Als dit mijn opdracht is, dan kan ik die niet zomaar de rug toekeren, hoe graag ik dat ook zou willen.'

Nu was het Peters beurt om zijn stem te verheffen. Hij was zich ervan bewust dat zijn eigen woede en frustratie, gecombineerd met een gevoel van machteloosheid, ook steeds sterker werd. Emoties die al bijna twee jaar in hem smeulden en die nu eindelijk naar buiten kwamen.

'Waarom denk je dat zoiets als De Tijd Keert Weder nodig is? Omdat wij mensen het voortdurend verkeerd doen. Als we gewoon zouden doen waarvoor we hier op aarde zijn, dan hoefde De Tijd niet Weder te Keren. Maar daar zijn we niet toe in staat. Het lukt ons niet om gehoorzaam te zijn en te leven naar Gods wil. Zo simpel is het. Want zodra het moeilijk wordt, gooit ons menselijk onvermogen roet in het eten - ons ego, onze woede, onze jaloezie, onze hebzucht. Dat is wat Jezus ons probeert te vertellen. Dat was Zijn boodschap: het is allemaal zo eenvoudig. Het gaat om liefde, om vertrouwen en verbondenheid. Dat is het enige wat telt. Weet je wat voor mij het belangrijkste is wat ik heb geleerd, in al mijn jaren als priester? Wat de enige spirituele wijsheid is die er werkelijk toe doet? Dat is deze: je kunt de hele Bijbel weggooien als je je houdt aan wat Jezus ons zegt in Mattheüs 22, vers 37 tot en met 40: "*Gij zult de Here, uw God, liefhebben met geheel uw hart. Gij zult uw naaste liefhebben als uzelf. Aan deze twee geboden hangt de ganse wet en de profeten.*" Dat is het. Finito. Dat is het enige wat je hoeft te weten. En ze zouden me het Vaticaan uit gooien als ik het hardop zei, maar een Bijbelstudie hoeft maar drie minuten te duren, want in die drie zinnen ligt de hele Leer besloten. De rest is alleen maar ballast en vertroebelt ons zicht op de boodschap.'

Hij zweeg, maar alleen om adem te halen, want hij was nog lang niet klaar. 'Doodsimpel, of niet soms? En zo is het ook bedoeld. Maar de mensheid heeft er tweeduizend jaar lang een rommeltje van gemaakt en de grootst mogelijke verwarring gesticht, de verschrikkelijkste verwoestingen aangericht, in de naam van Onze Heer, omdat we niet kunnen leven naar die twee grondregels. Dus moet God telkens opnieuw zielen naar de aarde sturen die ons eraan herinneren hoe we moeten leven vanuit die simpele boodschap van liefde. Maar elke keer weer is het de vrije wil die ons opbreekt. Elke keer weer. We kunnen geen hemel op aarde creëren als slechts een enkeling bereid is zich daarvoor in te zetten. We moeten de hele wereld zien te overtuigen van dit simpele inzicht. Het is een belachelijk ontmoedigende, krankzinnige taak, maar blijkbaar denkt God dat het moet kunnen. En dus moeten we het blijven proberen. Dat is de reden waarom we moeten blijven zoeken, en waarom jij moet blijven schrijven, wat er ook gebeurt. Het is je werk, je opdracht - en blijkbaar heb je ook je belofte gegeven. Maar dat laat onverlet dat je de vrije wil hebt om het te doen of te laten.'

Zoals altijd luisterde ze naar hem, en ze moest toegeven dat het volstrekt redelijk klonk wat hij zei. Maar ze was doodmoe en overspannen. Wat ze op dit moment nodig had, was iemand zoals Tammy, een vriendin bij wie ze kon uithuilen en die haar vertelde dat het niet háár taak was om de wereld te redden. Omdat ze zich er gewoon niet tegen opgewassen voelde. In elk geval niet vanavond.

'Soms voel ik me zo... gebruikt.'

'Echt waar? Ach, hoe tragisch. God heeft je uitverkoren voor een taak die zo bijzonder is dat Zijn eigen zoon je bezoekt in je dromen, en jij voelt je gebruikt. Overal om je heen gebeuren wonderen, dingen vallen letterlijk uit de hemel om je te geven wat je nodig hebt, en jij voelt je gebruikt. Het werk dat je doet, verandert levens, redt misschien zelfs levens, en jij kan het niet opbrengen om het te zien als iets goeds omdat je je wentelt in zelfbeklag. Daar moet je mee ophouden, Maureen! Ik vind het naar voor je dat je zo van streek bent door de hele toestand, maar dat moet je echt van je af zetten. We hebben nog een hoop werk te doen.'

Hij zweeg en wachtte gespannen haar reactie af. Met die laatste preek had hij welbewust een risico genomen. Soms had een dergelijke benadering het gewenste effect en hervatte ze zichzelf. Maar het kon ook gebeuren dat ze nog harder begon te huilen. Of hem - letterlijk - van alles naar zijn hoofd slingerde en wekenlang niet tegen hem praatte.

Hij hield zijn adem in, maar hoefde niet te bukken.

'Oké.' Maureen ging rechter op zitten en haalde haar handen door haar haar, in een poging zichzelf tot de orde te roepen en weer greep op de situatie te krijgen. 'Oké, dus laten we zeggen dat de tijd wederkeert en dat een aantal van ons hier is om een belofte te vervullen. Hoe moet ik dat zien? Wanneer zouden we die belofte gedaan moeten hebben? In mijn droom had Easa het er ook over. *Volg het pad dat voor je is uitgezet, en je zult vinden wat je zoekt. Wanneer je het hebt gevonden, moet je de wereld er deelgenoot van maken en de belofte vervullen die je hebt gedaan.* Hebben we die belofte in de hemel afgelegd? Is het een belofte aan God? Aan elkaar? Aan

onszelf? Zitten we in de hemel met z'n allen bij elkaar en zeggen we dan: "Oké, ik zie je beneden. Denk erom dat je op tijd bent?" Ik begrijp het niet.'
'Daar kan ik je ook geen antwoord op geven, Maureen. Voorlopig is het een kwestie van vertrouwen, van geloven in iets wat we niet kunnen zien en niet kunnen begrijpen. En wat het antwoord ook mag zijn, misschien begrijpen we het allemaal pas echt wanneer we *Het Boek der Liefde* hebben gevonden.'
Hij nam haar onderzoekend op, bekropen door een schuldgevoel omdat hij haar zo hard had aangepakt. Er lagen donkere kringen onder haar ogen en ze leek erg broos. De last waaronder ze gebukt ging, zou iedereen zwaar vallen. Sterker nog, de meeste anderen zouden allang onder de druk zijn bezweken. Misschien was hij te ver gegaan. 'Hoe lang is het geleden dat je voor het laatst hebt geslapen?'
Maureen keerde terug in de werkelijkheid en haalde haar schouders op. 'Dat hangt ervan af wat je onder "slapen" verstaat.'
'Ik ken je goed genoeg om te weten dat je nooit een hele nacht doorslaapt. Maar laten we zeggen op z'n minst een paar uur achter elkaar?'
Ze schudde haar hoofd. 'Geen idee. Ik kan me de laatste keer niet herinneren.'
'Je hoofd heeft rust nodig om alle informatie en indrukken te verwerken. Dus je moet zorgen dat je wat slaap krijgt.'
Maureen knikte. 'Ik vind het afschuwelijk om slaappillen te slikken. Daar word ik zo duf van en dan komt er helemaal niks meer uit mij handen. Mijn hersens worden erdoor verdoofd, en dat kan ik me nu niet veroorloven.'
'Heb je het geprobeerd met bidden?'
Ze schonk hem een vluchtige glimlach. 'Waarom ben ik daar zelf niet opgekomen?'
'Je hebt een tamelijk rechtstreekse lijn met wie oren hebben om te horen, dus ik denk echt dat je het zou moeten proberen. Vraag en u zal gegeven worden. Ik ga naar huis, en ik kom morgenochtend pas terug als je me vertelt dat je in elk geval hebt geprobeerd om wat te slapen. En dat je met God in het reine bent gekomen. Dat lijkt me een goede stimulans, vind je niet?'
'Dat is geen stimulans, dat is chantage! Maar ik ben te moe om ertegenin te gaan. Dus oké, ik ga het proberen.'

Maureen hield woord en liet zich voor haar bed op haar knieën vallen, net zoals ze dat als kind had gedaan. Ze vroeg Easa om haar te helpen en haar wat rust en troost te bieden. Ze wist dat ze ondankbaar was na alles wat Hij haar had gegeven, en dat speet haar oprecht. Maar het viel soms niet mee. De verantwoordelijkheid was te groot. Ze moest zien dat ze wat meer slaap kreeg, en ze snakte naar bescherming in het proces dat ze doormaakte.

Toen deed ze iets wat ze in geen jaren meer had gedaan. Ze bad het Onze Vader en stelde zich voor hoe het paste in een zesbladige roos.

'Uw wil geschiede,' fluisterde ze. 'Dat meen ik oprecht. En het spijt me.'

Toen kroop ze in bed en ze gunde zichzelf de ontlading die alleen een flinke huilbui kan brengen, in totale afzondering, ongeremd en net zo lang als een mens nodig heeft. Die avond was dat heel lang. Diep vanbinnen huisde een litanie waar ze helemaal doorheen moest: de pijn, de onzekerheid, het gevoel van onveiligheid, de risico's, alles waarmee de bovennatuurlijke ervaringen gepaard gingen die inmiddels een dagelijks onderdeel van haar leven vormden. Alle emoties en angsten die ze de wereld niet kon tonen, zelfs niet aan wie haar het meest na stonden. Die laatsten misschien wel bij uitstek niet. Want die rekenden erop dat ze sterk bleef. Dat hadden ze nodig. Net als Matilda, was ze een Voorzegde, en het stond haar niet vrij om daaraan te twijfelen of daar ook maar iets aan af te doen.

Het moeilijkst was de eenzaamheid. Het leek krankzinnig, om te zeggen dat ze eenzaam was terwijl er zoveel mensen waren die van haar hielden. Aan liefde had ze geen gebrek, en daar was ze dankbaar voor. De eenzaamheid kwam voort uit iets wat ze niet onder controle had, uit het gevoel dat er op de hele wereld niemand was die echt kon begrijpen wat ze doormaakte. Want hoe zou een ander dat kunnen begrijpen? Hoe zou een ander kunnen weten hoe het voelde om in haar schoenen te staan? Om haar verantwoordelijkheid te dragen en er niet aan onderdoor te gaan, er niet zodanig in verstrikt te raken dat je niet meer kon functioneren? Meestal stond ze zichzelf simpelweg niet toe om stil te staan bij de grootsheid van wat ze probeerde te bereiken; om zich af te vragen waarom die taak uitgerekend aan haar was toebedeeld. Want dan zou ze gek worden. In plaats daarvan deed ze haar best het leven dag voor dag onder ogen te zien en simpelweg te doen wat er gedaan moest worden; om elke nieuwe uitdaging het hoofd te bieden.

En daar lag het geestelijke en emotionele probleem. De paradox van haar leven lag in het feit dat ze gevoelig en kwetsbaar moest zijn en zich emotioneel moest openstellen om de visioenen te kunnen ervaren en erin te geloven. Tegelijkertijd vereiste het enorme kracht om daarnaar te hande-

len in de wereld van de eenentwintigste eeuw - een harde, cynische wereld die de mystiek en het geloof allang had afgezworen. De uitdaging was om die twee tegengestelden op één lijn te brengen.
Het was niet zo dat ze medelijden had met zichzelf, ze wenste simpelweg dat ze íémand had die dat begreep en met wie ze kon praten over de zware last die op haar schouders was gelegd. Misschien was dat de reden dat ze zich steeds meer verwant begon te voelen met Matilda. In haar herkende ze een medemens met wie ze deze vreemde bestemming deelde; een bestemming die zowel wonderbaarlijk als kwaadaardig kon zijn. Ondanks het verschil in tijd en ruimte waren ze zusters. Helaas was Matilda al duizend jaar dood, dus met haar praten was onmogelijk, maar Maureen hoopte dat de verdere onthulling van Matilda's levensverhaal eerder troost zou brengen dan tot nog meer vragen zou leiden.
Hoewel ze ten slotte uitgeput raakte van het piekeren en van alle tranen die ze had vergoten, besefte ze dat ze zich beter voelde. Doodmoe rolde ze zich op haar zij, en voor het eerst in jaren viel ze in een droomloze, vredige slaap, tot het marmer van het Pantheon de eerste zonnestralen van de nieuwe dag weerkaatste.

✿

Na het gesprek met Maureen bleef pater Girolamo verontrust achter. Hij was verrast geweest door haar bezoek, en door de conclusies die ze had bereikt. En zo snel! Dus óf ze was de meest gezegende visionair van alle vrouwen die hij had bestudeerd, óf ze ontving een wel heel uitzonderlijke goddelijke leiding tijdens haar reis. Beide scenario's waren buitengewoon belangwekkend.
Met de sleutel die hij aan een ketting om zijn hals droeg, ontsloot hij de lade van zijn bureau. Hij haalde het profetische manuscript tevoorschijn en begon het door te bladeren, zoals hij dat al talloze keren eerder had gedaan, met de kostbare reliekhouder stevig in zijn hand geklemd.

*Canossa*
*Januari 1077*

Gregorius en Matilda hadden tijd nodig om te helen, om hun liefde te hervinden, in de nasleep van de spanningen die waren ontstaan door

Hendriks vertoon van berouw. Die tijd werd hun gegeven door de Heer zelf, want de strenge winter maakte een terugkeer van de paus naar Rome onmogelijk. Gregorius VII zou zijn verblijf in Toscane zelfs tot zes maanden weten te rekken, aan de zijde van zijn geliefde, die inmiddels hoogzwanger van hem was.

Donizone, de benedictijner monnik, schreef later over hun tijd in Canossa: 'Net als Martha die Jezus dienstbaar en met zorg omringde, en net als Maria die aan zijn voeten zat, luisterde Matilda naar elk woord dat de paus sprak.'

Ze leefden in Canossa als man en vrouw. Dat kon doordat de staf en het personeel van de burcht slechts bestonden uit naaste vertrouwelingen van Matilda, die zonder uitzondering lid waren van de Orde en hadden gezworen het bestaan van de echtgenote en het kind van de paus geheim te houden. Zo kwam het dat Matilda op de dag dat de weeën begonnen was omringd door haar meest dierbaren.

Anders dan de eerste keer dat ze een kind ter wereld had gebracht, was ze in goede handen en ontbrak het haar aan niets. Maar het belangrijkste was haar eeuwige liefde voor de man die de vader was van dit kind, een kind dat 'onbevlekt' was ontvangen volgens de definitie in *Het Boek der Liefde*, verwekt in vertrouwen en bewustheid. En omdat Isobel haar terzijde zou staan als vroedvrouw, wist Matilda dat het kind en zij uitstekend verzorgd zouden zijn. Gregorius bleef in de kapel, waar Conn hem regelmatig bezocht, om te bidden voor Matilda in haar kraambed.

Het kind kwam snel en zonder al te veel inspanning van de moeder ter wereld. Het was klein, maar volmaakt. De krachtige protesten waarmee het zich liet horen, bewezen dat het sterke longen had en blaakte van gezondheid. Matilda snikte van opluchting toen ze de pasgeborene aan haar borst legde. Ze was God oneindig dankbaar dat dit kind veilig ter wereld was gekomen. Zo dankbaar dat ze zichzelf verbood om op dit vreugdevolle moment aan de toekomst te denken. Ze weigerde stil te staan bij de verdrietige werkelijkheid dat ze nooit openlijk zou kunnen verklaren dat dit kostbare wezentje haar kind was. Dat de wereld nooit zou mogen weten dat Matilda van Canossa het leven had geschonken aan dit kleine jongetje. En al helemaal niet dat dit kleine jongetje het kind was van paus Gregorius VII.

Toen ze het kindje optilde en zijn gezichtje dicht voor het hare bracht, keek het haar aan met ogen waarin een wijsheid te lezen viel die ongekend was voor een pasgeborene. Matilda hield haar adem in, want ze besefte dat ze ditzelfde wezentje eerder in de ogen had gezien. De ogen die haar aankeken, waren de ogen van haar eerste kind, de tragische zuigeling die ze Beatrice Magdalena had genoemd, vlak voordat haar dochtertje deze wereld had verruild voor het hiernamaals.

Kon het zijn dat dit dezelfde ziel, dezelfde geest was? Hetzelfde kind dat in een andere gedaante bij haar terugkeerde? Matilda wist zeker dat de ogen waarin ze de hare weerspiegeld zag, dezelfde ogen waren waarmee ze ooit zo vluchtig gevoelens had uitgewisseld. Haar kind was bij haar teruggekeerd, op een moment en op een plek waar zijn ziel veilig en geborgen zou zijn.

De Tijd Keert Weder.

Het kind, dat Gregorius en zij Guidone noemden, bleef bij zijn vader en moeder tot Gregorius' terugkeer naar Rome. Matilda bleef bij haar zoontje tot het eind van de zomer, toen het tijd was om zich bij de paus te voegen in het Lateraans Paleis, waar ze aan het werk zouden gaan met het verstrekkende plan dat ze tijdens hun winterse afzonderling hadden ontworpen. Op de dag voor haar vertrek naar Rome vertrouwde Matilda haar zoon toe aan de broeders van San Benedetto de Po, broeders van de Orde die het kind zouden grootbrengen in de gewijde tradities van hun geloofsgemeenschap. Als Matilda het kind dan niet als het hare kon opeisen, kon ze het op z'n minst opdragen aan God.

# 15

*Rome*
*Oktober 1077*

Koning Hendrik IV bleef maanden in Lombardije, in een poging Gregorius' positie te peilen. Ondertussen kampte hij met problemen, want de hertogen die zijn verzoening met de paus hadden geëist waren geschokt door de snelheid waarmee Hendrik zijn beginselen en zijn loyaliteit weer had verkwanseld. In de stellige zekerheid dat een dergelijke koning geen enkel eergevoel bezat, kozen de opstandige Duitse hertogen Rudolf van Zwaben tot hun nieuwe vorst. Deze verkiezing werd gesteund door niet minder dan de helft van de Duitse gebiedsdelen. De andere helft bleef loyaal aan Hendrik. Er dreigde een bloedige burgeroorlog, maar dat weerhield Hendrik er niet van zijn aanvallen op Gregorius en Matilda voort te zetten.

In Canossa had het paar de maanden samen doorgebracht met het ontwerpen van een strategie om Matilda's bezittingen te beschermen in het waarschijnlijke geval dat Hendrik besloot ze verbeurd te verklaren onder de Salische wet. Net als bij zijn vader vóór hem was het denkbaar dat Hendrik zou proberen heel Toscane in beslag te nemen omdat het binnen de feodale gebieden van de Duitse koning viel. Hij kon ook besluiten het aan Godfried van Bouillon te geven, de wettige erfgenaam van de bultenaar, in ruil voor diens loyaliteit en een forse schatting die ze het Toscaanse volk zouden opleggen. Beide scenario's zouden leiden tot een oorlog tussen Italië en Duitsland. Beide scenario's zouden rampzalig zijn voor zowel Matilda als de paus.

Toen Matilda Rome naderde, begeleid door een escorte uit Toscane, reed Conn naast haar. Hij wist niet zeker hoe ze door de Romeinse bevolking zou worden ontvangen, dus wilde hij haar kunnen bijstaan voor het geval dat er vijandig op haar zou worden gereageerd. De positie van Gregorius in Rome was enigszins verzwakt, want hij had zich door zijn langdurige afwezigheid van het Lateraans Paleis buitengewoon impopulair gemaakt

bij de kardinalen en bij de adellijke families die hem steunden. Allemaal legden ze de schuld bij Matilda, en Conn maakte zich zorgen dat er represailles zouden volgen.
'Tot dusverre is alles rustig,' merkte hij op.
Ze knikte. 'Goddank.' Ze reden enige tijd zwijgend verder. 'Conn, we komen er wel doorheen,' zei Matilda toen. 'Met de verklaring die ik ga afleggen, ben ik ervan overtuigd dat we de loyaliteit van de Romeinen kunnen heroveren.'
Conn dacht even na over haar woorden. 'Weet je echt zeker dat je dit wilt doen? Het is... Het is een enorm risico, Tilda.'
Ze slikte moeizaam, nerveus over het besluit dat ze had genomen en over de verklaring die ze als gevolg daarvan de volgende dag in Rome zou afleggen. Maar ze was vast van plan door te zetten. 'Het is een risico dat ik bereid ben te nemen, en een risico waarvan ik geloof dat het de redding zal betekenen van Gregorius. Dus ik heb geen keus. Gregorius betekent meer voor me dan mijn leven, zelfs meer dan Toscane. Er is niets wat ik voor hem niet zou willen riskeren.'
Conn knikte zwijgend. Hij wist dat het waar was, of hij het nou leuk vond of niet.
Tegen deze onzekere achtergrond reed de gravin van Toscane Rome binnen, vastberaden om haar erfenis te redden, om de positie te versterken van Gregorius en van de Kerk die ze wilden hervormen, en om de slechte Hendrik eens en voor altijd de voet dwars te zetten.

❂

Matilda van Canossa sprak tot de verzamelde menigte in het pauselijke Lateraans Paleis, indrukwekkend gekleed in een gewaad van rood fluweel, afgezet met hermelijn. Op haar zware zijden kap droeg ze haar gouden kroon met de Franse lelie. Geen keizerin die ooit had geregeerd, had er grootser en rijker uit kunnen zien; haar verschijning op deze dag zou door klerken en kunstenaars worden besproken en vastgelegd voor het nageslacht. Ten overstaan van alle adellijke families van Rome, die waren gekomen om getuige te zijn van haar historische decreet, las ze luid de volgende proclamatie voor:

> *'Ik, Matilda, gravin van Toscane bij de Gratie van God Die Is, vermaak voor mijn zielenheil en voor het welzijn van mijn verwanten al mijn goederen en legale bezittingen, al wat ik door erfenis heb verworven, al wat ik*

*persoonlijk bezit en al wat volgens de wet aan mij toevalt of tot mijn bezittingen kan worden gerekend, aan de Heilige Stoel van de Heilige Petrus, door de bemiddeling van paus Gregorius VII.'*

Toen ze was uitgesproken, bleef het doodstil, terwijl de aanwezigen worstelden met de erkenning van wat ze zojuist hadden gehoord. Hadden ze het goed begrepen? Deed de gravin van Toscane, de machtigste vrouw van Europa, afstand van al haar aardse bezittingen en schonk ze die aan de Kerk? Had ze zojuist verklaard dat al haar bezittingen – bijna eenderde van Italië, maar bovendien de rijkste en strategisch belangrijkste gebieden – vanaf dit moment onder de absolute controle van Gregorius VII stonden? Het was schokkend, het was zonder weerga, en het was briljant. Met één zet had Matilda Toscane beschermd, het pausschap – sterker nog: heel Rome – versterkt en tegelijkertijd Hendriks aanspraken op de Italiaanse gebieden ondergraven. De Romeinse families en kardinalen waren overweldigd door dit ontzagwekkende blijk van loyaliteit en grootmoedigheid, dat zijn weerga in de geschiedenis niet kende. Het kon niet anders of Gregorius was een gezegend en eerzaam man, de pauselijke tiara meer dan waardig, als hij had weten te inspireren tot zo'n reusachtige, ongeëvenaarde donatie aan de Kerk. Op slag werd Matilda gevierd als de redster van Rome. Een juichkreet steeg op in het Lateraan: 'God zegene gravin Matilda! Moge ze eeuwig leven!'

❂

Matilda verplaatste haar huishouden naar Rome om de daaropvolgende drie jaar bij haar geliefde Gregorius te zijn en het bestuur van haar gebieden door de Kerk te regelen. Voor het klooster van San Benedetto de Po bepaalde ze dat het tot in de eeuwigheid door de paus zou worden beschermd, omdat het inmiddels niet alleen een belangrijke voorpost was van de Orde, maar ook de verblijfplaats van haar zoon. Matilda en de paus waren onafscheidelijk in hun tijd in Rome, maar dankzij haar vrijgevigheid aan de Kerk durfde niemand er iets van te zeggen. Haar aanwezigheid werd geaccepteerd, zij het niet altijd toegejuicht, vanwege haar uitzonderlijke donatie, die werd gezien als een bewijs van haar eeuwige liefde voor de Heilige Petrus. Donizone schreef later over de tijd van Matilda en Gregorius in Rome: 'De wijze gravin bewaarde de woorden van deze gezegende man in haar hart, net zoals de koningin van Sheba dat deed met de heilige woorden van Salomo.'

Voor Matilda was het besluit om haar bezit aan de paus te schenken pijnloos geweest. Hij was tenslotte haar man.

❂

In reactie op de ongehoorde manoeuvre van Matilda en Gregorius om Toscane te vermaken aan de Heilige Petrus – zíjn Toscane – begon Hendrik opnieuw te roepen om de onttroning van de paus. De koning ging deze keer verder dan ooit, want hij benoemde een tegenpaus. Guiberto, de aartsbisschop van Ravenna, die vóór Hendrik diens vader had gediend, werd door de schismatische Duitse bisschoppen tot paus gekozen.
Gregorius reageerde hierop door Hendrik voor de tweede maal te excommuniceren, net als Guiberto. De posities waren ingenomen, en Hendrik was klaar voor de oorlog. Maar het was inmiddels een in hoge mate persoonlijk conflict geworden, en de koning besloot het mes in de rug van zijn nicht een extra slag te draaien door haar greep te verzwakken op de heiligste plek van haar geloofsgenoten: Lucca. Hij viel de stad binnen, verspreidde valse geruchten om de bevolking op te zetten tegen de gravin en de paus, verdreef bisschop Anselmo en nam de bezittingen van de Orde in beslag. Gelukkig bleef *Het Libro Rosso* gespaard, net als de Meester en de oudsten van de Orde, die naar San Benedetto de Po waren getrokken, onder gewapend escorte van Conn. Lucca scheidde zich af van het hertogdom Toscane, eiste zijn onafhankelijkheid op en schaarde zich achter de tegenpaus in een samenzwering met de schismatische heren van Lombardije die loyaal waren aan Hendrik. Matilda was diep geschokt door het verlies, maar ze had weinig tijd erom te treuren, want Hendrik zette zijn kwaadaardige aanvallen op Toscane en het pausschap voort.
Matilda had alle reden om zich zorgen te maken. Haar dramatische gebaar om haar eigendommen aan de Kerk te schenken, beschermde haar weliswaar tegen Hendrik; maar alleen zolang de zittende paus loyaal aan haar was en haar de vrije teugel gaf in het besturen van en het beschikken over de weggeschonken gebieden. Als Gregorius zijn steun verloor en werd vervangen door Hendriks tegenpaus, liep ze het risico alles te verliezen wat zij en haar familie met zoveel strijd en inspanningen hadden verworven en opgebouwd. En Hendrik won aan kracht doordat de hertogen van Noord-Italië, van wie velen al sinds de verkiezing van Gregorius tot het schismatische contingent behoorden, zich aaneensloten en zich achter de tegenpaus schaarden in de hoop op die manier een invasie door Duitse troepen te voorkomen.

Bij de lente-evening van 1081 werd niet zoals anders het feest van Matilda's geboortedag gevierd. In plaats van festiviteiten bracht de dag gevaarlijk en verontrustend nieuws. Hendrik IV was de Alpen overgestoken en trok op naar de Apennijnen, aan het hoofd van een invasieleger. Het was duidelijk dat hij op weg was naar Toscane.

Matilda en Gregorius brachten die nacht door in haar burcht op het Isola Tiberina, waar ze de opties doornamen. Ze kwamen tot de conclusie dat Matilda geen andere keus had dan onmiddellijk naar Toscane te vertrekken om de verdediging van haar gebieden op zich te nemen. Het was een wrede, verdrietige tijd; de situatie was redelijk wanhopig. De Duitse koning viel aan met een reusachtige legermacht, en Matilda zou al haar troepen op de been moeten brengen – troepen die Hendrik de afgelopen vier jaar stelselmatig had gedecimeerd – om zijn opmars tot staan te brengen.

'Ik weet niet wanneer we elkaar weerzien, mijn duifje.' Gregorius nam haar in zijn armen en kuste haar teder. Hij liet zijn lange, slanke vingers strelend over haar wang gaan en speelde afwezig met een paar lokken die langs haar gezicht vielen. Het was alsof hij elk detail in zijn geheugen wilde prenten. 'De oorlog escaleert. God stuurt je naar Toscane, maar eist van mij dat ik in Rome blijf om mijn positie te verdedigen. We zullen ons moeten schikken naar Zijn wil, maar ik kan niet zeggen dat ik die begrijp.'

Met tranen in haar ogen legde ze haar handen op de zijne. 'Gods wil geschiede, Gregorius. Ooit, op een dag zullen we begrijpen waarom het zo moest zijn, ook al is dat moment nu nog niet aangebroken. Misschien is dit de grootste beproeving van onze liefde – de beproeving van Salomo en Sheba – om te leren dat we vanwege onze plichten afscheid moeten nemen, maar dat we nooit echt gescheiden zijn. Want we zijn met hart en ziel met elkaar verbonden, zoals we dat altijd zijn geweest, sinds het gloren van de eeuwigheid. En wat God heeft samengevoegd...'

'... scheide de mens niet.' Gregorius nam haar in zijn armen, en in hun innige omhelzing van vertrouwen en bewustheid vonden hun zielen elkaar, verenigd door de hartstochtelijke eenwording van hun lichamen.

❂

Eenmaal terug in Toscane gaf Matilda opdracht een schilderij te vervaardigen, als geschenk voor Gregorius. Ze liet haar zoon naar Canossa komen. Guidone was inmiddels vijf, een levendig Toscaans jongetje, blakend van gezondheid, met donkere krullen en grijze ogen. Het evenbeeld van zijn

vader. Matilda hield hem op schoot en moest alle zeilen bijzetten om te zorgen dat hij stilzat, terwijl een van de monniken van San Benedetto, een zeer begaafd handschriftverluchter, hun portret schilderde. Omdat het schilderij in een onrustige tijd als deze, waarin het land werd verscheurd door oorlog, moest worden afgeleverd bij de paus, was gekozen voor het beeld van een Madonna met Kind. Matilda droeg de weelderige gewaden van azuurblauwe zijde die haar handelsmerk waren geworden; haar haar ging schuil onder de traditionele kap met sluier, met daarop de kroon die verwees naar haar voorvader, Karel de Grote. De gouden tiara werd gesierd door de Franse lelie, en door vijf edelstenen, dezelfde die ook op de band van *Het Libro Rosso* prijkten. In de bovenhoek van het doek was de burcht Canossa geschilderd, en de volmaakte duif van hun religieuze traditie zweefde boven het beeld van de moeder met haar kind.
Voor wie niet beter wist, was het een buitengewoon devoot portret van een koninklijke Madonna met Kind. Voor paus Gregorius VII was het de geliefde beeltenis van zijn vrouw en zijn zoon.

Bestemming is de zoektocht. En het reisdoel.
Wie zoekt, moet blijven zoeken tot hij vindt, want zoeken is de gewijde taak van alle mannen en vrouwen die de volmaakte verwezenlijking nastreven. Wat zou er gebeuren als we ophielden met zoeken naar God? Dan zou de wereld donker worden, omdat we niet langer de middelen hadden om het licht te begrijpen.
Maar zij die weten dat ze moeten zoeken, hebben God al gevonden.
In het vinden schuilt verwarring, ontreddering, het besef dat alles waarin we ooit hebben geloofd en dat buiten Gods liefde valt een Illusie is.
En ten slotte is er verwondering. De verwondering dat de wereld geschapen door Gods Wil volmaakter en schitterender is dan we ooit hadden kunnen denken.

– Uit *Het Boek der Liefde*
zoals bewaard gebleven in *Het Libro Rosso*

*Rome*
*Heden*

'Guidone.' Maureen was de eerste die reageerde op de naam van Matilda's kind.
Berenger had de kopieën uitgespreid van het document dat naar het chateau was gestuurd, met daarop de stamboom die begon met een kind dat Guidone heette, geboren in Mantua in 1077.
'Het is me inmiddels duidelijk,' zei hij. 'Na ontvangst van het document heb ik wat onderzoek gedaan naar de vraag wat Michelangelo met dit alles te maken kan hebben gehad. Ik heb diverse verwijzingen gevonden dat hij zijn leven lang openlijk heeft beweerd af te stammen van Matilda van Toscane. Hij werd erom bespot, want uit alles wat er ooit over het leven van Matilda te boek is gesteld, blijkt dat ze maar één kind heeft gehad, een dochtertje, Beatrice, dat vrijwel meteen na de geboorte is gestorven. Michelangelo weigerde nadere toelichting te geven, maar hield vol dat hij wist wie hij was, en dat hij afstamde van Matilda.'

'Dus hij wist het.' Dat zei Maureen. 'Hij wist van het huwelijk tussen Matilda en Gregorius, en hij wist van het bestaan van Guidone, want daar begint zijn eigen stamboom.'
Berenger knikte. 'Kunst zal de wereld redden? Dit opent een geheel nieuwe weg in het onderzoek naar de scheppingen van de grote kunstenaar, waar of niet?'
Maureen stootte Peter, die naast haar zat, aan. 'Zoals de prachtige *Piëta* in de Sint-Pieter, waarbij de jonge vrouw duidelijk niet een moeder is die haar zoon in haar armen houdt.'
Peter knikte. 'Misschien heb je gelijk. De documentatie is overtuigend. Maar je beseft natuurlijk wel dat dit meer vragen oplevert dan antwoorden.'
Maureen begon te lachen. 'Zo gaat het immers altijd.'
Maar nader onderzoek naar de vragen over Michelangelo's bijdrage aan het bewaren van de waarheid zou moeten wachten. De Romeinse politie was gearriveerd om proces-verbaal op te maken naar aanleiding van de diefstal in Maureens kamer. De politie ging uit van een ordinaire diefstal, maar Berenger en Peter waren ervan overtuigd dat het degene die de computer en de notitieboekjes had gestolen specifiek was gegaan om Maureens dagboeknotities.
Maureen wist niet goed wat ze moest denken, anders dan dat ze het verlies van haar spullen enorm frustrerend vond, omdat ze daarmee de inventarisatie van haar gedachten en haar dromen was kwijtgeraakt. Misschien zou ze die nacht in haar slaap niet door dromen worden achtervolgd.

❁

Uitgeput door de gebeurtenissen van die dag besloot Maureen vroeg naar bed te gaan. Terwijl ze indommelde, was haar laatste gedachte het schokkende besef dat Lucia dos Santos en zij geestverwanten waren. Hoe had ze ooit kunnen denken dat ze droomloos zou slapen? Het visioen dat ze kreeg, was levensechter dan ooit.

❁

*Ze liep door nevelen, het dichte, zware zilvergrijze gordijn dat zo kenmerkend was voor het Ierse platteland aan de westkust. Het was middernacht, de straten van Knock lagen er verlaten bij. De souvenirwinkels met hun rozenkransen van marmer uit Connemara en hun panoramische ansichtkaarten hadden allang hun deuren gesloten voor de pelgrims. Maureen was alleen. Ze liep in de richting van de kerk gewijd aan Johannes de Doper met zijn bijna zwarte, donkergrijze torenspits die naar de hemel wees. Door de mist glansde de kerk in het maanlicht, en toen ze het inmiddels beroemde hek aan de zuidkant naderde, ontstond er een iriserende glans op de linkermuur.*

*De figuren verschenen een voor een, van links naar rechts. De oudere man kwam als eerste tevoorschijn uit het tastbare, wervelende zilverwitte licht. Hij zag er net zo oud uit als de dorpelingen hem honderdvijftig jaar eerder hadden beschreven: met grijzend haar en een baard. Ondanks zijn ouderdom bezat hij een krachtige uitstraling. Krachtig in de zin van vaderlijk, niet patriarchaal. Hij gebaarde met beide handen naar de andere kant van de muur, alsof hij op die manier een volgend beeld schiep uit de straling. Deze nieuwe figuur verscheen rechts van Maureen terwijl het licht sterker werd. Het was de jongeman die door de dorpelingen was herkend als Johannes de Evangelist. De levensechte verschijning was duidelijk een jongeling, met de lange haardracht waarvan kunstenaars uit de middeleeuwen en de Renaissance zich bedienden om een jongeman voor te stellen. Ook hij had een krachtige uitstraling, maar anders dan die van de oudere man. De jongeling was gekleed in liturgische gewaden. Hij preekte. Maureen kon niet verstaan wat hij zei, maar zijn woorden waren machtig, gedreven – en vervuld van liefde. Hij bezat een gratie die Maureens hart deed smelten. Dankzij de stralende gloed werd het boek dat hij in zijn hand hield duidelijker zichtbaar: het was erg groot. Toch hield de jongeman het zonder zichtbare inspanning omhoog terwijl hij eruit las. De omslag van het boek leek te zijn gemaakt van dieprood leer, met gouden banden. Vijf gouden bollen sierden de voorkant en vormden een X. Maureen probeerde zich te concentreren op het boek, maar werd afgeleid door een explosie van licht, die uit het middelste gedeelte van de kerkmuur leek te komen.*

*Beide mannen, de oude en de jonge, keerden zich naar het midden en gebaarden naar de verschijning die met onbeschrijflijke gratie en waardigheid uit het licht tevoorschijn kwam. Het was de mooiste vrouw die Maureen ooit had gezien. Verheven, elegant, sierlijk, haar gewaad van vloeibaar zilver, haar hoofd gekroond met een stralenkrans van schitterende sterren. Witte lelies en rode rozen waren door haar gewaad geweven. Ze zweefde boven de andere figuren, etherisch, engelachtig. Net als de jongeman leek ook de Vrouwe te preken. Haar absolute gezag was boven elke twijfel verheven. Ze was de centrale figuur in dit tableau, gedreven en intens haar geluidloze boodschap overbrengend. Maureen keek toe, als aan de grond genageld, tot de Vrouwe plotseling haar hoofd boog om haar diep in de ogen te kijken. Toen zei ze iets wat Maureen kon verstaan. Slechts één zin. Rechtstreeks tot haar gericht.*

*'Ik ben niet wie je denkt dat ik ben.'*
*En ze glimlachte, een glimlach gevuld met het licht van de maan en de sterren. Ze keek eerst naar Maureen, toen naar de jongeling, en ten slotte naar de oudere man. De Vrouwe stak haar handen naar hen uit, en terwijl de mannen dichterbij kwamen, werd het licht nog stralender en smolten de drie gedaanten samen tot een heldere, eeuwige gloed.*

✿

Het was nacht in Rome. De schijnwerpers die het Pantheon verlichtten, waren allang gedoofd. Maureen werd wakker in een donkere kamer, een schril contrast met de visioenen van licht die haar droom hadden beheerst. Haar droom over Knock. Over de verschijningen. Over een verbazingwekkend mooie vrouwenfiguur die slechts één zin tegen haar had gesproken.
Maureen deed het lampje op het nachtkastje aan en ging rechtop zitten, in haar ogen wrijvend om helder te worden. In een opwelling reikte ze naar haar notitieblok, maar toen herinnerde ze zich dat het was gestolen. Ze klom over het bed naar de minibar, nam een fles San Pelegrino-mineraalwater mee naar het bureau met daarop een schrijfblok van het hotel en krabbelde: *Ik ben niet wie je denkt dat ik ben.*
Maar... wie was ze dan wel?
Maureen liep naar het raam dat uitkeek op de Piazza della Rotonda en gooide het open. Het plein werd slechts verlicht door de gloed van de bijna volle maan. De sierlijke fontein borrelde onafgebroken, dag en nacht. Maureen luisterde naar het kalmerende geluid van stromend water. Toen viel haar blik op de obelisk, het monument dat met veel kosten en inspanningen uit Egypte naar Rome was gebracht, oorspronkelijk om de Isis-tempel te sieren. Isis, voor de Egyptenaren de grote vrouwe van de mysteriën. Isis, de moeder der goden. Isis, die door zowel Romeinen als Egyptenaren de Koningin van de Hemel werd genoemd.
De Koningin van de Hemel. Een betiteling die was gebruikt om een aantal grote spirituele vrouwenfiguren aan te duiden: Isis, de Heilige Maagd Maria, talloze godinnen van zo goed als alle culturen in het Nabije Oosten, zoals de Soemerische Inanna en Ishtar uit Mesopotamië, de Hebreeuwse Asherah en zelfs Maria Magdalena door haar ketterse Franse volgelingen.
Als er een Koningin van de Hemel bestond, impliceerde dat dan niet dat er ook een koning was? En waren de koning en de koningin getrouwd? Waren ze gelijken?
Maureen dacht aan haar droom van die nacht en liet elk detail van de ver-

schijningen opnieuw de revue passeren. Het kon niet anders of de volgorde waarin de figuren waren verschenen was belangrijk. De eerste die in haar droom was verschenen, was de oudere man.
*De Vader.*
De tweede verschijning was de jongeman geweest.
*De Zoon.*
En de laatste verschijning, het etherische vrouwelijke wezen dat zoveel licht en helderheid had uitgestraald dat zelfs in de droom haar voeten de grond niet konden raken.
*De Heilige Geest.*
Maureen wist dat de dorpelingen in Ierland wel degelijk een buitengewoon gezegend, heilig visioen hadden gezien. Maar niet van de Maagd Maria, haar man en Johannes de Evangelist. Wat de verschijning bij Knock vertegenwoordigde, was de Heilige Drie-eenheid.
En binnen die drie-eenheid was de Heilige Geest het belangrijkst. En vrouwelijk.

✿

De volgende morgen belde ze Peter zo vroeg als ze dacht dat binnen de grenzen van het geoorloofde viel. Gelukkig was hij al wakker. En hij toonde zich gefascineerd door haar droom.
'Is de Heilige Geest ooit beschouwd als vrouwelijk, Pete?'
Peter legde uit dat er tradities waren volgens welke de Heilige Geest inderdaad vrouwelijk was, maar ze werden beschouwd als 'randverschijnselen' en dus ketters. Of gewoon getikt.
'In het Grieks is het woord dat wordt gebruikt voor "geest", meestal *pneuma*, een woord dat onzijdig is. Natuurlijk wordt aangenomen dat het moet worden gezien als mannelijk. Maar sommigen beweren dat het geslacht in andere talen vrouwelijk is, en dan denk ik aan het Hebreeuws en het Aramees, en volgens mij ook het Oudsyrisch.'
'En hoe zit het met de duif?' vroeg Maureen. 'De Heilige Geest wordt in de kunst toch vaak op die manier afgebeeld? En is de duif niet vrouwelijk?'
'De duif symboliseert de Heilige Geest vanwege de verschijning bij de doop van Jezus in de Jordaan. Maar je hebt gelijk: in andere periodes is de symboliek van de duif vrouwelijk. De gnostici geloofden dat de Heilige Geest vrouwelijk was, in de gedaante van Sophia. Sophia vertegenwoordigt de goddelijke, vrouwelijke wijsheid – een soort godin, maar dan meer verheven. Ze wordt soms afgebeeld als een duif.'

Maureen dacht aan het materiaal over Matilda. 'Zoals in het Lied der Liederen? Mijn duif? Mijn volmaakte? Zou er een verband kunnen bestaan? Gaat het Lied net zozeer over de eenwording van God met Zijn tegenhanger – laten we haar Zijn vrouw noemen, bij gebrek aan een beter woord – als wel over de vereniging van Salomo en Sheba?'

Het duizelde Peter, en het was pas halfacht 's ochtends. 'Geef me even een paar uur de tijd om wat vertalingen bij elkaar te halen. Dan kom ik tegen de lunch bij je langs.'

Hij hield woord en verscheen tegen het middaguur met diverse dossiermappen in Maureens hotelkamer. Ze gebruikten het bureau en het bed om al het materiaal uit te spreiden dat Peter ter bestudering had verzameld. Voordat ze zich in de papieren verdiepten, vroeg Maureen hem naar het gebed dat bekendstaat als het Wees Gegroet Maria.

'Ik hoef jou er niet aan te herinneren waar dat gebed vandaan komt. Dat heb je me zelf geleerd.'

'Lucas 1.'

'Precies. Dus het is canoniek. Net als het onzevader. Maar slechts gedeeltelijk. Want je hebt me nog meer geleerd over Lucas 1. En over Lucas.'

'Lucas stichtte de Orde van het Heilige Graf. Dus het gaat je om zijn oorspronkelijke motivatie? Begrijp ik dat goed? Oké, ik begrijp waar je naartoe wilt. In het Nieuwe Testament komt Maria's naam niet voor. Die is later toegevoegd. Het gebed, zoals uitgesproken door de engel Gabriël, was: "Gegroet, Vol van Genade. De Heer is met u, ge zijt de gezegende onder de vrouwen."'

Maureen knikte. 'Natuurlijk, in deze context gaat het gebed over de moeder van Jezus. Ik bedoel, misschien gaat het niet alléén over haar. Misschien is ze gewoon een van vele vrouwen die zijn gekozen om dit aspect van God te belichamen. Dit scheppende, vruchtbare, moederlijke aspect dat nieuw leven voortbrengt. Stel nu eens dat haar naam in de oorspronkelijke begroeting niet wordt vermeld, omdat Lucas ons wilde laten zien dat zijn groet bestemd is voor alle gelovige, liefhebbende vrouwen die zwanger willen worden in vertrouwen en bewustheid, zoals Matilda ons vertelt. Want dat is, volgens *Het Boek der Liefde* en volgens het evangelie van Filippus, de definitie van de Onbevlekte Ontvangenis.'

Dit moest Peter op zich laten inwerken, dus hij besloot alle aantekeningen door te nemen die hij eerder op de dag had gemaakt, en dan te zien in hoeverre die Maureens prille theorie bevestigden.

'Laten we beginnen met de traditionele canon, want ik denk dat die de meest onmiddellijke en de machtigste invloed heeft. Ik heb wat voorbeelden meegebracht van kritische vertaalkwesties. De vertaling is van cruciaal belang.' Hij pakte twee vellen papier uit de stapel. 'Het eerste wat ik je wil laten zien, en wat dit heel goed illustreert, is een vers uit het evangelie volgens Johannes. Hier heb ik de meest universeel geaccepteerde vertaling in het Engels vanuit het Grieks, de King James-vertaling, van Johannes 14:26: "*But the Comforter, which is de Holy Ghost, whom the Father will send in my name, he shall teach you all things, en bring all things to your remembrance, whatsoever I have said unto you*".' (Maar de Trooster, de Heilige Geest, die de Vader zenden zal in Mijn naam, die zal u alles leren en u te binnen brengen al wat Ik u gezegd heb.)
Peter hield haar een vel papier voor waarop hij alleen dat vers had geschreven. Toen gaf hij haar een tweede vel papier, met hetzelfde vers in een andere vertaling.
'Kijk hier nu eens naar. Dit is een vertaling uit het Aramees, en die komt overeen met een andere, in het Oudsyrisch, gevonden op rollen die zijn aangetroffen in het klooster van de Heilige Catherina van Alexandrië op de berg Sinaï – rollen die van oudere datum zijn dan de Griekse teksten. Kijk eens wat je hiervan vindt.'
Maureen las de oudere vertaling hardop voor: '*But She – the Spirit, the Paraclete – whom He will send to you, my Father in my name, She will teach you everything; She will remind you of that which I have told you.*' (Maar Zij – de Geest, de Paracleet – die de Vader zenden zal in Mijn naam, Zij zal u alles leren; Zij zal u te binnen brengen al wat Ik u gezegd heb.)
Maureen liet zich op het bed ploffen. 'Toe maar! Dat is nadrukkelijk vrouwelijk.' Ze liet het even voor wat het was. 'En het woord *Paraclete*? Hoe vertaal je dat?'
'Traditioneel wordt het vertaald als "trooster" of zelfs "raadsman". Maar ik denk dat "een die bemiddelt" een meer accurate vertaling is. Dus je zou ervan kunnen maken dat de Paracleet bemiddelt tussen de mensen en hun Vader in de Hemel.'
'En dat is een erg vrouwelijke, moederlijke rol, waar of niet?'
'Het houdt ook verband met een interessant concept uit het Oude Testament, dat van "de Trooster". Kijk eens naar deze passage, Jesaja 66, waarin Jahweh wordt vergeleken met een moeder die haar kinderen troost. Het wemelt in Jesaja van de verwijzingen naar God die zich gedraagt als een moeder: God als een vrouw in barensnood, God als een moeder die Israël het leven schenkt en beschermt. In het Hebreeuws is het equivalent van

Heilige Geest het woord *ruach*, dat mannelijk óf vrouwelijk kan zijn, afhankelijk van de context. In het Aramees is het woord *ruacha*. Maar dat is zonder meer vrouwelijk.'

Peter pakte weer een ander vel, met twee vertalingen erop. 'Ik weet dat je niet echt een fan bent van Paulus, maar dit is, dunkt me in dit verband, een belangrijke passage uit Romeinen 8. In de King James-versie staat: "*The Spirit* himself *testifies with our spirit that we are God's children.*" (De Geest getuigt met onze geest dat wij kinderen Gods zijn). Maar wanneer we kijken naar het Aramees, kom je op iets heel anders uit.'

Hij gaf zijn Engelse vertaling aan Maureen, die deze hardop voorlas: 'She, *the Ruacha, gives testimony with our spirit that we are God's children.*' (Zij, de Ruacha, getuigt met onze geest dat we kinderen Gods zijn.)

Ten slotte kwam Peter met de laatste teksten die hij had voorbereid. 'En kijk nu eens naar deze passage uit het evangelie volgens Filippus, waarmee we bij onze zoektocht naar *Het Boek der Liefde* zo nauw te maken hebben. Volgens mij is deze passage het onweerlegbare bewijs.'

Maureen keek naar de kopie uit het gnostische evangelie van Filippus. Boven aan de bladzijde had Peter de oorspronkelijke perkamentrol gekopieerd waarop de tekst in het Koptisch stond, met de exacte vermelding van de vindplaats (pagina 57, kolom 103). Peters vertaling stond ernaast:

*Sommigen zeggen dat Maria was bezwangerd door de genade van de Heilige Geest.*
*Maar ze weten niet wat ze zeggen.*
*Hoe kan het vrouwelijke het vrouwelijke bezwangeren?*

Maureen en Peter keken elkaar aan en lieten de passage voor zichzelf spreken, in haar simpele, ondubbelzinnige zeggingskracht. Ten slotte was Maureen degene die de stilte verbrak.

'Gaat het hier werkelijk om iets totaal anders dan we altijd hebben vermoed, Pete?'

'Hoe bedoel je?'

'Nou, ik heb altijd gedacht dat het ging om de rehabilitatie van Maria Magdalena. Om mensen te doen inzien en begrijpen wie ze was en waarom ze zo'n belangrijke rol heeft gespeeld. Dat ze de vrouw van Jezus was, maar ook zijn naaste vertrouweling en partner, en zijn gekozen opvolger. Dat ze het christendom naar Europa heeft gebracht en samen met haar kinderen alles heeft geriskeerd om te zorgen dat het bloeide en dat het christelijk erfgoed bleef voortbestaan. Dat op zich zal al een hele klus worden.'

'Maar...'
'Maar... als het daar nou uiteindelijk helemaal niet om gaat? Natuurlijk, het is heel belangrijk, het is ook iets wat erkenning verdient. Maar misschien is het slechts een afgeleide.'
'Ja... en?'
'Misschien staat Maria Magdalena symbool voor een grotere kwestie. Misschien is wat ze vertegenwoordigt meer dan de vrouw van Jezus als mens. Misschien staat ze voor het goddelijke aspect in hem. Hij is God en zij is Gods geliefde. Zijn andere helft. Gelijk in de hemel alzo ook op aarde.'
'Het vrouwelijk aspect van het goddelijke?'
'Ja. Niet in de traditionele heidense figuur van een godin of een mindere, lagere godheid, maar als een aspect van God. Het gelijkwaardige, vrouwelijke gezicht van God, zou je kunnen zeggen. De vrouwelijke helft als aanvulling op het mannelijke aspect van God. In dit geval verbeeld in de gedaante van de Heilige Geest.'
Peter dacht na over wat ze had gezegd, terwijl hij zijn aantekeningen van eerder die ochtend doorkeek. 'Ik zal je iets voorlezen wat me trof als erg interessant. "Er is zelfs gespeculeerd dat de naam van God, Jahweh, zich kan hebben ontwikkeld uit *Ya-Hu*, wat 'Verheven Duif' betekent en de naam was van een oude scheppingsgodin, die de vrouw was van God, die ook El werd genoemd. El en Yahu verenigen zich en worden uiteindelijk aangeduid met het enkelvoudige Jahweh, een begrip dat later als uitsluitend mannelijk wordt gezien." Nu moeten we in alle redelijkheid beseffen dat er diverse andere theorieën bestaan over de oorsprong van Jahweh. Daar is dit er maar één van. En bovendien een theorie die in wetenschappelijke kring niet wordt geaccepteerd.'
Maureen begon zacht te lachen. 'Ik merk dat ik de laatste tijd de voorkeur geef aan theorieën die in wetenschappelijke kring niet worden geaccepteerd. Louis Charpentier, de Franse schrijver, heeft ooit gezegd dat wanneer de geschiedenis en de overlevering het niet met elkaar eens zijn, je gerust kunt aannemen dat de geschiedenis het bij het verkeerde eind heeft. Dat ben ik met hem eens. Ik hecht meer waarde aan overleveringen die zich in Frankrijk en Italië duizenden jaren hebben weten te handhaven dan aan een stel academische stellingen die zijn ontworpen om de bestaande machtsstructuren te handhaven ten koste van de waarheid.'
Ze liep naar het raam, gooide het open om de late lentelucht binnen te laten en keek naar de obelisk gewijd aan Isis. Een paar honderd meter naar rechts lag een piazza met een kerk gewijd aan Maria Magdalena. Een eind-

je naar links stond een kerk die was opgedragen aan de Maagd Maria, gebouwd op de plek waar ooit een tempel had gestaan voor Minerva, de Romeinse godin van de wijsheid, die ook werd aangeduid als Sofia, de Vrouwe van de Goddelijke Wijsheid. Vóór haar verhief zich een obelisk opgericht voor Isis.
'Notre Dame,' zei ze abrupt.
'Wat is er met de Notre Dame?' Het was duidelijk dat Peter dacht aan het gotische monument in Parijs.
'Niet dé Notre Dame. Ik heb het over Notre Dame, Onze-Lieve-Vrouwe. Ik werk nu twee jaar aan de bewijsvoering dat alle kerken in Frankrijk gewijd aan Notre Dame zijn opgericht ter ere van Maria Magdalena.'
'Ja? En?' Peter had haar geholpen met het onderzoek dat buitengewoon overtuigende resultaten had opgeleverd. Ze waren allebei tot het inzicht gekomen dat de kerken die Notre Dame werden genoemd, en kerken die beelden bevatten van de Zwarte Madonna, banden onderhielden met de ketterse Magdalena-verering.
'Nou, ik weet inmiddels zeker dat ik daarin gelijk had, en jij ook. Maar als dat nu eens niet alles is? Als alle "Onze-Lieve-Vrouwen" – of het nu gaat om Magdalena, de Heilige Maagd, Isis, Minerva, Sofia – nu eens een en dezelfde figuur zijn? En als het enige wat ze ons willen vertellen nu is dat God een vrouwelijk aspect heeft? Of dat God een vrouw, een geliefde heeft? Zou het zo kunnen zijn dat al deze heiligdommen zijn gebouwd om het evenwicht te herstellen? We weten dat alle gotische kathedralen – alle kathedralen die zijn genoemd naar Notre Dame – bedoeld waren als tempels voor Gods glorie. Maar waren ze misschien tempels voor de glorie van het vrouwelijke aspect van God? Notre Dame. Onze-Lieve-Vrouwe. In al haar verschijningsvormen. Want ze zijn allemaal even belangrijk, ongeacht de belichaming die ze aanneemt.'
Peter was getroffen door de gedachte. 'De Tijd Keert Weder?' Hij had geen tijd om er verder op door te gaan, want er werd op de deur geklopt. Het was Lara, de receptioniste. Er was een envelop voor Maureen afgeleverd door een koerier, en omdat ze dacht dat het misschien te maken had met de vermiste attachékoffer en computer, kwam ze hem meteen boven brengen.
Maureen bedankte de receptioniste en deed de deur dicht. Ze herkende onmiddellijk het papier en het vreemde monogram. Het papier was hetzelfde als dat van de kaarten met 'Heil Ichthus'. De tekst op deze kaart was heel simpel:

*GENESIS 1:26*
*GENESIS 3:22*
*Amor Vincit Omnia,*
*Destino*

Het was Maureen die de stilte verbrak. 'Kijk eens naar dat tweede versnummer. 3:22.'

Peter was al veel verder. Het was het eerste wat hem was opgevallen. Sinds Maureen hem die ochtend haar droom had verteld, was hij gefixeerd op het 'toeval' van de geboortedatum van Lucia dos Santos – dezelfde als die van Maureen, 22 maart, oftewel 3-22. 'Je geboortedatum.'

Ze knikte. 'Ken je het vers?'

'Nou, ik kan Genesis niet woordelijk citeren, maar Genesis 1 is de schepping, Genesis 3 is de verbanning uit het paradijs. Ik heb mijn zakbijbeltje bij me, dus ik kan het nazoeken. Natuurlijk hebben we dan alleen de tekst in het Engels, maar we kunnen later wel op zoek gaan naar eerdere versies en oudere formuleringen.'

'Begin met de eerste tekstvermelding. Genesis 1:26.'

Peter had het vrijwel onmiddellijk gevonden. 'De schepping. "En God zeide: Laat Ons mensen maken naar Ons beeld, als Onze gelijkenis, opdat zij heersen over de vissen der zee en over het gevogelte des hemels en over het vee en over de gehele aarde en over al het kruipend gedierte dat op de aarde kruipt."'

Hij bladerde snel verder naar Genesis 3, vers 22. 'Dit gaat over het moment dat Adam en Eva eten van de vrucht in de hof van Eden. "En de Here God zeide: Zie, de mens is geworden als een Onzer door de kennis van goed en kwaad; nu dan, laat hij zijn hand niet uitstrekken en ook van de boom des levens nemen en eten, zodat hij in eeuwigheid zou leven."'

Maureen begon te lachen. 'Ik weet niet wie Destino is, maar ik ben hem wel dankbaar dat hij me mijn werk uit handen neemt.'

Peter kon haar niet volgen. 'Hoe bedoel je?'

'In beide passages wordt naar God verwezen in het meervoud: laat ons mensen maken naar óns beeld, als ónze gelijkenis. Zie, de mens is geworden als een Ónzer. Ik had me voorgenomen om in de Bijbel na te trekken waar God naar Zichzelf lijkt te verwijzen in het meervoud. Maar die moeite is me nu bespaard.'

Peter vond de synchroniciteit eerder verontrustend dan reden tot vreugde. Hij was er nog altijd niet van overtuigd dat degene die achter de aanwijzingen zat niet dezelfde figuur was als de overvaller die Maureen met een pistool had bedreigd. 'Laat me dat kaartje nog eens zien.'

Maureen las eerst de Latijnse tekst hardop voor. '*Amor Vincit Omnia*. Zelfs ik weet wat dat betekent. "Liefde Overwint Alles." Die tekst zijn we ook tegengekomen in de citaten van Matilda uit *Het Boek der Liefde*. Is dat niet van Vergilius? En moeten we dan aannemen dat Jezus oude Romeinse poëzie citeerde? Want dat is wel erg onwaarschijnlijk. Dat gaat zelfs mij te ver.'

'Ik weet niet of het zo onwaarschijnlijk is,' zei Peter tot Maureens verrassing. 'Ik besef dat ik word geacht de redelijkheid te vertegenwoordigen, maar het is wel een fascinerende gedachte. Als Jezus een klassieke opleiding heeft genoten, is het mogelijk dat hij het werk van Vergilius kende. Die leefde tenslotte maar één generatie vóór hem. Bovendien wordt vaak beweerd dat Vergilius in de *Ecloge* de komst van Jezus zou hebben voorspeld, met daarin de passage *Liefde Overwint Alles*. *Ecloge IV* zou over de geboorte gaan. Dus er is sprake van een sterk verband, en misschien zelfs van een welbewuste inspanning om nog een messiaanse voorspelling aan zijn erfenis te hechten. Het kan natuurlijk ook zo zijn dat de gedachte dat liefde alles overwint universeel en archetypisch is. Iets wat door de generaties heen telkens terugkeert.'

Maureen begreep onmiddellijk waar hij heen wilde. 'En dat levert weer een nieuw aspect op voor de betekenis van *De Tijd Keert Weder*.'

Ze knikte en keek naar de handtekening, onder de tekst op het kaartje.

*Destino*.

Ze aarzelde even voordat ze de vraag stelde, want ze wist het antwoord al.

'Destino. Is dat niet een Italiaans en een Spaans woord, Peter? Wat betekent het?'

'Destino? Dat kan "lotsbestemming" betekenen, maar ook "bestemming van een reis". Of allebei.'

Voordat Maureen de kans kreeg na te denken over het verband tussen wat Peter haar zojuist had verteld en haar droom over Easa, ging de telefoon. Pater Girolamo de Pazzi moest Maureen dringend spreken.

*Vaticaanstad*
*Heden*

'Weet u wat dit is?'

Maureen keek naar de vergeelde manuscriptbladzijden op het bureau van pater Girolamo en schudde haar hoofd. Ze wist niet precies wat het was, dus ze sprak geen onwaarheid.

'Kijk eens goed,' zei hij met zijn hese, oude stem. 'Hier moet u kijken.' Hij

gaf haar een van de bladzijden, die ze voorzichtig van hem aanpakte. 'Wat denkt u als u dit ziet?'
Maureen schrok een beetje toen het papier contact maakte met haar huid. Er school macht in. Reële macht. Ze keek naar de versregels, eerder nieuwsgierig dan wantrouwend. 'De tekst is in het Frans, en dat lees ik niet echt vloeiend. Het spijt me.'
'Dat maakt niet uit. Het gaat er niet om de woorden letterlijk te vertalen, met je hoofd. U moet ze vertalen met uw hart. Probeer het eens.'
Maureen las de eerste regel. *Le Temps Revient.*
'De Tijd Keert Weder,' zei ze zacht.
Pater Girolamo knikte. 'Precies, dus u weet het wel.'
Maureen was ervan overtuigd dat ze een deel van *Het Libro Rosso* in haar hand hield, of althans een oude vertaling ervan. Maar dat kon ze niet toegeven. Dan zou ze verraden dat ze Matilda's manuscript in hun bezit hadden, en dat wilde ze voorlopig aan niemand vertellen. Daarvoor hadden ze nog te veel vragen. Peter was ervan overtuigd dat ze pater Girolamo konden vertrouwen, maar Maureen vertrouwde niemand binnen de muren van Vaticaanstad. Pater Girolamo had Peter geen toestemming gegeven om bij dit gesprek aanwezig te zijn, en dat was verdacht. De oude priester had erop gestaan Maureen onder vier ogen te spreken.
'Is het... poëzie?' vroeg Maureen aarzelend.
Pater Girolamo probeerde zijn groeiende irritatie te verbergen. 'Het is een profetie,' zei hij geduldig. 'Geschreven in kwatrijnen. Kunt u er nog iets meer van lezen?'
Maureens handen beefden terwijl ze naar de verzen keek. *Ja!* zou ze willen schreeuwen. Ze kon ze lezen, en ze wist precies wat er stond, wat de verzen betekenden, wie ze had geschreven. Vanuit het vel perkament dat ze in haar handen hield, trok een huivering door haar hele lichaam.
'*Choisi...*' Maureen werkte zich moeizaam door het Frans, dat eruitzag alsof het middeleeuws was of stamde uit de vroege Renaissance. 'Er staat iets over "gekozen". En ik zie veel woorden die over de liefde gaan... Dat is alles wat ik ervan kan vertalen. Het spijt me.'
Pater Girolamo klopte haar zacht op haar hand. 'Haast u niet, mijn beste. Neem uw tijd en probeer te ontspannen. Het was niet mijn bedoeling u onder druk te zetten.' Hij hield haar een andere bladzijde voor, zo te zien de allereerste van het manuscript. 'Kijk hier eens naar.'
Het was een bladzijde met een opdracht, gericht aan paus Urbanus VIII, wist Maureen te ontcijferen. Maar toen ze de woorden daaronder zag, haperde ze.

*Les Prophéties de Nostradamus.*
'Nostradamus?' vroeg ze, in verwarring gebracht.
'Ja, dat klopt. Alle profetieën zijn toegeschreven aan de beroemde Fransman.'
Maureen kon niet protesteren of haar hoofd schudden. Ze kon niet laten blijken dat ze wist dat dit niet het werk was van een Franse dokter uit de Provence in de zestiende eeuw. Maar dat hoefde ze ook niet te doen.
'Maar zoals u al weet...' – pater Girolamo knipoogde samenzweerderig – '... zijn deze profetieën niet het werk van de beroemde Fransman. Wat denkt u dat Les Prophéties de Nostra Damus anders zou kunnen betekenen?' Hij scheidde de lettergrepen welbewust, en ondanks zichzelf hield Maureen verbijsterd haar adem in.
Verborgen in het volle zicht. De Profetieën van Nostra Damus.
'De Profetieën van... van Onze-Lieve-Vrouwe.'

Lopend over het Sint-Pietersplein, op weg naar haar eigen Petrus, belde Maureen het mobiele nummer van Tammy.
'We zijn Nostradamus een verontschuldiging verplicht,' viel ze met de deur in huis toen haar vriendin opnam vanuit het chateau in Arques.
Vervolgens legde ze uit wat er was gebeurd in het kantoor van pater Girolamo. 'Nostradamus was geen plagiaatpleger. Hij heeft de profetieën bewaard voor het nageslacht. Hij heeft ze beschermd en gezorgd voor een aanpak waardoor zijn generatie ze zou kunnen begrijpen. Want hij had moeilijk kunnen zeggen: "Dit zijn de profetieën van de dochter van Jezus." Tenslotte loerde de inquisitie net over de grens. Dus hij heeft de profetieën in het volle zicht verborgen, in zijn naam – de naam die zijn familie welbewust heeft aangenomen toen ze zich bekeerde tot een bepaalde Orde van het christendom. En dan heb ik het over Orde met een hoofdletter.'
Ze verbrak de verbinding toen ze Peter zag aankomen, met de belofte aan Tammy om haar later te bellen en volledig op de hoogte te brengen van alle ontwikkelingen in Rome, die elkaar in snel tempo opvolgden.

Pater Girolamo was erg tevreden over het gesprek. Hij wist dat Maureen niet volledig open kaart had gespeeld, maar hij had ook gezien dat haar reactie op de bladzijden van het manuscript oprecht was. Hij zou geduld hebben, hij zou voorzichtig met haar omspringen en hij zou wachten. Want hij wist zeker dat haar nieuwsgierigheid zo groot was dat ze uiteindelijk zou terugkomen voor meer.

### *Salerno*
### *1085*

Gregorius VII was stervende.

De laatste jaren van zijn leven was zijn geloof zwaar op de proef gesteld. Wanneer hij de kans had gekregen deze beproevingen samen met Matilda te doorstaan, had hij alles kunnen verdragen wat God op zijn pad bracht, maar sinds die laatste nacht in Rome hadden ze elkaar al acht jaar niet gezien. Vreemd, maar op de een of andere manier hadden ze allebei geweten dat het hun laatste nacht samen was geweest. Toen Matilda hem na haar terugkeer in Toscane het portret van haar en hun zoon stuurde, was dat haar manier om te erkennen dat ze niet waren voorbestemd elkaar ooit nog van aangezicht tot aangezicht te ontmoeten. Tenminste, niet hier, niet in deze tijd. Hoe bekwaam en gedreven ze ook was als krijger-koningin, Matida was vooral een zeer begaafde mystica. Vanuit die hoedanigheid wist ze dat hun scheiding permanent zou zijn.

Ze wist ook – net als hij – dat hun scheiding puur fysiek was, dat ze in de geest met elkaar verenigd waren, dat ze in hun hart, in hun dromen één waren. Matilda had telkens opnieuw haar grote loyaliteit en devotie bewezen. Toen Hendrik opmarcheerde naar Rome, had Matilda alle mannen die ze in Toscane onder de wapens wist te brengen naar de stad gestuurd om de positie van Gregorius te verdedigen. En toen er in heel Toscane niet genoeg mannen meer waren, had ze al wat ze bezat verkocht en huursoldaten geronseld in de rest van Europa. Ze had zelfs haar juwelen tot het laatste stuk laten omsmelten, behalve de ring die ze bij haar zestiende verjaardag ten geschenke had gekregen. Ze plunderde haar kloosters en kerken en liet alles omsmelten wat kon worden gebruikt om steun te kopen voor de paus. In de afgelopen twee jaar had Matilda van Toscane haar persoonlijke rijkdom en haar machtspositie volledig uitgeput ter verdediging van de man die ze liefhad, en van de zaak waar ze samen voor stonden. Dat het niet genoeg was, dat ze niet in staat was hem te redden, betekende een groot en blijvend verdriet voor haar.

Na een lange en bloedige strijd was Hendrik erin geslaagd Gregorius te

onttronen en een marionet op de troon van de Heilige Petrus te zetten. Gregorius werd in ballingschap gestuurd, naar Salerno aan de kust, waar zijn familie een aanzienlijk landgoed bezat. Hij probeerde steun te verzamelen van bondgenoten in Normandië, maar Hendriks positie in Italië was te sterk. Het pausschap van Gregorius was voorbij, en daarmee zijn leven. In ballingschap was hij niet in staat zijn geliefde te schrijven, noch kon hij Rome redden van de tiran die zichzelf koning noemde. Gregorius verloor zijn levenskracht, de wil om door te leven, en werd getroffen door een slopende ziekte.
Ten slotte riep hij een van de weinige mannen bij zich die hij vertrouwde, en vroeg hem een laatste brief voor hem te schrijven. Een brief waarvan hij vurig bad dat die zijn weg zou vinden door het door oorlog verscheurde Italië. Hij gaf zijn koerier een van de weinige kostbaarheden die hem waren gebleven, een gouden ring met daarop in roodbruine kwarts de beeltenis van de Heilige Petrus, en vroeg de man een gelofte af te leggen dat hij ervoor zou zorgen dat de brief, en het pakje dat hij meestuurde, zijn bestemming zou bereiken. Het feit dat de boodschapper een eerlijk man was, en bovendien onverschrokken, was Gods laatste geschenk aan Gregorius VII die op 25 mei 1085 deze aarde verliet en zijn reis naar de hemel begon. In zijn laatste woorden, opgetekend door een klerk, fluisterde Gregorius VII: 'Ik had de rechtvaardigheid lief en haatte onrechtvaardigheid. Daarom sterf ik in ballingschap.'

## *Canossa*<br>*Juni 1085*

Conn was degene die Matilda het nieuws bracht van Gregorius' dood, ook al kwam dat niet als een verrassing. Ze wist het toen het gebeurde, op de dag en de minuut nauwkeurig.
'Het is onmogelijk de andere helft van je ziel te verliezen zonder dat in elke vezel van je wezen te voelen,' zei ze zacht. 'Ik rouw al weken om hem. Al sinds lang voordat het nieuws Canossa bereikte.'
Conn knikte. Hij had de ene militaire crisis na de andere moeten bezweren, en had daardoor niet bij haar kunnen zijn om haar te troosten. Ze was majestueus in haar rouw, als een koningin die haar koning had verloren, maar die wist dat ze moest doorgaan ter wille van haar volk.
'Tilda, er is vandaag een pakje voor je gebracht. Uit Salerno.'

Ze slikte krampachtig. Dat had ze niet verwacht. Boodschappen uit Salerno ontvangen – hetgeen betekende dat een koerier Rome had moeten passeren – was in de huidige onrustige oorlogstijd zo goed als onmogelijk. Het kon niet anders of de koerier had goddelijke bescherming genoten, dacht Matilda. Ze nam het pakje van Conn aan en maakte het zorgvuldig open, waarbij ze een dankgebed sprak voor de ontvangst van iets wat haar misschien een laatste groet van haar geliefde zou brengen.
Het pakje bevatte het portret van haar en Guidone – de Madonna met Kind in haar blauwe gewaad – dat ze vier jaar eerder naar Gregorius had gestuurd.

*Mijn geliefde, mijn volmaakte, mijn zoete duif...* begon de begeleidende brief.

*Ik mis je zo en ik heb in deze zware tijden zo naar je verlangd. God heeft ons gruwelijke beproevingen opgelegd, maar geen valt me zwaarder dan dat ik je niet kan vertellen hoezeer ik waardeer wat je allemaal voor me hebt gedaan. Hoe dankbaar ik ben voor alles wat je me hebt gegeven, alles wat je hebt opgeofferd voor ons ideaal van liefde en gelijkheid. Ik ben me bewust van de hoge prijs die je daarvoor hebt betaald. En niet alleen van jou, ook van je volk heeft het een zware tol geëist. Ik bid dagelijks vele malen dat God voor je zal zorgen en dat je geloof je vrede zal brengen.*
*Nu mijn dagen op aarde zijn geteld – tegen de tijd dat je deze brief ontvangt, áls je hem ontvangt, ben ik waarschijnlijk al bij onze hemelse vader en moeder – wilde ik je het portret teruggeven. Het is het enige wat me de kracht heeft gegeven om voort te leven in de verschrikkelijke periode van mijn ballingschap. Dit beeld van jouw kracht, en van de belofte die Guidone vertegenwoordigt, heeft me hoop gegeven toen ik die ontbeerde. Het was deze herinnering aan je schoonheid en aan de gewijde aard van onze liefde die me kracht heeft gegeven. Dit portret is het meest waardevolle wat ik in mijn leven bezit, en wanneer ik sterf wil ik niet dat het verloren gaat. Daarom stuur ik het terug naar jou, opdat je weet wat het voor mijn hart en ziel heeft betekend alle jaren dat het in mijn bezit is geweest.*
*Mijn laatste woorden aan jou, mijn geliefde, zijn deze: treur niet om mijn heengaan. Het is iets wat je moet vieren. Want daardoor zal ik elke nieuwe dag naast je kunnen staan. Daardoor zal niets – geen macht van mens of aarde – me nog van je kunnen scheiden. En ik zal aan je zijde strijden voor waarheid en gerechtigheid.*
*Semper. Altijd.*

Conn, die naast haar had gestaan terwijl ze de brief las, liet haar alleen toen hij zag dat haar schouders begonnen te schokken. Terwijl hij zich de gang door haastte, om haar de rust en de afzondering te geven die ze nodig had, hoorde hij hoe de geluiden van haar uitbarsting van verdriet werden weerkaatst door de eeuwenoude muren van Canossa. Nooit, in zijn hele veelbewogen leven, had hij iets hartbrekenders gehoord dan Matilda's hartstochtelijke rouwbeklag.

Ik zeg u, er zijn slechts twee geboden die alle mannen en vrouwen altijd en immer moeten naleven:
Heb God, uw Schepper in de hemel, lief met uw hele hart en ziel.
Heb uw naaste lief als uzelve, in het besef dat alle mannen en vrouwen uw naasten zijn en dat u door hen lief te hebben God liefhebt. Zovelen zoeken de hele aarde af en beseffen niet dat ze dagelijks van aangezicht tot aangezicht staan met het goddelijke, want het goddelijke leeft in ieder van ons.
Als de hele mensheid zich immer en altijd hield aan deze twee geboden, zou er geen oorlog zijn, geen ongerechtigheid, geen lijden. En dit zijn geen wetten die bepalen welke offers we moeten brengen, wat we wel en niet mogen eten, hoe we ons leven moeten inrichten. Dit zijn wetten van liefde.
Hoe simpel is de ware wil van God!

Wie oren heeft om te horen, die hore.

– Uit *Het Boek der Liefde*
zoals bewaard gebleven in *Het Libro Rosso*

# 16

*Mantua*
*1091*

De metaalachtige stank van bloed drong in Matilda's neus. Ze moest haar adem inhouden om niet te kokhalzen. Hendriks troepen hadden in bijna heel Toscane op grote schaal slachtingen aangericht. Ze waren plunderend door het land getrokken, hadden dorpen en steden in de as gelegd en vrouwen verkracht met een koortsachtige wraakzucht die het voorstellingsvermogen van ieder fatsoenlijk mens te boven ging. De stad waar Matilda haar jeugd had doorgebracht, was onherkenbaar verminkt. Het bloed stond in plassen op de straten, overal lagen – gruwelijk toegetakeld en opengereten – de lijken van haar geliefde Toscaanse onderdanen. Hele families, van grootvaders tot peuters, waren aan de uitstekende dakspanten van hun huizen gehangen, als symbool van haat. Hendrik had geen middel onbeproefd gelaten om Mantua, Matilda's grootste en meest waardevolle bolwerk, het ultieme slachtoffer te maken van haar ontrouw jegens de koning.

Als ze daar nog aan had getwijfeld, maakte de aanblik die haar hier werd geboden een eind aan elke onzekerheid.

Lopend door de smeulende puinhopen zochten Matilda en Conn naar overlevenden, vergezeld door een escorte van haar meest onverschrokken mannen. Toen ze een van de grotere huizen naderden, aan de rand van de stad en met een flinke hoeveelheid vruchtbaar bouwland erachter, had Matilda het gevoel alsof haar hart bonsde in haar keel. Ze kende dit huis. Het behoorde toe aan Margarethe, haar verre nicht, van de Lotharingse kant van de familie. Doordat haar verplichtingen haar zo vaak uit Mantua hadden weggeroepen, had Matilda niet de kans gekregen om haar nicht echt te leren kennen, hoewel ze dat wel van plan was geweest. Nu had ze alle reden om te betreuren dat ze in het verleden nooit een bezoek had gebracht aan dit huis – aan haar nicht en haar familie. Het was een van de wreedste lessen van het leven dat de meeste mensen pas beseffen hoeveel kansen op liefde en vriendschap ze hebben gemist wanneer het te laat is. Matilda was zich ervan bewust dat zowel Margarethe als haar man een trouwe volgeling was geweest. Beatrice had het vaak over hen gehad. Terwijl ze het huis naderde, hoorde Matilda in gedachten de stem van haar moeder, die vertelde hoe kostbaar de trouw van goede vrienden was. Merkwaardig genoeg hadden Hendriks soldaten uitgerekend dit huis niet in de as gelegd. De deur was ingetrapt, en er waren duidelijk sporen van plundering en vandalisme, maar het huis zelf was nog intact. Matilda vroeg zich af waarom het was gespaard en bad dat ze er nog een spoor van leven of hoop zouden aantreffen. Toen ze het huis wilde betreden, stond Conn erop haar voor te gaan, wantrouwend als hij was en altijd gedreven door de drang haar te beschermen.

Conn was gehard door alle oorlogen die hij had meegemaakt, maar zelfs voor hem was de aanblik die hun in het huis wachtte onverdraaglijk. Happend naar adem klapte hij dubbel. Twee vrouwelijke slachtoffers – waarschijnlijk Margarethe en haar dochter – waren als vee vastgebonden, naakt, met doorgesneden keel. Zowel de moeder als het meisje, dat niet ouder kon zijn geweest dan een jaar of tien, elf, had donkerpaarse plekken op de dijen – een stilzwijgende en gruwelijke getuige van wat hier was gebeurd in de nasleep van een oorlog waarin mannen hun menselijkheid verloren. Conn draaide zich om en wilde Matilda tegenhouden, maar het was al te laat. Ze stond vlak achter hem, starend naar het gruwelijke tafereel. De tranen liepen over haar gezicht. Ondanks haar overweldigende verdriet – of misschien juist daardoor – ontging het haar niet dat beide tragische slachtoffers rood haar hadden.

'Bid met me, Conn. Laten we bidden voor onze zusters, dat hun zielen zijn verenigd in de hemel en dat ze nooit meer pijn zullen kennen.'

Conn knikte, maar de stem die antwoordde was niet de zijne. Het schorre, zachte geluid kwam uit een donkere hoek. 'Ik zal met u bidden.'

Matilda schrok, Conns hand vloog in een reflex naar zijn zwaard, en ze wachtten allebei af, doodstil, om te zien wat er zou gebeuren.

Er kwam een man uit de schaduwen tevoorschijn. Een gebogen, gebroken verschijning. Ooit was hij de rijzige, sterke heer des huizes geweest, maar het geweld waarvan zijn familie en hij het slachtoffer waren geworden, was meer dan hij had kunnen verdragen. Zodra Matilda hem in de ogen keek, besefte ze dat zijn geest net zozeer was gebroken als zijn lichaam. Of eigenlijk had hij nog maar één oog. Het andere was uitgestoken door een Duitse dolk.

De man, Ugo de Manfredi, werd op een draagstoel mee teruggenomen naar Canossa. De lichamen van zijn vrouw en zijn dochter waren zorgvuldig in linnen doeken gewikkeld en lagen op de kar achter de draagstoel, op weg naar een gepaste begrafenis. Matilda verzorgde Ugo zelf, een en al aandacht voor zowel zijn geest als zijn gewonde lichaam. Naarmate er weer iets van kracht in hem terugkeerde, deed hij verslag van de nachtmerrie die de Duitse troepen hem hadden doen doormaken.
De soldaten hadden het huis omsingeld en de deur ingetrapt. Hij had hen zien aankomen, maar er was geen tijd meer geweest om zijn familie in veiligheid te brengen. De vrouwen hadden zich onder een matras verborgen, maar waren uiteindelijk ontdekt omdat een van de Duitse verkenners hen dagen eerder op het veld aan het werk had gezien. Hij had zich de vrouwen herinnerd vanwege hun ongebruikelijke haarkleur – de commandant gaf een bonus aan mannen die een dergelijke uitgelezen en bijzondere oorlogsbuit wisten te bemachtigen. Ugo sprak over de adellijke afkomst van zijn vrouw, wier familie afkomstig was uit Bouillon, en hij vertelde dat haar vader in dienst van Bonifacio was getreden toen ze nog een kind was. Matilda was diep geschokt door het verschrikkelijke lot dat haar verwanten had getroffen terwijl ze luisterde naar de rest van Ugo's gruwelijke verhaal. Ugo was als eerste gevangengenomen en hem was gevraagd naar zijn loyaliteit. Lag die bij de hoer van Toscane of bij hun door God benoemde koning Hendrik? Als Toscaan in hart en nieren zou Ugo nooit een valse gelofte afleggen, zeker niet als hij daarmee de vrouw verloochende die had gezorgd voor vrede en welvaart in zijn land, net zoals haar vader dat vóór haar had gedaan. Hij sprak zich uit voor Matilda, in het besef dat hem daarop alleen de dood kon wachten. Maar de soldaten doodden hem niet. Hij werd in leven gelaten, zij het gruwelijk mishandeld. Maar na wat hij vervolgens had moeten aanzien, had hij gewenst dat ze hem een genadige dood hadden laten sterven. Ugo haperde diverse malen tijdens zijn verhaal, want de gebeurtenissen waren zo verschrikkelijk dat woorden tekortschoten om ze te beschrijven.
Toen zijn vrouw en dochter waren ontdekt, werden ze ontkleed en vastgebonden, waarop de commandant van de troepen erbij werd gehaald om hen te inspecteren. De commandant was duidelijk een man van belang, en hij eiste dat de twee vrouwen trouw zwoeren aan de koning. Maar Ugo's vrouw was behalve familie van hun geliefde gravin ook vurig loyaal jegens haar. Moeder noch dochter wilde een gelofte afleggen tegen Matilda. Er brandden tranen in Ugo's ogen terwijl hij verslag deed van de dapperheid waarmee zijn kleine meisje had verklaard dat ze Toscaanse was en familie

van de gravin. Tragisch genoeg hadden de twee vrouwen de hoogste prijs moeten betalen voor hun moed en loyaliteit.
De hoogmoedige, heerszuchtige commandant misbruikte hen als eerste en liet hen vervolgens over aan de grillen van de vijftien resterende soldaten. Niet alle mannen toonden zich bereid de vrouwen te verkrachten, maar de commandant stond erop, vastberaden om hun vernedering zo gewelddadig mogelijk te maken. Angstig voor hun meerdere volgden de soldaten zijn bevelen op. En al die tijd werd Ugo gedwongen getuige te zijn van de gruwelen waarvan zijn dierbare vrouw en dochter het slachtoffer werden.
Als God nog enige genade had met Ugo, dan lag die in het feit dat beide vrouwen bewusteloos waren tegen de tijd dat hun de keel werd doorgesneden. Sterker nog: waarschijnlijk waren ze al dood. Ugo wist bijna zeker dat zijn dochter was bezweken tijdens de aframmelingen waarmee de verkrachtingen gepaard gingen. De commandant had overwogen het meisje mee te nemen om zich later op de avond nog verder met haar te vermaken, maar bij nadere inspectie zag hij daarvan af. Ze was te beschadigd om hem nog van dienst te kunnen zijn. En dus werd de opdracht gegeven hen te doden als varkens in het slachthuis. Een tweede commando luidde dat Ugo werd 'gebrandmerkt' op een manier die de wereld zou laten zien wat er gebeurde met hen die zo dwaas waren Hendrik af te wijzen en zich loyaal te verklaren jegens Matilda.
Het laatste wat Ugo zich herinnerde, voordat de dolk zijn oog naderde, was het beeld van de aanvoerder van de troepen. De hooghartige commandant spuugde hem in het gezicht en verklaarde: 'Ik heb je laten leven zodat je een boodschap kunt afleveren aan die teef van een nicht van je. Zeg tegen de Hoer van Toscane dat ik elke stad die ze opeist als de hare, en iedere vrouw die zich loyaal verklaart jegens haar, zal verkrachten en verminken. Net zo lang tot ze me op haar knieën smeekt om vergiffenis. Dat is de enige reden dat ik je je tong niet laat uitrukken, verrader!'
Daarop gaf de heerszuchtige commandant, die de familie Manfredi had verkracht en vermoord, zijn soldaat het teken om een merkteken achter te laten door de heer des huizes te verminken. Verlangend te zien wat voor oorlogsbuit hem nog meer in Mantua wachtte, beende de commandant vervolgens het huis uit.
Zijn volgende doelwit was al even persoonlijk, en iets waar hij naar uitkeek om het eigenhandig te plunderen: het klooster van San Benedetto de Po. Het was Matilda's spirituele toevluchtsoord, haar 'Orval van het Zuiden', en een monument voor Bonifacio's familie. De wraak om het haar te ontnemen zou zoet zijn.

Meer dan tweeduizend jaar voor de geboorte van Onze Heer bestond er in Frankrijk een uit hout gesneden voorstelling van een vrouw die een zuigeling wiegde op haar knie. De heidense bewoners van de streek hadden een grootse profetie ontvangen, een openbaring van hun druïden dat een onbevlekte jonge vrouw het leven zou schenken aan een god, en dat die god de wereld het licht en de waarheid zou brengen. Deze heidense bewoners werden de Carnuten genoemd, en zij waren degenen die hun naam gaven aan de stad die uiteindelijk rond deze terp zou ontstaan: Chartres.

Aan de voorstelling van de onbevlekte vrouw met kind werden magische eigenschappen toegedicht, omdat deze was gesneden in de holle stam van een perenboom die stond op een terp waarvan bekend was dat die heilig was. Want de lage heuvel bedekte wat de Carnuten de Wouivre noemden, een machtige en zuiverende ader van energie die onder het oppervlak door de aarde stroomde en die op deze plek zijn hoogste punt bereikte. De Carnuten begrepen dat de Wouivre de ader was waardoor het levensbloed van de planeet stroomde. Zo werd de heilige terp die het kloppende hart van de aarde markeerde een plek van spirituele initiatie voor mensen uit heel Europa, die erheen reisden om de energie door hun eigen aderen te voelen stromen. Het wezen van deze energiestroom stimuleert het goddelijke in iedere man en vrouw. Het is iets wat niet te verklaren valt, maar eenmaal ervaren, kan een mens het nooit meer vergeten. Dit is een plek waar de geest wordt gewekt en waar mensen volledig anthropos worden, de volledige verwezenlijking bereiken, de eenwording van lichaam, geest en ziel.

Wat deze zeldzame plek nog gewijder maakte, was een heilige bron, een kloof die tot diep in de aarde reikte en die was gevuld met water uit de magische schoot van de Vrouwe Die de Aarde Was. De Heilige Moeder van Ons Allen werd hier, op deze plek, sinds mensenheugenis aanbeden. Onder vele namen. Bij de Carnuten heette ze Belusama, en in deze gedaante brengt ze ons het verhaal waarvoor we zijn gekomen. Belusama was de vrouw en de metgezel van God, die voor de Carnuten Een en Onkenbaar was. Ze noemden hem Belen, omdat die naam in harmonie was met de lente-equinox, wanneer dag en nacht in volmaakt evenwicht verkeren, vandaar de naam equi-nox die betekent dat de nacht even lang is als de dag: donker en licht in harmonie met elkaar.

Belen had aan zijn zijde een zusterbruid. Zuster omdat ze de andere helft was van zijn ziel, bruid omdat ze zijn geliefde was. Deze zusterbruid was de stralende Belusama. Belen heerste over de hemel en de lucht, zijn vrouw over het land en de zee. Want de mannelijke hemelgod bedekt de vrouwelijke aardegod in een natuurlijke, gewijde eenwording. Samen waren ze heel. Landen, vele landen wer-

den gewijd in hun naam, en voor dit verhaal is het noodzakelijk te weten dat de streek waar Chartres werd gesticht, en waar de magische Wouivre zich met zijn helende, gewijde stroom door de aarde slingerde, sinds een ver, ver verleden naar de vrouw van God was genoemd. Door de nevelen van de tijd heette de streek Belusama, dat zich ontwikkelde tot La Belusa, en ten slotte, in het huidige Frans: La Beauce. Zo is Chartres in de oude etymologie 'het heilige land van de Carnuten die leefden in de heilige streek van de Moeder van Ons Allen, La Beauce'. Was de beeltenis in de perenboom een voorstelling van Belusama, de onbevlekte vrouw van God die nieuw leven zou baren in de gedaante van een menselijk kind? Ja, maar de beeltenis was nog meer. Deze was een voorstelling van het goddelijk vrouwelijke in de schepping, dat er altijd zal zijn.
Het vrouwelijke gezicht van God.

– De legende van het Heilige Land van Chartres en La Beauce
zoals bewaard gebleven in *Het Libro Rosso*

---

*Canossa*
*1091*

*Het Libro Rosso* was veilig in Canossa, en dat gold ook voor de Meester. Hij bracht net een bezoek aan San Benedetto de Po, omdat hij betrokken was bij het onderricht van Matilda's zoon, toen Hendrik aan zijn opmars naar Mantua begon. De Orde had tijd genoeg om wat was gebleven van hun kostbare voorwerpen – alles wat niet was omgesmolten of verkocht in een laatste poging Gregorius VII bij te staan – in veiligheid te brengen. Matilda's kind ontsnapte, samen met diverse broeders, naar de heuvels boven Florence, waar tientallen jaren eerder een nieuwe orde was gesticht door een heilige monnik die Giovanni Gualberto heette. De Orde van Vallombrosa werd gevormd door benedictijnen die buitengewoon strikt waren in hun hervormingen en die door de abt van Cluny werden erkend als de heiligste van Gods broeders. Als zodanig durfde koning Hendrik IV hen niet lastig te vallen. Het klooster bij Vallombrosa werd tot neutraal terrein verklaard en was daardoor een veilige haven voor diegenen onder Matilda's broeders die daar hun toevlucht zochten.

Deze broeders van de Orde zouden uiteindelijk opgaan in de benedictijnen van de Orde van Vallombrosa, waardoor heimelijk een hybride filosofie ontstond van strikte monastieke regels en ketterse principes, die Matilda tot haar dood financieel zou blijven steunen. Het was de Orde van Vallombrosa die de Florentijnse bezittingen van Santa Trinita zou overnemen, waar Matilda als opgroeiende jonge vrouw was ingewijd in de leer van de Orde. Vierhonderd jaar later zou het belang hiervan – het belang van Matilda's financiële steun en het beklijven van de meest gewijde leringen van de Orde – duidelijk worden toen Santa Trinita evolueerde tot de schoot waaruit de Renaissance werd geboren.

Matilda had de ochtend gewijd aan het schrijven van een dedicatie aan Santa Trinita, een wettig document dat de Orde zou verzekeren van een voortgezette financiële steun uit Rome in geval van haar dood. Het schrijven had een zwaar beroep gedaan op haar wetskennis, en ze was geestelijk uitgeput. Er was haar echter geen rust vergund in een tijd waarin haar gebieden en haar volk in zulk groot gevaar verkeerden. Dus zodra ze haar pen had neergelegd om de inkt te laten drogen, ging ze op zoek naar Conn voor een strategische bespreking. Want Hendrik had San Benedetto de Po geplunderd zoals hij alles wat er over was van Mantua had geplunderd en verwoest. Canossa was nog het enige veilige bolwerk dat hun restte, en ze moesten erop kunnen vertrouwen dat het veilig bleef.

Een van Conns mannen kwam Matilda melden dat hij zijn kapitein voor het laatst had gezien toen deze op weg was naar de kapel. Het was Matilda opgevallen dat Conn daar sinds de slachtpartijen in Mantua veel tijd doorbracht. Toen ze de kapel bereikte, waarvan de deur op een kier stond, zag ze dat Conn eerbiedig geknield lag, in gebed verzonken, samen met de Meester voor *Het Libro Rosso*. Ze keek zwijgend toe en wachtte tot de twee mannen zich oprichtten voordat ze de kapel betrad.

De Meester moest inmiddels stokoud zijn. Toch was hij nauwelijks veranderd sinds Matilda hem als kind voor het eerst had ontmoet. Hij leek wat vermoeid, misschien een beetje versleten, maar tegelijkertijd in opmerkelijk goede vorm voor een man van zijn hoge leeftijd. En de jaren hadden in geen enkel opzicht zijn geest aangetast, of zijn hoofd.

'Kom binnen, lieve kind. Kom binnen.'

Matilda betrad de kapel, maakte een kniebuiging voor het prachtige, levensgrote beeld van Jezus en zijn dierbare Maria Magdalena, en hief toen haar hoofd op om de Meester op zijn getekende wang te kussen. Toen keerde ze zich naar Conn, die er nogal schaapachtig uitzag, alsof hij was betrapt op iets wat ongepast was, zelfs gênant.

'Mijn twee favoriete mannen in de hele wereld,' zei Matilda glimlachend. 'Maar wat kan hen in 's hemelsnaam bij elkaar hebben gebracht?' voegde ze eraan toe, zonder te proberen haar nieuwsgierigheid te verbergen. Ze wist dat zich hier een plan ontvouwde, maar ze had geen idee wat dat zou kunnen zijn.

De Meester keek naar Conn, die net zo rood werd als Matilda's haar. 'Voordat ik vertel tot welke beslissing de Meester is gekomen – een beslissing die ik van harte onderschrijf – moet ik je een verhaal vertellen, kleine zuster.'

Het was typisch iets voor Conn om met een verhaal te komen wanneer de tijden het zwaarst waren, dus was Matilda niet verrast door dit antwoord. Ze had echter een vermoeden dat dit verhaal in niets te vergelijken zou zijn met alle verhalen die hij haar eerder had verteld. De Meester verontschuldigde zich en liet hen alleen achter in de kapel, alleen met de verhalen die deze bevatte.

Na bijna twintig jaar zwijgen vertelde Conn van de Honderd Slagen, de man die was vernoemd naar de oude Keltische krijger, het verhaal van zijn lange reis naar een nieuw leven in Toscane.

Conn was geboren in de provincie Connacht, waar hij was gedoopt als Conchobar Padraic McMahon. Als jongen van vijftien zomers verliet hij het westen van Ierland, nadat zijn dorp bij een invasie door de Noormannen was geplunderd en de bevolking was afgeslacht. Drie jaar eerder was hij vrijwillig toegetreden tot een klooster, waar hij zich had gewijd aan de studie van de taal en het geloof. Studeren, het vergaren van kennis, was zijn passie, zijn leven, en zijn roeping als monnik was maar al te gewillig aanvaard door zijn vader, die met zeven zonen blij was dat hij één mond minder te voeden had. Op het moment dat de Noormannen binnenvielen, was Conn op een bevoorradingsmissie naar een klooster verder naar het noorden, in Galway, om inkt en perkament te halen voor de manuscripten die de novicen leerden te verluchten. Conn bleef dus ongedeerd door de kwaadaardige storm uit Scandinavië die zijn streek teisterde.

Nadat de meeste Vikingen in 1014 uit Ierland waren verdreven door de grote koning, Brian Boru, waren er nog altijd verspreide gebieden waar de gewelddadige krijgers uit het noorden plunderend binnenvielen. Het vaakst werden de rijkere gemeenschappen langs de rivieren getroffen, omdat daar niet alleen de grootste buit te halen viel, maar omdat de plunderaars vandaar ook het gemakkelijkst konden ontsnappen met hun smalle, snelle schepen. Tijdens een van deze plundertochten langs de Shannon werd Conns geboortestadje met de grond gelijkgemaakt, waarbij de inwo-

ners – onder wie Conns ouders, zijn zusters en zijn broers – een wrede dood vonden.
Conns klooster werd leeggeroofd en in de as gelegd; de zachtmoedige, ontwikkelde broeders die zijn tweede familie waren geworden, werden in stukken gehakt. Nu was Conn echt een wees. Erger nog: hij kon de aanblik van zijn verkrachte dorp en ontwijde klooster niet verdragen. In de dagen na de overval begroef hij zijn familie en zijn broers, waarna hij op weg ging met het vaste voornemen Ierland te verlaten. Hij kon niet langer blijven in een land waar zulk gruwelijk geweld dagelijks tot de mogelijkheden behoorde, terwijl het enige wat hij verlangde de rust en de vrede waren om te kunnen studeren.
Uit gelukkiger dagen bij de broeders herinnerde Conn zich een bezoekende monnik uit Gallië. Hij was de meest ontwikkelde en geleerde man die Conn ooit had ontmoet. Een fascinerende, wijze figuur, maar bovendien liefdevol en zachtmoedig – kwaliteiten die zeldzaam waren voor een geleerde. Conn had oprecht gehouden van alle broeders in het klooster, zelfs van de strenge abt die hem soms sloeg wanneer hij werd betrapt met boeken over de heidense Keltische mythologie uit de kloosterbibliotheek. Maar deze Franse monnik was de eerste waarlijk heilige man die Conn had ontmoet. De monnik, die zei geen naam te hebben, had Conn verteld over zijn opleiding op een plek die Chartres heette, waar een school van de geest was gevestigd zoals die nergens anders op aarde te vinden was. Wanneer de oudere monniken allang naar bed waren, bleef Conn wakker om te luisteren naar de duidelijk ketterse verhalen van de Fransman. Toch was Conn niet geschokt door de gezichtspunten van de vreemdeling. Integendeel, hij vond ze fascinerend, herkende een vreemde waarheid in het schokkende perspectief, en elke onthulling maakte dat hij hongerde naar meer informatie.
De bezoeker vertelde Conn over Fulbert, de bisschop van Chartres en tevens de drijvende kracht achter de beroemde school die aan de kathedraal was verbonden. Toen in 1020 een tragische en mogelijk aangestoken brand een deel van de kathedraal in de as legde, was Fulbert degene die zorgde voor de wederopbouw in een degelijke, traditioneel romaanse stijl. Hij besteedde grote zorg aan het inhuren van de beste ambachtslieden en concentreerde zich met name op de heilige crypte onder de kathedraal. Deze crypte was gebouwd boven een terp met een middeleeuwse bron die de heiligste op aarde zou zijn, en met een perenboom waarvan in de stam een beeltenis van Notre Dame was gesneden, die Onze-Lieve-Vrouwe onder de Aarde werd genoemd. Fulbert beschermde en bewaarde dit alles met de grootste zorg.

De Franse monnik vertelde ook over de leringen van de grote Grieken, in het bijzonder Plato en Socrates, en over de dialectiek, de leermethode van het beschaafde debat die een van de vrije kunsten was. Deze methode leerde mensen voorstellen en tegenvoorstellen te overwegen en grondig te analyseren. En ook bracht deze methode Fulberts grootste leerling voort, de man die in de geschiedenis bekend zou worden als Berengar van Tours. Bij het overlijden van zijn leermeester, Fulbert, zou Berengar het leiderschap erven van de School van Chartres, maar zijn venijnige strijd met de Kerk maakte hem berucht. Berengar verzette zich tegen de kerkelijke doctrine van de transsubstantiatie, het geloof dat het gewijde brood en de wijn van de eucharistie door de zegening letterlijk veranderen in het bloed en het lichaam van Christus. Berengar betoogde dat het hierbij niet ging om een fysiek, maar om een spiritueel concept, waarbij hij de vroegste kerkvaderen citeerde en een 'geheimzinnige oude tekst' om zijn betoog geloofwaardigheid te verlenen.

Deze heilige en geheimzinige tekst, door de Franse monnik *Het Boek der Liefde* genoemd, obsedeerde de jeugdige Conn. De broeder vertrouwde hem toe dat dit boek was geschreven door de Heer zelf en dat het na de kruisiging door Maria Magdalena naar Frankrijk was gebracht. Haar nazaten hadden het boek en de leringen daarin beschermd. Leringen die inmiddels, duizend jaar later, nog steeds navolging vonden. Maar het klimaat in Frankrijk was aan het veranderen. Het werd dogmatischer, minder verdraagzaam, en de geheime leer van de waarheid werd steeds meer als gevaarlijk gezien. Volgelingen van *Het Boek der Liefde*, de zuivere christenen die bekend zouden worden als de katharen, werden gedwongen onder te duiken en geheime manieren te vinden om hun leer te blijven uitdragen. Dankzij het neoplatonisme en de wederopbloei van de aandacht voor de Griekse filosofie en dialectiek bleven de ketterse leringen in de streek La Beauce navolging vinden. Veel van de meer controversiële principes van de vroege christenheid werden als het ware in een Grieks jasje gestoken, zodat ze konden worden beargumenteerd als wetenschappelijk in plaats van ketters.

Bij een van deze dialogen daagde Berengar van Tours voor het eerst de doctrine van de transsubstantiatie uit. In zijn uitleg aan Conn citeerde de Franse monnik een van de leringen uit *Het Boek der Liefde*:

*Wat is mijn vlees? Mijn vlees is het Woord, de Waarheid van de Logos.*
*Wat is mijn bloed? Mijn bloed is de Adem, de verheffing van de Geest die het vlees bezielt.*

*Wie het Woord en de Adem ontvangt, zal zijn gevoed en gekleed.*
*Want het Woord en de Adem zijn de mens tot voedsel, ze drenken en kleden hem.*
*Dit brood is mijn vlees, en het is het Woord van de Waarheid.*
*Deze wijn is mijn bloed, en het is de Adem van de Geest.*

Conn was als verlamd. De woorden waren zonder twijfel ketters, maar ook onbeschrijflijk prachtig. En wat hem vooral trof, was dat Jezus het vlees en het bloed, het brood en de wijn, gebruikte als metaforen voor een spiritueler perspectief van de eucharistie.
De Kerk was echter niet in staat de schoonheid van dit perspectief te zien. De protesten in Frankrijk, en vervolgens het verzet van Rome, leidden bijna tot de ondergang van Berengar, die wegens zijn ketterij door de Franse koning werd gevangengezet en de rest van zijn leven onafgebroken in conflict leefde met de Kerk.
Conn droomde van de dag dat hij geestverwanten van de Franse monnik en zijn leermeesters kon ontmoeten, die alles uitdaagden uit naam van de waarheid en de wijsheid. Hij zwoer dat hij ooit deze school met eigen ogen zou aanschouwen, en die gelofte wilde hij gestand doen na het bloedbad aangericht door de Vikingen. Misschien zou hij in de School van Chartres de vrede vinden die hij zocht.
De jeugdige Conn reisde naar het zuiden, waar hij de kostbare inkt en het papier aan een klooster buiten Tralee verkocht. Met het geld dat hij daarvoor kreeg, betaalde hij zijn overtocht naar het land van de Normandiërs in Gallië. Vandaar zou hij naar Chartres reizen, hetzij te paard, hetzij te voet. Hij bad God hem vergiffenis te schenken voor het feit dat hij kloostereigendom voor zijn eigen belang had gebruikt, maar op dat moment had hij geen andere middelen, en bij wijze van boete zwoer hij goede werken te doen. En zo bereikte hij zijn bestemming, Fulberts kathedraal, recent gereconstrueerd op de plek van het in de as gelegde negende-eeuwse bouwwerk – op een plek die reeds duizenden jaren werd beschouwd als heilige grond.
Conn studeerde bijna tien jaar in Chartres, waar hij dankzij zijn snelle geest een kenner werd van het neoplatonisme, de Griekse taal en gedachte, het hele terrein van religieuze theorie en doctrine en de Europese geschiedenis. Het was echter de ketterse gedachte die hem raakte en zich in hem wortelde. De leringen uit *Het Boek der Liefde* werden Conns *raison d'être*. Deze leringen werden niet aan de studenten aangeboden. Ze maakten deel uit van de geheime mysterieschool die met de formele kathedraalschool

was verbonden. Toelating tot de mysterieschool moest worden verdiend door goede werken en door een sterke gedrevenheid om wijsheid te verwerven. Conn was een verbazingwekkende leerling en werd de materie in een ongeëvenaarde periode meester.

Het labyrint vormde een cruciaal onderdeel van de leringen van de mysterieschool. Voordat hij met zijn studie begon, liep Conn dagelijks de elf omlopen. In die tijd bezat de kathedraal zelf nog geen labyrint. Er was echter een volwaardig labyrint in de tuin, gelegd in stenen en gebaseerd op het ontwerp van Salomo, met een rond centrum waar de ingewijde zijn gebeden kon zeggen. In het hart van dit tuinlabyrint, in de schaduw van Fulberts herbouwde kathedraal, ontving Conn het visioen dat zijn leven zou veranderen.

Het begon met de verschijning van de aartsengel Michaël, de boodschapper van het licht die de duisternis verslaat. Met zijn vlammende zwaard van de waarheid en de rechtvaardigheid verscheen Michaël boven het labyrint. De engel herinnerde Conn eraan dat zijn naam, Micha-El, 'Hij die is als God' betekende. Toen zag Conn een klein meisje, van misschien een jaar of negen, tien, met rossig kastanjebruin haar en een uitzonderlijk energieke uitstraling. Ze werd aangevallen door onzichtbare krachten, en Michaël zwaaide met zijn zwaard boven het hoofd van het meisje om de duisternis te verdrijven die haar bedreigde. Toen keerde de engel zich naar Conn.

'Ziehier, je belofte. Het zal jouw taak zijn dit meisje, deze dochter van God, te beschermen. Boven al het andere en zolang dat noodzakelijk is. Je zult haar broeder worden en haar ridderlijke beschermer, je zult zijn wat ik ben voor jou: een engel van licht die de duisternis verslaat. Maar besef wel dat dit een strijd is tussen goed en kwaad, en dat je wordt geroepen om het kwaad te bestrijden.

Het kind wacht op je in Toscane. Ga naar de hertog van Lotharingen die woont in Florence. Daar zul je je roeping vinden: het kind dat aan je bescherming zal worden toevertrouwd.'

Conn was met stomheid geslagen. Het visioen was zo helder, de boodschap zo zuiver, dat hij geen enkele twijfel kende en niet anders kon doen dan gehoorzamen. Hij had tien jaar van zijn leven gewijd aan intensieve spirituele studie in het streven de goddelijke boodschap helder te kunnen ontvangen. Het krijgersbestaan had hem nooit getrokken. Hij was sterk en atletisch, een boomlange verschijning, maar het verlangen om soldaat te worden was hem vreemd. Waarom gaf God hem niet de kans om in Chartres te blijven en daar uiteindelijk een van de leermeesters te worden?

Waarom verlangde hij daarnaar als het niet zijn bestemming was? Het betekende een spirituele crisis voor Conn, want *Het Boek der Liefde* leert ons dat onze dromen niet toevallig zijn, niet willekeurig. Ze zijn het middel van onze ziel om ons eraan te herinneren wat onze taak is op aarde om onze belofte aan God gestand te doen. Waarom verlangde hij naar de rust en de vrede van de school, wanneer hij te horen kreeg dat zijn roeping de strijd, de oorlog was? Waarom hield hij zo oneindig veel van Chartres, waarom verlangde hij niets meer dan te kunnen leven en sterven in de schaduw van de gezegende kathedraal en de daaraan verbonden school van wijsheid?

Het zou jaren duren voordat Conn het antwoord ten volle begreep, en die jaren vormden een cruciale leerperiode. Want soms ontdekken we de redenen voor bepaalde zaken pas vele jaren nadat ze zo belangrijk voor ons waren.

Conn had een belofte gedaan aan zijn Heer, en die belofte zou hij gestand doen. Maar voordat hij zich de beschermer van de kleine prinses kon noemen, zou hij zijn krijgersvaardigheden moeten aanscherpen. En dus werd Conn huurling en verkocht hij zich als soldaat in heel Europa, om kennis en ervaring op te doen van de grootste legeraanvoerders op het continent. En eindelijk, toen hij de bijnaam 'Conn van de Honderd Slagen' had verworven, besloot hij dat het moment was gekomen om op zoek te gaan naar Matilda, in Florence. Na zijn benoeming bij hertog Godfried wachtte hij zijn tijd af en sloeg de kleine gravin onopvallend gade, tot de dag waarop Godfried bij hem kwam en hem vroeg haar wapenmeester te worden.

De tranen stroomden over Conns gezicht terwijl hij Matilda vertelde hoeveel hij van haar hield, hoe ze waarlijk zijn kleine zuster was naar hart en geest, en hoe haar verdediging de heiligste en eerzaamste plicht was waarom hij had kunnen vragen. Maar pas bij het vervolg van zijn verhaal besefte Matilda de reden voor zijn tranen.

Conn moest haar verlaten, vertelde hij, om een nieuwe fase van zijn bestemming te kunnen realiseren, tevens zijn ultieme droom. Hij ging naar Chartres, met de Meester. En ze brachten *Het Libro Rosso* naar een plek waar het voor altijd veilig zou zijn voor de arm van Hendrik en zijn verwoestingen.

❂

In navolging van de Lucchesi-tradities rond het Volto Santo werd er een kar gebouwd om *Het Libro Rosso* op dezelfde wijze te vervoeren als het Heilige Gelaat door Italië was gereden. Matilda zorgde voor twee sneeuw-

witte ossen die de kar zouden trekken waarop de Ark van het Nieuwe Verbond naar zijn nieuwe onderkomen zou worden gebracht. Het escorte zou met zijn kostbare lading uiterst voorzichtig moeten zijn tijdens de tocht door het door oorlog geteisterde noorden van Italië. De Ark werd verpakt in een simpele houten krat, zodat de met goud beslagen en met juwelen bezette pracht van het omhulsel aan het oog werd onttrokken. In de kar werd een dubbele bodem gemaakt, waaronder *Het Libro Rosso* werd verborgen, en er werd een ander relikwie 'geschapen' dat in de Ark werd gelegd. Een kunstenaar maakte een weergave van de witzijden sluier van Veronica, waarop een afdruk van het gezicht van Christus leek te zijn verschenen. Het was als het ware een spirituele woordspeling van de Orde, want het gezicht dat op Veronica's sluier verscheen, werd soms ook aangeduid als het Volto Santo, net als de gewijde schat in Lucca. Dit door mensenhanden gecreëerde relikwie werd bij wijze van veiligheidsmaatregel in de Ark gelegd: mochten de begeleiders van de Ark worden aangehouden door Duitse troepen, dan zouden ze zeggen dat ze de heilige sluier van Italië naar Frankrijk brachten, naar de veiligheid van de abdij van Cluny. Ondanks de barbaarse gewelddadigheden van de oorlog was het onwaarschijnlijk dat een Duitse soldaat monniken zou lastigvallen die zo'n gewijd voorwerp vervoerden. Bovendien reden ze Italië uit, en niet in.
Om overtuigend over te komen als monnik schoor Conn zijn hoofd. Toen Matilda hem voor het eerst zo zag, barstte ze in tranen uit.
'O god, je laat me echt alleen.' Ze wierp zich in zijn armen en huilde als een kind. Conn omhelsde en streelde haar, zong voor het laatst zijn Keltische liedjes.
'Het afscheid is maar tijdelijk. *Le Temps Revient*, kleine zuster. Je weet dat verwanten van de geest nooit echt gescheiden zijn. Ik zie je spoedig weer, waar God dat wil.' Hij liet haar los en legde zijn reusachtige hand onder haar kin. 'Er wordt goed voor je gezorgd. Arduino is een betere strateeg dan ik ooit ben geweest, de beste militair leider in heel Italië. Als iemand je kan helpen je bezittingen terug te winnen uit handen van Hendrik, dan is hij het. En je hebt bovendien een nieuwe waakhond. Een waakhond die geen vrees kent en die je zal beschermen met zijn leven.'
Hij doelde op Ugo Manfredi, de verminkte echtgenoot van Matilda's vermoorde nicht. Tijdens zijn herstel bracht Ugo veel tijd door met Conn. Hij was het grootste deel van zijn leven boer geweest, maar het werk had hem sterk en gezond gemaakt. En hij was slim. Die combinatie zou hem tot een machtig krijger maken, het soort krijger dat geen vrees kende omdat hij niets meer te verliezen had. Eenmaal hersteld werd Ugo dan

ook een factor om rekening mee te houden, vurig toegewijd aan de Toscaanse gravin die met eigen handen de helende zalven op zijn oogkas had gesmeerd.
Matilda misgunde Conn zijn opdracht niet. Integendeel, ze was dankbaar dat *Het Libro Rosso* en de Meester naar de plek zouden gaan waar ze het veiligst waren in heel Europa. Bij het afscheid gaf ze Conn een klein bundeltje. 'Ik wil graag dat je haar meeneemt. Ze is bij me geweest sinds mijn geboorte, en ik heb altijd het gevoel gehad dat ze over me waakte. Nu zal ze over jullie waken.'
Conn wikkelde de lap stof van het verbleekte, maar nog altijd prachtige beeldje van de Heilige Modesta. Er kwamen tranen in zijn ogen. 'We gaan naar huis. Wij allebei,' fluisterde hij.
Matilda nam zijn vrije hand in de hare en begon aan de heilige recitatie die geldt voor de liefde in al zijn gedaanten, een sacrament dat hij net zo goed kende als zij:

*'Ooit had ik je lief*
*net als vandaag*
*en ooit zal ik je opnieuw liefhebben.*
*De Tijd Keert Weder.'*

Met verstikte stem spraken ze samen de gewijde woorden, voor het laatst in hun leven.

# 17

*Vaticaanstad*
*Heden*

Anders dan bij haar vorige bezoeken betrad Maureen de Sint-Pieter om respect te betuigen aan de vrouw voor wie ze naar Rome was gekomen. De vrouw van wie ze het gevoel had dat ze haar inmiddels intiem had leren kennen: de wonderbaarlijke, inspirerende en indrukwekkende Toscaanse gravin Matilda van Canossa.

Matilda's biografie eindigde met het vertrek van Conn en de Meester naar Chartres. Het leek alsof Matilda het daarna niet meer had kunnen opbrengen verslag te doen van haar leven. Gregorius was dood, haar spiritueel raadsman en beste vriend hadden haar verlaten en waren naar Frankrijk vertrokken. Ook Anselmo was dood. Isobel gaf leiding aan de Orde in Lucca. Matilda bleef strijden tegen Hendrik en voor Toscane, met als belangrijkste drijfveer het veiligstellen van de troon van de Heilige Petrus voor seculiere invloed. Ze deed het allemaal omdat ze de gelofte had afgelegd dat te doen – een gelofte aan God, aan zichzelf en aan haar volk. En ze zou niet rusten tot ze die gelofte gestand had gedaan.

Er waren nog meer bladzijden in Matilda's autobiografie, maar deze betroffen dagboekaantekeningen die gebeurtenissen van groot belang tot onderwerp hadden. Een van de teksten die Peter hadden geraakt, had als onderwerp: *Brief van Patricio, die Orval verruilt voor Chartres.* Er stond niet bij waarom Patricio zijn geliefde Orval verliet, maar Matilda moest hevige strijd leveren om haar gebieden in Lotharingen te behouden, en waarschijnlijk verkeerde Patricio als haar bondgenoot door de oorlog in een gevaarlijke positie.

Peter had zich met grote gedrevenheid verdiept in Matilda's latere leven, zodat hij het verhaal kon afsluiten voor Maureen, die geobsedeerd was geraakt door de Toscaanse gravin. Ze wilde dolgraag weten of Matilda ooit gerechtigheid had gezien waar het Hendrik IV betrof, en Peter was blij haar daarover uitsluitsel te kunnen geven. De strijd duurde nog vele jaren, maar uiteindelijk won Matilda de oorlog om Toscane, en tegen Hendrik. Hendriks vrouw en zoon liepen uiteindelijk zelfs over naar het kamp van Matilda en zochten in Toscane toevlucht voor de tirannieke Hendrik, die zijn vrouw zo gruwelijk had misbruikt dat ze juridische stappen tegen hem ondernam. Uit historische documenten bleek dat koningin Adelaïde, een Russische prinses, Matilda smeekte om asiel, waarbij ze de vreselijkste verhalen vertelde over Hendriks seksuele perversiteiten, inclusief orgieën en zwarte missen.

Maureen was getroffen door dit verbazingwekkende aspect van Matilda's verhaal. Al honderden jaren voordat dat begrip populair werd, was de Toscaanse gravin een voorvechtster geweest van vrouwenrechten. Ze was de eerste vrouw die een prenuptiale overeenkomst eiste, net zoals ze ook de eerste vrouw was die onderdak bood aan slachtoffers van huiselijk geweld en hen beschermde tegen de daders – zelfs wanneer de misbruiker een koning was.

Langzaam en zorgvuldig, met de strategie van een schaakgrootmeester, werkte Matilda aan de wederopbouw van haar geliefde Toscane. Uiteindelijk herwon ze haar politieke macht en haar rijkdom, en toen ze dat eenmaal had bereikt, trok ze op tegen Hendriks bolwerken in Italië. In de herfst van 1092 voerde ze, gehuld in haar inmiddels legendarische koperen wapenrusting, haar legers aan tegen Hendriks troepen die de streek rond Canossa al veel te lang bezet hielden. Volgens alle historische verslagen was haar veldtocht een voorbeeld van ongekend vindingrijk militair vernuft. Met Ugo Manfredi en Arduino della Paluda aan haar zijde verpletterde Matilda de Duitsers. Zodra ze hun operatiebasis hadden heroverd verdreven de Toscaanse troepen in de daaropvolgende drie jaar de Duitsers uit het grootste deel van Matilda's gebieden. De rest van haar lange leven zou haar gezag niet meer worden uitgedaagd.

Na Matilda's terugkeer aan de macht steunde ze de nieuwe paus, die was toegewijd aan de nagedachtenis van Gregorius en diens vastberadenheid om het pausschap te ontdoen van elke seculiere invloed. Paschalis II was een vurig verdediger van de onafhankelijkheid van Rome en een onbuigzaam tegenstander van wereldlijke inmenging in spirituele zaken. Tot haar dood onderhield Matilda een hechte relatie met deze nieuwe paus. De overeenkomst tussen diens naam en de hare ontging Maureen niet. Er kwam in deze geschiedenis geen eind aan de verbanden.

In een nieuw besef van de schitterende vrouw die hier was afgebeeld, liep Maureen naar de marmeren tombe. Matilda hield de pauselijke tiara en de sleutels van de Kerk in handen, want ze had hier geleefd en geregeerd met haar geliefde. Samen waren ze in hun tijd de manifestatie geweest van Salomo en Sheba, en misschien zelfs van Jezus en Maria Magdalena, van El en Asherah. Ze waren de belichaming van hun eigen heilige concept: De Tijd Keert Weder.

En Bernini, de grote meester van de barok die het ontwerp van de Sint-Pieter overnam van Michelangelo, wist dat. Hij schiep een machtige, elegante beeltenis die de waarheid in marmer zou bewaren. Voor wie ogen had om te zien.

*Kunst zal de wereld redden.*

Maureen streek met haar hand over het koude marmer, bewerkt door een kunstenaar die meer wist dan hij vertelde, en bestudeerde de beeltenis van een tafereel uit Matilda's leven dat de deklaag van de tombe sierde. Eerder zou het haar niets hebben gezegd. Maar het was de gebeurtenis in Canossa: Hendrik op zijn knieën, smekend om vergiffenis. Paus Gregorius VII bekleedde de centrale plaats, zetelend op zijn troon. Matilda stond naast hem, zoals ze letterlijk en figuurlijk naast hem had gestaan in hun lange, veelbewogen leven samen.

Matilda's verhaal inspireerde Maureen meer dan enige andere geschiedenis die ze ooit had onderzocht, mogelijk met uitzondering van hun gedeelde voorouder, Maria Magdalena. Met haar ongeëvenaarde toewijding aan de zaak van gelijkheid van mannen en vrouwen, haar passie voor liefdadigheid en voor het verbeteren van het lot der armen, had ze een bijdrage geleverd aan de teloorgang van de duistere middeleeuwen door het aantreden van een nieuwe tijd, een tijdperk van licht. Matilda was in veel opzichten de eerste moderne vrouw.

En wat het voornaamste was: Matilda had al haar beloften gestand gedaan. Ze had de strijd nooit gestaakt voor de hervormingen die Gregorius had geprobeerd te implementeren. Duizend jaar later werden de hervormingen die Gregorius VII met Matilda aan zijn zijde had doorgevoerd beschouwd als cruciaal voor het fundament van de Kerk.

Ze had haar leven gewijd aan het volk en de welvaart van Toscane, ze had centra van spiritueel onderricht gesticht in heel Italië en was erin geslaagd haar eigen bisschop Anselmo heilig te laten verklaren en ook bij het nageslacht als heilige te laten voortleven. Ze ontwierp bruggen en gebouwen, ze verfraaide bestaande bouwwerken met kunst: schilderijen, mozaïeken en beelden. Zo werd ze de eerste officiële beschermvrouwe van de kunsten in Toscane. Op die manier was ze de voorloper van de grote begunstigers van de schone kunsten in de late middeleeuwen en de Renaissance. Matilda stond erop dat haar kunstenaars en beeldhouwers hun werk ondertekenden,

iets wat in die tijd nog geen gebruik was. Want ze geloofde dat het nageslacht zich de namen moest herinneren van hen die zoveel schoonheid hadden geschapen.
Als geschenk aan haar geliefde Lucca ontwierp en financierde ze een schitterende brug over de Serchio die zowel de handel als het menselijk verkeer zou bevorderen. Ze noemde de brug de Ponte della Maddalena, Magdalena's Brug, en hij vormde een waardig eerbetoon aan de kunstzinnige en technische vaardigheden van de grote vrouwe. De brug was gebouwd als een halve cirkel die leek op te rijzen uit de rivier. Gezien van een afstand vormde de weerspiegeling in het water samen met de brug een geometrisch volmaakte cirkel. Dankzij de weerspiegeling werd de cirkel rond.
En gedurende haar hele uitzonderlijke regeerperiode bleef Matilda van Canossa toegewijd aan de leringen van de Weg van de Liefde. Ze zorgde voor gelijkheid en verdraagzaamheid bij haar volk, in een tijd waarin er nog niet eens woorden bestonden voor dergelijke concepten. Ze was een bijzondere, unieke vrouw met een episch leven en een legendarische erfenis.
Ze was, heel simpel: Matilda. bij de Gratie van God Die Is.

Toen Adam, de eerste mens, stervende was, smeekte hij de aartsengel Michaël hem op zijn doodsbed te bezoeken. Micha-el, de engel wiens naam betekent Een Die is Als God, kwam bij Adam en zei dat hij een laatste verzoek mocht doen. Daarop vroeg Adam dat hem een zaad werd gegeven van de Boom des Levens, het symbool van de heilige moeder Asherah, opdat hij al haar wijsheid zou bezitten en hem de mysteries van het leven op aarde zouden worden onthuld voordat hij deze verliet, en opdat misschien – heel misschien – de levenschenkende eigenschappen van haar grootse goddelijkheid hem zouden redden.
Michaël stemde toe in de wens en legde het zaadje in Adams mond. Maar op het moment dat deze het zaadje doorslikte, blies hij de laatste adem uit. In plaats van hem te redden bracht de Boom des Levens de dood. De kennis, gevat in het zaad, was voor één mens te veel om te bevatten. Adam werd begraven, en de daaropvolgende lente groeide er een jonge loot uit het zaad in zijn mond. De loot spleet de aarde en groeide uit tot een nieuwe, machtige boom. Een boom die vele eeuwen groeide en gedijde, totdat hij werd omgehakt door een onwetende die niet geloofde in de macht of de heiligheid ervan. Het hout van de boom werd gebruikt om een brug te bouwen die de wateren zou overspannen en de weg naar Jeruzalem zou vrijmaken.
Toen Makeda, de koningin van Sheba, op haar lange tocht vanuit Sabea naar Salomo reisde, kwam ze op de laatste dag van haar reis over deze brug. Er wordt beweerd dat ze in haar genadige wijsheid onmiddellijk besefte dat de brug was gebouwd van bijzonder hout. Dat hout riep haar en vertelde haar dat het eens had gebloeid als de Boom des Levens, voordat mannen zonder wijsheid het hadden vernietigd. De schoonheid van Asherah, eens een levend en vitaal element op aarde, was door onwetenden in stukken gehakt.
Vervuld van ontzag liet de koningin van Sheba zich op haar knieën vallen en aanbad ze het hout, in het besef dat haar een goddelijk geschenk was gegeven. Maar het verdriet om dit grote verlies kwelde haar hart, en ze huilde. Toen haar tranen het hout raakten, kwam de wijsheid vrij die zo lang was vertrapt en werd haar een visioen van God geschonken. Het visioen toonde Makeda dat een nieuwe orde, een nieuw verbond en een nieuwe messias zouden voortkomen uit de stam van David en Salomo en de wereld zouden veranderen. Vervuld van verdriet zag ze ook tragedie in het visioen. De messias van het licht zou worden gedood om zijn prachtige overtuigingen, gedood door het hout waarop zij nu geknield lag.
Tijdens haar omgang met koning Salomo vertelde de koningin van Sheba hem over haar ervaring. Verontrust door het visioen en in de overtuiging dat het haar was geschonken zodat ze maatregelen konden nemen om deze voorspelde

nazaat van zijn lijn te redden, gaf Salomo opdracht de brug te slopen en het hout buiten Jeruzalem te verbranden. In zijn geloof en zijn wijsheid hoopte Salomo dat de Boom des Levens opnieuw zou bloeien wanneer het hout werd teruggegeven aan de aarde. En als dat niet zou gebeuren, dan zou hij misschien voorkomen dat het hout werd gebruikt bij de terdoodbrenging van deze heilige wiens komst in het visioen was voorspeld. Alzo geschiedde, en het hout bleef veertien generaties lang begraven.

Tijdens het bewind van Pontius Pilatus werd het hout toevallig ontdekt toen een bataljon Romeinse soldaten massagraven groef voor Joodse opstandelingen. Ze brachten het hout naar Jeruzalem, waar ze het gebruikten voor de balken van het kruis waaraan Onze Heer Zijn lot ontmoette op de heuvel Golgotha.

Wanneer deze staat geschreven in de sterren, kan de bestemming van een mens niet worden ontkend.

Verder wordt beweerd dat de plek waar Salomo en Sheba hun eerste voorbeschikte ontmoeting beleefden, vele eeuwen later de locatie van het Heilige Graf zou worden. Het lijkt erop dat er plekken zijn op aarde die een bijzondere bestemming hebben, door God gekozen als plekken van macht.

Wie oren heeft om te horen, die hore.

– De legende van het Ware Kruis, deel I,
zoals bewaard gebleven in *Het Libro Rosso*

---

*Rome*
*Heden*

Berenger en Maureen slenterden hand in hand over de Piazza della Rotonda, op de terugweg naar hun hotel. Het Pantheon glansde in het licht van de schijnwerpers, de fontein klaterde, alles was in harmonie met de gebruikelijke avonddrukte op dit eeuwenoude plein. Verkopers verkochten vliegende speeltjes en goedkope souvenirs aan toeristen die nog geen genoeg hadden van de veel te hoge prijzen voor een bord middelmatige pasta in de eethuisjes op deze A-locatie. Maureen had al snel ontdekt dat er op enige afstand van de belangrijkste toeristische trekpleisters veel aantrekkelijker eetgelegenheden te vinden waren. Restaurantjes waar het historisch uitzicht niet in de prijzen werd verrekend. Die avond hadden ze gedineerd op de nabijgelegen rustige piazza opgedragen aan Maria Magdalena, met op een van de hoeken een prachtig portret van de vrouwe in een grote, cameovormige lijst.

Maureen en Berenger liepen langs de rand van de bruisende piazza, waar het er op deze late lenteavond even dynamisch en levendig toeging als op het Trocadero in Parijs of Times Square in New York City. Toen ze de oase van rust van de hotellobby betraden, werd Maureen gewenkt door de nachtportier.

'Er is een pakje voor u gebracht. Een ogenblikje.'

Hij haastte zich naar de ruimte achter de receptiebalie en kwam even later tevoorschijn met een pakket ter grootte van een schoenendoos, gewikkeld in bruin papier. Berengers wantrouwen was meteen gewekt.

'Heb je gezien wie het heeft gebracht?'

'Een koerier. Van een van de plaatselijke koeriersdiensten. Ik moest tekenen voor ontvangst.'

Maureen bedankte hem en nam het pakje van hem over. Vluchtig hoopte ze dat het haar vermiste notitieboekjes zou bevatten. Voor haar computer was het te klein. Terwijl ze op de lift stonden te wachten bekeken ze het pakketje nauwkeurig. In de linkerbovenhoek was met de hand een enkel woord op het bruine papier geschreven: DESTINO.

Berenger slaakte een verwensing. 'Wie ís die vent?' gromde hij geërgerd. Het mysterie begon hem op de zenuwen te werken, hoewel hij Maureen niet wilde laten blijken hoe verontrust hij was. Omdat hij gewend was te allen tijde een situatie onder contole te hebben, begon hij zich te ergeren aan een spel waarbij hij geen zeggenschap had over de spelers, noch over de regels.

'Hij weet te veel van je geschiedenis, van ons doen en laten. En hij weet duidelijk ook iets van mij. En...'

'En hij weet wat ik droom. Dat kan toch helemaal niet?'

Ze zetten het pakket op het bed en gingen er aan weerskanten naast zitten om het samen open te maken. Terwijl ze het bruine papier aan haar kant van de doos verwijderde, slaakte Maureen een kreet.

'Au!'

Ze had zich gesneden aan het papier. Aan de binnenkant van haar middelvinger was een kwaadaardige inkeping ontstaan, die onmiddellijk begon te bloeden. Net als alle papiersneden was ook deze erg pijnlijk. Maureen stond op om haar hand onder de kraan te houden, waarna ze een handdoek tegen het wondje drukte om het bloeden te stelpen. Toen ze terugkwam om het pakketje verder open te maken, drukte Berenger teder een

kus op haar zere vinger en bestudeerde de wond om zich ervan te overtuigen dat de snee niet te diep was.
Het pakketje was geadresseerd geweest aan Maureen, maar bij opening bleek het twee kleinere dozen te bevatten, met op de ene MAUREEN, op de andere BERENGER.
'Jij eerst.' Maureen gaf hem het pakje met zijn naam erop. Het had ongeveer de afmetingen van een doosje voor een klein sieraad. Toen hij het opendeed, bleek de inhoud inderdaad waardevol en duidelijk zeldzaam: een kleine zilveren reliekhouder, een ovaal medaillon met een dekseltje dat om de bovenkant sloot, als het deksel van een kleine doos. Het deksel was voorzien van een zegel van rode was, zoals dat werd gebruikt om religieuze artefacten te beschermen en bij wijze van authenticiteitsverklaring daarvan. In dit geval was het zegel zo oud en versleten dat de voorstelling daarop niet duidelijk was. Het enige wat Maureen kon onderscheiden, was een ring van kleine sterren.

De kast van het medaillon was weliswaar kleiner dan Maureens duimnagel, maar buitengewoon gedetailleerd bewerkt en goed bewaard gebleven. In het verzilverde dekblad was in relief een kruisigingsscène uitgebeeld. Onder aan het kruis klampte een geknielde Maria Magdalena met golvend lang haar zich vast aan de voeten van haar stervende geliefde. Merkwaardig genoeg was het enige andere element een zorgvuldig uitgebeelde tempel met zuilen, op een heuvel achter de kruisigingsscène. De tempel oogde duidelijk Grieks en leek op het Parthenon in Athene, het heiligdom gebouwd als eerbetoon aan de vrouwelijke kracht en wijsheid.
Berenger herkende het beeld onmiddellijk. 'Het is een tempel die het Sofiaelement in de spiritualiteit symboliseert,' zei hij. 'De goddelijk vrouwelijke

kennis. Kunstenaars die deel uitmaakten van de stamboom, gebruikten dit element wanneer ze Magdalena afbeeldden om aan te geven dat zij de bewaarder was van de kennis, net zoals de geheime genootschappen die verwantschap hadden met de stamboomtradities dat eeuwenlang zijn geweest.'

Maureen knikte. Bij haar research naar aan Maria Magdalena verwante kunst had ze tal van Italiaanse afbeeldingen gezien met daarop de kruisiging en gelijksoortige opstellingen: Maria aan de voet van het kruis, waar ze zich aan vastklampte, met op de achtergrond een bouwwerk dat leek op een klassieke Griekse tempel. Sommige kunstenaars beeldden de tempel af als een ruïne, om het verlies van de goddelijk vrouwelijke wijsheid in hun eigentijdse spiritualiteit te symboliseren.

Berenger draaide de kast zo dat hij het relikwie zelf kon zien. Het was minuscuul, maar het was er. Een houtsplinter, met een soort hars in het midden van een gouden bloem gelijmd. Onder het relikwie bevond zich een snippertje papier, waarop met de hand uiterst nauwkeurig was geschreven: *V. Croise.*

Het was een afkorting die ze allebei begrepen, ondanks het Oudfrans: *Vraie Croise.* Ze keken elkaar aan. 'Het Ware Kruis,' zeiden ze als uit één mond.

Er was een tijd geweest dat Berenger Sinclair zou hebben geschamperd over elk relikwie waarvan werd beweerd dat het een deel was van het Ware Kruis, vooral wanneer de afkomst onduidelijk was. Sterker nog: amper een week eerder zou hij nog zo hebben gereageerd. Maar na de recente gebeurtenissen, en door Maureens aanwezigheid in Rome wist hij dat er geen ruimte was voor scepsis. De minuscule afmetingen van de splinter maakten de authenticiteit des te geloofwaardiger. Als een vervalser munt had willen slaan uit reliekverkoop op de zwarte markt, zou hij een splinter hebben geprepareerd die aanzienlijk duidelijker zichtbaar was voor het blote oog.

Maureen slaakte plotseling een zachte, verschrikte kreet.

'Wat is er?'

Ze had de reliekhouder in haar open hand gehouden, maar door de schrik was die op het bed gevallen. Berenger bukte zich om hem op te pakken.

'Voel maar,' zei Maureen.

Berengers ogen werden groot. 'Hij is heet.'

Maureen knikte. Toen ze de reliekhouder vasthield, was het metaal geleidelijk aan warm geworden, en uiteindelijk zo heet dat ze hem had laten vallen.

Inmiddels was het metaal weer afgekoeld, dus stopte Berenger de reliekhouder terug in het doosje.
'Berenger, kijk! Waar ik me had gesneden aan het papier... De wond is verdwenen.'
Ze stak haar hand naar hem uit. De snee van misschien tweeënhalve centimeter lang, die Berenger en zij enkele minuten eerder nog allebei hadden gezien, was verdwenen.
Hij knikte zwijgend. Toen reikte hij naar het kaartje op het inmiddels vertrouwde briefpapier met het merkwaardige monogram, de A verbonden met de omgekeerde E.

'*Dit relikwie behoorde ooit toe aan een andere Dichter-Prins, de grootste die ooit heeft geleefd,*' las hij Maureen voor.
'*Jij hebt als opdracht gekregen om zijn mantel te dragen. Doe het met waardigheid, en God zal je belonen, precies zoals de voorspelling belooft.*
*Amor Vincit Omnia,*
*Destino.*'

Voor het eerst sinds ze elkaar kenden, merkte Maureen dat Berenger niet wist wat hij met de situatie aan moest. Het bloed was weggetrokken uit zijn gezicht, en hij keek diep geschokt. Gekweld.
Teder nam ze zijn hand in de hare. 'Wat is er? Wat betekent het?'
Hij bracht haar hand naar zijn lippen om zijn ontwijkende reactie te verzachten. 'Wat het betekent... Dat is iets wat ik je moet vertellen. Maar nu nog niet. Laten we eerst eens zien wat er nog meer in deze geheimzinnige doos van Pandora zit.'
Maureen wilde direct antwoord, maar voorlopig zou ze zijn wensen respecteren, al was het maar omdat ze net zo nieuwsgierig was als hij naar wat er nog meer in de schatkist zat. Dus ze haalde haar eigen pakje tevoorschijn, ook een doosje dat leek te zijn gemaakt voor een sieraad, maar groter dan dat waarop de naam van Berenger had gestaan. Het was gevoerd met uitgelezen indigokleurig satijn, een rijke stof in een tint ergens tussen violet en het diepste blauw. Op het satijn lag wat eruitzag als een eeuwenoud medaillon van gehamerd koper. Berenger herkende het onmiddellijk.
'Het labyrint in de kathedraal van Chartres.'
Op de achtergrond stond een gravering in het Frans die minder oud leek:

*Marie a choisi la meilleure part, qui ne lui sera pas enlevée.*

Berenger, die vloeiend Frans sprak, vertaalde de tekst hardop, sneller dan Maureen dat had kunnen doen, hoewel ze de passage allebei onmiddellijk hadden herkend: 'Maria heeft het goede deel uitgekozen, dat van haar niet zal worden weggenomen.'
'Lucas 10:42.' Maureen knikte. Alle toegewijde volgelingen van Maria Magdalena kenden deze tekst uit hun hoofd. Het waren de woorden van Jezus nadat Martha had geklaagd dat zij al het werk deed, terwijl Maria aan Zijn voeten zat te luisteren. Met deze mysterieuze zin betuigde Jezus Zijn steun aan Maria.
'Wat denk je dat het betekent?' Maureen verbrak de stilte. 'Want we weten allebei dat het hier niet gaat om de voor de hand liggende Bijbelse interpretatie.'
'Nee, dat is wel duidelijk. Het staat aan de achterkant van een voorstelling van het labyrint in Chartres, en het is in het Frans, dus die elementen houden blijkbaar verband met elkaar. Wat staat er op de kaart die erbij zit?'
Maureen haalde de kaart tevoorschijn en deed geen moeite haar schrik te verbergen toen ze zag wat erop stond:

> Het Boek der Liefde *bevindt zich in de kathedraal van Chartres. Dit is je lot en je bestemming op 21 juni. Raam 10.*

Ondanks de ingrijpende strekking van de eerste regel – kon het echt zo zijn dat *Het Boek der Liefde* zich in de kathedraal van Chartres bevond? – waren het de volgende regels die haar met stomheid sloegen:

> *Zie,* Het Boek der Liefde. *Volg het pad dat voor je is uitgezet, en je zult vinden wat je zoekt. Wanneer je het hebt gevonden moet je de wereld er deelgenoot van maken en de belofte die je hebt afgelegd gestand doen. Onze waarheid is te lang in het duister gebleven.*
> *Amor Vincit Omnia,*
> *Destino*

Het waren letterlijk dezelfde woorden die Jezus had gesproken in haar dromen over *Het Boek der Liefde*. Was degene die deze kaart had geschreven, deze Destino, een boodschapper van de goddelijke voorzienigheid? Of was hij de dief die haar laptop en haar notitieboekjes had gestolen, om haar nu te honen met haar eigen aantekeningen?

Na het offer van Onze Heer op de Duistere Dag van de Schedel verzamelde de eerzame Jozef van Arimathea, samen met de gezegende Nicodemus en Lucas, alle voorwerpen die een rol hadden gespeeld bij Zijn bestemming. De balken van het kruis, de spijkers, de doorns en het bordje geschreven door Pontius Pilatus, werden naar het huis van Nicodemus gebracht, waar ze door de Orde van het Heilige Graf in een geheime, ondergrondse ruimte werden geborgen. Na de wederopstanding werd ook de heilige lijkwade, die het lichaam van Onze Heer had omwikkeld, naar deze door de Orde beschermde plek gebracht. De ruimte was verzegeld met enorme rotsblokken, die slechts door vele sterke mannen konden worden weggerold. De buitengewoon heilige relikwieën werden met de uiterste zorg beschermd, omdat hun macht zo groot, zo intens werd geacht dat gewone mannen en vrouwen hun nabijheid niet zouden verdragen.
Het heiligst van alles waren de balken van het Ware Kruis, want het hout herbergde in zich de hele geschiedenis van de onzen. Het vertegenwoordigde de gevangen en vertrapte geest van Asherah, en symboliseerde de vervolging van allen die haar en de waarheid in ere wilden herstellen, in de gedaante van Onze Heer die ter wereld kwam om ons de Weg der Liefde te tonen, die de Weg is van El en Asherah.
Toegang tot de relikwieën werd slechts verleend aan de naaste leden van de Orde, de heilige familie en de oorspronkelijke volgelingen. Dat gebeurde eens per jaar, op de herdenking van het Offer van Onze Heer, de Heilige Vrijdag, tot en met de dag van Zijn Wederopstanding. De rest van het jaar werden de relikwieën zorgvuldig afgeschermd.
Toen de Heilige Lucas naar Italië kwam, verstrekte hij de broeders van de Orde van het Heilige Graf in Calabrië een gedetailleerde kaart, een wegwijzer naar de exacte locatie van de relikwieën. Omdat er grote onrust heerste in Jeruzalem, was Lucas bang dat de relikwieën gevaar liepen of door toekomstige generaties misschien zouden worden vergeten, als de overlevende leden van de Orde werden gedwongen hun vaderland te verlaten. Zijn vrees werd bewaarheid. In het jaar 70 verwoestte de boosaardige keizer Titus de Tempel in Jeruzalem en probeerde zowel de joden als de vroegste christenen uit te moorden. De relikwieën bleven achter toen de mensen vluchtten voor hun leven of sneuvelden in de strijd.
Tweeënhalve eeuw later werd de kaart, gemaakt door de Heilige Lucas, toevertrouwd aan de moeder van keizer Constantijn, als dank voor haar vrijgevigheid en haar bescherming van de Orde. Santa Helena verzamelde een groep nobele krijgers en bekeerlingen voor een unieke expeditie naar het Heilige Land, op zoek naar de schatten van de onzen. Gebruikmakend van de kaart getekend

door Lucas, waren de leden van Helena's expeditie in staat de grot te achterhalen die de schat bevatte, dankzij de grote letter x die in de steen gebeiteld was. De x wordt sindsdien gebruikt om de schat te markeren die de verlichting ons brengt. Behalve de relikwieën van de Passie werd ook de kribbe waarin zowel de Heer als Zijn heilige dochter als zuigeling had gelegen uit de grot gehaald.
De gezegende relikwieën van Onze Heer Jezus Christus werden mee teruggenomen naar Rome en daar bewaard door de grote Helena. Om hun beschermers te eren, werden splinters van het Ware Kruis gegeven aan de leiders van de Orde van het Heilige Graf in Calabrië, Rome en Lucca. Dit zijn de heiligste en machtigste voorwerpen in de geschiedenis van de mensheid. Als zodanig werden de relikwieën van het Ware Kruis in minuscule splinters verdeeld onder de vele families in Italië die de ware leringen van de Weg bewaarden. Deze splinters bevatten de wijsheid van Asherah, de adem van Adam, de tranen van Sheba en het bloed van Onze Heer.
Ongelovigen mogen de spot drijven met de authenticiteit van zulke relikwieën, maar ieder die de vreugde heeft gesmaakt om zelfs het kleinste stukje van het Ware Kruis in de hand te houden, zal die gewijde ervaring nooit vergeten. De helende krachten zijn wonderbaarlijk en zouden alleen moeten worden toevertrouwd aan hen die ze waardig zijn.

Wie oren heeft om te horen, die hore.

– De legende van het Ware Kruis, deel II,
zoals bewaard gebleven in *Het Libro Rosso*

---

# 18

*Vaticaanstad*
*Heden*

Peter staakte zijn werk toen hij werd onderbroken door Maggie Cusack. Een koerier had een pakketje afgeleverd voor father Healy en haar op het hart gedrukt dat hij het onmiddellijk moest openmaken. Maggie legde het pakketje, gewikkeld in eenvoudig bruin papier, op zijn bureau, waarna ze hoofdschuddend de kamer verliet. Er stond geen afzender op. In de linkerbovenhoek was slechts één woord geschreven: *Destino*.

Peter maakte het pakje open, zich niet bewust van het feit dat Maureen en Berenger op datzelfde moment aan de andere kant van de Tiber hun eigen kerstervaring hadden. De doos van Peter bevatte een beeldje, een Madonna met Kind, gesneden uit een heel donkere houtsoort. De madonna was weliswaar primitief, maar had dankzij de troon waarop ze zat en de kroon op haar hoofd een gebiedende uitstraling. In haar rechterhand hield ze de globe die de wereldheerschappij symboliseerde. Op de schoot van zijn moeder maakte het kind vol vertrouwen het teken van de benedictie. Op de onderkant van het beeldje waren de woorden *Notre Dame de Montserrat* gegraveerd, op de achterkant van de voet stond een motto in het Latijn: *Nigra sum sed formosa*.

Peter herkende de Latijnse tekst. Het was een veelbesproken regel uit het Lied der Liederen, een uitspraak van de Bruid: donker van huid ben ik, doch bekoorlijk. Het was een belangrijke tekst in wat in heel Europa bekendstond als de verering van de Zwarte Madonna.

Hij vouwde het bijgesloten kaartje open, benieuwd naar eventuele verdere aanwijzingen.

*Waarom ben je jezuïet geworden?*

Dat was het enige wat erop stond. Hij dacht even over de vraag na. Er stond niet: waarom ben je priester geworden? Nee, de vraag luidde specifiek: waarom ben je jezuïet geworden? En de madonna was ook specifiek. Het was de Madonna van Montserrat, het mystieke klooster hoog in de bergen ten noorden van Barcelona. Peter was er diverse malen geweest. Zoals veel van zijn broeders vóór hem had hij de kabelbaan genomen, een soort grote skilift langs de steile helling naar het klooster. Dit was heilige grond voor leden van de Sociëteit van Jezus, die beter bekendstonden als de orde der jezuïeten. Heilig om diverse redenen, maar vooral omdat hun stichter, Ignatius van Loyola, tot het geloof kwam in dit klooster en in aanwezigheid van deze Zwarte Madonna.

---

Donker van huid ben ik, doch bekoorlijk, dochters van Jeruzalem.

Aldus zingt de Sulammitische in het Lied der Liederen. Want ze is de Lente Bruid, de belichaming van Asherahs gratie in mensengedaante. Ze maakt de vrouwen van Jeruzalem deelgenoot van haar geheimen en verwelkomt hen in haar kudde. Zij die toetreden, worden priesteressen in de Nazareense traditie, met andere woorden de geheime traditie. Hun wordt de gewijde naam Maria verleend. De leidster van deze vrouwen, zij die haar wijsheid en genade heeft vervolmaakt, is de toren van de kudde. Slechts één vrouw zal de titel Maria Magdalena worden gegeven, alle andere Maria's zullen dienen aan haar zijde.
Zwart is de kleur van haar wijsheid, omdat deze verduisterd en verborgen is geweest achter haar sluier, onbereikbaar voor de niet-ingewijden.

Een afgesloten hof zijt gij, mijn zuster, mijn bruid,
een afgesloten wel, een verzegelde bron.

Mijn geliefde is de Zwarte Madonna, de verborgen vrouwe. Toch heeft ze het goede deel gekozen. Ze is de belichaming van de compassie op aarde, ze is de Trooster. Mijn bruid is gevangen in de afgesloten hof, haar bron van wijsheid vervloekt en verzegeld door de gesloten geesten van mannen die hun hart hebben afgekeerd van de Heilige Geest, de Heilige Duif. Pas wanneer ze is bevrijd, zal er vrede heersen op aarde.
Dit is de apocalypsia die nadert, wat in de meest letterlijke zin betekent: het ontsluieren van de Bruid. Om onszelf te redden moeten we de ware interpretatie van de apocalypsia begrijpen. En moeten we deze verwelkomen.
De sluier moet worden opgetild, en het gezicht van de Bruid onthuld. Want Zij is Asherah, de geliefde van El, zoals ze door de tijd terugkeert in al haar gedaanten, om zich te verenigen met haar Bruidegom. Ze is Sheba, Ze is Maria Magdalena, en Ze is alle vrouwen die de harmonie vertegenwoordigen die komt met de hereniging: mannelijk en vrouwelijk, gelijk in de Hemel alzo ook op Aarde.

Mijn duif in de rotskloof,
in de schuilhoek van de bergwand,
laat mij uw gedaante zien,
laat mij uw stem horen,
want zoet is uw stem,
en uw gedaante bekoorlijk.

Het is de opdracht aan alle mensen die de Heer Onze God willen dienen met hun hele hart, hun hele ziel, om deze sluier op te tillen. Het is aan ons om de Bruid de kans te geven haar lieflijke gedaante te tonen en haar stem, die een melodie van eenwording is, te laten horen. We moeten opstaan, ontwaken in dit vlees, in dit lichaam, want daarin is alles aanwezig. We moeten de Bruid in de gelegenheid stellen zich voor ons te openen, ons te ontvangen en ons deelgenoot te maken van haar vervolmaakte wijsheid door onze hereniging.

*Ik sliep, maar mijn hart was wakker.*
*Hoor, mijn geliefde klopt aan.*
*'Doe mij open, mijn zuster, mijn liefste,*
*mijn duive, mijn volmaakte!'*

Het Lied der Liederen, het geschenk van Salomo en zijn geliefde Sheba aan ons, is de redding van de mensheid. Het bergt in zich de vreugdevolle hereniging van Onze Vader en Moeder in de hemel, door hun gekoesterde kinderen op aarde. Het bergt in zich het zaad van de ultieme wijsheid en liefde.

*Van mijn geliefde ben ik,*
*en van mij is mijn geliefde*
*Ze heeft het goede deel gekozen*
*dat van haar niet zal worden weggenomen*

– Het Lied van Salomo en Sheba
uit *Het Boek der Liefde*
zoals bewaard gebleven in *Het Libro Rosso*

---

*Rome*
*Heden*

Het was ver na middernacht, de Piazza della Rotonda lag er verlaten bij. De verkopers hadden hun koopwaar ingepakt, de toeristen waren verdwenen naar hun hotelkamer. Af en toe kwam er een jong paartje langsslenteren dat nog laat had gedineerd, maar over het geheel genomen was het stil,

op het nooit ophoudende geklater van de fontein na. Daar zaten Maureen en Berenger, op de stenen treden, in het midden van het door de maan beschenen verlaten plein, met hun rug tegen het waterbassin rond de obelisk. Vóór hen verhief zich het Pantheon in al zijn majesteit. Berengers stem klonk zacht en eerbiedig toen hij het stilzwijgen verbrak.
'Wat is de rode draad in alles wat we wijzer zijn geworden bij het volgen van dit magische pad, met Maria Magdalena als onze gids? Ze heeft ons zoveel geleerd, maar voor mij springen de lessen over balans en harmonie eruit. En volgens mij was dat ook wat Hij ons wilde laten zien, denk je niet?'
Maureen knikte maar zei niets, omdat ze hem niet wilde onderbreken.
'Het is toch indrukwekkend, als je erover nadenkt. We hebben een profetie, ons nagelaten door Sara-Tamar, het volmaakte kind van twee volmaakte profeten. Jij kent deze profetie als geen ander, want die heeft de richting van je leven bepaald. Het is de profetie van vrouwen die in verschillende periodes van de geschiedenis zullen verschijnen en belangrijke spirituele functies zullen uitvoeren om ervoor te zorgen dat onze waarheid voortleeft. Het is de legende van de Voorzegde, die bovendien ook de filosofie van De Tijd Keert Weder in zich bergt, waar of niet? Als we kijken naar wat we weten over harmonie en verbond en evenwicht, wat staat er dan tegenover een profetie over een vrouw die zal komen en de harmonie zal herstellen?'
Maureen hoefde niet over het antwoord na te denken. In de beslotenheid van haar kamer was ze zelf al tot die conclusie gekomen. Maar ze had gewacht tot hij met zijn redenering, zijn verklaring zou komen. 'Een profetie over een man die hetzelfde zal doen. Een man die de aanvulling zal betekenen op haar werk. Een man die dat werk compleet zal maken.'
Hij schonk haar een glimlach, niet verrast dat ze tot dezelfde slotsom was gekomen als hij. 'Precies,' zei hij zacht. 'Dat is de profetie van de Dichter-Prins en ook die is afkomstig van onze kleine Sara-Tamar.'
'Ken je de tekst uit je hoofd?'
Hij knikte, haalde diep adem, en met poëtische intonatie en alle ruimte voor zijn Schotse accent sprak hij de woorden van de profetie. Maureen voelde tintelingen langs haar ruggengraat:

*'De Mensenzoon zal kiezen*
*wanneer de Tijd Wederkeert voor de Dichter-Prins.*
*Hij die is bezield door aarde en water*
*geboren in het complexe rijk van de zeegeit*

*als afstammeling van de bloedlijn van de gezegende.*
*Hij die de invloed van Mars zal uitwissen*
*en die van Venus zal verheffen*
*om genade te laten heersen over agressie.*
*Hij zal de mensheid in hart en ziel inspireren*
*om het pad van de dienstbaarheid te verlichten*
*en om de mens de Weg te tonen.*
*Dit is zijn erfenis,*
*Dit, en het beleven van een Waarlijk Grote Liefde.'*

Bij het uitspreken van die laatste regel keek hij Maureen nadrukkelijk aan, en samen spraken ze de afsluitende woorden die hun inmiddels zo vertrouwd waren geworden: 'Wie oren heeft om te horen, die hore.'
Daarop zwegen ze, tot Maureen de stilte verbrak. 'Het rijk van de zeegeit?'
'Capricornus. Mensen die weinig van astrologie weten, zien Capricornus als een gewone boerengeit, maar het gaat om een mythisch schepsel. Een zeegeit is een wezen dat zowel tot de aarde als het water behoort.'
'Een soort mannelijke versie van de meermin? Een van Asherahs symbolen, en later het symbool van de stamboom?'
'Precies. En de profetie is ook heel duidelijk over andere astrologische elementen. Een dominantie van sterrenbeelden van aarde en water. "De invloed van Mars doen verdwijnen" wordt gezien als een verwijzing naar die planeet in een waterteken, namelijk Pisces. Dus je ziet dat de Dichter-Prins, net als de Voorzegde, wat afkomst en geboorte betreft over bepaalde kwalificaties moet beschikken.'
Maureen was vervuld van ontzag toen de volle betekenis van zijn woorden tot haar doordrong. 'En jij voldoet aan alle criteria,' zei ze bijna fluisterend.
'Ja.'
'En ik neem aan dat je net als de Voorzegde een reeks historische broeders hebt die deze profetie hebben vervuld. Destino schrijft dat het relikwie van het Ware Kruis dat je hebt gekregen ooit in het bezit was van de grootste Dichter-Prins.'
'Ja, en ik probeer erachter te komen wie hij daarmee bedoelt. Ik vermoed dat het René d'Anjou is, want hij was koning van Napels en Jeruzalem en graaf van de Provence. In de geschiedenis wordt hij de Goede Koning René genoemd, omdat hij de typische sprookjesprins was, en bovendien de mentor en weldoener van Jeanne d'Arc. Verder was hij de vader van Margaretha d'Anjou, ook een Voorzegde en een buitengewoon machtige

vrouw in de geschiedenis. Ze werd uiteindelijk koningin van Engeland en voorvechtster van het Huis Lancaster in de Rozenoorlogen.'
'Echt waar? Dus in die periode waren er twee vrouwen die de profetie van de Voorzegde vervulden? Jeanne en Margaretha? Daar moet die Goede Koning René zijn handen aan vol hebben gehad.'
Berenger lachte. 'Zeg dat wel. Een ander aspect dat me duidelijk is geworden, is dat ieder van de mannen die de profetie van de Dichter-Prins vervulden werd omringd door buitengewoon eigenzinnige, maar ook buitengewoon inspirerende vrouwen. Vrouwen die bij het vinden van hun bestemming tot nieuwe inzichten kwamen die hun leven veranderden.'
'Wil je daarmee zeggen dat de Voorzegde en de Dichter-Prins... altijd in dezelfde tijd leven?'
'Op basis van de voorbeelden die ik ken, lijkt die conclusie gerechtvaardigd. Maar de relaties verschillen. Soms is het vader en dochter, soms broer en zus, maar er zijn ook gevallen bekend waarin geen sprake was van een familieband, maar van een verhouding mentor-leerling. De meest legendarische zijn natuurlijk de geliefden, maar dat is dus niet de enige vorm. Ik denk dat het Gods manier is om ons duidelijk te maken hoe talrijk de gedaanten zijn die een dergelijke goddelijke liefde kan aannemen.'
'Waarschijnlijk afhankelijk van wat er nodig is om te zorgen dat het werk voor elkaar komt, zou ik zeggen. Om te zorgen dat de belofte gestand wordt gedaan. Denk je ook niet?'
'Ja. En de vijftiende eeuw was beslist een tijd waarin er veel gedaan moest worden. Het was een buitengewoon belangrijke periode in de geschiedenis, echt een tijdperk dat het concept van De Tijd Keert Weder belichaamde. Het lijkt erop dat God in de vijftiende eeuw geen enkel risico wilde nemen.'
'Wie was de tweede Dichter-Prins in die tijd?'
'Lorenzo de Medici, de peetvader van de Renaissance.'
Maureen liet het even op zich inwerken. 'Was hij een van ons?' vroeg ze ten slotte. 'Echt waar? Dat had ik nooit gedacht.'
'Volgens mij moet hij dat wel zijn geweest wanneer hij mensen zoals Sandro Botticelli en Michelangelo inspireerde. Maar ik moet bekennen dat ik veel meer weet van de Franse kant van de familie. Misschien kan deze Destino ons wijzer maken, want het lijkt erop dat we hem – of in elk geval íémand – gaan ontmoeten op de zomerzonnewende.'
Ze hadden het al met Peter besproken en ze waren het erover eens dat ze gedrieën naar Chartres zouden gaan, waar ze Roland en Tammy zouden treffen. Als ze met z'n vijven waren, was de kans minder groot dat er verve-

lende dingen gebeurden. Tenslotte stond je samen sterk. Het ontging Berenger Sinclair niet dat deze Destino dezelfde strategie volgde als hij. Want hij had Maureen twee jaar geleden op dezelfde manier naar Frankrijk gelokt, door haar te vragen hem op de zomerzonnewende te ontmoeten in een kerk in Parijs. Het was duidelijk dat Destino – wie dat ook mocht zijn – goed op de hoogte was van hun geschiedenis samen. Dat was intrigerend, maar ook verontrustend.

Maureen was met haar gedachten nog altijd bij de onthulling van die laatste profetie. 'Waarom heb je me dat niet eerder verteld?'

'Omdat ik wilde wachten op het juiste moment. Maar Destino heeft me de beslissing uit handen genomen. En daar ben ik blij om. Ik ben opgelucht dat je het weet. Want nu hoef ik me niet meer schuldig te voelen omdat ik iets voor je verzwijg.'

Maureen slikte krampachtig, maar het lukte haar niet om de woorden die op haar tong lagen over haar lippen te krijgen. Er kwamen tranen in haar ogen, glinsterende smaragden in het maanlicht dat werd weerkaatst door het marmer van het Pantheon.

Berenger nam haar handen in de zijne, streelde ze teder met zijn duimen. 'Mijn lieve, lieve Voorzegde... Ik wil alleen maar dat je weet dat ik begrijp wat je bent, dat ik begrijp wat je hebt doorgemaakt. Want ik weet wat het is om te leven in de schaduw van zo'n machtige profetie.'

'Hoe lang weet je het al... van de Dichter-Prins?'

'Mijn hele leven. Ik was het gouden kind van de profetie. De trots en de kostbare schat van mijn grootvader. Daarom heb ik in mijn jeugd zoveel tijd in Frankrijk doorgebracht, terwijl mijn broers en zusters in Schotland bleven. De oude Alistair heeft me altijd met arendsogen in de gaten gehouden, tot op de dag van zijn dood, om te zien wat ik zou bereiken, of ik zijn profetie zou vervullen.'

'Hij moet wel erg trots op je zijn geweest.'

Berenger haalde zijn schouders op. 'Dat weet ik niet. Tijdens zijn leven heb ik niets bereikt. En zelfs nu weet ik nog steeds niet precies wat hij van me verwachtte. Toen ik jou vond... toen had ik voor het eerst het gevoel dat ik misschien inderdaad in staat zou zijn mijn bestemming te vervullen.' Hij zweeg even, zelf verrast door de overweldigende stroom van verlangens en teleurstellingen in de jaren die achter hem lagen. Hij had zichzelf echter snel weer in de hand.

'Maureen, ik besef dat je vindt dat ik het allemaal erg overhaast heb aangepakt, en ik hoop dat je nu begrijpt waarom ik het zo heb gedaan. Normaliter ben ik altijd erg voorzichtig, kijk ik eerst de kat uit de boom. Maar met jou lukt dat me gewoon niet. Wanneer ik naar je kijk, wanneer ik lees wat er in je ogen staat, dan zie ik iemand op wie ik heb gewacht. Niet alleen in dit leven, ook in eerdere levens. Misschien wel honderden, zelfs duizenden jaren. Jij was degene op wie ik heb gewacht. Alleen jij. Dat weet ik zeker.'

De tranen liepen inmiddels over haar wangen. 'Ach Berry, het spijt me zo,' zei ze gesmoord. 'Ik heb het je zo moeilijk gemaakt, terwijl jij altijd zoveel geduld met me had. En ik denk... Ik denk dat ik heel lang... heb geslapen.'

Hij legde teder zijn hand onder haar kin. 'Het is tijd om wakker te worden, mijn Slapende Schone. Mijn duifje, mijn volmaakte.'

Ze konden geen van beiden meer iets zeggen. Maureen reageerde door zich dichter naar hem toe te buigen en haar lippen naar hem op te heffen. Midden op de piazza, met achter zich de borrelende fontein van Isis, deelden ze als de geliefden van de Bijbel en de profetie de warmte van de *nashakh*, de gewijde kus. Hun zielen vonden elkaar door de zoete vermenging van hun adem. Niet langer waren ze twee; ze waren Een.

En de Eeuwige Stad leek een bijzonder gepast decor voor zo'n epische hereniging.

✲

De volgende morgen stond Peter vroeg op, vervuld van dadendrang. Zonder te weten waarom wist hij wat hem te doen stond. Hij zou naar de kerk gaan gewijd aan de Heilige Ignatius, toevalligerwijs op slechts een paar honderd meter van Maureens hotel. Want hij had het vreemde, onverklaarbare gevoel dat hij daar het antwoord zou vinden op een aantal van zijn vragen.

Hij had die nacht amper geslapen en research gedaan naar Montserrat, in het bijzonder naar de Zwarte Madonna. Wat hij had ontdekt, was nogal verontrustend. Hij overpeinsde hoe boeiend, maar ook hoe schokkend het was wanneer informatie die je al jaren bezat plotseling een heel andere lading kreeg als gevolg van een verandering in perspectief. Zo ging het ook met bijzonderheden die hij zich herinnerde van Montserrat, maar die hem nooit zo hadden getroffen als ze dat nu deden.

Montserrat was, net als Chartres, al lang voor het ontstaan van het christendom een plaats waar goden werden vereerd, reeds in de oudheid erkend als een plek die een uitzonderlijke natuurlijke macht bezat. Sinds de eerste christenen was het een religieus bolwerk, gewijd aan Maria, en het huidige klooster werd dan ook het Klooster van de Heilige Maria genoemd. Wat

Peter verontrustend vond, was dat er plaatselijk nog altijd sprake was van buitengewoon levendige legenden volgens welke Maria ooit grootse wonderen zou hebben verricht op de plek waar nu het klooster stond. Bij het bestuderen van de vroegchristelijke geschiedenis en overlevering had hij echter geen enkele verwijzing kunnen vinden waaruit bleek dat de moeder van Jezus naar Spanje was gereisd. Er waren echter wel heel veel legenden die Maria Magdalena in verband brachten met de streek. Al tweeduizend jaar lang vormde het noorden van Spanje de grens van het ketterse gebied. Dus er was voor Peter slechts één conclusie mogelijk: de wonderen die in Montserrat nog zo levendig in de herinnering stonden, waren verricht door Maria Magdalena. Dit was haar plek, haar klooster, en het was haar beeltenis die uit het eeuwenoude hout was gesneden.
Tijdens de middeleeuwen was het klooster bekend geworden als een centrum van kennis, scholing en cultuur, bezocht door aristocraten, koningen en prinsen. Vanuit heel Frankrijk en Italië stuurden hoge adellijke families hun zonen naar Montserrat om er te studeren. Peter had daar documentatie van gevonden in de archieven. De lijst met namen vormde een soort *Wie is Wie*, niet alleen van Europese rijken en geprivilegieerden, maar ook van ketterse families. De laatste jaren, waarin hij met al zijn inzet aan het onderwerp had gewerkt, had hij geleerd de familienamen te herkennen.
Montserrat werd in brede kring aangeduid als de Graalberg, en volgens sommige theorieën was het Graalkasteel uit de Parcival-legende ooit genesteld geweest te midden van de ruige, gekartelde bergtoppen. De connectie met de Graal en het idee dat de kelk die ooit het bloed van Christus had bevat een allegorie was voor de vrouw van de Heer en Zijn kinderen verleenden alleen maar meer geloofwaardigheid aan de mogelijkheid van Montserrat als een gewijde locatie voor de nazaten van Maria Magdalena en haar leringen. Hún leringen. En alsof dit allemaal nog niet genoeg was, stond Montserrat bekend om een Rood Boek, het *Llibre Vermell*, geschreven in 1399, dat een verzameling gewijde liederen bevatte en dat enkele eeuwen na de totstandkoming in rood fluweel was gebonden om het te beschermen. Maar zoals dat het geval was bij veel legenden, werd het verhaal over het *Llibre Vermell* voorafgegaan door verhalen over een mysterieus, geheim boek dat in het klooster was verborgen en slechts bij een zeer beperkt aantal ingewijden bekend was.
Als kroon op al deze mysteries stond het eeuwenoude beeld van de Madonna van Montserrat. Bij de plaatselijke bevolking had ze de bijnaam *La Moreneta*, wat zoveel betekende als 'Kleine donkere'. Volgens officiële documenten zou het beeld zijn gemaakt in de twaalfde eeuw, maar de

legende in Catalonië wilde dat deze kleine, maar machtige beeltenis van Notre Dame al in de eerste eeuw na Christus in Jeruzalem was gemaakt, hetzij door de Heilige Lucas, hetzij door Nicodemus. In het verlengde daarvan lag de legende dat het klooster van Montserrat na de ontdekking van het beeldje daaromheen was gebouwd, omdat zelfs honderd mannen het niet hadden kunnen verplaatsen. Net als Matilda's favoriete beeltenis, het Volto Santo, had de Madonna van Montserrat de plek gekozen waar ze wilde blijven en verzette ze zich krachtig tegen iedereen die daarin verandering wilde brengen.
Peter was getroffen door nog een merkwaardige overeenkomst tussen het Heilige Gelaat van Lucca en de Madonna van Montserrat. De twee kunstwerken vertegenwoordigden een interessant patroon dat hij bij de Kerk had ontdekt en waarnaar hij in het geheim een onderzoek had gestart. Twee houtsneden, beide van grote artistieke schoonheid, beide met sterke, legendarische connecties met de eerste eeuw. Toch verklaarde de Kerk in beide gevallen nadrukkelijk dat het hier niet om originelen ging, maar om kopieën. Kopieën die dateerden uit de middeleeuwen. Als dat inderdaad klopte, zou er niets aan de hand zijn. Wat Peter echter fascinerend vond, was dat er meer aanwijzingen waren voor het feit dat het ging om originelen uit de eerste eeuw dan dat er 'bewijs' bestond dat het kopieën waren. Hijzelf was inmiddels ook tot de conclusie gekomen dat de zaak dat het ging om originelen aanzienlijk sterker stond. Het Volto Santo, bijvoorbeeld, was in Matilda's tijd beschouwd als een origineel. Stel dat het huidige beeld een vervalsing was uit de middeleeuwen, wat was er dan met het origineel gebeurd? En waarom had niemand destijds geprotesteerd tegen de verwijdering van het origineel uit Lucca? Waarom wees niets in de geschiedenis op de verwijdering van het Heilige Gelaat uit de kerk die door God daarvoor als eeuwig onderkomen was gekozen? Volgens Peter omdat het origineel daar nooit was weggehaald. Het Volto Santo, zoals het ook vandaag nog te zien was in Lucca, was het origineel, gemaakt door Nicodemus. En hij begon te denken dat voor de Madonna van Montserrat hetzelfde gold.
Maar waarom? Waarom zou de Kerk niet willen dat de gelovigen deze voorwerpen erkenden als authentiek? Dat zou ze alleen maar waardevoller maken. Toch leek er sprake te zijn van een welbewuste campagne om het publiek ervan te overtuigen dat veel van de gewijde voorwerpen uit de eerste eeuw vervalsingen waren en dat de originelen simpelweg waren verdwenen in de nevelen van de tijd. Peter kon er geen verklaring voor bedenken, maar het was een vraag die hem niet losliet. Gold dit ook voor

de Lijkwade van Turijn? Wilde de Kerk, om een reden die Peter nog niet begreep, de wereld doen geloven dat de Lijkwade een vervalsing was, terwijl ze maar al te goed wist dat het ging om een heilig relikwie van grote macht? Wat was hier aan de hand?
Peter had recent een bezoek gebracht aan de Kerk van de Heilige Trap, vlak bij het Lateraans Paleis. De kerk was genoemd naar de trap die de heilig verklaarde keizerin Helena van Jeruzalem naar Rome had laten overbrengen: de achtentwintig treden van wit marmer die Jezus had beklommen om Zijn veroordeling door Pontius Pilatus aan te horen. Peter had de trap op zijn knieën beklommen, zoals van de gelovigen wordt geëist, om de schat te aanschouwen die hem daarboven wachtte. Want daar hing in een kapel een legendarische beeltenis van Onze Heer, de *Acheiropoieton*, die werd toegeschreven aan de Heilige Lucas. *Acheiropoieton* betekende niet 'door mensenhanden gemaakt'. Net als bij het Volto Santo werd geloofd dat engelen de hand van de kunstenaar hadden geleid toen hij het gezicht van Jezus schilderde, om er zeker van te zijn dat het volmaakt was. De laatste paus die de *Acheiropoieton* had tentoongesteld voor het publiek, voordat het werk was gerestaureerd en zijn huidige vorm had gekregen, was Leo x, de zoon van Lorenzo de Medici, die de peetvader was van de Renaissance. Na de dood van paus Leo was de beeltenis eeuwenlang verdwenen. Toen deze uiteindelijk weer aan het publiek werd getoond, waren delen van het werk permanent bedekt met zilver en edelstenen, als om bepaalde details op het oorspronkelijke doek te verbergen. Sterker nog: het grootste deel van het schilderij was door deze op last van de paus aangebrachte versieringen aan het oog onttrokken. Alleen het gezicht van Jezus was nog te zien. Was er een element in de oorspronkelijke beeltenis van Onze Heer waarvan de Kerk niet wilde dat de gelovigen het zagen? Waarom zou er anders zijn geknoeid met zo'n heilig voorwerp? Was de verklaring van de Kerk dat het ging om een kopie van weinig waarde door een onbekende kunstenaar, bedoeld om te voorkomen dat de gelovigen vragen stelden? Daar geloofde Peter niets van. Zijn ervaringen als priester hadden hem geleerd dat gelovigen zelden vragen stelden aan kerkelijke machthebbers, hoe hard dat ook soms nodig was. Als parochianen meer vragen zouden stellen, als er meer duidelijke, ondubbelzinnige antwoorden zouden worden geëist, dan zou de Kerk vandaag de dag, aan het begin van de eenentwintigste eeuw, niet in schandalen gedompeld zijn.
De beveiliging van de *Acheiropoieton* was de zwaarste in heel Rome. Peter had bijna alle kerken in de stad bezocht, maar nergens, bij geen enkel ander kunstwerk, had hij zulke strenge veiligheidsmaatregelen gezien. De

beeltenis van Jezus bevond zich in een nis van ten minste drie meter diep, achter een dikke wand van kogelvrij glas en een zo op het oog ondoordringbaar vlechtwerk van ijzeren tralies. Toch verklaarde de Kerk dat het hier slechts ging om een kopie van het origineel, in de middeleeuwen vervaardigd door een onbekende kunstenaar.
Maar waarom dan het met ijzer beklede gewelf? Zelfs de Hope-diamant werd niet zo zwaar beveiligd. En hetzelfde gold voor alle relikwieën in Rome waarvan werd beweerd dat ze authentiek waren en van onschatbare waarde.
Peter kon er geen verklaring voor bedenken, maar toen hij een lijst opstelde van kunstwerken die volgens hem authentiek waren en volgens de Kerk niet, ontdekte hij een rode draad die de werken met elkaar verbond. Ze hadden allemaal een associatie met een van de oorspronkelijke leden van de Orde van het Heilige Graf – hetzij Lucas, hetzij Nicodemus, hetzij beiden. Kon hij daaruit de conclusie trekken dat elk van de gewijde voorwerpen ooit in contact was geweest met *Het Boek der Liefde*?
Al denkend stak Peter de Tiber over, op weg naar dat deel van Rome waar twee kerken stonden die belangrijk waren voor de orde der jezuïeten. De Gesù was de grootste en de bekendste, al honderden jaren het officiële hoofdkwartier van de generaal-overste van de jezuïetenorde. Er werd gezegd dat Michelangelo zo onder de indruk was van de intensiteit en de zuiverheid van de bekering van De Loyola dat hij aanbood om zonder honorering diens kerk te ontwerpen, de Santissimo Nome de Gesù. Door wat hij inmiddels wist over de afstamming van Michelangelo vroeg Peter zich af of er niet een groter verband bestond tussen de beroemde kunstenaar en Ignatius van Loyola – een verband waarbij *Het Boek der Liefde* op de een of andere manier betrokken was.
Het ontwerp van de Gesù werd voltooid tijdens het leven van zowel de heilige als de kunstenaar, maar de bouw begon pas na hun dood. Toen Peter langs de Gesù kwam, boog hij eerbiedig zijn hoofd, maar hij vervolgde zijn weg naar de kleinere kerk die zijn bestemming was, de Sant'Ignazio. In de ogen van Peter was dit de kerk van de werkende jezuïeten, omdat hij ooit het officiële centrum van aanbidding was geweest voor het Collegio Romano, ook bekend als de Pontificale Gregoriaanse Universiteit. Van deze universiteit, een van de oudste ter wereld, werd gezegd dat de naam was ontleend aan paus Gregorius XIII, een van de belangrijkste begunstigers van de bouw. Er was echter een ander idee bij Peter opgekomen. Een van zijn meerderen had hem ooit verteld dat de vernoeming van Gregorius in de naam van de universiteit ook uit eerbied was jegens Gre-

gorius VII, een grote hervormer van de Kerk. Matilda's Gregorius.
Niet goed wetend wat hij er zocht, maar in het vertrouwen dat het zich aan hem zou openbaren, betrad Peter de Sant'Ignazio en bleef staan bij een van de unieke kenmerken van de kerk: de gouden schijf op de vloer die de ideale plek markeerde om de schitterende koepel te bekijken, rijk versierd met fresco's. De koepel was een trompe-l'oeil, geschilderd door een briljante ambachtsman uit de barok, de jezuïet Andrea Pozzo. De legende wilde dat de buurtbewoners in verzet waren gekomen tegen de bouw van een koepel, omdat die hun middagzon zou wegnemen. Zodoende waren de broeders gedwongen een valse koepel te maken. In plaats van zich te storen aan deze beperking, zagen ze die als een artistieke uitdaging en kwamen ze tot een waarlijk gedenkwaardige creatie. Voor wie op de gouden schijf stond, was het bijna onmogelijk te zien dat de koepel een illusie was, een ongeëvenaard staaltje bedrieglijke schilderkunst.
'Ach, de Kerk is vol van grootse illusies.'
Peter schrok van de stem die achter hem klonk en draaide zich haastig om, benieuwd van wie de observatie afkomstig was. Het was een gedachte die ook bij hem de laatste twee jaar regelmatig door het hoofd speelde. De stem bleek toe te behoren aan kardinaal Barberini, Peters broeder in de commissie die zich boog over het evangelie van Arques. Barberini legde een vinger op zijn lippen en trok Peter mee naar een van de banken.
'Bent u Destino?' vroeg Peter toen ze eenmaal zaten.
Barberini glimlachte. 'Nee, nee. Verre van dat.'
Peter dacht even na. 'Is Destino een jezuïet?' vroeg hij toen.
Barberini schudde zijn hoofd. 'Destino is vele dingen. Hij past in geen enkele categorie waarvoor jij een referentiekader hebt. Althans, op dit moment. Maar dat is van later zorg. Ik ben hier om je te vertellen waarom je jezuïet bent geworden. Anders dan om de redenen die je zelf al denkt te weten.'
Peter besefte hoe vreemd de positie was waarin hij zich bevond. Het was duidelijk dat hij was gevolgd door een hoge functionaris van de Kerk. Barberini was als ingewijde op de hoogte van talrijke buitengewoon serieuze en geheime zaken – en duidelijk heel goed op de hoogte –, maar tegelijkertijd bleef hij een raadselachtige figuur. Kardinaal DeCaro, in wie Peter een onvoorwaardelijk vertrouwen stelde, had Barberini gepresenteerd als bondgenoot, maar dit heimelijk gedrag was erg vreemd. En onnodig. Of niet? Werd zijn huis, zijn kantoor inderdaad in de gaten gehouden? Het was iets wat Peter van meet af aan had vermoed, maar dit zou weleens de bevestiging van dat vermoeden kunnen betekenen. En werd DeCaro ook

geschaduwd? De conservatievere facties binnen het Vaticaan verkeerden openlijk in conflict met de progressieve standpunten van DeCaro, in het bijzonder als het ging om het Magdalena-materiaal, maar was hier iets aan de gang wat nog dieper ging?

Blijkbaar raadde Barberini Peters gedachten. 'Je zult me moeten vertrouwen tot ik je meer kan vertellen, m'n jongen. Ik ben hier om met je te praten over onze stichter. De grote Ignatius van Loyola.'

Peters instinctieve reactie op de vraag 'Waarom ben je jezuïet geworden?' bestond uit slechts één woord: kennis. De jezuïeten waren altijd de grote leermeesters en leerlingen geweest, en zijn persoonlijke passie was het bestuderen van godsdienst en spiritualiteit, van oude talen en oude scholen van wijsheid. Doceren was zijn leven, en hij miste zijn ware roeping enorm sinds hij was overgeplaatst naar Rome om zitting te nemen in de Magdalena-commissie. Ignatius van Loyola was de oprichter van de universiteit in Rome, een groot leermeester, zowel in religieuze als in humanistische zin. Zoals alle goede jezuïeten kende Peter zijn biografie maar al te goed. Loyola stamde uit een Baskische familie in het noorden van Spanje. Hij werd geboren op kerstavond, in het jaar 1491, als jongste van dertien kinderen. De familie behoorde tot de lage adel, maar was wel zo bemiddeld dat Loyola in zijn jeugd een gemakkelijk en vrij leventje kon leiden. Hij was een soort playboy geweest, en een gokker, totdat hij op dertigjarige leeftijd toetrad tot het leger. Tijdens de Slag van Pamplona werd Ignatius getroffen door een kogel bij een poging de oprukkende Fransen terug te slaan. Zijn ene been was gebroken, het andere gewond. Het gebroken been heelde zo slecht dat het opnieuw moest worden gebroken en gezet, wat allemaal zonder verdoving werd gedaan. Loyola genas, maar het gebroken been was korter dan het andere, en de rest van zijn leven liep hij ernstig mank. Tijdens zijn ziekbed raakte hij geïnteresseerd in intellectuele activiteiten, in het bijzonder lezen en het verwerven van kennis. Tijdens zijn herstel las hij alle boeken die er in het kasteel van Loyola te vinden waren – zonder uitzondering religieus van aard.

Er hangt een waas van mysterie rond Ignatius in zijn tijd in Loyola. Wie bezorgde hem de boeken en welke werken las hij? Er deden in die periode geruchten de ronde dat hij hevig verliefd zou zijn op een geheimzinnige vrouw, een vrouw van koninklijken bloede met roodachtig, kastanjebruin haar, die hem liefdevol verzorgde en grote invloed op hem had tijdens de lange weg naar zijn herstel. Tegen de tijd dat hij voldoende was aangesterkt om te kunnen lopen en reizen, in maart 1522, was hij een ander mens geworden, bezeten van een koortsachtige, intense spiritualiteit.

Loyola's eerste daad in zijn nieuwe leven was een pelgrimstocht maken naar het Klooster van de Heilige Maria van Montserrat, hoog in de bergen ten noorden van Barcelona. Er wordt beweerd dat hij gehoorzaamde aan de regels van de ridderlijkheid ten aanzien van Onze-Lieve-Vrouwe en tijdens een hele nachtwake geknield lag voor het altaar van de Zwarte Madonna. Volgens sommige bronnen deed hij dat zelfs drie achtereenvolgende nachten, uit eerbied voor de Drie-eenheid. Aan het einde van zijn wake legde hij zijn wapens op het altaar van de madonna en zwoer hij dat hij zich in het vervolg als krijger zou inzetten voor de Weg die Zij de gelovigen wees.

Barberini onderbrak Peters gedachten met een vraag. 'Wanneer ging Loyola naar Montserrat?'

'In maart 1522.'

'Correct. Op welke dag in maart?'

'Op het feest van de Annunciatie. 25 maart.'

'Dat is onjuist.'

Peter keek hem verbijsterd aan. Het was een datum die iedere jezuïet kende. Dat gaf Barberini toe. 'Hij deed zijn gelofte aan Notre Dame op de vijfentwintigste maart, dat is juist. Maar dat was na drie dagen van gebed en meditatie. Hij kwam in Montserrat aan op een specifieke datum, om een specifieke reden.'

'Op 22 maart.' Terwijl Peter het zei, probeerde hij alle implicaties op zich te laten inwerken.

Barberini knikte.

'Maar waarom?' Peter begreep dat deze datum van ketters belang was als het ging om geboortedagen en profetieën. Maar hij wist niet goed wat in dit geval de connectie was.

Barberini drong verder aan. 'Ben je je misschien bewust van iets – bijvoorbeeld een controversieel en onschatbaar document – dat mogelijkerwijs onderdak had gevonden in het klooster van Montserrat?'

Het inzicht kwam als een blikseminslag. Montserrat was de laatst bekende plek waar het authentieke manuscript van *Het Boek der Liefde*, het document geschreven door Onze Heer Zelf, terecht was gekomen, nadat het door Zijn vrouw en geliefde naar Europa was gebracht – Zijn geliefde Maria Magdalena die als de Madonna van Montserrat was afgebeeld, met op haar schoot Zijn kind. Peter wist dat, maar hij had nooit eerder het verband gelegd tussen *Het Boek der Liefde* en Ignatius van Loyola. In plaats daarvan had hij aangenomen dat hun beider associatie met Montserrat... toeval was. Hij had beter moeten weten, maar hoe had hij in 's hemels-

naam deze twee potentieel conflicterende stromingen met dezelfde plek kunnen verbinden?
Peter knikte om aan te geven dat hij begreep wat Barberini bedoelde.
Die vervolgde zijn verhaal. 'De laatste slachting in het kathaarse bolwerk bij Montségur vond plaats op 16 maart 1244. De vier overlevenden die wisten te ontvluchten hadden zes dagen nodig om het veilige Montserrat te bereiken; 22 maart is de verjaardag van hun aankomst en hun inwijding in het Heilige Woord van Jezus Christus in het klooster. Loyola's wake – en zijn inwijding – begon dus om een specifieke reden op die datum.'
Peter formuleerde zijn volgende vraag uiterst zorgvuldig: 'Wat wilt u daarmee zeggen? Dat Loyola een ketter was? Dat hij onze orde heeft gesticht om heel andere redenen dan iedereen denkt? Dat hij... dat hij toegang had tot *Het Boek der Liefde*?'
'Hij noemde de orde niet voor niets de Sociëteit van Jezus. Natuurlijk, dat kan van alles betekenen, maar dat zou dan van wel erg weinig verbeeldingskracht getuigen, vind je niet? Lijkt Loyola je iemand die een revolutionaire nieuwe orde zou stichten en deze vervolgens een naam zou geven die niet precies weergaf waar die orde voor stond? Maar als hij zich liet inspireren door leringen die rechtstreeks afkomstig waren van Jezus, en niet van andere bronnen... dan zou dat de naam verklaren, waar of niet? En vergeet niet de woorden die onsterfelijk zijn geworden dankzij de geschriften van zijn naaste vriend, Luis Gonçalves de Câmara: "Ignatius was altijd gericht op liefde. Sterker nog: hij leek er de belichaming van, en daarom werd hij alom liefgehad, door iedereen. Er was niemand in de Sociëteit die geen diepe liefde voor hem koesterde en die zich niet diep door hem bemind voelde." Is het niet merkwaardig dat de Kerk een heel ander beeld geeft van onze Loyola?'
Peter was met stomheid geslagen. Het traditionele beeld van Loyola's persoonlijkheid was dat van een strenge, harde, zwijgzame man. Hij mocht dan briljant en devoot zijn geweest, 'liefhebbend' was niet de eerste karaktertrek die naar voren trad bij het bestuderen van zijn biografie. Het was een openbaring erop te worden gewezen dat de allernaaste van Ignatius van Loyola die ooit over hem had geschreven benadrukte hoezeer deze op liefde was gericht, dat hij er de belichaming van leek. Dit was wereldschokkende informatie, en helemaal uit de mond van een kardinaal.
'Dus moeten we hieruit opmaken dat Loyola *Het Boek der Liefde* heeft gelezen? Bevond dat zich in 1521 nog in Montserrat?' Dat zou buitengewoon waardevolle informatie zijn, want alle andere verwijzingen naar het oorspronkelijke document hielden op in 1244.

Barberini boog zich naar Peter toe om hem op de schouder te kloppen en stond toen op, zwaar op hem steunend. 'Mijn botten doen pijn van de wandeling over de rivier, mijn jongen. Dus voorlopig moet je het hiermee doen. Maar ik ben blij dat we even hebben kunnen babbelen. O, en nog één ding...'

Terwijl Peter de gezette, al wat oudere Barberini overeind hielp, deed die zijn laatste schokkende mededeling. 'De commissie zal volgende week een bekendmaking doen naar aanleiding van het Magdalena-materiaal. Maar voordat het zover is moet jij met je nicht naar Frankrijk. Tomas en ik zullen je op de hoogte houden van de ontwikkelingen.

Voor zover ik dat van de commissieleden heb begrepen, gaan ze het Evangelie van Arques authentiek verklaren en vrijgeven voor het publiek. Daarmee wordt Maureen in het gelijk gesteld en van alle blaam gezuiverd. En hetzelfde geldt voor jou, mijn jongen. Maar het belangrijkste is... dat het verhaal van Onze Vrouwe eindelijk zal worden verteld, compleet en in alle waarheid. Moge God daarvoor zorgen.'

Peter keek de oudere man na terwijl die de kerk uit sjokte en herhaalde fluisterend Barberini's laatste woorden.

'Moge God daarvoor zorgen.'

# 19

*Chartres, Frankrijk*
*Heden*

De kathedraal van Chartres is al van dertig kilometer afstand te zien. Gelegen op de heilige heuvel, met de ongelijke torens aan weerskanten van het westportaal, rijst hij op uit de vlakte van La Beauce. Het was nog vroeg in de ochtend, op 20 juni, toen Maureen samen met Peter en Berenger de kathedraal in het oog kreeg. Berenger had geregeld dat er bij aankomst op het vliegveld van Orly, even buiten Parijs, een auto met chauffeur voor hen klaarstond. Toen de kathedraal aan de horizon verscheen, waren ze alle drie vol bewondering voor de schoonheid van het bouwwerk.

Maureen was de eerste die iets zei over de macht van de plek. Want hoewel ze nog kilometers van de kathedraal verwijderd waren, was ze zich lichamelijk bewust van die macht. En van de magie die de plek uitstraalde. De beide mannen in haar gezelschap waren hier al eerder geweest en ervoeren de locatie niet vanuit hetzelfde frisse perspectief. Maureen wreef huiverend over haar armen. Ze had kippenvel.

Nadat ze hun intrek hadden genomen in een charmant hotelletje aan het marktplein, begonnen ze aan de korte wandeling heuvelopwaarts naar de kathedraal. Ze wilden vast het terrein verkennen, om te bepalen waar zich raam nummer 10 bevond, en misschien om een eerste indruk te krijgen van het labyrint. Tammy en Roland kwamen met de auto vanuit de Languedoc en zouden zich later bij hen voegen.

Maureen hield haar adem in toen ze voor de kathedraal stond. Nog nooit had ze zo'n majestueus gebouw gezien. Ze stond erop eerst helemaal om de kathedraal heen te lopen alvorens naar binnen te gaan, want ze wilde de enormiteit van het bouwwerk tot zich laten doordringen, net als het schitterende beeldhouwwerk en bas-reliëf waarmee bijna elke vierkante centimeter van de buitenkant was versierd. Het was adembenemend. De kathedraal was een monument van ongeëvenaarde schoonheid, een indrukwekkende

getuigenis van wat de mens dankzij de rede en met inzet van hart en ziel wist te bereiken. Berenger Sinclair nam spontaan de rol van gids op zich. Dankzij zijn studies wist hij heel wat van het esoterische karakter van Chartres. Hij nam Peter en Maureen mee naar de linkerkant van de kathedraal, de noordkant, naar het Portaal der Ingewijden, en wees hen op een paar van de beroemdere beelden – zoals die van de patriarchen. Maar het waren niet de beeltenissen van Mozes en Abraham en David die Maureens aandacht trokken. In plaats daarvan viel het haar op dat de kerk was bedekt met vrouwenfiguren. Sommige waren duidelijk herkenbaar: Judith, de heldin uit het Oude Testament die haar volk redde, Moeder Maria, bij de annunciatie, en met haar nicht Elisabeth bij de visitatie, de koningin van Sheba op weg naar Salomo, stuk voor stuk gekroond door een gedetailleerde voorstelling in steen van de oorspronkelijke Tempel. Andere waren niet zo gemakkelijk te identificeren, maar een groot deel van de noordelijke gevel was bedekt met scènes waarin vrouwen de hoofdrol speelden.
'Deze kerk heeft enkele honderden vrouwenbeelden, en van meer dan honderdzeventig wordt aangenomen dat ze de Hoge Maria, of, zoals wij zeggen, Moeder Maria, voorstellen. Er is op de hele wereld geen tweede kerk met zoveel vrouwelijke beeltenissen. Sterker nog: er is in de hele wereld geen tweede kerk waarvan het aantal vrouwenbeelden zelfs maar in de buurt komt van dat van Chartres.'
Maureen was gefascineerd door alles wat ze zag, maar ze bleef ten slotte vol bewondering staan voor het schitterende beeld van een vrouw op een buitenpilaar van een boog, aan de uiterste rechterkant van het portaal. Het was een jonge vrouw, met een boek in haar hand. Haar andere hand was beschadigd, maar het leek alsof ze hem ophief in een zegenend gebaar.
Berenger glimlachte. 'Ik wist dat ze je zou aanspreken. Dat doet ze mij ook. Van de duizend of meer beelden op deze kathedraal is dit het beeld dat me altijd is blijven fascineren, vanaf de allereerste keer dat ik hier kwam. En dankzij Matilda's verhaal begin ik te begrijpen waarom deze vrouw altijd zo bijzonder voor me is geweest. Maureen, mag ik je voorstellen? Dit is Modesta. Een van de patroonheiligen van deze plek.'
Bij het noemen van Matilda's naam voelde Maureen plotseling tranen achter haar ogen branden. Ze wist dat ze met haar hele hart, haar hele wezen voorgoed en onlosmakelijk met de Toscaanse gravin verbonden zou zijn.
'Het verhaal van Modesta is tragisch maar belangrijk,' zei Berenger, omhoogwijzend naar de heilige.
'Dat is het zeker.' Maureen ging onder het beeld van Modesta staan, wier voeten zich net boven haar hoofd bevonden. De schaal en de afmetingen

van Chartres waren bedrieglijk door het kundig gebruik van perspectief. Tenzij je heel goed en aandachtig keek, kon je gemakkelijk uit het oog verliezen hoe enorm – en hoe buitengewoon gedetailleerd – al het ambachtswerk en alle beelden waren.
Modesta's lieftallige gezicht was sereen, haar lange, golvende haar bedekt met een sluier. Haar rechterhand vertoonde de sporen van achthonderd jaar oorlog en de invloeden van het weer, in haar linkerhand hield ze een prachtig gebonden boek. 'Het valt me op dat veel van de figuren een boek vasthouden,' zei Maureen.
'Een boek is het traditionele symbool voor het Woord,' legde Peter uit. 'De Bijbel. De evangeliën. Dat is heel gebruikelijk in de christelijke kunst.'
Maureen probeerde zich er niet aan te ergeren wanneer Peter met voor de hand liggende verklaringen kwam, vanuit zijn vast verankerde perspectief als priester. Natuurlijk wist zij ook wel wat de traditionele symboliek was van het boek. Maar door de nieuwe informatie die ze hadden verworven, was het nodig om ook met een nieuwe blik naar al deze kunstwerken te kijken. Was er misschien een andere reden waarom deze figuren, en vooral zoveel vrouwen, een boek vasthielden? Was dit misschien een ander boek, een specifieke verwijzing naar *Het Boek der Liefde*? Ze keek Peter aan, rolde met haar ogen en keerde zich naar Berenger.
'Vertel eens wat meer over Modesta.'
'Volgens de legende die in de reisgidsen wordt aangehaald, was ze de maagdelijke dochter van een buitengewoon wrede en onverdraagzame Romeinse gouverneur. Quirinus was naar Chartres gestuurd met de specifieke opdracht om de groeiende christelijke cultus de kop in te drukken. Volgens alle bronnen was Modesta een liefdevolle jonge vrouw die werd vervuld van afschuw door de vervolging van de christenen en die zich aan hun kant schaarde. Zo waarschuwde ze bijvoorbeeld wanneer haar vader een inval ging doen in de geheime plekken waar de christenen hun erediensten hielden. Een daarvan bevond zich op de plek waar nu de kathedraal staat. Het schijnt dat Modesta in deze periode verliefd werd op een jonge man, Potentianus, die haar tot het christendom bekeerde. Toen Quirinus ontdekte dat zijn dochter zich had bekeerd en hem verried aan haar christenbroeders, liet hij haar in het openbaar martelen, om duidelijk te maken dat hij met niemand genade zou hebben. Zelfs de dochter van de gouverneur was niet veilig voor de macht van Rome. Ze werd onthoofd en haar lichaam werd in de diepe put gegooid die zich nog altijd hier in de crypte bevindt. Daarom wordt ze vaak de beschermheilige van deze plek

genoemd. Er wordt beweerd dat ze in de crypte te horen is, geheimen fluisterend vanuit de diepte, voor wie oren heeft om te horen.'
Maureen huiverde bij het verhaal, want ze voelde dat er nog meer te vertellen was over het tragische leven van de lieftallige Modesta.
'Wat is er?' vroeg Berenger.
Maureen keek achterom naar het beeld van de serene, mooie vrouw met haar boek. Ze schudde langzaam haar hoofd. 'Er is meer over haar te vertellen. Hoe belangrijk en tragisch dat verhaal ook is, het is niet alles. Dat weet ik gewoon.'
De crypte, met daarin de put, had haar aandacht getrokken. Als ze toegang kon krijgen tot de crypte, zou Modesta haar misschien haar geheimen toefluisteren.
'Kunnen we de crypte in?'
Berenger schudde zijn hoofd. 'Helaas niet. Die is niet open voor het publiek. Alleen 's ochtends om elf uur. Dan is er een heel korte rondleiding met een gids, in het Frans. Ik heb me vaak afgevraagd waarom de Kerk het publiek niet gewoon toelaat in de crypte. De put is afgedekt, dus om veiligheidsredenen kan het niet zijn. De Zwarte Madonna die in de crypte staat, Onze-Lieve-Vrouwe onder de Aarde, is een kopie van de madonna die tijdens de Revolutie is verbrand. Dus bescherming van eeuwenoude relikwieën kan het ook niet zijn. Maar om welke reden dan ook... is de crypte verboden terrein voor het gewone publiek.'
Ze vervolgden hun verkenning van de buitenkant van de kerk, en Maureen raakte de tel kwijt van het aantal vrouwenfiguren. Het viel haar op dat ook de Heilige Anna, de grootmoeder van Jezus, fraai en nadrukkelijk was vertegenwoordigd. Het was buitengewoon veelzeggend dat ze een prominente plaats bekleedde bij het indrukwekkende Portaal der Ingewijden. Aan de achterkant, bij het zuidportaal, waar de deuren vergrendeld waren, was de belangrijkste, centrale figuur een schitterend dertiendeeeuws Christusbeeld, de zogenoemde *Christus de Leermeester*. In zijn linkerhand hield Hij een prachtig, rijkversierd boek. Maureen keek Peter aan, maar zei niets. Wat grappig dat Christus zo vaak met een boek in Zijn hand werd afgebeeld, maar dat de Kerk volhield dat Hij er zelf nooit een had geschreven.
Maureen probeerde in gedachten aantekeningen te maken van elementen met een esoterische betekenis. De apostelen waren hier vertegenwoordigd als beelden, staande op prachtige, gedraaide zuilen. Door alles te lezen wat ze te pakken kon krijgen over Salomo en Sheba had ze geleerd dat de wijze koning zelf de eerste gedraaide zuilen had ontworpen voor zijn legendari-

sche tempel, en dat dergelijke architecturale details een eerbetoon waren aan zijn genialiteit. Op de archivolte boven de zuidelijke ingang waren de tekenen van de dierenriem te zien in traditionele volgorde. Maureen zuchtte van frustratie. Het was simpelweg onmogelijk om in zo'n korte tijd greep te krijgen op alle details van Chartres. Ze zou letterlijk jaren nodig hebben om elk detail te bekijken en te begrijpen, alleen al van de buitenkant van de kathedraal. 'Volgens mij is de grootste kunstverzameling ter wereld al achthonderd jaar voor iedereen gratis te bewonderen,' merkte ze op, tegen niemand in het bijzonder.
Ze waren inmiddels weer bij de voorkant van de kathedraal aangekomen, het westportaal, ook wel de Portail Royal, de Koningspoort, genoemd. Twee mannen, die eruitzagen als daklozen, vroegen met een sint-jakobsschelp in hun hand om aalmoezen. De man op de bovenste tree stond te zingen in het Frans. De ander stond ineengedoken bij de deur en zag er erg haveloos uit. Berenger legde in het voorbijgaan discreet wat eurobiljetten in beide schelpen. Maureen zag het en voegde haar bijdrage eraan toe. Daarop haalde de zingende man een wilde bloem uit zijn zak, die hij haar met een knipoog overhandigde.
Zowel Berenger als Maureen bleef staan om het beeldhouwwerk rechts van de westelijke deur te bekijken. Peter sloot zich bij hen aan. Was het toeval dat de voornaamste toegangsdeuren van de kathedraal van Chartres werden gesierd door de beeltenis van koning Salomo en de koningin van Sheba? Het leek erop dat de epische geliefden hier prominent waren vertegenwoordigd.
Gedrieën betraden ze via de enorme deuren het voorportaal, waar ze onmiddellijk links afsloegen naar de giftshop om een kaart van de kathedraal te kopen, zodat ze te midden van alle glas-in-loodramen raam nummer 10 zouden weten te vinden. De winkel was gevuld met boeken en ansichtkaarten van de beelden en de ramen, maar het topstuk van de kathedraal van Chartres was de Blauwe Madonna, het twaalfde-eeuwse meesterwerk in glas-in-lood dat bekendstond als Onze-Lieve-Vrouwe van het Mooie Raam. Ze stond afgebeeld op posters, ansichtkaarten en boekenleggers. Toch kon haar alomtegenwoordigheid in de giftshop geen afbreuk doen aan haar verschijning. Haar beeltenis was zo intens, zo machtig, maar ook zo zuiver, dat de commercie daarop geen invloed had. Maureen misgunde de kathedraal zijn inkomsten niet. Het feit dat dit monument voor de liefde van God elke dag gratis toegankelijk was voor het publiek, was een geschenk. Als de verkoop van ansichtkaarten en posters van de kunstwerken hielp om dit te onderhouden en te bewaren, des

te beter. Ook zij leverden hun bijdrage, met de aankoop van gidsen en kaarten aan de schatkist. Peter ging onmiddellijk op pad, op zoek naar raam nummer 10. Berenger en Maureen bleven achter bij de ingang van een van de grootste heiligdommen in de menselijke geschiedenis.
Maureen haalde diep adem en betrad met enige aarzeling het schip van de kathedraal, de indrukwekkendste kathedraal ter wereld. Het bouwwerk was adembenemend in zijn enormiteit, en tegelijkertijd heerste er een vreemde, maar prachtige intimiteit. Het gigantische gewelf en de honderden tonnen steen zouden overweldigend moeten zijn, maar de sfeer in de kathedraal van Chartres was warm, gastvrij. En volmaakt... heilig. Dat was het enige woord dat Maureen kon bedenken terwijl ze zich liet verblinden door de kleuren van het glas-in-lood aan weerskanten van het schip, in twee schitterende lagen boven elkaar. In de gids las ze Napoleons beroemde commentaar, toen deze de kathedraal voor het eerst betrad: 'Chartres is geen plek voor een atheïst.'
En daar had hij gelijk in.
'Kijk eens achter je,' zei Berenger. 'En omhoog.'
Maureen zuchtte van verrukking over zoveel schoonheid. Het enorme westelijke roosvenster en de drie lancetvensters daaronder, aangebracht in de twaalfde eeuw samen met de alomtegenwoordige Blauwe Madonna, glinsterden in de middagzon. Dit waren de oudste, nog oorspronkelijke ramen in Chartres, en ze waren heel bijzonder. Alle ramen waren schitterend, maar deze waren bijna een eeuw ouder dan de rest. Niets wat Maureen ooit in andere kerken had gezien kon de kleur en de pracht van deze ramen evenaren. De roosvensters in de Notre Dame van Parijs waren prachtig, groots, maar hier in Chartres gebeurde iets uitzonderlijks. De drie lancetvensters onder de roos straalden allemaal dezelfde machtige essentie uit.
'Het is het blauw,' legde Berenger op gedempte toon uit. 'Dat vind je in geen enkele andere kerk, waar ook ter wereld. Ze noemen het Chartres Blauw omdat het absoluut uniek is. Niemand heeft ooit kunnen achterhalen wat de glazeniers precies aan pigmenten hebben gebruikt. Het andere raam uit dezelfde periode is recent gerestaureerd. De Blauwe Madonna. Daar...'
Berenger zweeg abrupt toen hij de geschokte uitdrukking op Maureens gezicht zag. Hij begreep meteen wat er aan de hand was en knikte ernstig. Al kijkend naar de ramen boven de ingang waren ze tussen diverse rijen losse stoelen door gelopen. Toen Maureen naar de grond keek, besefte ze dat ze midden in het labyrint stonden, het heilige symbool gecreëerd door

de combinatie van uitzonderlijke wijsheid en geloof van Jezus en Salomo. Hier in Chartres ging het volledig schuil onder stoelen, die het bovendien hadden beschadigd met hun poten.
Maureen ging haastig zitten, bang dat ze zou gaan overgeven. Ze was ineens heel erg duizelig.
'Voel je je wel goed?'
Ze knikte, maar er stonden tranen in haar ogen. De schokkende aanblik van het labyrint, bedekt en verminkt door stoelen, was iets waar ze niet op voorbereid was geweest. Ze had geweten dat het zo zou zijn, maar niet welk gevoel haar dat zou bezorgen – de boosheid, de verontwaardiging.
'Hoe hebben ze dat ooit kunnen doen?'
Berenger moest haar het antwoord schuldig blijven. Zelf had hij die vraag in zijn veelbewogen leven ook maar al te vaak gesteld.
Peter kwam aanlopen, zwaaiend met zijn gids. Toen hij Maureens gezicht zag, bleef hij staan en knikte.
'Ik weet wat je voelt. Ik heb het ook altijd afschuwelijk gevonden dat het labyrint schuilging onder stoelen, al voordat ik precies wist wat het was en waarom het er zoveel toe deed. Maar misschien kan dit je een beetje opvrolijken. Ik heb raam nummer 10 gevonden.'
Maureen stond op, maar al te blij om de schande van het tragisch verminkte labyrint de rug te kunnen toekeren. Peter ging hun voor naar de zuidelijke dwarsbeuk en wees naar het eerste raam rechts. Het was gewijd aan een Italiaanse heilige, Appolinaris, de eerste bisschop van Ravenna.
'Hij was een discipel van de Heilige Petrus. Er wordt een aantal wonderen aan hem toegeschreven, die hier in het raam zijn verbeeld. Maar ik geloof niet dat het ons gaat om de specifieke heilige. Eerder om het ronde gat in het raam. Kijk, daar!'
In het veelkleurige raam was een cirkel van wit licht zichtbaar, een gat dat welbewust aan de rechterzijkant van het raam leek te zijn gemaakt.
Peter wees naar de grond. 'Zie je die plavuis daar? Die enigszins schuin staat ten opzichte van de rest?'
Berenger knikte. 'Hij heeft ook een andere kleur, lichter dan de rest. En hij is duidelijk anders gelegd. Om op te vallen.' Hij liet zich op zijn hurken zakken en streek glimlachend met zijn hand over de plavuis. 'En kijk hier. Er is een messing pen in de steen gehamerd. Die markeert de plek.'
'Welke plek?' vroeg Maureen.
'Weet je nog, onze eerste ontmoeting in de Saint-Sulpice?' Het was een retorische vraag; die eerste ontmoeting had hun leven onherroepelijk veranderd en was iets wat geen van beiden ooit zou vergeten. Ook die ont-

moeting had Berenger welbewust vastgesteld op de zomerzonnewende, 21 juni, omdat hij aan Maureen had willen laten zien hoe nauwkeurig de bouwers van de Saint-Sulpice in hun berekeningen waren geweest. Ze hadden de zonnewende gemarkeerd door een messing lijn, ingebed in de vloer. Op de dag van de zomerzonnewende, precies op het middaguur, scheen de zon door de ramen en deed het messing oplichten.
'Hier gebeurt net zoiets. Morgen op het middaguur schijnt de zon door dat gat in het raam en verlicht de messing pen in die scheve plavuis, waarmee het hoogtepunt van de langste dag van het jaar wordt gemarkeerd.'
'Dus het is een viering van het licht,' zei Maureen. 'Een markering van het moment waarop de zon het krachtigst schijnt.'
'Verlichting,' zei Peter zacht. Maureen en Berenger draaiden zich naar hem om. Er school een diep inzicht in dat simpele woord. 'Het is het vieren van de verlichting, hier in deze heilige ruimte.'
Even stonden ze zwijgend bij elkaar, in stille bewondering voor de architecten, de steenhouwers en de astronomen die in uitzonderlijke eendracht moesten hebben samengewerkt om meer dan achthonderd jaar geleden een dergelijke anomalie te creëren.
'De orkestratie is werkelijk fenomenaal,' zei Maureen. 'Bij elk aspect van de kathedraal moet rekening zijn gehouden met dit beoogde resultaat. Niets is willekeurig. Niets. Dat voel ik. Het is alsof elke vierkante centimeter in dit bijzondere, dit heilige bouwwerk me dat toeroept.'
Ze gingen op een bank naast raam nummer 10 zitten, tegenover het noordelijke roosvenster en de lancetramen daaronder. De centrale figuur was een enorme beeltenis van de Heilige Anna, afgebeeld in de stijl van een Zwarte Madonna.
'Kijk, dat is heel specifiek voor Chartres. De Heilige Anna als Zwarte Madonna, en ze is een van de centrale figuren. Je vindt haar overal terug, op prominente plekken, in een positie van gezag. Dat kan geen toeval zijn.'
'Ik kan niet instaan voor de aanwezigheid van de Heilige Anna, maar ik kan wel dit zeggen,' reageerde Peter. 'De gotische beweging begint niet lang na Matilda's dood, zo rond 1130 – zomaar, vanuit het niets. Maar eigenlijk is gotisch niet het goede woord, toch? Het komt niet van de Visigoten. Die waren volgens de overlevering een barbaars en oorlogszuchtig volk dat zich niet bezighield met verfijnde kunstuitingen in steen en glas.'
Berenger haakte in op het onderwerp dat hem maar al te vertrouwd was. 'Klopt. "Gotisch" is een vertaalfout. De oorspronkelijke formulering die werd gebruikt voor wat we tegenwoordig de gotische kathedralen noe-

men, was niet *art gothique* maar *argotique. Argotique* betekent "jargon". Volgens de grote alchemist Fulcanelli was argotique "een taal eigen aan allen die wilden communiceren zonder door buitenstaanders te worden begrepen".'

Peter knikte om aan te geven dat het hem duidelijk was. 'Dus jij zegt dat de kathedraal niet de "kunst van de Goten" vertegenwoordigt, maar een vorm van kunst die is gecodeerd met een soort geheimtaal?'

'Wie oren heeft om te horen,' vulde Maureen aan.

'Precies. Argotique was ook de taal van de vogelvrijen, wat een juiste omschrijving zou zijn voor de ketterse cultussen.'

Peter vervolgde met nog meer enthousiasme: 'Het past allemaal schitterend in elkaar. In de elfde eeuw worden er plotseling meer dan twintig gotische kathedralen gebouwd, en even plotseling verschijnen er steenhouwers, wiskundigen, architecten en glazeniers, die allemaal precies weten hoe ze deze tot op dat moment onbekende architecturale meesterwerken tot stand moeten brengen. En die meteen vertrouwd zijn met een vorm van gecodeerde kunst.'

Maureen en Berenger waren een en al aandacht. Peter was zelden zo spraakzaam. Uit alles bleek dat hij bij zijn recente research en vertaalwerk al veel over dit onderwerp had nagedacht.

'Deze stroming in de architectuur ontstaat bijna van de ene op de andere dag, en komt onmiddellijk tot grote bloei,' vervolgde Peter. 'Maar het hoe of waarom is volstrekt onduidelijk. Net zoals onduidelijk is wie al die kathedralen heeft gefinancierd, in het bijzonder deze. Zoals jij al zei, Maureen: niets is willekeurig. Er moet sprake zijn geweest van een sterke wil om tot dit beoogde resultaat te komen. Maar waarom? En waarom uitgerekend hier? Chartres is bevoorrecht, op een manier die voorbijgaat aan alles wat de reisgidsen en de traditionele Kerk ons willen doen geloven.'

'Wat bedoel je daarmee, Pete? Door wie – of door wat – is Chartres bevoorrecht?'

Peter wachtte even met zijn antwoord. Zijn gezicht stond heel ernstig, maar er verscheen een glimlach op toen hij zich naar zijn nicht keerde.

'Matilda,' was het enige wat hij zei.

Maureen keek hem verbijsterd aan. 'Matilda?'

Father Peter Healy knikte. 'Haar hart lag bij de architectuur. Dat zie je aan de inzet en de liefde waarmee ze Orval heeft gebouwd, aan de manier waarop ze de architecten en bouwmeesters van haar tijd uitdaagde met de afmetingen en de vorm van de bogen. En denk eens aan *Het Libro Rosso*. We weten dat het geheime bouwtekeningen bevatte. Waar kwamen die vandaan? Van Jezus. En hoe kwam Jezus eraan? Van Zijn familie, waar ze van generatie op generatie waren doorgegeven, oorspronkelijk afkomstig van niemand minder dan Salomo, en misschien zelfs van Sheba.'

Maureen dacht hardop na: 'In Matilda's hervertelling van de legende van Salomo en Sheba wijst ze erop dat de Sabeërs bekendstonden als het Volk van de Bouwers en dat de koningin diverse scholen had gesticht voor steenhouwers.'

Peter knikte instemmend. 'En aan de buitenkant van de kathedraal hebben we gezien dat zowel Salomo als Sheba goed vertegenwoordigd is met ten minste twee levensgrote beelden, maar ook met elementen van de oorspronkelijke tempel in Jeruzalem.'

Berenger besefte als eerste hoe verstrekkend de implicaties waren van wat Peter had gezegd. 'Met andere woorden, Chartres – en in essentie de hele stroming van de gotiek – werd mogelijk geïnstigeerd door Matilda? En was gebaseerd op de oorspronkelijke tekeningen van de Tempel van Salomo?'

'Zoals door de Orde bewaard in *Het Libro Rosso*,' vulde Maureen aan, vervuld van opwinding bij de gedachte. 'En... door Conn en de Meester naar Chartres gebracht? Mijn god...'

Peter sloot hierbij aan, bijna struikelend over zijn woorden, waarmee hij bewees dat deze theorie hem al heel lang bezighield. 'Het klopt allemaal. Fulbert herbouwde de kathedraal na de brand in 1020. Maar in 1134 is er ook brand geweest, waarvan de gevolgen zelfs nog rampzaliger waren en waarbij de hele kerk werd verwoest, op de crypte na. Misschien was die brand een ongeluk, misschien niet. Hoe dan ook, de kathedraal werd volledig herbouwd naar een nieuw en nog niet eerder vertoond model, tot het architecturale meesterwerk dat hij tot op de dag van vandaag is. De hoogte van het gewelf is nooit geëvenaard, nergens ter wereld.'

Maureen voelde zich schuldig omdat ze zich eerder aan Peter had geërgerd. Hij was in twee jaar een heel eind gekomen. Wat hij zojuist had verkondigd, was een verbijsterende, en bovendien buitengewoon progressieve theorie.

Berenger bouwde op de gedachte voort. '1134. Ruwweg dertig jaar na 1100, het jaar waarin we vermoeden dat Conn en de Meester naar Chartres kwamen. We weten dat Patricio zich uiteindelijk bij hen heeft gevoegd. En Patricio was, samen met Matilda, het architecturale meesterbrein van het schitterende Orval. Dus ze hebben alle tijd gehad om de technieken, de plannen, de berekeningen te vervolmaken en te beginnen aan de bouw van een geheel nieuw type heiligdom. En misschien zelfs om een hele generatie op te leiden in die principes en technieken. De eeuw daarna heeft zich nog een brand voorgedaan, waarna een zelfs nog uitgebreidere decoratie tot stand kwam voor de nieuwe elementen.'

'Want de plaatselijke ambachtslieden waren inmiddels volleerd in alle architecturale modaliteiten die vereist waren om tot een dergelijke volmaaktheid te komen,' besloot Maureen de redenering.

Ze wandelden inmiddels al pratend door de kathedraal, waarbij ze de enormiteit van het bouwwerk en zijn geschiedenis op zich lieten inwerken. Berenger hield hen staande voor het beroemde raam in de zuidelijke galerij. 'Hier is ze, de koningin van Chartres.' Hij wees naar de lieftallige Madonna met Kind die hoog boven hen uittorende. 'Notre Dame de la Belle Verrière, Onze Lieve Vrouwe van het Mooie Raam, wordt ze genoemd, en je kunt zien waarom. Dit is het oudste glas-in-loodraam, daterend uit 1137.' De schitterende madonna, naar wie werd verwezen als 'het mooiste glas-in-loodraam ter wereld', zag eruit als een koningin met haar gouden kroon, bezet met edelstenen en Franse lelies. Haar uitgelezen gewaad in het beroemde Chartres Blauw dat niemand ooit had kunnen namaken, vormde een fraai contrast met de vurig rode achtergrond. Foto's deden de kleuren geen recht die straalden in het licht van de ochtendzon. Achter de troon van de madonna verhief zich een soort burcht, boven haar hoofd en dat van haar zoon zweefde een enorme witte duif, het symbool van de Heilige Geest.

'De officiële positie van de Kerk is dat deze kathedraal is gewijd aan de Maagd Maria, en dat alle Madonna-beeltenissen de Maagd afbeelden in verschillende gedaanten. Maar ik denk dat wij het erover eens kunnen zijn dat hier verschillende Maria's zijn afgebeeld,' zei Berenger.

'Mee eens,' viel Peter hem bij. 'Maar met het risico dat ik Maureen tegen de schenen schop, moet ik toch iets zeggen.' Ze liepen verder en volgden de welving van de galerij, tot Peter hen staande hield voor een kapel aan de noordoostkant van de kathedraal, met daarin een grote, rijk bewerkte reliekschrijn. Achter de panelen van helder glas lag een lap witte zijde gedrapeerd. 'De Sancta Camisa. De Sluier van de Maagd. Een van de heiligste relikwieën in het christendom en al sinds de negende eeuw in Chartres. Iedereen zal je vertellen dat de Sancta Camisa de reden is waarom de kathedraal is gewijd aan de Maagd Maria, en zo zou het ook moeten zijn.'

'Dat zal ik ook nooit bestrijden,' antwoordde Maureen. 'Ik heb het al eerder gezegd: het is nooit mijn bedoeling geweest afbreuk te doen aan het belang van de moeder van Jezus. Integendeel. Ik denk dat ze is uitverkoren om Hem het leven te schenken en groot te brengen, omdat ze een uitzonderlijke briljante vrouw was, sterk en puur naar hart en geest. Ik zeg alleen dat het met haar niet eindigt, en gezien alle beelden van haar moeder, de Heilige Anna, hier in de kathedraal, lijkt me duidelijk dat het met haar ook niet is begonnen. Uitgerekend Maria zou waarschijnlijk ook niet willen dat we zo dachten.'

✻

Elk jaar op de 21e juni verleende het aartsbisdom van Chartres toestemming om het labyrint te ontdekken. Met die wetenschap hadden Maureen, Berenger en Peter voor een vroeg ontbijt afgesproken met Tammy en Roland, om daarna naar de kathedraal te gaan, kort nadat die was opengegaan. Ze waren allemaal benieuwd om het labyrint te zien en de elf omlopen te volgen. Tammy en Roland waren de avond tevoren gearriveerd, op tijd voor een laat diner. Gelukkig maakte de Franse traditie het mogelijk om nog langdurig te tafelen, zodat ze hadden kunnen bijpraten over alle recente gebeurtenissen.

Toen hun groepje bij de treden van het westportaal arriveerde, merkte Maureen op dat er vandaag iemand anders bij de deur stond. Ook deze man zong en hield een sint-jakobsschelp in zijn hand voor aalmoezen. Toen ze dichterbij kwamen, bleef ze met gespitste oren staan, en ze tikte Tammy op haar schouder, die in gesprek was met Berenger. 'Sst. Je moet luisteren.'

De man, die er ondanks zijn gevorderde leeftijd nog kwiek uitzag, was voor het kleine groepje slechts en profil zichtbaar. Blijkbaar was dat de bedoeling en keek hij hen welbewust niet aan. Zijn stem klonk zacht maar helder, en Maureen kreeg kippenvel toen ze hoorde wat hij zong. Het was een Engels liedje, hoewel zijn zware accent verried dat Engels niet zijn moedertaal was:

*'Mary had a little lamb*
*its fleece was white as snow.*
*And everywhere that Mary went*
*the lamb was sure to go.*
*It followed her to school one day*
*which was against the rules.*
*It made the children laugh and play*
*to see a lamb at school.'*

Maar het was het tweede couplet – het couplet dat op het schoolplein maar zelden werd gezongen – dat Maureen telkens weer ontroerde als ze het hoorde. Zo ook nu. Pas sinds kort begreep ze waar die ontroering vandaan kwam:

'"*Why does the lamb love Mary so?"*
*The little children cried.*
*"For Mary loves the lamb you know,"*
*The teacher did reply.*'

Bij het zingen van de laatste regel keerde de man zich naar Maureen toe, en ze stond als aan de grond genageld.
Eén kant van zijn verweerde gezicht werd ontsierd door een dik, ruw litteken dat zigzaggend van zijn jukbeen tot zijn hals liep.

❂

'Destino.'
Na het noemen van zijn naam knikte de oude man Maureen glimlachend toe. Bij de anderen, die een eindje achter haar hadden gelopen, begon het besef te dagen wat er aan de hand was. Maar terwijl ze allemaal hun eigen reden hadden om hier te zijn, was de man die door Maureen was aangesproken met Destino duidelijk alleen in haar geïnteresseerd. Dus de anderen hielden zich op de achtergrond, in de toenemende warmte van de naderende zomer, zodat Maureen en Destino in alle rust konden praten.
'Ik heb... Ik zit met zoveel vragen,' zei Maureen, niet wetend waar te beginnen.
'We hebben de tijd, Madonna. We hebben alle tijd. Ik zal een van uw vragen beantwoorden. De rest zal moeten wachten, want we moeten naar binnen. Er is iets wat we samen moeten doen, en dat duldt geen uitstel.'
'Bent u Italiaan?' vroeg Maureen naar aanleiding van de specifieke cadans van zijn accent.
'Wilt u dat ik die vraag nu beantwoord?'
'Nee! O, wacht even.' Het was als in een sprookje, waarin een geest je vroeg of je zeker was van je wens. Maureen moest zorgen dat ze een verstandige keus maakte. Na even nadenken vroeg ze: 'Hoe wist u wat ik heb gezien in mijn dromen? En dan ook nog zo precies? Hoe wist u letterlijk, woord voor woord, wat Easa tegen me zei?'
De oude man haalde zijn schouders op. 'Denkt u dat u de enige bent tot wie Hij spreekt?'

Maureen was verbijsterd door zijn reactie. 'Is dat het antwoord?'
'Het is het enige antwoord dat ik je geef. Kom, kindje. En breng je vrienden mee. We hebben heilig werk te doen.'
Maureen gebaarde naar de anderen om mee naar binnen te gaan, waarop ze Destino volgden de kathedraal in. Ze waren verrast te zien dat er nog steeds stoelen op het labyrint stonden. 'En ik dacht dat ze het labyrint met de zomerzonnewende vrijmaakten?' zei Maureen.
Destino schudde verdrietig zijn hoofd. 'Helaas niet. Het is een ernstige vorm van heiligschennis, een verschrikkelijk gebrek aan begrip... Ik zal er nooit aan wennen, en ik zie het toch al heel wat jaren. Langer dan ik je kan vertellen. De Kerk staat weliswaar toe dat het labyrint op bepaalde dagen van het jaar wordt vrijgemaakt, maar steekt daar geen vinger voor uit. We zullen het zelf moeten doen. We zullen zelf de stoelen moeten weghalen. Anderzijds: dat is eigenlijk wel mooi. Want het is heilig werk. Dat zul je zien.'
Destino gebaarde naar Roland, waarop ze samen de techniek demonstreerden om de lompe stoelen weg te halen die door middel van metalen staven met elkaar waren verbonden. Ze bleken niet zo zwaar te zijn als ze leken. Het viel echter niet mee om ze van hun plaats te krijgen zonder krassen te maken op de vloer en nog meer schade aan te richten aan de eeuwenoude stenen van het labyrint. Destino liet hun zien waar ze de stoelen moesten neerzetten: achter de laatst toegevoegde kerkbanken en langs de zijkanten van het schip. Ze werkten in paren: Maureen en Berenger, Tammy en Peter, Roland en Destino. Het labyrint was bijna dertien meter in doorsnee, en het vooruitzicht alle stoelen te moeten weghalen was nogal ontmoedigend. Maar toen ze eenmaal waren begonnen en het labyrint zichtbaar werd, begrepen Maureen en de anderen wat Destino had bedoeld toen hij het werk heilig had genoemd. Het had iets bevrijdends, en de krachtige metafoor het labyrint te ontdoen van datgene wat het verduisterde, was iets waarvan ze zich allemaal bewust waren.
Het was als het ware een catharsis. Maureen dacht even na over dat woord. *Catharsis*. Zuiver en zuiverend, door middel van de ware leer van de liefde.
Al sjouwend keek Roland zijn kameraden grijnzend aan. 'Een voor allen en allen voor een. Dat is ons motto, waar of niet?'
Terwijl ze hun heilige taak in volle harmonie uitvoerden, kwam er een groep enthousiaste studenten de kathedraal binnen. Ze waren op pelgrimstocht vanuit België en vroegen of ze mochten helpen. Dat mochten ze en ze gingen meteen aan de slag, bezield door de euforie die het resul-

taat was van de bevrijding van het labyrint op de langste dag van het jaar. De dag waarop er meer licht door de bijzondere ramen viel dan in de rest van het jaar. Er heerste een gevoel van saamhorigheid en solidariteit, en toen ze het labyrint eindelijk hadden vrijgemaakt, deden ze een paar stappen naar achteren om het werk van de meesterambachtslieden te bewonderen die deze spirituele kunstuiting acht eeuwen eerder hadden gemaakt. Destino gebaarde dat de studenten als eersten de kans moesten krijgen het labyrint te lopen. Hij wilde Maureen en haar groepje nog wijzen op een aantal details, voordat zij dat deden.
Hij keerde de ingang van het labyrint, die op het westen lag, de rug toe en hobbelde met zijn grappige oudemannengang naar het westportaal, totdat hij in het gangpad van het schip abrupt bleef staan. Daar wees hij naar de grond en maakte duidelijk dat hij te oud was om te knielen en zijn vermoeide gewrichten op de proef te stellen, maar dat hij wilde dat zij naar de grond keken, naar de grote, ijzeren ring, ingebed in de stenen.
'Madonna Ariadne,' zei hij bij wijze van uitleg. Toen gebaarde hij dat Maureen en Tammy een paar haren uit hun hoofd moesten trekken en die aan de ring moesten binden, voordat ze het labyrint betraden. De twee vrouwen deden wat hun werd gezegd, terwijl de mannen toekeken. Zodra de symbolische draden van Ariadne waren bevestigd, wees Destino naar het glas-in-loodraam dat zich op één lijn met de ijzeren ring bevond, het dichtst bij de ingang van het labyrint.
'Er waren hier honderdzesentachtig glas-in-loodramen toen de kathedraal in de dertiende eeuw werd voltooid. Denk je dat het toeval is dat het raam tegenover de ingang van het labyrint het verhaal van Maria Magdalena vertelt? En dat het bewuste raam tweeëntwintig panelen telt? Kom!' Hij gebaarde het vijftal hem te volgen, dichter naar het schitterende Magdalenaraam. Daar legde hij uit dat de glas-in-loodramen moesten worden gelezen als een boek, maar dan wel op een heel specifieke manier. De lezer begint in de linkerbenedenhoek en leest de beelden van links naar rechts, waarbij hij telkens één 'regel' omhooggaat. De onderste regel bestond uit drie afbeeldingen, waarop mannen met kruiken te zien waren die daaruit water schonken.
'Waterdragers? Is dat een verwijzing naar Aquarius?' Als de astroloog van de groep haakte Tammy onmiddellijk in op die verwijzing.
Destino haalde zijn schouders op. 'Ja. En nee. Alles in Chartres heeft diverse betekenislagen. Letterlijk alles. Er zijn hier geen toevalligheden, en vaak is er sprake van diverse betekenissen, die allemaal verband houden met elkaar. Het is onmogelijk om in één keer alles te begrijpen wat ons

hier wordt geleerd. De kathedraal is het huis van het gelaagde leren. Hoe vaker je de kunst ziet die zich hier bevindt, hoe meer sluiers er worden opgelicht. Over elke centimeter van dit monument is nagedacht door de mannen en de vrouwen die het hebben geschapen. Inderdaad, mannen én vrouwen. Want deze plek... is een monument, een tempel voor de liefde. Voel je het? En om dit gevoel te creëren moesten ontwerp en bouw in evenwicht zijn. Maar om antwoord te geven op je vraag: het is inderdaad een verwijzing naar Aquarius. Misschien omdat we het tijdperk van Aquarius binnengaan? Maar denk nog eens verder, ga eens wat dieper.'

Peter kwam met de verklaring van de Kerk, die hij de avond tevoren had gelezen toen hij zich had verdiept in literatuur over de kathedraal. 'De waterdragers die hielpen bij de bouw door de werkers van water te voorzien uit lokale bronnen, hebben dit raam geschonken, en daarom zijn ze afgebeeld aan het begin van het verhaal.'

Destino knikte. 'Ja, die verklaring ken ik. Maar er zit een onvolkomenheid in. De mannen en vrouwen die werkten als waterdragers, waren de armsten van de armsten. Mensen die geen enkele vaardigheid bezaten, geen talent als kunstenaar, en die daarom niet in staat waren te werken aan de tempel zelf. Het enige wat ze konden doen, was water dragen. Ik wil niets afdoen aan hun bijdrage, want iedereen die zijn handen en zijn hart heeft ingezet voor de bouw van deze kathedraal, is gelijkelijk gezegend. Niemand staat boven een ander, wat hij of zij ook doet. De ongeletterde arme sloeber die werkte als waterdrager, was in de ogen van God gelijk aan een hoogopgeleid iemand als de architect. Daar gaat het niet om. Waar het om gaat, is dat de waterdragers niet zoveel geld hadden dat ze een dergelijk rijk bewerkt raam hadden kunnen financieren. Dus die verklaring is belachelijk. En omdat jullie een bijzondere groep zijn, met een bijzondere queeste, verwacht ik van jullie een andere interpretatie. Ga je gang. Denk rustig na. Ik heb alle tijd.'

Hij keek geduldig naar het raam, vastbesloten niets meer te zeggen totdat een van zijn leerlingen bewees zijn tijd waardig te zijn door met het juiste antwoord te komen. Ze bespraken de kwestie samen.

'De man in het midden is ondergedompeld in het water,' merkte Berenger op. 'De ondergrondse stroom, geheime kennis.'

Destino knikte. 'Ga door.'

'De Wouivre,' opperde Roland. 'Water symboliseert soms de tellurische stroming die zich door de aarde kronkelt. Die is hier in Chartres het sterkst en loopt helemaal naar de Languedoc.'

'Precies. Precies,' moedigde Destino hem aan. 'En daar zullen we heel

spoedig meer van zien. Namelijk wanneer het middaguur aanbreekt.'
'Waterdragers. Staan ze misschien symbool voor... bekerdragers?' Deze suggestie kwam van Tammy.
'En in onze esoterische wereld staat beker voor... de Graal?' opperde Maureen.
Destino keek haar stralend aan. 'In de Orde hebben we dit altijd het Raam van de Graal genoemd. En kijk nu eens hier. Er wordt algemeen aangenomen dat Madonna Magdalena de voeten van Jezus wast met haar tranen, dat ze de naamloze zondaar symboliseert uit het evangelie volgens Lucas. Maar dat is pure godslastering, om Onze Vrouwe een zondaar te noemen. Nee, ze zálft de voeten van haar geliefde met olie, en de symboliek van haar losse haren geeft aan dat ze zich voorbereiden op het bruidsvertrek, zoals dat gebeurt in het evangelie volgens Johannes. Het zalven van de voeten is het begin van de hieros gamos, de voorbereiding van de bruidegom door de bruid. Het is de eerste stap van het heilige huwelijk, en daarom is het eerste raam het verhaal van Maria Magdalena.'
Maureen en de anderen waren zich ervan bewust dat Maria Magdalena niet de naamloze zondaar was in het evangelie volgens Lucas, en van het feit dat de Kerk deze verhalen in de zesde eeuw met elkaar had gecombineerd om haar af te schilderen als een berouwvolle lichte vrouw. Maar behalve in Matilda's autobiografie waren ze de zalving met nardusolie nooit tegengekomen als voorbereidingsritueel op het bruidsvertrek.
'Op de volgende ramen zien we Magdalena's aanwezigheid en haar rol bij de wederopstanding. Want de liefde is de sleutel tot het leven, machtiger dan de dood, en hier worden we eraan herinnerd dat de liefde zich in vele gedaanten hult, en dat ze allemaal sterk genoeg zijn om de dood te overwinnen. Kijk, hier is ze aanwezig bij de wederopstanding van haar broer, Lazarus. Daarboven is ze de eerste die de opgestane Heer aanschouwt, en hier vertelt Hij haar dat het haar taak is de anderen het Goede Nieuws te brengen, en dat het nu haar verantwoordelijkheid is om het woord van de Weg van de Liefde te verspreiden. Als je goed kijkt, zie je dat ze een perkamentrol bij zich draagt, een symbool van het gezag dat Hij haar heeft gegeven, wanneer ze naar de anderen gaat om hun te vertellen dat ze *Het Boek der Liefde* heeft en daaruit gaat onderwijzen. Hierboven zie je haar aan boord van een boot, op weg naar Frankrijk. In de centrale ruitvorm is Saint-Maximin afgebeeld, die de eerste kerk stichtte in de Provence. Maar kijk nu eens naar het laatste raam, want dat is het belangrijkst. Het verbeeldt de aardse dood van Madonna Magdalena. Aan haar voeten zie je drie rouwklagers: een man, een vrouw en een jongere man. Dat zijn haar

kinderen. Degene die naast haar staat, is Maximinus, die haar steunde en nabij stond en haar liefhad boven alles. Hij leest uit een boek dat rust op een gouden standaard. Ik hoef jullie niet te vertellen naar welk boek hier wordt verwezen. Je ziet het in het paneel ernaast, waar Onze Vrouwe wordt betreurd en begraven. Hier zien we aan haar voeten de heilige geliefden, Veronica en Praetorus, afgebeeld. De Romein Praetorus is gehuld in priestergewaad, om duidelijk te maken dat hij zich heeft bekeerd tot het christendom. En dan die andere man daar, de man die het kruis draagt? Jullie raden nooit wie dat is, dus zal ik het jullie vertellen. Dat is de voormalige Romeinse centurio, de schurkachtige Longinus.'
'Longinus Gaius?' vroeg Peter verbijsterd. 'De centurio die Jezus stak met zijn speer?'
'Dezelfde vervloekte Longinus. Zoals je door je recente studie ongetwijfeld weet, werd hij dankzij de genadige leiding van Madonna Magdalena een devoot christen, en hij diende haar tot haar dood. Longinus is het volmaakte voorbeeld van hoe de wanhopigste verloren zielen kunnen worden verlost door liefde die niet oordeelt. Hij heeft zijn ereplaats in dit verhaal verdiend.'
Destino wees naar het laatste paneel aan de bovenkant van het raam, waarop Jezus was afgebeeld in de hemel, in afwachting van de komst van de onbezoedelde ziel van Maria Magdalena. 'Hier is ze, haar geest afgebeeld in wit als symbool van haar heiligheid, terwijl ze omhoog wordt gedragen door engelen om te worden verenigd met haar enige geliefde.'
Maureen huilde weer. Het raam was onbeschrijflijk mooi, en het beeldde het verhaal van Maria Magdalena naar waarheid uit, zoals ze wist dankzij het manuscript dat ze had gevonden in Arques en dankzij wat ze voelde in haar hart, haar ziel. Destino legde in een liefhebbend, vaderlijk gebaar zijn hand op haar hoofd. 'Je ziet, kindje, hoe we eer bewijzen aan de vrouwen van het labyrint voordat we aan onze wandeling beginnen. Ik geloof dat we er nu klaar voor zijn. Jij gaat als eerste, de rest volgt. Ga maar. Je Schepper wacht op je. *Solvitur ambulando.*'

✿

Destino legde uit dat er geen goede of verkeerde manier was om het labyrint te lopen, alleen je eigen manier. Er bestond echter wel een etiquette, en die vereiste dat je degene vóór je ruimschoots de tijd gaf om op weg te komen voordat ook jij aan het labyrint begon. Als je onderweg iemand passeerde, deed je zwijgend een stap opzij om elkaar de ruimte te geven.

Wanneer er meerdere mensen gelijktijdig in het labyrint waren, werd het een soort dans met een gemeenschappelijk doel, een gevoel van saamhorigheid. Iedereen had zijn of haar eigen reis, waarbij de wegen elkaar kruisten. Het labyrint was rijk aan metaforen voor de paden van het leven.
Vervuld van ontzag door de artistieke schoonheid en de geometrische volmaaktheid van het labyrint, liep Maureen ernaartoe. Destino had haar aangemoedigd haar schoenen uit te doen. De sensatie van de stenen onder haar voeten vormde een belangrijk onderdeel van het ritueel, zei hij, en ze zou er goed aan doen daar aandacht voor te hebben. Dus ze trokken alle vijf hun schoenen uit en zetten die langs de buitenrand van het labyrint. Maureen betrad het als eerste, met haar blik naar de grond gericht, vol aandacht voor de elegante bochten en krommingen die ze volgde. Af en toe keek ze op, zich verwonderend over het licht dat door de glas-in-loodramen op het labyrint viel. Ze was ervan overtuigd dat daarbij van toeval geen sprake was. Zoals diverse wijze mannen al hadden opgemerkt, was er over elke centimeter van de kathedraal van Chartres zorgvuldig nagedacht.
Het licht bleef om haar heen wervelen, en de specifieke, magische indigokleuren, die dankzij het licht dat door het enorme westelijke roosvenster viel, over de vloer dansten, maakten Maureen duizelig terwijl ze de zoveelste bocht nam in de elf omlopen. Haar gezicht werd wazig toen ze vanuit haar ooghoeken de lege schoenen zag langs de rand van het labyrint.
Lege schoenen.
Plotseling werd ze overweldigd door de symboliek, denkend aan de vrouwen in dit grootse verhaal dat zich door de geschiedenis heen ontvouwde. Maria Magdalena, Matilda... Na de dood van hun geliefde partner hadden beide vrouwen nog een lange weg afgelegd. Ze waren als het ware achtergelaten om het werk van hun partner voort te zetten, om ervoor te zorgen dat de boodschap van hun partner zou voortleven. Allebei hadden ze de uitdaging onder ogen moeten zien om die lege schoenen te vullen. Toch waren ze door de geschiedenis vergeten als het ging om hun ware bijdrage daaraan, een bijdrage die van onschatbare waarde was voor de mensheid. Welke tragedie was de grootste? Maureen wist wat beide vrouwen zouden zeggen, nobel, loyaal en vervuld van geloof en liefde als ze waren. Ze zouden zeggen dat de uitdaging van die lege schoenen groter was dan al het andere waarmee ze in hun veelbewogen leven waren geconfronteerd.
Ze reikte naar het koperen amulet om haar hals met de inscriptie uit het evangelie volgens Lucas: *Maria heeft het goede deel gekozen, dat van haar niet zal worden weggenomen.* Misschien was dit de ware betekenis van het

'goede deel'. Het was een keuze om door te gaan – ondanks alle moeilijkheden, ondanks de geringe hoop op slagen –, om ervoor te zorgen dat de heilige leer voortleefde, om de levende belichaming van de Weg te zijn.
Terwijl ze dit dacht, betrad Berenger het labyrint. Toen hij haar passeerde bij een bocht in een van de omlopen en haar aankeek, las Maureen zoveel liefde in zijn ogen dat ze even bleef staan. Dit was een van de lessen van het labyrint. Het herinnerde haar eraan dat ze moest genieten van de overweldigende liefde die haar was gegeven. Hier, nu, en zonder angst.
Ze bereikte het hart van het labyrint en bad in stilte het paternoster in de zes bloembladeren, precies zoals ze dat van Matilda had geleerd. Toen ze het gebed had voltooid, naderde Berenger het hart van de zesbladige roos, en ze bleef op hem wachten. Zwijgend nam hij haar handen in de zijne, en ze keken elkaar aan, in het hart van het labyrint, waar het verblindende eerste licht van de zomer door eeuwenoud glas filterde en blauwe prisma's wierp in de eeuwenoude tempel van de liefde.

Net voor het middaguur ging het groepje pelgrims op weg naar raam nummer 10, om te wachten op de zonnestraal die de messing pen in de hellende steen zou verlichten. Hij kwam, zoals hij dat altijd had gedaan, precies op tijd. De zonnestraal scheen door het volmaakt ronde gat en viel op het messing, lang genoeg om die te doen stralen in het licht.
'De Wouivre.' Destino glimlachte; de verminkte kant van zijn gezicht rimpelde op de plaats van het litteken. 'Het hart van de Wouivre bevindt zich in de aarde, hier recht onder, op de plek van de crypte die is gebouwd op de oorspronkelijke terp. Deze plek...' Hij wees naar de messing pen. 'Deze plek geeft de exacte locatie aan van de bron van de stroom. Niets minder dan... de hartslag van onze planeet.'
Met die informatie liet Destino hen achter. Voordat hij de kathedraal uit hobbelde, nodigde hij hen uit de volgende dag met hem door te brengen in het Franse hoofdkwartier van de Orde van het Heilige Graf, gelegen aan de rand van het eigenlijke Chartres. Hij vertelde dat het ging om een uitgestrekt landgoed aan de rivier de Eure, vanwaar je vanuit het lager gelegen oevergebied een schitterend uitzicht had op de kathedraal. Alle vijf keken ze ernaar uit om Destino in zijn natuurlijke habitat te zien en meer over hem te weten te komen. Hij was een raadselachtige figuur, maar ook fascinerend en duidelijk een briljante bron van informatie. En dan was er nog de kwestie van het litteken op zijn gezicht. Zou het zo kunnen zijn dat

zelfs in de eenentwintigste eeuw de leiders van de Orde zichzelf nog altijd op zo'n gruwelijke manier verminkten? Blijkbaar wel. Maureen vroeg zich af in welk stadium er een opvolger werd gekozen voor de Meester, en wanneer het litteken werd toegebracht. Zou het ongepast zijn ernaar te vragen? Ze wist het niet, maar ze was ontzettend nieuwsgierig naar deze oude tradities die in het oudste geheime genootschap blijkbaar nog altijd van generatie op generatie werden doorgegeven.

# 20

*Chartres*
*Heden*

Terwijl ze gevijven terugliepen naar het hotel om even rust te nemen voor het diner, hadden ze het over Destino. Peters mobiele telefoon ging, en Maureen zag aan zijn gezicht dat hij opwindend nieuws had ontvangen. 'Wat is er gebeurd?' vroeg ze zodra hij de telefoon dichtklapte.

Hij bleef staan, en de anderen volgden zijn voorbeeld. 'Ik weet niet goed wat ik moet zeggen. Dat was Tomas DeCaro. De commissie die zich over het materiaal uit Arques heeft gebogen, geeft morgenochtend een persconferentie over het Magdalena-materiaal. We denken dat ze het authentiek gaan verklaren.'

'Maar dat is geweldig!' riep Tammy uit.

Peter schudde zijn hoofd. 'Ik weet het niet. Eerlijk gezegd ben ik bang om al te optimistisch te zijn. Tenslotte heb ik twee jaar met deze mannen samengewerkt, en ik kan het nauwelijks geloven. Voor Tomas geldt hetzelfde. Barberini is hier in Frankrijk, en ze hebben me gevraagd naar Parijs te komen voor spoedoverleg. Dat is alles wat ik weet. En dat ik over een uur een trein moet zien te halen.'

❂

Maureen zei dat ze hoofdpijn had en ging naar haar kamer, zij het pas nadat ze afscheid had genomen van Peter, die op weg ging naar het station. Berenger was ook moe. Bovendien wist hij dat hij haar de tijd en de ruimte moest geven om alles te verwerken wat er die dag was gebeurd. Hij begon te leren haar stemmingen en haar ritme te begrijpen. Telkens weer had hij gezien dat ze tijd vroeg om te schrijven en na te denken. Dat was haar manier om alles een plaatsje te geven, en daarvoor gaf hij haar alle vrijheid.

Ze besefte echter dat ze te moe was om na te denken, laat staan om te schrijven, dus ze besloot even een dutje te doen voor het eten. Amper had ze haar ogen dichtgedaan, of ze viel in een diepe slaap. Twee uur later werd ze wakker van de telefoon.

'Maureen?'

Een vrouwenstem, met een Iers accent. Maureen wreef de slaap uit haar ogen en probeerde helder te worden. 'Mm-mm,' zei ze, nog half verdwaasd.

'Het spijt me dat ik je lastigval, kindje,' vervolgde de stem met het brouwende Ierse accent. 'Je spreekt met Maggie Cusack.'

Peters huishoudster. Maureen was op slag klaarwakker. 'Is er iets, Maggie?'

'Nee. Tenminste, niets om je ongerust over te maken. Father Healy belde. Er schijnt de een of andere dringende kwestie te zijn, waarvan hij wil dat jij je erover ontfermt. Veel wilde hij er niet over zeggen. Hij kan soms erg geheimzinnig doen. Niet dat ik ernaar vraag, want het gaat mij tenslotte niets aan.'

Kom op, Maggie. Voor de draad ermee, dacht Maureen. Maar ze bleef beleefd en zei niets.

'Dit zijn de instructies die ik van hem heb gekregen. Je moet vanavond om acht uur bij de deur van de crypte zijn, in de zuidelijke gevel van de kathedraal. En je mag het tegen niemand zeggen, zelfs niet tegen lord Sinclair. Geheimhouding is van het grootste belang, zei father Healy. Dat begrijp je wel zodra je daar bent. Hij hamerde erop dat ik je van het belang hiervan moest doordringen. Er staat daar iemand op je te wachten, en dan hoor je meer. Father Healy is op weg naar Parijs, dus het zal de eerstkomende uren erg moeilijk zijn om hem te pakken te krijgen. Hij zei ook nog dat de commissie het materiaal inderdaad authentiek gaat verklaren, en dat je het allemaal wel zou begrijpen.'

Maureen fronste peinzend haar wenkbrauwen. Vreemd. Peter deed zelden zo geheimzinnig. Anderzijds: het telefoontje van die middag, over het Magdalena-materiaal, had hem zichtbaar geschokt. Er stond iets heel belangrijks te gebeuren, en als hij wilde dat Maureen naar de deur van de crypte ging, om welke reden dan ook, dan zou ze er zijn. Het had te maken met de authenticiteitsverklaring, had hij gezegd, en dat deed Maureens hart sneller kloppen. Ze vond het vervelend dat ze zou moeten jokken tegen Berenger – tenslotte werd ze om halfnegen aan het diner verwacht, dus ze zou een excuus moeten bedenken – maar daar was niets aan te doen. Uiteindelijk zou ze hem de waarheid vertellen en zeggen dat het haar speet. Hij was afkomstig uit de wereld van de geheime genootschap-

pen, dus als iemand begreep dat geheimhouding soms nodig was, dan was hij het wel.
'Stel hem alsjeblieft niet teleur, Maureen,' klonk de stem van Maggie aan de andere kant van de lijn. 'Want dan ben ik bang dat hij me ontslaat. Dit is ontzettend belangrijk voor hem.'
'Oké Maggie, bedankt.' Maureen hing op, zich afvragend wat er in 's hemelsnaam aan de hand was.

Liegen ging haar slecht af. Het zou haar niet lukken Berenger voor de gek te houden, besefte ze, dus bij wijze van alternatieve strategie belde ze de kamer van Tammy en Roland. Met de smoes dat ze bang was voor een migraineaanval, vroeg ze Tammy om tegen Berenger te zeggen dat ze naar bed ging, en dat ze hen de volgende morgen aan het ontbijt zou zien. Tammy klonk niet helemaal overtuigd, maar ze accepteerde Maureens verklaring en hing haastig op. Maureen had de indruk dat Tammy en Roland... het druk hadden. Des te beter. Want daardoor had Tammy minder vragen gesteld dan Maureen had gevreesd.
Het hotel was zo groot dat Maureen ongemerkt kon wegglippen voor haar afspraak van acht uur. Terwijl ze de heuvel beklom naar de kathedraal, koos ze het tweede voorkeurnummer in haar telefoon, om te zien of Peter in Parijs nog aanspreekbaar was. Ze werd onmiddellijk doorgeschakeld naar de voicemail, wat betekende dat zijn telefoon uit stond of buiten bereik was. Dus ze sprak een boodschap in.
'Hallo, met mij. Ik heb Maggie gesproken en ik ben onderweg naar de crypte. Ik heb geen idee wie ik daar kan verwachten, maar ik ben razend nieuwsgierig naar de ontwikkelingen rond de authenticiteitsverklaring. Bel me zodra je kunt.'
Bij het Portail Royal sloeg ze rechts af, naar de zuidgevel van de kathedraal, waar zich de eeuwenoude zware deur naar de crypte bevond. Hij was dicht, maar toen Maureen wilde aankloppen, hoorde ze scharnieren knarsen. De deur zwaaide langzaam open. Aanvankelijk was er niemand te zien. Ze zag alleen het geflakker van kaarsen in de duisternis daar binnen. De kaarsen wierpen een grillig licht op een reeks stenen treden die naar beneden voerden, naar de crypte.
Maureen kreeg de schrik van haar leven toen een onzichtbare gestalte naar haar reikte. Ze draaide zich om en ontdekte een mannenfiguur, gehuld in een donker gewaad, waardoor hij leek op te gaan in de duisternis. Hij

gebaarde naar de treden, en toen ze dichterbij kwam zag ze bij het licht van de kaarsen dat zijn hoofd was bedekt met een kap, voorzien van stiksels op de plek van de oogkassen. De kap was donker van kleur, bijna zwartblauw. Te laat besefte Maureen dat de onheilspellende mannen die ze in Orval in haar droom had gezien, identiek gekleed waren geweest: de mannen aan wie het boek dat van haar was gestolen was afgeleverd.
Het dichtvallen van de deur, gevolgd door het geluid van een zware grendel die werd dichtgeschoven, doordrong Maureen definitief van haar kritieke situatie. Ze was gevangen in de crypte van de kathedraal van Chartres. En dat kon maar één ding betekenen: haar ontvoerder bekleedde een hoge positie in de Kerk.
'Kom binnen, signorina Paschal.' Het was eerder een bevel dan een uitnodiging, uitgesproken door een stem met een zwaar accent, schor van ouderdom, ergens aan het eind van de gang. Doordat het zo donker was, kon Maureen de spreker niet onderscheiden terwijl de man met de kap over zijn hoofd haar voor zich uit dreef. Na een meter of vijf, zes greep haar escorte haar bij de elleboog en dwong haar abrupt te blijven staan. Hij knipte met zijn vingers, waarop een andere figuur, identiek gekleed in een onheilspellend gewaad met een kap waarachter zijn ogen onzichtbaar waren, een hoek om kwam met een dikke waskaars in een ijzeren houder. Deze tweede figuur boog zich voorover om de brede, halfronde cisterne te verlichten die in de muur leek te zijn gebouwd.
De man achter Maureen greep haar bij de haren en trok haar hoofd boven de put, terwijl de andere gedaante de kaars onder de stenen rand hield. Maureen dacht dat hij haar in de put ging gooien. Ze raakte in paniek, greep de rand vast en gilde het uit. Daarop liet haar belager haar los om zijn hand op haar mond te leggen en het geluid te smoren.
'Als je niet meewerkt, wacht je hetzelfde lot als de Heilige Modesta,' zei de man die zijn hand op haar mond hield. Ze herkende zijn stem onmiddellijk. Het was een stem die ze nooit zou vergeten: die van de gewapende overvaller bij Orval. 'En mocht het nodig zijn de dood van Modesta nog eens dunnetjes over te doen, dan hoef ik je niet te vertellen dat niemand je lichaam ooit zal vinden.'
Maureen werd een hoek om geleid, waarachter zich een verrassend grote, onderaardse kapel bleek te bevinden. Hier brandden meer kaarsen, en ze ving een glimp op van de eeuwenoude versieringen op de muur. Keltisch, herkende ze, de oudste kunst in Chartres, die de mystieke intensiteit van de plek zo mogelijk nog verhoogde. Een eindje naar rechts zag Maureen de beeltenis van Notre Dame Sous Terre, Onze-Lieve-Vrouwe onder de

Aarde, maar haar 'gastheren' hadden ervoor gekozen deze niet te verlichten. De kaarsen waren gereserveerd voor het altaar, waarop een simpel houten krat stond. Ernaast zat een derde man, net als de andere twee gehuld in een donker gewaad met een kap over zijn hoofd. Toen Maureen dichterbij kwam en hij de kap naar achteren schoof, werd ze overmand door verbijstering en teleurstelling.
Pater Girolamo de Pazzi gebaarde haar te gaan zitten op de stoel naast hem. Maureen zei niets en wachtte tot de oude man de stilte verbrak. Zijn trawant, nog altijd met de kap over zijn hoofd, stond vlak achter haar, als om haar te herinneren aan het feit dat ze hun gevangene was – en aan het lot van Modesta.
'Vertel eens, mijn beste. Wat dacht u in Chartres te vinden?'
Maureen zei niets. Zwijgen was haar enige verdediging. Het was duidelijk dat ze iets van haar wilden – kennis die ze bezat, of misschien wel haarzelf – en ze was niet van plan zich gemakkelijk gewonnen te geven.
'U wilt het me niet vertellen? Dat hoeft ook niet. U bent naar Chartres gekomen in de veronderstelling dat u hier *Het Boek der Liefde* zou vinden, waar of niet? Want iemand heeft u verteld dat het zich in de kathedraal zou bevinden. Nou, laat mij u dan vertellen dat die iemand de waarheid heeft gesproken. *Het Boek der Liefde* is inderdaad hier.'
Maureen probeerde haar verrassing – en haar nieuwsgierigheid – te verbergen terwijl De Pazzi vervolgde: 'En dan heb ik het niet over de kopie. Dit is niet *Het Libro Rosso*, dat ketterse lapwerk.' Die laatste woorden dropen van minachting. 'We hebben het hier over het authentieke Boek, het origineel. Het document dat is geschreven door Onze Heer Jezus Christus. Het is hier omdat ik het hiernaartoe heb gebracht. En doe nou maar niet alsof u er niet alles voor zou geven om het Boek te zien. Tenslotte is dat uw bestemming.'
Maureen zei nog altijd niets. Zelfs als het originele *Boek der Liefde* hier was, en zelfs als ze het zou mogen zien, als ze het zou mogen aanraken, dan kon ze zich nog niet voorstellen dat ze de kans zou krijgen er ook maar iemand over te vertellen. Maar Girolamo de Pazzi was niet dom. Hij had zijn prooi lange tijd achtervolgd en geobsedeerd studie gemaakt van haar aard, haar karakter. Na het lezen van de gestolen aantekeningenboeken en nadat hij haar bij hun laatste ontmoeting zorgvuldig had geobserveerd, wist hij precies waarop ze zou reageren: kennis, informatie. De waarheid.
'U zou onderhand moeten weten dat ik hier niet ben om u kwaad te doen, signorina Paschal. Wat niet betekent dat ik daar niet toe zal overgaan indien het nodig mocht blijken. En zoals u hebt gemerkt, zijn deze mannen daar

maar al te zeer toe bereid. De eerlijkheid gebiedt me echter te zeggen dat ik u nodig heb. Dat zowel ik als de Kerk gebaat zal zijn bij uw samenwerking. Dus ik zou graag met u tot een akkoord willen komen. Ik vertel u een geheim, een heel groot geheim. En ik laat u de grootste schat in de geschiedenis van de mensheid zien. In ruil daarvoor moet u iets voor mij doen.'

'Wat wilt u dat ik doe?' vroeg ze, kalmer dan ze zich voelde. Inwendig bad ze tot Easa om kracht en bescherming. Als *Het Boek der Liefde* hier inderdaad was, zou Zijn aanwezigheid haar misschien op de een of andere manier kunnen beschermen.

'Om te beginnen zal ik u een aanwijzing geven over het geheim. Lucia dos Santos.'

Maureen dacht koortsachtig na, in een poging erachter te komen waar hij heen wilde. 'Het echte geheim van Fátima,' zei ze ten slotte. 'Is dat wat u me gaat vertellen?'

Hij knikte.

'Waarom?'

'Omdat...' Pater Girolamo haperde, en even las ze iets anders dan bittere vastberadenheid in de ogen van de oude man. Even meende ze daar bijna iets van droefheid in te lezen. 'Omdat ik uw hulp nodig heb.'

Maureen bleef zwijgen toen hij verder sprak. 'U wilt het ware geheim van Fátima weten? Dat zal ik u vertellen. De gezegende, onbevlekte Maagd verscheen om de kinderen van Fátima te vertellen dat wij als Heilige Moeder Kerk *Het Boek der Liefde* in ons bezit hadden, al sinds Ignatius van Loyola het meebracht naar Rome. Ja, dat is echt waar. Toen Loyola het klooster van Montserrat verliet, onthulde hij waar het boek zich bevond, in ruil voor het recht om het te bestuderen en de vrijheid om een nieuwe orde te stichten met zijn eigen regels. Dat recht en die vrijheid kreeg hij, en het boek kwam naar de Eeuwige Stad en is daar sindsdien in ons bezit.'

Maureen liet deze informatie op zich inwerken, prentte die in haar geheugen, voor het onwaarschijnlijke geval dat pater Girolamo en zijn trawanten haar lang genoeg in leven lieten om de wereld er deelgenoot van te maken.

'Maar er deed zich een onverwachte complicatie voor. Het Boek is volledig intact en bevat de woorden en de tekeningen die Onze Heer aan het perkament heeft toevertrouwd, maar er is sprake van een verborgen kennislaag, een verzameling leringen onder de oppervlakte. Daar hebben we het al eens over gehad, als u zich goed herinnert. En die verborgen kennis is slechts bestemd voor hen die daarvoor zijn uitverkoren. Voor wie ogen heeft om te zien en oren om te horen. Voor de meeste stervelingen is deze kennis niet toegankelijk. Zelfs onze Heilige Vaders zijn niet in staat gebleken het zegel te verbreken dat alles beschermt wat *Het Boek der Liefde* bevat. Onze Heer heeft Zijn goddelijkheid gebruikt om Zijn heilige leringen in het Boek te verzegelen. Het is nog niemand gelukt daar toegang toe te krijgen... behalve Lucia dos Santos. En zelfs haar was het niet altijd mogelijk.'

'En dat was een van de mysteries van Fátima? Dat Lucia is verteld hoe ze de geheimen van het Boek moest ontsluiten?'

De oude priester schudde zijn hoofd. 'Dat hoefde haar niet te worden verteld. Het is niet iets wat je kunt leren. Het is iets wat je... wat je kunt of niet.' Dat laatste gaf hij met onmiskenbare afschuw en tegenzin toe.

Het inzicht trof Maureen als een donderslag bij heldere hemel. 'Lucia was een Voorzegde.'

'Ja. Ik begrijp niet waarom Onze Heer Zijn heiligste leringen zou toevertrouwen aan vrouwen, maar toch heeft het daar alle schijn van.'

Maureen was geschokt door de implicaties van wat De Pazzi zojuist had onthuld. *De diepste kern van* Het Boek der Liefde *kon slechts worden ontsloten door een vrouw.* Het volgende moment begreep Maureen de reden daarvan. Jezus had Zijn leringen zodanig gecodeerd dat *vrouwen niet konden worden buitengesloten van het proces van het onderwijzen en van het leiderschap over Zijn volgelingen.* Het was een briljante en opwindende gedachte.

De oude man verraste haar door haar gedachten te raden. 'Ik weet wat u denkt, maar u vergist u. *Het Libro Rosso* is een kopie, gemaakt door Filippus. En dat was een man.'

Maureen schudde haar hoofd. 'Nee. Het is óvergeschreven door Filippus. Hij heeft het op schrift gesteld. Maar zíj heeft het voor hem vertaald. *Het Libro Rosso* zelf verklaart dat Filippus de kopie heeft gemaakt toen hij de zwangere Maria Magdalena bezocht in Alexandrië, en dat hij dat heeft gedaan volgens haar instructies. Zij heeft de tekst voorgelezen, hij heeft die opgeschreven.'

De Pazzi wuifde haar theorie geërgerd weg en kwam meteen ter zake. 'Hoe dan ook, als gehoorzame dochter van uw Heer gaat u de inhoud van het Boek voor me ontsluiten. En ik wil dat u volledig open kaart speelt, anders dan toen we het over de profetieën hadden.'

'Is dit de reden waarom u Lucia dos Santos tachtig jaar in eenzame opsluiting hebt gehouden?'

Pater Girolamo toonde zich niet in het minst verstoord door haar vraag. 'Inderdaad,' antwoordde hij zakelijk.

'En toch heeft ze u in die tachtig jaar niet kunnen geven waar het u om te doen was?'

'Ze was niet altijd even succesvol. En ze was zeker niet altijd coöperatief. Vandaar dat we haar volledig moesten isoleren. De vrouwen die zijn geboren onder uw gesternte hebben een neiging tot... koppigheid.'

'En waarom denkt u dat ik u wel kan geven wat u wilt? En zelfs als ik dat zou kunnen, waarom denkt u dat ik dat ook zal doen?'

'Omdat u net zo nieuwsgierig bent als wij. Zelfs al wordt het uw dood, dan nog zult u de verleiding niet kunnen weerstaan om het Boek te zien. U bent tenslotte voor dit moment geboren. Daar bent u zich maar al te zeer van bewust.'

'En hoe weet ik dat u niet gaat proberen me op te sluiten, net als Lucia? Of erger?'

'Dat weet u niet. Maar het is een risico dat u zult nemen.'

'Het zal niet lang duren of mijn vrienden beseffen wat er aan de hand is. Wat u ook besluit te doen, ze zullen me weten te vinden.'

'Misschien. Maar uw werk is controversieel en u hebt veel vijanden gemaakt. U bent in conflict gekomen met een groot aantal fundamentalistische groeperingen en excentriekelingen. Heel recent hebt u in Rome aangifte gedaan van beroving en stalking. Over de doodsbedreigingen die u hebt ontvangen, is in alle media verslag gedaan. Dus het zou ons geen enkele moeite kosten om de autoriteiten ervan te overtuigen dat een van die bedreigingen daadwerkelijk is uitgevoerd. U staat schaakmat, signorina. Dit is een spel dat we beter spelen dan wie ook ter wereld, al bijna tweeduizend jaar lang. Dus denkt u maar niet dat u ons kunt verslaan. We zullen met u doen wat we willen, net zoals we dat hebben gedaan met alle vrouwen die u voorgingen.'

'Maar de waarheid...'

'De waarheid? Wat is waarheid?' Hij reageerde plotseling ongeduldig, alsof hij besefte dat hij zich had laten verleiden tot een discussie met de vijand. 'De waarheid is dat u het lot van Modesta kunt ontlopen,' snauwde hij. 'Afhankelijk van de waarde van de informatie die u ons verschaft, zouden we kunnen besluiten u dat lot te besparen. Bijvoorbeeld, als u tot de constatering zou komen dat *Het Boek der Liefde* onze gevestigde en heilige doctrine onderschrijft, en als u bereid zou zijn daarvan te getuigen, zou dit heel anders voor u kunnen aflopen.'

Maureen was met stomheid geslagen. Na enige aarzeling vond ze haar stem terug. 'Wilt u daarmee zeggen... dat u me een akkoord aanbiedt?'

Ondanks zijn eerdere bravoure over de almacht van de Kerk, zag Girolamo de Pazzi zich genoodzaakt een pijnlijke bekentenis te doen. 'De Kerk zit in een impasse. Voor het eerst voeren we een strijd die we uiteindelijk zouden kunnen verliezen, een strijd met woorden. We kunnen de informatiestroom niet langer beheersen. Dus we moeten nieuwe manieren zien te vinden om die te beïnvloeden. De jeugd luistert naar u. Uw werk is over de hele wereld vertaald. Als u dit groeiende platform zou gebruiken om onze positie te bevestigen in plaats van die aan te vallen, zou dat in uw voordeel kunnen zijn, en in het voordeel van uw vrienden en uw neef. Stelt u zich eens voor hoeveel invloed het zal hebben als u, een ketter, uw dwaling openlijk toegeeft omdat u het licht hebt gezien. Als u terugkeert naar het enige ware geloof. Dat zou een geweldige ondersteuning zijn van de positie van de Kerk, positieve motivatie voor alle betrokkenen.'

Maureen wilde volledige duidelijkheid. 'U vraagt me een boek te schrijven waarin ik verklaar dat de traditionele leer van de Kerk de waarheid is, en dat alles wat ik eerder heb geschreven en waar ik me achter heb geschaard een leugen was? Hoe stelt u zich dat voor?'

'U zult uw eerdere uitspraken moeten herroepen en moeten verklaren dat het evangelie van Arques een vervalsing was die u hebt gemaakt om rijk te worden. Dat u daar spijt van hebt. Dan treden wij naar voren en we bieden u vergiffenis aan als u terugkeert in de schoot van de Heilige Moeder Kerk en uw ketterse queeste staakt.'

Maureen was met stomheid geslagen. Ze dacht aan de plaquette in de bibliotheek van Berenger met daarop de uitspraak van Jeanne d'Arc: *Liever zou ik sterven dan iets doen waarvan ik weet dat het indruist tegen Gods wil.* De gedachte aan Berenger gaf haar kracht.

Toen ze bleef zwijgen, keerde De Pazzi terug naar zijn beproefde tactiek. 'Mocht u tot een ander besluit komen... dan valt niet te voorspellen wat er gaat gebeuren. En dat geldt voor u allemaal.'

Het duizelde Maureen bij de gedachte aan de mogelijke uitkomst van deze situatie. Bovendien viel het niet mee om helder te denken met achter zich de zware ademhaling onder de kappen van de onheilspellende figuren, met voor zich de oude priester die met raspende stem zijn ongehoorde voorstel deed, en niet te vergeten in aanwezigheid van het raadselachtige houten krat dat nog altijd op het altaar stond.

'Zit het Boek daarin? Mag ik het zien?'

Ondanks zijn hooghartigheid, zijn onverdraagzaamheid en zijn verwrongen denkwijze zag Girolamo de Pazzi zichzelf nog altijd als een heilig man. Hij knielde voor het krat en sprak op gedempte toon een gebed. Toen richtte hij zich op, reikte in het krat en haalde er een fraai bewerkt kistje uit. Het was duidelijk eeuwenoud, een met edelstenen bezette reliekhouder, speciaal gemaakt om de heiligste documenten in het christendom, misschien wel in de hele wereld, te bevatten. De vergulde scharnieren glansden in het kaarslicht. Ondanks zichzelf slaakte Maureen een kreet van verrassing toen ze het deksel zag. Het was ingelegd met een zesbladige roos, identiek aan de roos die het hart vormde van het labyrint van Chartres.

De Pazzi opende de met edelstenen verfraaide kist en zette die voor haar neer. Het viel haar op dat hij het Boek daarin welbewust niet aanraakte. Ervoor zorgend geen fysiek contact te maken met de inhoud schoof hij de kist over het altaar naar haar toe. 'Haal het eruit,' droeg hij haar op. 'En... volg uw intuïtie. Of uw stemmen. Of wat het ook is dat u leidt. Lucia hoorde de stem van Onze-Lieve-Vrouwe wanneer ze het Boek in haar handen hield, maar misschien is dat bij u niet zo. U bent heel anders dan de anderen.' Dat laatste zei hij alsof hij een insect bestudeerde onder een microscoop – een bijzonder afstotelijk en giftig insect.

Klein als ze was, moest Maureen gaan staan om in de kist te kunnen kijken. De band van het Boek was heel eenvoudig, van een soort dierenhuid, had ze de indruk, zoals die in het oude Griekenland werd gebruikt, had ze eens ergens gelezen. Toen ze de band aanraakte, voelde ze in eerste instantie niets, maar zodra ze haar handpalmen plat op de dierenhuid legde, begonnen ze te tintelen. De sensatie trok langzaam langs haar armen omhoog en verspreidde zich door haar hele lichaam. Ze sloot haar ogen en zag het visioen van Easa zoals ze dat in haar droom had gezien. En net als toen hoorde ze zijn stem ook nu heel duidelijk:

> *Je bent mijn dochter in wie ik mijn welbehagen heb. Maar je werk is nog niet klaar. Zie,* Het Boek der Liefde. *Je moet de wereld er deelgenoot van maken en de belofte vervullen die je hebt gedaan. Onze waarheid is te lang in het duister gebleven. Wees niet bang, ik ben altijd bij je.*

Maureen voelde hoe haar angst wegebde terwijl ze het Boek uit het met edelstenen bezette kistje tilde. In gedachten hoorde ze Easa's stem. Hij sprak nu sneller, woorden uit Zijn eigen geschriften: '*Angst en Vertrouwen kunnen niet naast elkaar bestaan. Je moet kiezen.*'

Maureen koos vertrouwen.

Ze sloeg het Boek open, ondanks de omstandigheden vastberaden om dit moment te koesteren als iets heiligs. De oude priester en zijn trawanten volledig negerend, streek ze eerbiedig met haar vingers over de vergeelde bladzijden. Ze kon het oude schrift – voor een deel Grieks, voor een deel Aramees en voor een deel Hebreeuws, had ze de indruk – niet lezen. Maar dat maakte niet uit. Dit was geen kwestie van lezen, want terwijl ze *Het Boek der Liefde* in haar handen hield, gebeurde er iets. Net als in haar droom begonnen de bladzijden een stralende gloed te verspreiden. De letters glansden met een indigokleurig licht, als blauwe en violetkleurige patronen op het zware papier dat een soort linnenstructuur leek te hebben. Het licht dat uit het Boek kwam, werd stralender, vulde de hele ruimte, leek met speciale intensiteit rond het beeld van Onze-Lieve-Vrouwe onder de Aarde te wervelen en dwars door Maureen heen te gaan. Ze voelde hoe de warmte en de gloed zich door haar lichaam verspreidden. En terwijl dat gebeurde, nam ze *Het Boek der Liefde* als het ware in zich op. Ze hoefde het niet te lezen, ze hoefde de vertaling niet te zien. Ze wérd het Boek. Terwijl het stralend blauwe licht door haar heen stroomde, werd ze de belichaming van de leringen.

Visioenen verschenen, in snelle opeenvolging: Salomo en Sheba, Jezus en Magdalena, Zijn moeder Maria en Zijn grootmoeder Anna, Zijn dochter Sara-Tamar. Ze zag het kleine meisje in Orval – *Ik ben niet wie je denkt dat ik ben* – gevolgd door de etherische en uiterst vrouwelijke verschijning van de Heilige Geest in Knock. En toen kwam er een inzicht, zo helder dat ze op haar knieën viel, met het Boek tegen haar hart gedrukt: Jezus had *Het Boek der Liefde* geschreven als een ode aan de vrouwen in Zijn leven, aan hun wijsheid en genade. Het was Zijn eerbetoon aan, Zijn monument voor het verloren vrouwelijke principe in de spiritualiteit dat Hem tot deze waarheid had gebracht: namelijk dat Onze Vader en Moeder in de hemel Eén zijn in Hun verbond, dat ze van ons, Hun kinderen, houden en dat we, wanneer De Tijd Wederkeert, terugkomen in al onze gedaanten omdat onze Schepper ons heeft gemaakt naar Hun heilige beeltenis, mannelijk en vrouwelijk, om telkens en telkens weer de liefde te ervaren.

Het was de Nazareense missie van Jezus en Zijn volgelingen om het evenwicht terug te brengen, om Asherah weer op Haar troon te zetten naast Haar geliefde El, en om de mensheid te herenigen in het besef en het begrip van die liefde hier op aarde. Jezus was gestorven om de wereld inzicht te geven in de macht van de liefde, door het goddelijke element van de vrouwelijke spiritualiteit weer in evenwicht te brengen met het goddelijk mannelijke.

Het licht werd nog stralender, de ruimte begon steeds sneller om Maureen heen te draaien terwijl ze zich vastklampte aan het Boek, luisterend, voelend, begrijpend wat Easa haar vertelde: liefde, alleen liefde, is echt. Al het andere is een illusie die ons belemmert in het ervaren van de puurheid van de ervaring die onze ouders in de hemel voor ons hebben geschapen. Het was niet Jezus' bedoeling om een nieuw geloof te creëren *rond Hem*. Hij wilde dat we de waarheid opnieuw leerden zien, de waarheid die in de loop der eeuwen gecorrumpeerd was geraakt. Een simpele, schitterende waarheid, over de liefde in al haar verschijningsvormen: de liefde van geliefden, van ouders, van broers en zusters, van naasten voor elkaar. Het ging niet zozeer om een Nieuw Verbond, maar om het oorsprónkelijke Verbond dat Hij ons wilde teruggeven, met Hem als boodschapper: met Hem en Zijn Familie in de Geest. Met ons en onze families in de geest.

*De Tijd Keert Weder.*

Ze hoorde het Hem fluisteren, en ineens zong er een nieuwe betekenis in de formulering door. De Tijd Keert Weder was de meest gewijde van alle profetieën omdat deze de wederkomst voorspelde. Maar die wederkomst was niet de fysieke terugkeer van Jezus. Het was de terugkeer van Zijn boodschap en Zijn leringen door een wereldwijde inspanning tot liefde en dienstbaarheid.

*We zijn zelf degenen op wie we hebben gewacht, en dat zijn we altijd geweest. Wij zijn de wederkomst.*

Maureen dreigde door de visioenen te worden overweldigd toen ze tot een ander inzicht kwam: ze had dit specifieke, schitterende, stralend blauwe licht heel recent nog gezien, in het glas in lood hier in de kathedraal van Chartres. En ze wist zonder een zweem van twijfel dat de bouwers van deze tempel voor de liefde dit licht ook hadden gezien en het hadden geschapen opdat het zou schijnen op ieder die de kathedraal betrad, opdat het de mensheid zou zegenen met althans iets van wat zij op dit moment ervoer.

Het duizelde haar van alles wat ze op de buitengevel van de kathedraal had gezien. Salomo en Sheba, de tragische en lieftallige Modesta, de vele Maria's, de Heilige Anna, de talloze, naamloze vrouwen aan wie in bas-reliëf een eerbetoon werd gebracht. De beeldhouwwerken flitsten in snelle opeenvolging door haar gedachten. Wat hadden ze gemeen?

Voor haar geestesoog zag Maureen het gefilterde licht dat door het glas-in-lood viel in de kathedraal, die ochtend toen ze het labyrint had gelopen; het trilde glanzend om haar heen, als deel van het visioen. Na een bocht in een van de omlopen zag ze het raam van Maria Magdalena waarop haar ware verhaal uitgebreid en in detail werd verteld. Na een volgende bocht keek ze naar het raam dat was gewijd aan Johannes de Goddelijke, de oudste zoon van Maria Magdalena. En al die tijd viel door het indrukwekkende roosvenster in de westelijke gevel het heilige, blauwe licht naar binnen en scheen op het hart van het labyrint. Ze begon sneller te lopen, het tempo van haar stappen bepaald door haar jagende hartslag, terwijl andere ramen in de kathedraal tot leven kwamen: de Heilige Anna, oud en wijs, de majestueuze Blauwe Madonna, krachtig en een en al barmhartigheid – de levens van heiligen en martelaren dansten om haar heen bij elke nieuwe omloop van het labyrint. Ze werd naar het hart getrokken door een uitzonderlijke, magnetische kracht. Haar tempo versnelde, haar hart bonsde terwijl het blauwe licht haar naar het centrum van het heiligdom trok, naar het tabernakel, naar de plek waar Gods stem kan worden gehoord door wie oren heeft om te horen.

*O, lieve Easa. Is dit wat je ons van meet af aan hebt willen vertellen? Kan het zijn dat het altijd zo simpel is geweest?*

Nu kon ze Hem zien. Hij stond in het hart van het labyrint en keek haar aan met Zijn vriendelijke, donkere ogen. In Zijn handen hield Hij de gereedschappen van de meestermetselaar: de passer en de winkelhaak. Door de manier waarop Hij ze tegen elkaar hield, vormden ze de verlengde ruitvorm die de heilige eenheid van geliefden symboliseerde. Achter Hem verscheen nu Zijn eigen geliefde: Maria Magdalena, een visioen van kastanjebruin haar en etherische schoonheid.

Ze ging naast Hem staan en samen keken ze Maureen aan. Alle barrières van tijd en ruimte vielen weg, en opnieuw zei Easa, om zich heen gebarend naar de indrukwekkende enormiteit van de kathedraal: '*Zie,* Het Boek der Liefde. *Je moet de wereld er deelgenoot van maken en de belofte vervullen die je hebt gedaan. Onze waarheid is te lang in het duister gebleven.*'

De snik die van heel diep opwelde in Maureens keel weergalmde door het eeuwenoude gewelf van de kathedraal. Ze hief haar hoofd op, en de caleidoscoop van glas-in-loodprisma's uit haar visioen wervelde door haar tranen aan haar voorbij. Eindelijk had ze het inzicht bereikt.

Het was niet zo dat *Het Boek der Liefde* zich in de kathedraal van Chartres bevond, noch *Het Libro Rosso*. De heiligste leringen van het christendom, misschien wel van de hele mensheid, lagen niet verborgen ín de kathedraal van Chartres.

Ze wáren de kathedraal van Chartres.

De kathedraal was vaak 'een boek gebeiteld in steen' genoemd, door de talloze schrijvers die in de loop van de geschiedenis de lof hadden gezongen van zijn grootsheid. En wat hadden ze het bij het juiste eind gehad!

Maureen zag nu duidelijk de meesterarchitect in haar visioen, een man met een gruwelijk, zigzaggend litteken dat één kant van zijn gezicht bedekte. Hij had de leiding over het uitvoeringsplan van de beeldhouwwerken die *Het Boek der Liefde* in steen zouden vatten, zodat het voor de mensheid tot in eeuwigheid bewaard zou blijven als bron van wijsheid en geluk. De leringen van de Orde leefden hier voort, samen met de traditie van de Meester.

Het hele *Libro Rosso* was verwerkt in de façade en het glas-in-lood van de kathedraal van Chartres, een eeuwig boek in steen dat de Kerk nooit zou kunnen vernietigen, omdat de Kerk zichzelf nooit zou vernietigen. Het was een briljante strategie. Het labyrint was aangelegd in het hart, als beginpunt van initiatie voor alle pelgrims die ogen hadden om te zien en oren om te horen. Door het labyrint door te lopen kregen hart en geest toegang tot de codes die dienden als schrijn voor *Het Boek der Liefde* in deze ongeëvenaarde tempel.

Maureen lag nog altijd op haar knieën, met *Het Boek der Liefde* tegen zich aan geklemd, duizelend van het licht en de visioenen. Maar ze voelde dat ze begon terug te keren in haar lichaam. Ze moest hier weg, ze moest een manier zien te vinden om de wereld te laten weten dat *Het Boek der Liefde* was ingebed in de stenen en de ramen van dit verbijsterende monument voor de waarheid; dat het binnen het bereik was van iedereen die het wilde zien, die het wilde ervaren, die het wilde voelen – en dat het dat altijd was geweest. Het meest waardevolle materiaal in de geschiedenis van de mensheid was achthonderd jaar lang in het volle zicht verborgen geweest. En de Kerk wist het. Door het labyrint af te dekken hoopte deze het instrument te verbergen dat een gewone sterveling nodig had om de code te kraken en het Boek te lezen.

Maureen keek op. De trawanten waren er nog, zij het dat ze een paar stappen naar achteren hadden gedaan. Door hun onheilspellende kappen was onmogelijk te zeggen waar hun ogen zaten, maar Maureen had de indruk dat de twee mannen naar de grond keken en niet naar haar. Terwijl ze langzaam overeind kwam, viel haar blik op pater Girolamo de Pazzi. Hij staarde voor zich uit, langs haar heen, met een gekwelde, opgejaagde uitdrukking op zijn gezicht. Toen sprak Easa een laatste keer tot Maureen, luid en duidelijk in haar volle, wakende bewustzijn. 'Liefde overwint alles,' was de simpele boodschap van Zijn welluidende stem in haar oor.

Ze boog haar hoofd en keek naar het onschatbare voorwerp dat ze in haar handen hield, en voelde hoe de macht daarvan zich weer terugtrok in het boek. Op de laatste bladzijde stond een volmaakte tekening van het labyrint van Salomo, het model met elf omlopen dat zowel de kathedraal van

Chartres als van Lucca sierde: het symbool van geometrische volmaaktheid dat mannen en vrouwen in staat stelde toegang te krijgen tot God in hun eigen tempel, waar ook ter wereld. Hier verbleekte het blauwe licht het laatst, werd het restant van de macht ervan weer geabsorbeerd door *Het Boek der Liefde*.

Maureen keek naar de oude man die haar onder zulke bedreigende omstandigheden hierheen had gehaald. Zijn slijmachtige oude ogen waren gevuld met tranen. Toen hij de stilte verbrak, was zijn raspende stem nauwelijks meer dan een fluistering. 'Dit is bij Lucia dos Santos nooit gebeurd.'

Of pater Girolamo de Pazzi dezelfde visioenen had gezien dan wel met andere visioenen was gezegend, zou Maureen nooit weten. Maar te oordelen naar de uitdrukking op zijn gezicht was hij veranderd door wat er in de crypte was gebeurd.

Een geluid, een luid bonzen, ergens boven hen, deed iedereen in de ruimte opschrikken. Door de eeuwenoude stenen drong een mannenstem door die Maureens naam riep. De stem werd gedempt door de dikke muren, maar Maureen zou hem uit duizenden hebben herkend.

Berenger Sinclair. Hij klonk alsof hij op het punt stond de deur naar de crypte te forceren.

De trawanten keken Girolamo de Pazzi aan. Die schudde langzaam zijn hoofd. 'Ga maar,' was het enige wat hij tegen Maureen zei.

Voor het laatst keek ze naar het wonderbaarlijke boek in haar handen. Het te moeten terugleggen was het zwaarste wat ze ooit in haar leven had gedaan. Ze wist dat ze voorgoed was veranderd doordat ze het in haar handen had gehouden. Op haar eigen manier was ze in die momenten de menselijke belichaming geworden van de kathedraal van Chartres en van het Boek zelf. Ze had het allemaal in zich opgenomen, in haar lichaam, haar geest en haar ziel.

Later zou Destino haar helpen te begrijpen hoe volmaakt de positie van de sterren was geweest toen ze de energie van *Het Boek der Liefde* had bevrijd. De plek waar ze stond in de crypte bevond zich recht boven de Wouivre, het kloppende hart van de planeet. Het was de zomerzonnewende, de langste dag van het jaar. Een dag die ze was begonnen met het labyrint, samen met haar 'familie van de geest' en haar grootste liefde. Ze was op een uitzonderlijk machtige plek om de geheimen van *Het Boek der Liefde* te ontsluiten en om ze te bevrijden op de plek waar ze bij uitstek thuishoorden: de kathedraal van Chartres, de tempel die was gebouwd om deze geheimen te bevatten.

Maureen Paschal kuste de band van het boek, het uitzonderlijke, volmaakte document van de hand van Jezus Christus Zelf, en legde het terug in de met edelstenen bezette kist. Toen keerde ze pater Girolamo de rug toe en liep weg. Bij de eeuwenoude put bleef ze even staan, ervan overtuigd dat ze een gefluister uit de diepte hoorde. Een etherische vrouwenstem zweefde naar boven. '*Merci. Merci beaucoup*,' hoorde Maureen de stem zeggen, gevolgd door een tevreden zucht. Ze sprak een kort gebed voor de ziel van de tragische Modesta, in de hoop dat die nu eindelijk rust had gevonden. Toen beklom ze de treden en opende de deur voor de man die door God was gekozen, in het begin der tijden, om haar zielsverwant te zijn.

✿

Girolamo de Pazzi verroerde zich niet terwijl hij Maureen nakeek. Nooit zou hij begrijpen waarom de Heer had beschikt om Zijn licht te openbaren aan vrouwen, noch waarom hij verstoken bleef van deze bijzondere liefde waartoe vrouwen als Lucia dos Santos en Maureen Paschal zo gemakkelijk toegang leken te vinden.
Maar eindelijk begreep hij wat de profetie betekende die hem zo lang had achtervolgd: *De Tijd Keert Weder.*
Hij reikte in de diepe zak van zijn gewaad en haalde er de kristallen reliekhouder uit met de lok haar van de Heilige Modesta. Door de eeuwen heen had de rood glanzende, kastanjebruine kleur niets van zijn gloed verloren. Hij keek ernaar. Toen boog hij zijn hoofd en snikte.

# 21

*Chartres*
*Heden*

Eenmaal terug in haar veilige hotelkamer kon Maureen zich eindelijk ontspannen, in de armen van Berenger. Hij liet haar lang en hartstochtelijk huilen, terwijl hij haar liefkozend tegen zich aan hield en haar over haar haren streek. Toen ze eindelijk bedaarde, hield hij haar een eindje van zich af en keek haar onderzoekend aan.

'Wat is er?' vroeg ze. 'Ik zie er zeker verschrikkelijk uit?'

Hij lachte zacht. 'Helemaal niet, integendeel. Ik had niet gedacht dat ik je nog mooier zou kunnen gaan vinden, maar je straalt gewoon.'

Ze vertelde hem alles wat er in de crypte was gebeurd, zoekend naar woorden om de intensiteit weer te geven van wat ze had ervaren. 'Ik wilde dat je het had kunnen zien! Ik wilde dat je wist hoe het is om iets wat zo heilig is in je handen te houden.'

'Maar dat weet ik immers,' antwoordde hij fluisterend. Hij nam haar opnieuw in zijn armen, en terwijl hij haar kuste werden hun zielen één.

*Parijs*
*Heden*

Peter luisterde aandachtig naar Marcelo Barberini en Tomas DeCaro, die hem uitleg gaven over de ontbrekende stukjes van de puzzel. Op sommige momenten was hij met stomheid geslagen, op andere met ongeloof dat hem iets was ontgaan wat zo voor de hand had gelegen. Paus Urbanus VIII was het brein geweest achter de herbouw van de Sint-Pieter, en de voornaamste begunstiger van de geniale Gianlorenzo Bernini. Hij was degene die had bepaald dat Matilda van Toscane van haar oorspronkelijke rustplaats werd overgebracht naar de machtige, ontzag afdwingende plek waar ze hoor-

de, tegenover het meesterwerk geschapen door haar nazaat, Michelangelo Buonarotti.
Urbanus VIII was geboren als Maffeo Barberini. Peters medelid in de commissie, Marcelo Barberini, was een nazaat van dezelfde hoge Italiaanse familie, een verre achterneef van paus Urbanus VIII – de Toscaanse paus die stamde uit een machtige Florentijnse dynastie, de paus die als pauselijk nuntius had geleefd en gewerkt in de ketterse gebieden in Frankrijk, de paus die was onderwezen door de eerste jezuïeten, de paus die zowel Ignatius van Loyola als diens rechterhand Francis Xavier heilig had verklaard om wat ze uit Spanje naar Rome hadden gebracht. De eerste paus die zich liet inspireren door de nabijheid van *Het Boek der Liefde*, en door alles wat daarin geschreven stond.
'Urbanus VIII voelde de behoefte om onderdelen van de basiliek gewijd aan Petrus te herscheppen in navolging van wat er met de kathedraal van Chartres gebeurde. Dus hij nam Bernini in dienst voor het beeldhouwwerk, om de erfenis van de onzen te doen voortleven binnen de muren van het Vaticaan.'
Kardinaal Barberini vertelde verder dat de legende van *Het Libro Rosso* de paus gedurende diens hele carrière had achtervolgd en dat hij onvermoeibaar op zoek was geweest naar kopieën ervan. Het geheim van *Het Boek der Liefde* en zijn onvermogen om dat te ontsluiten waren een drijvende kracht geweest tijdens zijn pausschap, sterker nog: tijdens zijn hele leven. Hij geloofde dat Matilda van Toscane een sleutel bezat en haalde haar overblijfselen naar Rome, in de hoop dat ze zouden dienen als heilige relikwieën. Om die reden liet hij haar welbewust bijzetten in het hart van de Sint-Pieter, maar ook omdat hij van mening was dat ze net zozeer deel uitmaakte van het bouwwerk van de Kerk als haar geliefde, Gregorius VII.
Peter telde een en een bij elkaar op. 'Dus er bestaat al heel lang een factie in het Vaticaan die de waarheid omtrent *Het Boek der Liefde* kent. En die deze beschermt?'
'We beschermen haar zo goed als we kunnen.' Barberini schudde verdrietig zijn hoofd. 'Alles hangt af van de macht en van de manier waarop die verschuift. Na de dood van Maffeo, Urbanus VIII, heeft mijn familie jarenlang in ballingschap geleefd, omdat zijn opvolger conservatief was en zich verzette tegen de ware leer.'
'Hetzelfde geldt natuurlijk voor mijn familie,' zei Tomas DeCaro. Peter schonk hem een glimlach, zich bewust van het feit dat hij afstamde van het beroemde geslacht Borgia, met zijn eigen verhalen over leugens en waarheden.

'Maar we zijn op een kritiek punt aangekomen, Peter,' vervolgde DeCaro. 'Iets waarvan je ongetwijfeld doordrongen bent. Wat er morgen gaat gebeuren, zal ons dwingen tot een cruciale keuze ten aanzien van onze carrière en onze toekomst. We zijn hier in Parijs bij elkaar gekomen om een veilige afstand te scheppen tussen ons en Rome, voor het geval we een tegenaankondiging moeten doen naar aanleiding van het materiaal uit Arques.'
'Er kan van alles gebeuren morgen,' legde Barberini uit. 'En we moeten erop voorbereid zijn om in de openbaarheid te treden wanneer er een doofpotaffaire dreigt. Sta je aan onze kant?'
Nog nooit in zijn leven had Peter iets zo zeker geweten. 'Ja,' antwoordde hij dan ook zonder aarzelen, en hij schudde beide mannen ferm de hand. 'De Waarheid Tegen de Wereld.'

*Chartres*
*Heden*

De volgende morgen werd Maureen al heel vroeg wakker van haar mobiele telefoon. Berenger, die naast haar lag, schoot ook overeind. Het was een uitzonderlijke nacht geweest, vol onthullingen en bekentenissen. Maureen had ontdekt dat Peter bij het horen van het berichtje dat ze had ingesproken op zijn voicemail al snel doorhad dat er iets verdachts aan de gang was in Chartres. Dus hij had Sinclair gebeld en hem naar de kathedraal gestuurd, op zoek naar Maureen in de crypte. Maureen en Berenger bleven de rest van de avond samen. Zij gaf snikkend uitleg en betuigde haar spijt omdat ze niet eerlijk tegen hem was geweest, hij vergaf haar, en er volgden uren van gelukzaligheid, doorgebracht in een extatische eenwording van passie en beloften.
'Maureen, zet de televisie aan.' Dat was Peter, en hij klonk duidelijk opgewonden. 'Er wordt een persconferentie uitgezonden, live vanuit Rome. Over het evangelie uit Arques. Zet je schrap.'
'Waarvoor?' Haar hart klopte plotseling in haar keel.
Maureen hoorde Peter een diepe zucht slaken. 'Dat weet ik niet,' antwoordde hij ten slotte. 'We weten het geen van allen hier. Dat is het probleem. Ik bel je over een paar minuten terug.'
Maureen ging op zoek naar de afstandsbediening en gaf die aan Berenger, want ze was niet vertrouwd met de Franse televisie. Het duurde niet lang

of hij had de live-uitzending gevonden, die werd uitgezonden op een bij de BBC aangesloten kanaal. Het commentaar was in het Engels. Een verslaggever met een Oxbridge-accent gaf een beknopte geschiedenis van het evangelie uit Arques en de 'veronderstelde' ontdekking daarvan in Frankrijk door een Amerikaanse auteur, inmiddels een paar jaar geleden. De auteur, Maureen Paschal, had vervolgens een controversiële bestseller geschreven, gebaseerd op de ontdekking en haar niet zelden buitensporige en duidelijk amateuristische interpretatie van de tekst.
Berenger gromde, maar zei niets. Maureen keek als verstijfd toe terwijl de verslaggever de ontwikkelingen van de afgelopen twee jaar rond het materiaal uit Arques samenvatte. Het was overgedragen aan het Vaticaan, waar het onderwerp was geweest van grondige bestudering door de knapste theologen ter wereld, terwijl andere wetenschappers zich hadden verdiept in de leeftijd en de authenticiteit van het materiaal. Camera's zoomden in op linnenachtige stukken papier met Griekse teksten. Maureen hield geschokt haar adem in en greep Berenger bij zijn arm.
'Zie jij wat ik zie?'
Hij knikte, zonder zijn blik van het scherm af te wenden. 'Wat is er aan de hand, Maureen? Wat zijn ze van plan?'
'Ik weet het niet,' fluisterde ze. 'Maar ik weet wel dat wat we daar zien geen deel uitmaakt van het materiaal dat we in Frankrijk hebben gevonden.'
Maureen was geen kenner, maar de vondst van het verloren gewaande evangelie van Maria Magdalena was iets wat je niet vergat. Ze wist nog precies hoe de rollen eruit hadden gezien – hoe volmaakt intact ze waren geweest – tot in de kleinste details. Wat er op het scherm verscheen, de documenten die bij dit mediacircus aan de pers werden getoond, was niet wat zij had gevonden. Dat wist ze heel zeker.
De zegsman van de Kerk kwam naar het podium en nam het woord, Berenger en Maureen keken geschokt en vervuld van afschuw toe. Deze persconferentie was bedoeld om duidelijkheid te verschaffen over de authenticiteit van dit schitterende document, om vast te stellen dat het inderdaad ging om een evangelie geschreven door Maria Magdalena. Die authenticiteit hadden de deskundigen naar hun beste vermogen kunnen vaststellen. En dat was nog niet alles! Daarbij was komen vast te staan dat dit document in feite een schitterende hervertelling was van het evangelie volgens Johannes. Maria Magdalena was inderdaad gezegend, een heilige, zoals altijd het standpunt van de Kerk was geweest. En het bewijs lag hier, het bewijs dat haar woord volledig in overeenstemming was met de Bijbelse leringen van het Nieuwe Testament, zoals deze sinds de eerste dagen van

het christendom waren omhelsd door de katholieke Kerk. Dit was een dag van grote blijdschap. Een dag om alle belachelijke speculaties over Maria Magdalena, die recent zo'n belangrijk onderdeel waren gaan vormen van de misleide populaire cultuur, naar het rijk der fabelen te verwijzen. Maria Magdalena had eens en voor altijd gesproken, haar woorden lieten geen ruimte voor twijfel en waren volledig in overeenstemming met de algehele leer van de Kerk.
Daarop werden getuigendeskundigen ondervraagd, die zorgvuldig bepaalde passages aanwezen, indrukwekkende passages die identiek waren aan het materiaal in het evangelie volgens Johannes.
Maureen luisterde niet meer. Dit had ze nooit kunnen vermoeden. Natuurlijk wist ze dat het onwaarschijnlijk was – misschien zelfs onmogelijk – dat de Kerk het ware Magdalena-materiaal daadwerkelijk authentiek zou verklaren. Maar ze had verwacht dat de Kerk het materiaal op z'n ongunstigst zou negeren, wegmoffelen, of – en dat had haar het meest waarschijnlijk geleken – veroordelen als een vervalsing. Maar dit... een heel evangelie verzinnen om de waarheid geweld aan te doen, dat ging veel verder dan alles wat ze ooit had kunnen denken.
'Ik neem aan dat je beseft waar ze op uit zijn?' Berenger had zijn stem teruggevonden en klonk ongekend verontwaardigd. 'Ze proberen jou en je werk in diskrediet te brengen door je neer te zetten als een volslagen leugenaar.'
Maureen knikte, inmiddels in tranen. 'Dat besef ik.' Ze haalde diep adem. 'Maar ik besef ook dat dit niet om mij gaat, en zelfs niet om Maria Magdalena. Dit gaat om *Het Boek der Liefde*. Ze weten dat ik erover ga schrijven, dat ik de wereld deelgenoot zal maken van alles wat ik weet. Dus als ze mijn geloofwaardigheid al bij voorbaat kunnen ondermijnen, zal niemand zich ook maar iets aantrekken van de waarheid.'
Ze dwong zichzelf nogmaals diep adem te halen. Ze zou deze storm doorstaan, zoals ze alle stormen had doorstaan. Had Easa niet gezegd dat angst en vertrouwen niet tegelijkertijd konden bestaan? En ook in deze situatie zou ze kiezen voor vertrouwen, net zoals ze dat altijd had gedaan.

✿

Maureen en Berenger liepen met Destino langs de oever van de schilderachtige Eure, aan de rand van het landgoed dat al achthonderd jaar in het bezit was van de Orde. Destino las hun vriendelijk de les.
'Jullie zouden niet van streek moeten zijn door deze recente ontwikkeling.

Integendeel, je zou die moeten omhelzen als Gods Wil. Het is goed dat de Kerk het evangelie van Arques niet authentiek verklaart, net zoals het goed zal zijn dat ze het bestaan van *Het Boek der Liefde* ontkent.'

Maureen reageerde geschokt en hevig in verwarring gebracht. 'Zie ik soms iets over het hoofd? Hoe kan dit in 's hemelsnaam goed zijn?'

'Het is een kwestie van geloof, van vertrouwen,' antwoordde Destino eenvoudig. 'Als de Kerk het evangelie uit Arques authentiek verklaart, jouw versie van de waarheid, hoeft niemand daar verder meer over na te denken. Dan hoeft niemand zich er met hart en ziel mee bezig te houden, om zelf tot een besluit te komen, of het voelt als de waarheid of niet. Dan hoeft niemand zichzelf ertoe te zetten om te leven vanuit een absoluut geloof en vertrouwen. Er is geen enkel risico, en dus geen spirituele winst. Dat zou de mensen allemaal afgenomen zijn, en daarmee zou de Kerk hun een buitengewoon slechte dienst hebben bewezen. We willen dat de mensen zelf denken en voelen, niet dat ze zich als schapen laten leiden bij wat ze moeten geloven. Dus wees dankbaar voor deze dag. God had een goede reden om je die te geven. En Hij had een goede reden om dit aan de mensheid te geven, namelijk opdat hun geloof op de proef wordt gesteld. Zij die ondanks alle weerstand waarop ze stuiten de waarheid herkennen, zullen rijkelijk worden beloond, in hun hart, hun geest en hun ziel.'

Maureen knikte om duidelijk te maken dat ze de wijsheid zag in zijn woorden. Hij had gelijk, wist ze, maar het zou misschien nog even duren voordat ze deze laatste ontwikkelingen als een positieve kracht in haar leven kon accepteren. Destino keek haar veelbetekenend aan en hief waarschuwend zijn vinger. '"Uw wil geschiede", Madonna Maureen. Je hebt nog wat oefening nodig als het gaat om het tweede bloemblad van het labyrint. Het is hún wil.' Hij wees naar de hemel. 'En niet de onze, die hier aan het werk is. Geef je eraan over, en je zult de vrede vinden die je tot dusverre vergeefs hebt gezocht.'

Ze liepen een tijdje zwijgend verder, totdat Destino de stilte verbrak en vertelde hoe Conn en de Meester destijds met *Het Libro Rosso* naar Chartres waren gekomen, hun krachten hadden gebundeld met de school van de kathedraal, en het meesterbrein waren geweest achter het grootse ontwerp van de restauratie en wederopbouw. Hoe ze hun passie en hun kennis hadden doorgegeven aan generaties na hen die verantwoordelijk waren voor het monument zoals het nog altijd bestond. Hij wees naar het noorden, waar de twee enorme torenspitsen zich naar de hemel verhieven. 'Weten jullie waarom de torens verschillend zijn? Denken jullie dat het toevallig is, of misschien onzorgvuldigheid? Nee, als ingewijden denken jullie dat natuurlijk niet. Jullie weten dat elk aspect van dit heiligdom in overeenstemming is met de ware leer. Dus ik zal je een van de duizenden geheimen vertellen die de kathedraal van Chartres omgeven. De linkertorenspits staat bekend als de Toren van de Zon, of de Toren van El. Die vertegenwoordigt God in Zijn aspect als mannelijke schepper en is driehonderdvijfenzestig voet hoog. Zo staat elke voet voor een dag van het zonnejaar. De toren rechts staat bekend als de Toren van de Maan, of de Toren van Asherah. Dus die vertegenwoordigt God in Haar vrouwelijke scheppersaspect, en als zodanig is hij achtentwintig voet korter dan de linker. Achtentwintig is het aantal dagen van de maanmaand. Wanneer je de kathedraal binnengaat via het westportaal, loop je tussen de elkaar aanvullende aspecten door van onze vader en onze moeder – gelijk in de hemel alzo ook op aarde.'

Hij vertelde verder dat Chartres in 1194 opnieuw door een rampzalige brand werd getroffen. Een brand die zo verschrikkelijk was dat al het lood van het bouwwerk smolt en de stenen muren deed splijten. Ondanks de enorme verwoestingen bleef de hele westelijke façade met zijn twee goddelijke torens gespaard, evenals een ander element van de kathedraal: het glas-in-loodraam met de Blauwe Madonna. De inwoners van Chartres beseften dat dit een teken van de hemel was en wijdden zich aan de herbouw van het monument voor het goddelijke in zijn zuiverste en meest evenwichtige vorm, werkend vanuit *Het Libro Rosso* om de kathedraal te herscheppen zoals we die vandaag zien, waarbij alle verhalen werden verteld in glas-in-lood en beeldhouwwerk.

'Jullie weten toch wie de Blauwe Madonna is?' vroeg Destino.

'Notre Dame,' antwoordde Berenger.

'Ja, maar welke?'

'Dat doet er niet toe,' zei Maureen. 'Ze zijn allemaal één, waar of niet? Of we het nu hebben over de oorspronkelijke Notre Dame, Asherah – de Heilige Geest – of Moeder Maria, of Maria Magdalena, of Sara-Tamar, ze vertegenwoordigen allemaal het goddelijk vrouwelijke.'

'Zeker, daar heb je gelijk in. Maar ik heb een kleine verrassing voor je, want dit was een strikvraag. Ga mee naar binnen. Ik moet jullie iets laten zien.'

Ze volgden Destino naar een laag, rechthoekig gebouw waar ze nog niet binnen waren geweest. Het was eeuwenoud en ooit onderdeel geweest van een klooster dat hier had gestaan. Het interieur was verbijsterend, de muren waren van de vloer tot het plafond bedekt met middeleeuwse wandtapijten – althans, zo zagen ze eruit – met daarop taferelen uit de Jacht op de Eenhoorn.

'Zijn dit kopieën van de beroemde wandtapijten?'
Destino lachte. 'Nee. De beroemde wandtapijten zijn kopieën van deze. Er zijn ooit twee stel tapijten gemaakt, een voor de Orde en een voor Anna van Bretagne. Anna speelt een belangrijke rol in onze geschiedenis, maar daarover een andere keer. We hebben nog vele biografieën te schrijven, Maureen. Ik ga je de rest van je leven aan het werk houden, als je bereid bent de nieuwe geschiedschrijver van de Orde te worden.'
Maureen schonk hem een warme glimlach. 'Ik zie ernaar uit. En ik zal het als een eer beschouwen.'
Ze liep naar het eerste tapijt om het van dichtbij te bekijken. Het was een van de schitterendste kunstwerken die ze ooit had gezien. De taferelen waren tot in de kleinste details uitgewerkt. Het ging haar bevattingsvermogen te boven hoe het mogelijk was om door het weven van draden een dergelijke sublieme structuur en zulke prachtige kleuren te bereiken.
'Je kent ze, natuurlijk. En je kent de allegorie?'
Berenger was degene die antwoord gaf. 'De eenhoorn symboliseert Jezus.'
'De eenhoorn symboliseert de ware leer van Jezus. Het is een schitterend en zeldzaam schepsel dat *Het Boek der Liefde* symboliseert, en de Weg van de Liefde die daaruit voortvloeit. Of die daaruit had moeten voortvloeien als hij de kans had gekregen om tot bloei te komen. Maar nee, de eenhoorn werd opgejaagd en gedood, zoals te zien is op de wandtapijten.'
'O!' Maureen luisterde wel, maar haar aandacht was getrokken door de symbolen die over de tapijten waren verspreid. Alleen al op het eerste zag ze op niet minder dan vijf plaatsen de vreemde combinatie van de letters A en E – die laatste achterstevoren – met elkaar verbonden door een koord met kwasten. 'Dit stond ook op alle kaarten die u ons hebt gestuurd. Wat betekent het?'
Destino hobbelde op zijn oude benen naar het eerste tapijt en volgde de initialen met zijn vinger. 'Dit koord... dat noemen we een *cordelière*. Het werd in de oudheid gebruikt om de handen van de bruid en de bruidegom aan elkaar te binden tijdens de trouwplechtigheden die voorafgingen aan de goddelijke eenwording. De knoop die je hier ziet, is een bruidsknoop, ook wel Isis-knoop genoemd. En wat de letters betreft... De A staat voor Asherah en de E voor El.'
Maureen vond het een opwindende verklaring. Heel elegant, heel prachtig. Ze had echter nog één vraag. 'Waarom staat de E achterstevoren?'
'Omdat iedere geliefde de weerspiegeling is van de ander. Ze zijn elkaars spiegelbeeld. Dat is ook de reden waarom er bij onze huwelijksplechtigheden in de orde spiegeltjes worden uitgewisseld als geschenk. In geval van

het monogram gaat het om een eerbetoon aan de goddelijke en gewijde eenwording van Asherah en El, en om ons eraan te herinneren dat we altijd ons eigen spiegelbeeld zullen zien in de ogen van onze ware geliefde. "Kunst zal de wereld redden," heeft een wijs man ooit gezegd, en de leden van onze Orde hebben daar al sinds de dagen van Nicodemus en het Volto Santo in geloofd en ernaar geleefd. Het gaat echter niet alleen om de symboliek,' vervolgde Destino. 'Het gaat ook om de intentie van de kunstenaar. Want dat is het grote geheim van de kunst. Ware kunst is doordrenkt met de ziel van de kunstenaar, want daaruit ontstaat een meesterwerk. Uit liefde voor het onderwerp en het intense verlangen om die liefde over te brengen. Een ingewijde kan een kunstwerk observeren en de betekenis daarvan rechtstreeks opnemen in zijn hart en zijn ziel. Kunst is geen kwestie van zien, maar van voelen. Daarom beweert de Kerk van bepaalde authentieke stukken dat het gaat om kopieën: omdat de Kerk niet wil dat mensen zoals jij te veel tijd in aanwezigheid van die stukken doorbrengen. Het Volto Santo is een levend, ademend kunstvoorwerp, neem dat maar van me aan. Het herbergt de passie van Nicodemus, zijn herinnering aan de kruisiging. Maar vooral herbergt het de herinnering aan de ware leer van Jezus.'
'En daarom sprak het tot Matilda,' merkte Maureen op.
'Precies. Omdat ze nog een kind was en volkomen onbedorven, hoorde ze de stem van Jezus heel duidelijk, net zoals de kinderen in Fátima de stem van Onze-Lieve-Vrouwe hoorden. Maar als de Kerk ons vertelt dat het niet het echte Volto Santo is, dat het meesterwerk van het Heilige Gelaat, geschapen door Nicodemus, op de een of andere manier spoorloos is verdwenen en dat dit een kopie is, dan zal misschien niemand zijn best doen om te luisteren naar wat het kunstwerk ons te vertellen heeft. Ondanks het feit dat het zou gaan om een kopie, is het Volto Santo in de kathedraal van San Martino ondergebracht in een donkere ijzeren kooi waardoor het bijna niet te zien is. Hetzelfde geldt voor het schilderij dat zou zijn gemaakt door de Heilige Lucas en dat boven aan de Heilige Trap in Rome hangt. Het wordt bewaard achter centimetersdik glas en tralies, zodat je de aanwezigheid ervan nooit echt kunt ervaren. Bij wijze van extra bescherming vertelt de Kerk dat het gaat om een vervalsing, dus daardoor ben je niet geneigd het al te nauwkeurig te bekijken.'
Zowel Berenger als Maureen was sprakeloos. Het idee dat kunst diverse lagen van waarheid bevatte, wat aanzienlijk verderging dan de basale principes van de symboliek, was opwindend, fascinerend. 'Je moet goed bedenken dat de idee van kunst als redding van de wereld zijn hoogtepunt bereikte in de Renaissance,' vervolgde Destino. 'En daar moeten we ons nu

op richten, kindje. Wanneer je hier klaar bent, ga ik je vragen naar Florence te komen, en daar zal ik je een verhaal vertellen van de mooiste mannen en vrouwen... die ooit hebben geleefd.' Destino's stem haperde. Hij zweeg even, als eerbetoon aan deze grootse figuren uit het verleden. 'Ze waren de belichaming van de gedachte dat De Tijd Wederkeert, en die gebruikten ze om de wedergeboorte van het menselijk inzicht te creëren. Kinderen, ik beloof jullie dat wanneer jullie eenmaal de waarheid kennen over Lorenzo de Medici, over zijn vrienden Sandro Botticelli en Michelangelo Buonarotti, en over de schitterende vrouwen die hen inspireerden, je nooit meer op dezelfde manier naar kunst zult kijken. En zo hoort het ook.'

❂

Destino slenterde met hen door de stad, de heuvel op naar zijn geliefde kathedraal. Hij hield een versleten koerierstas tegen zijn lichaam gedrukt, waar hij onder het lopen af en toe op klopte. Voordat de dag voorbij was, wilde hij hun iets laten zien, een specifiek detail aan de buitengevel van de kathedraal, en een ander in het interieur. Het was 22 juni, en hij herinnerde hen eraan dat de geschiedenis leerde dat er regelmatig uitzonderlijke dingen gebeurden op de tweeëntwintigste dag van een maand. Hij knipoogde naar Maureen terwijl hij dit zei, en ze glimlachte naar hem, denkend dat zijn gezicht weliswaar oud en verweerd was, en bovendien werd ontsierd door een angstaanjagend litteken, maar dat het desondanks ongelooflijk mooi was.

Destino was een heilige. Daar twijfelde ze niet aan.

Ze volgden hem met zijn trage, strompelende gang, tevreden om zich te laten leiden en naar hem te luisteren terwijl hij vertelde over de geschiedenis van de schitterende stad die het kloppend hart van de aarde bedekte, een stad waar het belangrijkste en meest spectaculaire heiligdom van de christelijke wereld was ontstaan. Ze liepen langs het westportaal, langs de twee torens, naar het beeld van de lieftallige Heilige Modesta.

'Jullie kennen haar verhaal?' vroeg Destino.

'Van Modesta? Ze werd gemarteld door haar Romeinse vader,' antwoordde Berenger.

'Niet letterlijk.' Destino schudde zijn hoofd. 'Alles aan het verhaal van Modesta is symbolisch. Modesta was een dochter van de profetie, een Voorzegde, in een tijd toen *Het Boek der Liefde* hier in La Beauce veel navolging vond. In het kielzog van Constantinus en zijn concilies moest elke bedreiging voor de macht van de groeiende Kerk worden geëlimi-

neerd. En Modesta – trouwens, dat gold voor alle vrouwen van de profetie – vormde een grote bedreiging. Waarvoor denk je dat haar "Romeinse vader" symbool stond?'
Maureen begreep het onmiddellijk. 'Een patriarch in Rome. De paus of de Kerk. Dus Modesta werd terechtgesteld als voorbeeld voor alle vrouwen die de nieuw gevestigde kerkdoctrine tartten?'
'Gedeeltelijk, maar dit was haar ware misdaad.' Destino loodste Maureen en Berenger met zachte drang om de zuil heen en wees omhoog naar een ander beeld, parallel aan dat van Modesta. 'Dit is Potentianus. Haar man. Ze zijn samen terechtgesteld omdat ze het parenmodel van de prediking vertegenwoordigden, zoals Jezus en Madonna Magdalena ons dat hadden geleerd. Niets was zo gevaarlijk als geliefden die onderwezen uit *Het Boek der Liefde*.'
Bij wijze van antwoord drukte Maureen de hand van Berenger. In het voorbijgaan betuigden ze hun respect aan Matilda. Ten slotte bleef Destino opnieuw staan, en hij wees naar een van de zuilen. 'Kijk eens goed. De beeltenis is in de loop der eeuwen vervaagd, maar hij is erg belangrijk.
De meesten kijken eroverheen, zelfs mensen die de diepere betekenis van de voorstelling zouden herkennen.'
Op de zuil was een kar met wielen afgebeeld, en op die kar een soort kist.
'Een ark,' zei Berenger.
'De Ark van het Nieuwe Verbond,' voegde Maureen eraan toe. 'Matilda's ark?'
Destino knikte, zijn glimlach trok aan het verweerde litteken. 'Inderdaad. Matilda's ark. En deze tekst hier bevat de instructies voor architecten en ambachtslieden bij het begin van de restauratie van deze ingang, de Deur der Ingewijden. *Hic amititur, archa cederis*. Het is naar moderne maatstaven bepaald geen perfect Latijn. De vertaling luidt ruwweg: "Hier nemen de dingen hun loop. Je dient te werken vanuit de Ark." En dat deden ze. Ze gebruikten *Het Libro Rosso*, het Nieuwe Verbond, en vertaalden het hele boek in een monument van steen en glas dat hier al achthonderd jaar staat, als getuigenis van de liefde en de waarheid.'
De wonderen hielden nooit op. Dat wist Maureen zeker. In de ogen van Berenger zag ze dezelfde verwondering terwijl ze Destino naar binnen volgden. Hij bleef staan en wees naar het roosvenster hoog aan de westelijke muur, toen naar de vloer, waar de vandalistische praktijken van eeuwen hun loop weer hadden gehad en het labyrint was bedekt met stoelen. 'Hier is iets wat je niet zult geloven, ook al zie je het met eigen ogen. De diameter van het roosvenster is precies dezelfde als die van het labyrint.'
Hij had gelijk. Als je opkeek naar het roosvenster, hoog in de muur, was

het bijna niet te geloven dat het dertien meter in doorsnee was. Weer een verbijsterende architecturale prestatie. Destino was nog niet klaar met zijn lofprijzingen op de architecten van Chartres en hun ontzagwekkende prestaties. 'Het is geometrisch volmaakt. Als het roosvenster scharnieren had, zou je het naar beneden kunnen klappen en zou het labyrint er op de centimeter nauwkeurig door worden bedekt. Kun je je een dergelijke precisie voorstellen?'

Hij wachtte hun antwoord niet af, maar liep al verder. Bijna uitgelaten ging hij hun voor, door het transept, naar de majesteuze Blauwe Madonna, Onze-Lieve-Vrouwe van het Mooie Raam. Hij keek hen stralend aan, boog zich naar voren en fluisterde: 'Dit... Dit is alleen voor wie oren heeft om te horen. En voor mij een geweldige ervaring, omdat ik maar heel zelden de kans krijg om anderen van dit geheim deelgenoot te maken. Jullie hadden allebei gelijk toen jullie de figuur op dit raam Notre Dame noemden, en alle vrouwen die deze titel dragen. Maar wat jullie niet weten, is dat hiervoor een sterfelijke vrouw model heeft gestaan. Het meest gepaste model in de geschiedenis van onze Orde.'

Destino reikte in de koerierstas en haalde er heel voorzichtig een eeuwenoud vel beschilderd perkament uit. Toen hij het Maureen en Berenger voorhield, begrepen ze allebei onmiddellijk wat hij wilde zeggen. Op het perkament was een portret geschilderd van een middeleeuwse vrouw in een schitterend gewaad van azuurblauwe zijde, met op haar hoofd een witte kap met een sluier, en de kroon van de koninklijke stamboom van Karel de Grote met de Franse lelies en vijf gedetailleerd weergegeven edelstenen. Op haar schoot zat een klein jongetje met donker haar. Destino wees naar de burcht die boven de Madonna met het Kind in het raam was afgebeeld. 'Canossa.'

Voor Maureen was dit het mooiste, het meest poëtische aspect van het uitzonderlijke heiligdom waarin ze zich bevond. De Madonna van het Mooie Raam, het beroemdste, het meest schitterende glas-in-loodraam ter wereld, symboliseerde het vrouwelijke aspect van God – maar droeg het gezicht van Matilda van Canossa, gravin van Toscane.

Toen Destino zich naar haar toe keerde, zag ze dat er tranen in zijn ogen stonden. 'Je... Je lijkt zo op haar,' zei hij fluisterend.

Ook Maureen kreeg tranen in haar ogen. 'Dank u, Meester,' luidde haar gefluisterde antwoord.

'En net als zij ben je een eerbetoon aan God.' De ogen van de oude man staarden naar een heel ver verleden.

# 22

*Chartres*
*Heden*

Het was een droom die Maureen eerder had gehad, een keer toen ze sliep en een keer bij wijze van visioen in de kathedraal van Notre Dame in Parijs. Het was de droom die Berenger en de anderen ervan had overtuigd dat ze inderdaad de Voorzegde was van haar tijd, en die uiteindelijk had geleid tot de ontdekking van het evangelie van Maria Magdalena.
Maar vannacht nam de droom een wending die Maureen onmogelijk had kunnen verwachten. Vannacht werd haar een glimp van de waarheid getoond waarop ze, zelfs na alles wat ze de afgelopen twee jaar had meegemaakt, volstrekt niet was voorbereid.

❂

*Het begon te regenen. Maureen bevond zich niet langer tussen de menigte. Voor zich uit zag ze haar vrouwe, Maria Magdalena, gehuld in haar rode sluier. Bliksemschichten schoten langs de onnatuurlijk donkere hemel terwijl de vrouw in het rood de heuvel op strompelde, gevolgd door Maureen. Het was een vreemde sensatie om zowel te observeren als te participeren. Maureen wist niet of ze nou haar eigen gevoelens of die van Maria Magdalena ervoer. Het liep allemaal door elkaar heen.*
*Ze voelde niets van de schrammen en wonden – van haar of van Maria Magdalena, het deed er niet toe. Ze had maar één doel, en dat was naar Hem toe gaan.*
*Het geluid van een hamer die op een spijker slaat – metaal tegen metaal – weerklonk met een misselijkmakende doelmatigheid door de lucht. Toen ze de voet van het kruis bereikte – of bereikten – nam de regen in hevigheid toe tot een ware wolkbreuk. Ze keek omhoog naar Hem, en druppels van Zijn bloed spatten op haar smartelijke gezicht en vermengden zich met de aanhoudende regen.*

*Maureen keek om zich heen, een eind verwijderd van Maria Magdalena. Opnieuw was ze een waarnemer geworden. Ze zag de vrouwe aan de voet van het kruis, waar ze de Moeder van de Heer ondersteunde, die van verdriet bijna in zwijm leek te vallen. Er waren nog meer vrouwen die de rode sluier droegen. Ze stonden dicht opeen, ondersteunden elkaar. Een jongere vrouw met een witte sluier trok Maureens aandacht. Dit was Veronica, wist ze. Naast de vrouwen stond een Romeinse centurio, maar hij leek hen eerder te beschermen dan te intimideren. Hij had een vriendelijk gezicht, en ze las iets in zijn opmerkelijk ijsblauwe ogen wat haar vertelde dat hij net zo geschokt was en vervuld van smart als de lijdende familie. In het verleden zou de aanwezigheid van deze man haar voor een raadsel hebben geplaatst, maar nu kende ze hem maar al te goed dankzij zijn daden die vermeld stonden in het evangelie van Arques. Dit was Praetorus, wist ze, en op een dag zou hij het sacrament van de gewijde eenwording van de geliefden delen met de lieftallige Veronica. In de toekomst zouden ze samen de leer van de Weg verspreiden.*

*Een andere Romein stond dichter bij het kruis, met zijn rug naar de rouwende familie. Maureen kon zijn gezicht niet zien terwijl hij orders snauwde tegen de andere Romeinse soldaten rond het kruis. Ze kon niet verstaan wat hij zei, maar de kille hooghartigheid in zijn stem vertelde haar dat deze man gevaarlijk was. En ze wist wat er ging komen. Wat het allemaal nog veel erger maakte. Want deze man kon niemand anders zijn dan Longinus Gaius, de vervloekte centurio. Hij stond op het punt zijn ellendige lot te bezegelen, dat hem zou dwingen over de aarde te zwerven, op zoek naar dood en verlossing.*

*Een kreet verbrijzelde de stilte, een jammerklacht vervuld van totale wanhoop, geslaakt door Maria Magdalena. Toen Maureen opnieuw opkeek naar haar Easa aan het kruis, zag ze onmiddellijk wat er was gebeurd. De duistere centurio, Longinus Gaius, had zijn speer in de zijde van de Heer gestoken. Bloed en vocht stroomden uit de wond.*

*Het gesnik van Magdalena vermengde zich met de wrede lach van de slechte Romein toen die zich omdraaide en Maureen recht aankeek. Net lang genoeg zodat ze het vurige litteken zag dat zigzaggend over de linkerkant van zijn gezicht liep. Uitdagend hief hij zijn wapen. Het wapen dat de geschiedenis in zou gaan als de Speer van het Lot.*

*In het Italiaans:* Il giavellotto di destino.

Destino – *lotsbestemming en reisdoel. Twee woorden met dezelfde wortel.*

*En ineens besefte ze dat ze dat verminkte gezicht recent, in de eenentwintigste eeuw, maar al te goed had leren kennen.*

Destino schrok wakker. Hij hapte verwoed naar lucht en werkte zich moeizaam overeind. Het was geen nachtmerrie die hem had gewekt, eerder het ontbreken daarvan. Voor het eerst in zijn bijna oneindige herinnering had de man wiens naam zowel 'lot' als 'bestemming' kon betekenen een nacht vredig geslapen.

Zou het... Kon het zijn... dat het voorbij was?

Hij wist dat hem maar één ding te doen stond en liet zich op zijn knieën vallen om het paternoster te bidden, in het Grieks, zoals hij het voor het eerst had geleerd. Zoals zíj het hem had geleerd, eeuwen geleden, in haar oneindige genade.

Tranen stroomden over zijn oude gezicht, ongevraagd en onbeheerst. De man die in de loop der eeuwen zoveel namen had gedragen, richtte zich langzaam op.

Het duurde even voordat hij bij de antieke spiegel was, die zijn kamer sierde sinds hij hem als huwelijksgeschenk van zijn geliefde had gekregen. Want de grootste vloek van de onsterfelijkheid was te moeten zien hoe degenen die je liefhad uit het leven verdwenen, telkens en telkens weer. Toen hij voor de verweerde spiegel stond, keek hij zichzelf in de ogen en zag hij hoe zijn gezicht veranderde. Eerst zag hij nog Destino, de verweerde bewaarder van de grootste verhalen ooit verteld, de man die moest slagen bij zijn laatste uitdaging – zorgen dat de volledige leer van *Het Libro Rosso* een moderne verteller zou vinden, zodat deze in het nieuwe millennium bewaard bleef en de ware geschiedenis van de hunnen nooit verloren ging. Hij geloofde dat hij daarin was geslaagd.

Verder teruggaand zag hij de architect die de werkzaamheden coördineerde aan het meesterwerk dat de kathedraal van Chartres was. Hij ging nog verder terug, naar een tijd waaraan hij gelukkige herinneringen bewaarde, dankzij zijn favoriete leerling, de wonderbaarlijke Matilda van Canossa. Als ooit een vrouw de stamboom waardig was geweest, dan was zij het. Zelfs nu nog kon de gedachte aan haar hem doen glimlachen, in het bijzonder wanneer hij dacht aan Matilda in combinatie met Maureen. Wat leken de twee vrouwen op elkaar, ondanks het feit dat hun levens bijna duizend jaar uit elkaar lagen. En wat waren ze samen het bewijs van de gedachte dat De Tijd Wederkeert.

Door zijn tranen heen keek hij in de spiegel terwijl zijn gezicht de gedaanten toonde waarin hij door de eeuwen heen onvermoeibaar had gewerkt voor een verlossing die nooit kwam. Hij reikte naar het enige element in zijn gezicht dat niet veranderde: het grillige litteken. Het was de enige constante bij alle gedaanten die hij had aangenomen; ze droegen het alle-

maal, want het was hetzelfde litteken, op hetzelfde gezicht, van dezelfde man.
Ten slotte keerde hij terug naar de tijd waarin alles was begonnen, de tijd dat hij in dienst van Pontius Pilatus het litteken had opgelopen. Het was niet de herinnering aan de pijn die hem kwelde; het was de herinnering aan zijn eigen daden die zijn hart en zijn ziel tot slaven had gemaakt en waardoor hij al tweeduizend jaar in een hel leefde. Elke nacht van zijn eindeloze bestaan was hij achtervolgd door de herinnering aan wat hij had gedaan: zijn eigen sadistische lach schalde door zijn hoofd terwijl hij het vlees van de Zoon van God openreet; elke nacht werd hij overweldigd door zelfverachting wanneer hij de punt van zijn speer in de zij van de stervende Jezus boorde.
Hij sloot zijn ogen en dacht terug aan de grote zegen en de gruwelijke vloek die hij had ontvangen van zijn Hemelse Vader:

*Longinus Gaius, met je lage daden op deze dag heb je mij en alle mensen van goede wil diep gekwetst. Eeuwige verdoeming is je straf. Maar het zal een aardse verdoeming zijn. Je zult over de aarde zwerven zonder de zegen van de dood, en elke avond wanneer je je te ruste legt, zul je in je dromen worden achtervolgd door de gruwelen en de pijn die je daden teweeg hebben gebracht. Weet dat je die kwelling zult ervaren tot het einde der tijden, of tot het moment waarop je bezoedelde ziel door gepaste penitentie zal worden verlost in de naam van mijn zoon Jezus Christus.*

Hij was bijna krankzinnig geworden door het vonnis, tot de dag waarop hij Maria Magdalena achterna reisde, om haar om vergiffenis te vragen. Ze schonk hem haar genade, maakte hem deelgenoot van de glorie van God door hem in te wijden in de leer van de Weg der Liefde. En op de dag dat hij als een geaccepteerd lid van haar familie aan haar graf stond, samen met haar rouwende kinderen en haar trouwe metgezel en beschermer, Maximinus, en samen met Praetorus en Veronica, legde hij ten overstaan van hen allen een gelofte af. Hij zou elk wakend moment van zijn eeuwige leven wijden aan het onderwijzen van de lessen van *Het Boek der Liefde* en de wereld deelgenoot maken van de schoonheid van de Weg, zoals die was onderwezen door en als leidraad had gediend voor zijn Heer Jezus Christus en Diens geliefde vrouw, Maria Magdalena, en hun heilige kinderen. Want geen mens ter wereld begreep beter de transformerende macht van liefde en vergeving dan Longinus Gaius, de vervloekte centurio.
Het behoud van *Het Boek der Liefde* zou grotere ontberingen en inspan-

ningen van hem vereisen dan hij had kunnen denken toen hij die gelofte aflegde. In die tijd geloofden ze nog allemaal dat het authentieke Nieuwe Testament van Jezus Christus door de kinderen van de wereld gretig zou worden gehoord en aanvaard. De taak die hij zichzelf had gesteld, zou zijn fysieke en mentale uithoudingsvermogen tweeduizend jaar lang zwaar op de proef stellen. Hij had vol afschuw moeten toezien hoe de prachtigste, de edelste mensen werden gemarteld om hun geloof in de liefde, op gruwelijke wijze uiteengerukt door de gewetenloze wetten van mannen met macht, mannen die elke ware wet van Jezus Christus verkrachtten in Zijn heilige naam. Hij doorstond de wreedheden van de inquisitie; hij kende de marteling om te moeten zien hoe de waarheid een ellendige en onrechtvaardige dood stierf, hoe de wonderbaarlijkste leringen onherkenbaar werden verdraaid door genadeloze leugenaars en machtsmisbruikers. Hoe hadden ze kunnen weten dat de wereld tweeduizend jaar later nog steeds geen toegang zou hebben tot de ware leringen uit *Het Boek der Liefde*? En dat zulke simpele lessen over de liefde, over vertrouwen en saamhorigheid tweeduizend jaar later als zelfs nog gevaarlijker werden beschouwd dan toen? Van alle gruwelen waarvan hij getuige was geweest, was dat de grootste hel die hij op aarde had moeten doormaken.
Als onderdeel van zijn zelfopgelegde boetedoening begon hij voor het nageslacht de glorie van hen die hadden geleefd en waren gestorven voor de ware leringen van de Weg op schrift te stellen. Wie zou beter verslag kunnen doen van de geschiedenis dan een man die niet kan sterven en die zich uit eigen ervaring herinnert wat er allemaal is gebeurd? En zo ontstond *Het Libro Rosso*, in zijn eerste toevluchtsoord in Calabrië. En nu leek het erop dat het zou worden herboren voor een nieuw tijdperk, een nieuwe wereld – dat de kinderen van een pril millennium er klaar voor waren om het te lezen.
We gingen een nieuw tijdperk binnen voor wie oren heeft om te horen.
'Alstublieft... Laat ze het horen,' fluisterde hij, tegen zichzelf en tegen zijn Heer, voordat hij zich weer oprichtte. Hij besefte dat hij erg weinig tijd had om te doen wat moest worden gedaan. En nu het eindelijk zover was, werd hij overmand door verdriet. Want er bestond waarlijk grote schoonheid in deze wereld, in wat God had geschapen en in wat de mens had geschapen naar Zijn evenbeeld, en het Hare. Dus de dood waarnaar hij zo had verlangd, zou bitterzoet zijn.
Toen Destino weer was gaan liggen, in de overtuiging dat hij zich voorbereidde op zijn dood, zag hij een visioen van zijn Heer. Easa keek hem aan, met Zijn vriendelijke donkere ogen. Zijn beeltenis en Zijn fluisterende

stem waren zo helder alsof tijd en ruimte niet bestonden.
*Je bent mijn zoon in wie ik mijn welbehagen heb. Maar je werk is nog niet klaar.*
Destino glimlachte. De dood zou hem nog niet komen halen, en daar was hij dankbaar voor. Hij had nog zoveel verhalen die hij aan Maureen wilde vertellen – zodra ze klaar was met haar opdracht een boek te schrijven waarin ze de mensen duidelijk maakte hoe ze *Het Boek der Liefde* moesten lezen, zoals dat was bewaard in de kathedraal van Chartres.

*Chartres*
*Heden*

Maureen was zich bewust van het werk dat haar wachtte. Chartres telde meer dan duizend kunstwerken. Het zou een gigantisch karwei zijn om ze allemaal te interpreteren vanuit het perspectief van *Het Boek der Liefde* en *Het Libro Rosso*. Een karwei dat jaren in beslag zou kunnen nemen. Maar ze zou het niet alleen hoeven te doen. Ze zou zich omringd weten en worden geholpen door haar dierbaren, want ze had heel veel mensen om zich heen die oren hadden om te horen en ogen om te zien. Dit was de grootste zegen die God haar had kunnen geven, in een toch al rijk gezegend leven – lieve vrienden, een trouwe familie, de meest opmerkelijke spirituele mentor in de geschiedenis en een bijzondere man die haar het grootste sacrament van de mens had geschonken: het gewijde verbond der geliefden.
Samen zouden ze de waarheid bewijzen van de profetie 'De Tijd Keert Weder'. Ze zouden iets creëren wat net zo mooi was en net zo zou beklijven als de herinnering aan de bijzondere mannen en vrouwen die hun met dezelfde opdracht in de geschiedenis waren voorgegaan. Ze zouden de wereld uitnodigen zich open te stellen voor het inzicht dat alle mannen en vrouwen die deel willen uitmaken van de profetie dat al doen. Want 'De Tijd Keert Weder' verwees vooral naar het creëren van de hemel op aarde, en dat zou de deelname vereisen van het hele mensdom, omdat iedereen op zijn of haar eigen manier een profeet is en één met God, net zoals alle mannen en vrouwen gelijkwaardig zijn en uit liefde geschapen.
Gelijk in de hemel alzo ook op aarde.
Het zou een gigantisch karwei worden, misschien was het zelfs een utopie, maar in de loop van de laatste jaren had Maureen leren geloven in wonderen.

Eerst zou ze echter een aanvulling tot stand brengen op *Het Libro Rosso* zelf. Dat was tenslotte haar bestemming als Voorzegde. Net als Matilda vóór haar zou ze haar eigen monumenten creëren voor de lering van de Weg en voor de grote mannen en vrouwen die voor die belangrijke zaak hadden geleefd en waren gestorven. Haar eenentwintigste-eeuwse monumenten zouden niet worden opgetrokken uit steen, zouden niet van glas-in-lood of schilderslinnen zijn, maar van letters en papier. En haar boeken zouden in vele talen worden gepubliceerd, over de hele wereld. Ze zou een aanvulling leveren op *Het Libro Rosso* door verslag te doen van de levens en de liefdes van Matilda en Brando, en van de dierbaren die hun verhaal bevolkten. Meer dan wie ook verdienden ze het te worden herinnerd om hun bijdragen aan de Weg van de Liefde. En er zouden ook anderen zijn over wie ze zou schrijven. Destino had haar zoveel verteld, en ze keek ernaar uit de levens te verkennen van de andere bijzondere mannen en vrouwen die haar wachtten in het verleden – en in de toekomst.
Ze maakte al plannen om Destino op zo kort mogelijke termijn te ontmoeten in Florence, waar ze zou beginnen aan haar formele inwijding in de leer en de tradities van de Orde, dezelfde inwijding die Matilda had ondergaan – met dezelfde leermeester. Berenger zou zich bij hen voegen, omdat hij zijn eigen missie en profetie te vervullen had. Samen zouden ze werken aan de vervulling van hun bestemmingen en hun profetieën, om de mensheid opnieuw te laten kennismaken met de Weg van de Liefde, onder leiding van een heel bijzondere leermeester.
En misschien zou Destino haar op een dag de gelegenheid geven om zijn verhaal te vertellen. Want dat was Maureens grootste wens: om de wereld deelgenoot te maken van het verhaal van deze indrukwekkende, gekwelde man wiens naam zowel 'lot' als 'bestemming' betekende. Want dat was tevens het verhaal van de mens. Het verhaal van verlossing door geloof en vergiffenis. En boven alles het verhaal van de wedergeboorte, dankzij de liefde.
Wie oren heeft om te horen, die hore.

❂

Maureen had nog een laatste droom voordat ze uit Chartres vertrok. Destino had haar gewaarschuwd dat haar dromen en visioenen na haar contact met *Het Boek der Liefde* een verontrustende frequentie zouden aannemen. Daar zou ze mee moeten leren leven, en dat zou enige aanpassing vereisen. Ze voelde zich anders sinds ze *Het Boek der Liefde* in haar handen had gehouden. Anders op een manier die ze niet kon omschrijven. Het was alsof diep in haar hart, in haar geest, de deur naar het goddelijke was geopend, waardoor haar dromen levensechter waren dan ooit.

❂

*In deze droom was ze eerder waarnemer dan dat ze er deel van uitmaakte. Een zacht, monotoon gezang wervelde in de duisternis om haar heen terwijl ze toekeek hoe een vreemde stoet door de smalle keienstraten van een middeleeuws Italiaans stadje trok. Het was nacht, de mannen die in de processie meeliepen, droegen fakkels. Tenminste, ze dacht dat het mannen waren, maar dat was niet te zien. Ze waren gehuld in lange gewaden met kappen die hun hoofd volledig bedekten. De gewaden waren smetteloos wit. Op de mouwen was in scharlakenrood een embleem geborduurd: een albasten kruik die de devotie van de mannen aan Maria Magdalena symboliseerde, en aan de Orde waartoe ze behoorden.*

*De processie slingerde zich door de straten. Twee van de processiegangers in het hart van de stoet droegen een banier met daarop een levensgrote schildering van de gekroonde Magdalena, indrukwekkend afgebeeld als het vrouwelijke aspect van God.*

*Terwijl de gewijde stoet langs haar trok, werd Maureens aandacht getrokken door twee figuren langs de kant van de weg. Ze droegen geen kap en namen geen deel aan de optocht. Een van hen was een oudere man met grijs haar, een rijzige verschijning die ondanks zijn leeftijd een krachtige indruk maakte en duidelijk tot de aristocratie behoorde. Hij had de uitstraling van een vorst. Naast hem stond een jongeman, een adolescent, met glanzend zwart haar en scherpe, intelligente ogen.*

*Net als Maureen waren ze waarnemers, maar tegelijkertijd hecht verbonden met de gebeurtenissen waarvan ze getuige waren. Tranen stroomden over het gezicht van de jongeman terwijl hij keek naar de langstrekkende processie. Er blonk een schittering in zijn ogen toen hij zich tot de oudere man richtte.*

*'Ik zal u niet teleurstellen, grootvader. Niets kan me tegenhouden. En ik zal ook onze Heer en onze Vrouwe niet teleurstellen en me de erfenis van de Medici's waardig tonen.'*

*Maureen was getroffen door haar eigen reactie op deze jongeman en op wat hij zei. Ze werd overmand door een combinatie van liefde, angst, verdriet en ontzag. Hij had zo duidelijk de uitstraling van iemand met een bestemming. Een bestemming van een leven dat gevuld zou zijn met zowel triomfen als tragedies.*

*De oudere man sloeg een arm om de jongeman heen. 'Dat weet ik, Lorenzo,' zei hij glimlachend. 'Dat weet ik zo zeker als ik nooit eerder iets zeker heb geweten. Je zult niet falen, want het is je bestemming om te slagen. Jij wordt de redder van ons allemaal.'*
*De slotwoorden van de oudere man waren het laatste wat Maureen zich herinnerde: 'Je zult niet falen, want je bent de Dichter-Prins.'*

Toen Maureen wakker schrok, keerde ze zich naar Berenger, die naast haar lag. Hij keek haar glimlachend aan.
'Je riep iets in je slaap. Lag je te dromen?'
Maureen knikte slaperig. 'Mm-mm.'
'Waarover?'
Maureen stak haar hand uit en liet haar vinger licht over zijn aristocratische gelaatstrekken glijden. 'Ik geloof eigenlijk dat ik over jou droomde.'
'Over mij? Dat moet dan wel een prachtige droom zijn geweest.'
Ze beantwoordde zijn glimlach. 'Een prachtige droom? Ja, ik geloof het wel. En ik geloof ook... dat ik eerder van je heb gehouden.'
'En hou je nu van me?'
'Absoluut. En ik twijfel er niet aan of ik zal ooit opnieuw van je houden.'
Ze schoof dichter naar hem toe en streek vluchtig met haar lippen langs de zijne. Toen kroop ze in zijn armen.
'Welterusten, mijn lieve prins. De Tijd Keert Weder.'
Hij drukte zijn gezicht in haar haren en trok haar lachend tegen zich aan. 'De Tijd Keert Weder. En daarvoor dank ik de Heer en Zijn prachtige vrouw.'
Opnieuw kwamen de Bijbelse geliefden samen. Niet langer waren ze twee. Ze waren Een.

# De levensloop van *Het Boek der Liefde* en *Het Libro Rosso*

## *Het Boek der Liefde* (origineel)

**Eerste eeuw:** Het oorspronkelijke manuscript wordt geschreven door Jezus Christus. Na de kruisiging neemt Maria Magdalena het mee naar Alexandrië en vandaar naar Frankrijk. Maria Magdalena onderwijst vanuit het boek en draagt het bij haar dood over aan haar dochter, tevens haar opvolgster, Sara-Tamar. Hoewel er binnen de Franse cultus overleveringen van Sara-Tamar en de bloedlijnfamilies bewaard blijven, worden ze niet, zoals in Italië, onmiddellijk op schrift gesteld. In Frankrijk blijft *Het Boek der Liefde* bewaard in zijn ongerepte, oorspronkelijke staat, zij het dat het ter bescherming in leer wordt gebonden.

**Tweede tot dertiende eeuw:** *Het Boek der Liefde* in zijn oorspronkelijke vorm wordt beschermd door de bloedlijnfamilies in Frankrijk die eruit blijven onderwijzen. Het boek is de basis van een vorm van 'ketterij' die tot op de dag van vandaag in Frankrijk voortleeft en die meestal wordt aangeduid als het katharisme.

**Dertiende eeuw:** Maureens voorouder La Paschalina redt *Het Boek der Liefde* bij Montségur van de kruisvaarders en smokkelt het de grens over naar het klooster van Montserrat, waar het een veilig onderdak vindt bij sympathisanten van de katharen.

**Dertiende tot zestiende eeuw:** De bloedlijnfamilies in Catalonië (Noord-Spanje) blijven *Het Boek der Liefde* verborgen houden.

**Midden zestiende eeuw:** Ignatius van Loyola ontdekt het geheim van *Het Boek der Liefde* en onthult het aan de paus. Daarop gaat het boek naar Rome, waar het door de Kerk in veilige en geheime bewaring wordt genomen. Er wordt in het openbaar niet over gesproken, en alle historische documenten die ernaar verwijzen worden vernietigd.

**Zeventiende eeuw:** Paus Urbanus VIII herbouwt de Sint-Pieter om de geheime overleveringen van *Het Boek der Liefde* te eren, in navolging van de kathedraal van Chartres.

## *Het Libro Rosso* (kopie)

**Eerste eeuw:** De apostel Filippus maakt een kopie van *Het Boek der Liefde* tijdens zijn bezoek aan de zwangere Maria Magdalena in Alexandrië. Deze kopie gaat naar Jeruzalem en komt onder de hoede van de Orde van het Heilige Graf, een geheim genootschap dat op de eerste Pasen is gesticht door de Heilige Lucas, Nicodemus en Jozef van Arimathea. Uiteindelijk brengt Lucas de kopie naar Italië, naar een klooster in Calabrië. Een traditie is geboren, waarbij Calabrische klerken verslag beginnen te leggen van leven en dood van de heilige familie en de nazaten daarvan. De Calabriërs voegen de profetieën van Sara-Tamar toe aan hun kopie van *Het Boek der Liefde* en noemen het geheel, nadat het in rood leer is gebonden, *Het Libro Rosso.*

**Tweede tot elfde eeuw:** *Het Libro Rosso* verhuist in de tweede eeuw naar Lucca wanneer de Orde van het Heilig Graf een basis vestigt in Toscane.

**Elfde eeuw:** Matilda stuurt *Het Libro Rosso* naar Chartres in Frankijk, waar het de inspiratie vormt voor de herbouw van de kathedraal, het gotische meesterwerk met zijn mysterieuze labyrint.

**Twaalfde tot vijftiende eeuw:** *Het Libro Rosso* bevindt zich in handen van de Franse koninklijke familie, totdat het door Lodewijk XI aan Italië wordt teruggegeven als een geschenk aan het Huis De' Medici.

**Midden zestiende eeuw:** *Het Libro Rosso* is in het bezit van de pausen van het Huis De Medici, Leo X en Clemens VII, en blijft in het Vaticaan tot de familie Barberini het na de dood van Urbanus VIII daarvandaan smokkelt.

**Zeventiende eeuw:** Paus Urbanus VIII laat de stoffelijke resten van Matilda overbrengen naar de Sint-Pietersbasiliek en eert, dankzij het werk van Bernini, ook Longinus en Veronica voor hun rol bij de bescherming van de heilige leer.

# Opmerkingen van de auteur

Over het onderwerp van dit boek is, naar mijn beste weten, nooit eerder in de wereld gepubliceerd. Vandaar dat mijn research om de beschikbare documentatie compleet te krijgen jaren heeft geduurd en niet heeft ondergedaan voor mijn zoektocht naar Maria Magdalena, zoals beschreven in *Het Magdalena Mysterie*, het eerste deel in deze serie. Het resultaat van de qua tijd en geschiedenis veelgelaagde informatie was dat de eerste opzet van dit boek meer dan veertienhonderd bladzijden telde en zowel voor mij, als schrijver, als voor mijn toekomstige lezers volstrekt onhanteerbaar was. Met de hulp van een team met daarin onder meer een getalenteerde agent en uitgever, heb ik de moeilijke keuzes gemaakt die de meeste schrijvers vrezen: het schrappen van complete verhaallijnen en personages, en honderden bladzijden met historische bijzonderheden. Deze 'opmerkingen van de auteur' zouden met gemak de helft van het aantal pagina's van het eigenlijke boek kunnen beslaan. Maar om ruimte – en bomen – te sparen nodig ik iedereen die deze wereld diepgaander wil verkennen uit tot een bezoek aan mijn website www.kathleenmcgowan.com, waarop mijn uitgebreide aantekeningen, diverse anekdotes en talloze aanvullingen te vinden zijn.

## *Over* Het Boek der Liefde

Ik hoorde voor het eerst over *Het Boek der Liefde* tijdens mijn rondreizen door de Languedoc, in het begin van de jaren negentig van de vorige eeuw. De vluchtige verwijzingen naar een 'geheimzinnig evangelie' dat door de katharen zou zijn gebruikt bij hun meest gewijde en geheime tradities en rituelen fascineerden me. Mijn aanvankelijke pogingen om inzicht te krijgen in wat *Het Boek der Liefde* precies was, leverden nauwelijks iets op. Verzoeken om informatie leidden in de Languedoc tot terughoudende en ontwijkende reacties – als er al sprake was van een reactie. In de meeste gevallen kreeg ik te horen dat *Het Boek der Liefde* een alternatieve versie was van het evangelie volgens Johannes. Dit klonk mij in de oren als een

poging om de werkelijke aard van het boek te verhullen. In de tien jaar daarna zou ik ontdekken dat het inderdaad een rookgordijn was om de waarheid af te schermen.
Lezers van *Het Magdalena Mysterie* zijn zich er waarschijnlijk van bewust dat mijn eigen spirituele queeste in veel opzichten parallel heeft gelopen aan die van Maureen. Net als bij mijn fictieve heldin heeft mijn onderdompeling in de culturele en folkloristische tradities van Frankrijk en – later – Italië, geleid tot een verandering in mijn denken, mijn geloof en uiteindelijk mijn leven. Doordat ik zo gelukkig was in aanraking te komen met bijzondere leermeesters – en 'zuivere ketters' – leerde ik een andere versie kennen van de ware oorsprong en inhoud van *Het Boek der Liefde*. Ik heb mijn best gedaan om die verloren leringen in dit boek onder woorden te brengen. De formuleringen van *Het Boek der Liefde*, zoals ze op de hiervoorgaande bladzijden voorkomen, zijn geheel de mijne, maar ze vormen een interpretatie van de ontroerende en machtige tradities en leringen die – dat geloof ik heilig – tweeduizend jaar lang van generatie op generatie zijn doorgegeven.
Op het moment dat ik me voor het eerst bewust werd van de orale overleveringen betreffende *Het Boek der Liefde* en de inhoud daarvan, had ik de gnostische evangeliën nog niet bestudeerd. Dus het was een schok te ontdekken dat het evangelie volgens Filippus op talrijke plaatsen identiek is aan de 'ketterse' leringen zoals ze mij zijn verteld. Ook de evangelies volgens Thomas en Maria Magdalena bevatten opmerkelijke overeenkomsten met de overleveringen van *Het Boek der Liefde*. De erotische en hartstochtelijke aard van het Filippus-materiaal betekende een openbaring, net als de duidelijke aanwijzingen dat de Heilige Geest vrouwelijk was. Zoals Peter in mijn boek speculeert, geloof ik stellig dat het evangelie volgens Filippus althans gedeeltelijk een poging was om *Het Boek der Liefde* te reconstrueren – voor wie oren heeft om te horen.
Voor wie zijn of haar oren wil scherpen en dit onderwerp diepgaander wil bestuderen, kan ik de bestudering van het werk van Filippus enthousiast aanbevelen. Er zijn talrijke waardevolle interpretaties en commentaren beschikbaar, maar persoonlijk ben ik erg onder de indruk van het werk van Jean-Yves LeLoup, dat onder andere ook in Engelse vertaling is verschenen. Wie onbekend is met de gnostische evangeliën, zou zijn of haar queeste kunnen beginnen met de klassieker van Elaine Pagels, *De gnostische evangeliën*.

# *Over Matilda van Toscane*

Ik stond voor het eerst oog in oog met Matilda toen ik in het voorjaar van 2001 met mijn echtgenoot door Italië reisde. We brachten een bezoek aan de Sint-Pieter, en ik had net Michelangelo's meesterwerk, de *Piëta*, de rug toegekeerd toen ik bijna tegen haar enorme marmeren schrijn op liep. Het verbaasde me in het hart van het Vaticaan een monument ter ere van een vrouw aan te treffen. Dat de bewuste vrouw de pauselijke tiara en de sleutel van de Heilige Petrus in haar handen droeg, ging mijn bevattingsvermogen bijna te boven. Wie was ze, wat deed ze in het hart van de Sint-Pieter en waarom wist niemand het antwoord op die vragen?

Onderzoek doen naar een vrouw die al duizend jaar dood is, en die leefde in een tijd waarin eigenzinnige vrouwen bepaald niet geliefd waren bij de monniken die de geschiedenis op schrift stelden, is een geweldige uitdaging, ongeacht de achtergrond van waaruit wordt gewerkt, of de gekozen benadering. Voeg daaraan toe Matilda's toewijding aan de kathaarse ketterijen in Toscane, die door de druk der omstandigheden geheim waren en zorgvuldig werden afgeschermd, en je hebt een historische black-out.

Hier is een opmerking over de kathaarse geschiedenis op zijn plaats: traditionele wetenschappers zullen me onmiddellijk veroordelen omdat ik naar alle ketterijen, verspreid door de eeuwen en over heel Europa, verwijs als 'kathaars'. De geschiedenis verklaart namelijk nadrukkelijk dat het katharisme is gebonden aan een heel specifieke periode en dito verspreidingsgebied. Maar deze traditie van 'het zuivere christelijk geloof' die de kern is van het woord 'kathaar', gaat tweeduizend jaar terug in de tijd. Dus ik verwijs met een zuiver geweten naar al deze 'onbezoedelde ketters' als katharen.

Net als de Franse katharen leidden de 'zuiveren' in Italië een teruggetrokken bestaan, dat meer dan duizend jaar lang in het geheel niet als bedreigend werd gezien voor de traditionele katholieke Kerk. De vervolging van deze eerste 'ketters', die door de inquisitie tot een gevaar werden verklaard, begon pas serieus in de dertiende eeuw, waarbij de Italiaanse katharen dezelfde ontberingen te doorstaan kregen als hun broeders in Frankrijk. Net als in het geval van de Franse katharen werd hun geschiedenis volkomen verkeerd begrepen en welbewust onjuist voorgesteld door de katholieke Kerk en opeenvolgende historici. Daarbij ging het niet om afstammelingen van andere ketterse sekten, die van elders in Europa naar Italië waren gekomen, waar ze zich verzetten tegen de katholieke leer, zoals op basis van bronnen binnen de inquisitie lange tijd is beweerd. De katharen

van Umbrië en Toscane bestonden, net als de katharen van de Languedoc, al sinds het ontstaan van het christendom en leefden in alle rust en overtuiging nog altijd volgens hun oorspronkelijke tradities en leringen. Dat de Kerk hen als zodanig niet erkende, was een uitgekookte strategie en diende als rechtvaardiging voor hun vervolging.
Het is niet alleen mijn heilige opdracht als schrijver, maar ook een belofte die ik mezelf heb gedaan, om het verhaal te vertellen van de bijzondere vrouwen die de moed hadden de wereld te veranderen en daarbij het gevaar niet uit de weg gingen, maar die door de geschiedenis zijn vergeten of op een verkeerde manier zijn afgeschilderd. Matilda van Canossa was - samen met Maria Magdalena - in dit verband het meest sprekende voorbeeld dat ik ben tegengekomen. Ik heb zoveel van haar geleerd!
Het is algemeen bekend dat het zuiden van Frankrijk al tweeduizend jaar het domein is van de ketterse geschiedenis, maar hoe wijd dit in Italië is verspreid, is voor de meeste mensen iets nieuws. Toch heeft deze traditie zich daar eeuwenlang in het volle zicht verborgen gehouden, zoals we in Matilda's levensverhaal hebben gezien. Nog niet zolang geleden was ik met mijn gezin in Toscane, waar we de Ponte Maddalena hebben gezien, de brug even buiten Lucca die Matilda heeft ontworpen en laten bouwen. Het is een prachtig, adembenemend schouwspel hoe de halve cirkels van steen zich spiegelen in het water en zo een volmaakte cirkel creëren, iets wat vooral 's avonds en 's nachts goed zichtbaar is. We konden ons er niet van losmaken en zijn er uren gebleven. Het heeft iets... magisch. En het is maar al te duidelijk dat de architect door zowel spirituele als praktische motieven is geïnspireerd. Dat de brug naar Maria Magdalena is genoemd en dat er aan de voet ooit een aan haar gewijde kapel heeft gestaan met haar beeltenis, is naar mijn mening een overtuigend bewijs van Matilda's toewijding aan haar vrouwe. Net zoals het veelzeggend is dat er in de loop der eeuwen diverse pogingen zijn gedaan de naam van de brug te veranderen en de oorsprong ervan te verdoezelen. Maar Maria laat zich niet negeren, net zomin als Matilda; en de naam Ponte Maddalena houdt dan ook stand en wordt officieel erkend in Italiaanse overheidsdocumenten.
Er is in het Engels heel weinig geschreven over Matilda, en in het Latijn of het Italiaans niet zoveel meer. Ze vormt dan ook een van de grote mysteries van de geschiedenis. Het Donizone-manuscript dat zich in de archieven van het Vaticaan bevindt, is de sleutel als het gaat om op schrift gestelde informatie over haar leven. Ik ben er echter van overtuigd dat ze het heeft bedoeld als een soort pr-stunt, met het raffinement van een hedendaagse aankomende filmster die een eersteklas pr-bureau in de arm neemt

om haar biografie te schrijven. Vaak heb ik het gevoel dat wat Donizone níét zegt belangrijker is dan wat hij wel zegt. Volgens de geruchten zou het alternatieve manuscript dat Peter ontdekt in het Vaticaan wel degelijk bestaan, maar dat kan ik niet bewijzen, dus het blijft fictief. Matilda's sarcofaag in de San Benedetto is diverse malen voorafgaand aan het bewind van paus Urbanus VIII geopend, en ik ben ervan overtuigd dat de familie De Medici een alternatieve biografie heeft gevonden, van haar eigen hand. Met de familie De Medici – met haar geschiedenis en hoe de familie als grondlegger van de Renaissance de wereld veranderde – maken we kennis in mijn volgende boek, *Het Graal Mysterie*.

Ik ben grote waardering verschuldigd aan Michele K. Spike voor *Tuscan Countess*, waarmee ze het standaardwerk over Matilda in het Engels heeft geschreven, en ik wil dit boek van harte aanbevelen aan iedereen die geïnteresseerd is in de complexe historische details van Matilda's tijd en wereld. Het boek van Spike is geschreven met zoveel gevoel en passie als je maar heel zelden tegenkomt bij wetenschappelijke publicaties. Dus dank aan deze academica, die gedreven door haar hartstocht voor Matilda haar eigen ongelooflijke reis door de middeleeuwen maakte en mij tot steun was tijdens de mijne toen ook ik door Italië trok, op zoek naar deze fenomenale heldin. Ook al kom ik onvermijdelijk in veel gevallen tot andere conclusies als het gaat om Matilda's motivatie (en motivatie is bij uitstek een element in de menselijke aard waar we alleen maar naar kunnen gissen), ik blijf schatplichtig aan de rijkdom aan kennis die haar wetenschappelijke discipline heeft opgeleverd.

Ik vraag de geleerden en deskundigen op het gebied van de middeleeuwen me niet te zwaar aan te vallen om het feit dat ik de gecompliceerde gebeurtenissen van Matilda's tijd ingedikt en verkort heb weergegeven om het verhaal van haar ongelooflijke reis beter verteerbaar te maken voor de gemiddelde lezer. Er zijn periodes geweest waarin ik eraan wanhoopte of ik mijn verhaal over Matilda ooit afgerond op papier zou krijgen, want het viel bepaald niet mee om de feodale politieke verwikkelingen en pauselijke intriges te analyseren en daarvan helder verslag te doen. Ik heb geprobeerd de historische achtergronden zo veel mogelijk trouw te blijven, maar soms zag ik me genoodzaakt zaken in te korten, waarvoor ik me beroep op dichterlijke vrijheid. Minstens tien pausen en hun geschiedenis zijn 'in de prullenmand verdwenen'. Wie geïnteresseerd is in een diepgaander onderzoek, nodig ik nogmaals uit een bezoek te brengen aan mijn website, waar nog meer historische details te vinden zijn over Matilda's wereld.

Er bestaat geen zekerheid over Matilda's geboorteplaats. Diverse beroemde wetenschappers, onder wie Michele Spike, pleiten voor Mantua, omdat die stad als eerste voorkomt in de documenten waarin verslag wordt gedaan van haar jeugd, en omdat ze ervoor koos daar te worden begraven. Ik stuitte tijdens mijn onderzoek echter op diverse bronnen die Lucca als 'mogelijke' of zelfs 'waarschijnlijke' locatie noemden. Voor mij was dit de intuïtieve keuze – het voelde goed. Matilda's toewijding aan Lucca en zijn bevolking wankelt nooit, zelfs niet wanneer Hendrik IV er alles aan doet om haar eigen mensen van haar te vervreemden. En de gebeurtenissen die ik beschrijf – haar wijding van de San Martino, het decreet tot bescherming van Lucca in 1099, de beroemde brug die ze laat bouwen, opgedragen aan Maria Magdalena – zijn allemaal historisch gedocumenteerd.

In diverse gidsen, gepubliceerd en aangeschaft in Lucca, staat dat Matilda in de stad was ten tijde van de hernieuwde wijding van de San Martino. Het jaartal dat daarbij wordt genoemd, is 1070. Maar een van de weinige dingen die we zeker weten, is dat Matilda zich in 1070 in Lotharingen bevond, als echtgenote van Godfried met de bult, druk bezig met de bouw van Orval. Sommige geleerden zijn tot de slotsom gekomen dat Beatrice degene kan zijn geweest die de wijding bijwoonde, en niet Matilda. Maar dat kan ik niet geloven. Het lijkt me hoogstonwaarschijnlijk dat ook maar iemand in Lucca, en zeker in haar tijd, de onvergetelijke en legendarische Matilda zou hebben verward met haar moeder. Bovendien ben ik ervan overtuigd dat Matilda erop heeft gestaan aanwezig te zijn bij de hernieuwde wijding van de kerk waarin haar geliefde Heilige Gelaat was ondergebracht. Dus het lijkt me waarschijnlijker dat er een vergissing is gemaakt met het jaartal. Dat is dan ook de positie die ik heb ingenomen.

Hoewel ik heb gekozen voor de Italiaanse versie van Brando's doopnaam, Ildebrando, wordt hij in historische bronnen meestal aangeduid met het verduitste Hildebrand. De verworvenheden van zijn bewind worden de 'Hildebrandiaanse Hervormingen' genoemd. Ik heb gekozen voor de Italiaanse vorm om zijn Romeinse achtergrond te benadrukken. En ik vond de naam Brando sexyer voor zo'n complex, mannelijk karakter – en wat een ironie dat hij het celibaat van het priesterschap danig aanscherpte! Hier dient echter te worden gewezen op het historische gegeven dat een celibataire clerus geen nageslacht produceerde, en dus Rome als enige erfgenaam had. Het besluit tot een celibataire geestelijkheid was evenzeer ingegeven door economische als door morele motieven – iets waarvan Brando natuurlijk als geen ander op de hoogte was.

Mijn interpretatie van de figuur Brando/Gregorius VII is in belangrijke mate bepaald door de enorme hoeveelheid brieven die hij heeft nagelaten.

Uit zijn correspondentie komt een krachtige, intelligente, ambitieuze man naar voren, onbevreesd en met een intense, hartstochtelijke liefde voor Matilda. Naar mijn overtuiging geloofde Brando oprecht dat het doel de middelen heiligde, en dat hij per saldo een goed en rechtvaardig man was die zich inzette voor reële hervormingen. Ik ben er ook van overtuigd dat hij briljant, sluw en absoluut meedogenloos kon zijn wanneer dat nodig was. En dat was nodig om niet in het politieke moeras van zijn tijd te verdrinken. Om te overleven moest hij zorgen dat hij op een overzichtelijk speelveld opereerde, en hij deinsde er niet voor terug dat veld te creëren met alle middelen die hem ten dienste stonden. Ook in dat opzicht geloof ik dat hij Matilda's grootste leermeester was. Want het is nooit anders geweest in de politiek, al sinds het begin der tijden.
Onder historici bestaat er een grote controverse over de vraag of de intense relatie tussen Brando en Matilda van romantische en erotische aard was. Het lijkt me duidelijk dat ik niet aarzel mijn standpunt in dezen te verdedigen. Mijn lezers verwijs ik naar een brief van de paus aan zijn geliefde, waarin hij schrijft over zijn verlangen met haar te vluchten naar het Heilige Land, naar een plek waar ze niet voortdurend worden bekeken door nieuwsgierige ogen en waar ze zich kunnen wijden aan het ware werk van God. Uit de brief spreekt zo'n verlangen dat die alleen kan zijn geschreven door een man die zijn beminde vurig liefhad.

### *Over Chartres en het labyrint*

Terwijl ik dit schrijf zit ik op de trappen van de kathedraal, onder het uitgelezen standbeeld van de Heilige Modesta in het noordportaal, het 'portaal der ingewijden'. Op al mijn reizen heeft geen plek me ooit zo geïnspireerd als Chartres dat doet. De kathedraal is een verbijsterend monument voor God, gebouwd door mensenhanden: schitterend in zijn grootsheid en tegelijkertijd nederig in zijn geloof.
De bouw wordt omringd door legenden, verhalen van geloof en toewijding en menselijke kracht, die anders zijn dan alle legenden die ik ooit heb gehoord. Historici hebben nooit een verklaring kunnen vinden voor de financiering van een dergelijk reusachtig project, en volgens de plaatselijke folklore zullen ze die ook nooit vinden wanneer ze blijven zoeken naar leggers en grootboeken. Chartres werd gebouwd door gelovigen, die daarmee hun tienden aan God betaalden. Ik ben ervan overtuigd dat het grootste deel van het werk is gedaan door vrijwilligers, geïnspireerd door hun

geloof. Er wordt beweerd dat de wederopbouw van de kathedraal na de verschrikkelijke brand in 1194 is uitgevoerd door tegenstanders van de Kruistochten – een middeleeuwse vorm van dienstweigering. Ouders gaven hun zonen aan de bouw van het monument voor Gods liefde – liever scheppen voor God dan doden in naam van het geloof.

Er bestaan ook andere legenden, verhalen over reinigende gebedsrituelen die dagelijks moesten worden uitgevoerd voordat de bouwers aan het werk gingen met dit eeuwige monument voor de liefde en het geloof. Als een arbeider een slechte dag had en niet met de gepaste bezieling naar zijn werk kwam, werd hem simpelweg gezegd terug te komen wanneer hij zich weer deel voelde van de gemeenschappelijke opdracht. Geen andere intentie dan die geworteld in de liefde, was toegestaan.

Berusten deze legenden op waarheid? Worden ze gestaafd door bewijzen? Ze houden al achthonderd jaar stand in de bouwstenen van de kathedraal, en dat is voor mij voldoende bewijs. Wanneer ik, komende vanuit Parijs, de torens van Chartres zie opdoemen, besef ik telkens weer hoe bijzonder deze plek is. Ik geloof oprecht dat de ongeëvenaarde schoonheid en gratie in zowel artistiek, architecturaal als spiritueel opzicht tot stand zijn gekomen dankzij een uitzonderlijke inspanning van een gemeenschap die zich baseerde op de principes van liefde en geloof, principes die werden geëerd met gebed. Net zoals ik oprecht geloof dat het Chartres van nu nog altijd een monument is voor *Het Boek der Liefde*.

Daardoor is het labyrint in de kathedraal van Chartres voor mij de meest gewijde plek ter wereld. Net als Maureen krijg ik tranen in mijn ogen wanneer ik zie hoe het door stoelen aan het oog wordt onttrokken. Jaren geleden, toen ik voor het eerst naar Chartres kwam, werden die stoelen nooit weggehaald en hadden de meeste bezoekers geen besef van de luister onder hun voeten. Een luister die niet onderdoet voor de pracht en de glorie van de glas-in-loodramen.

Wat de toegankelijkheid van het labyrint betreft, is er de laatste jaren wel enige vooruitgang geboekt. Terwijl ik dit schrijf, heb ik zojuist een hemelse middag doorgebracht in het labyrint. De kathedraal stelt het eens per week open, op vrijdag, ruwweg van april tot september. Ik bid – letterlijk en vaak – dat dit het begin is van een opening van de geesten en dat deze beperkte uren zullen worden uitgebreid, zodat dit unieke, spirituele instrument, achthonderd jaar geleden door de architecten geschapen, regelmatiger toegankelijk zal zijn. Een instrument waarvan ik geloof dat het een product is van de gezamenlijke inspanningen van koning Salomo, de koningin van Sheba en Jezus Christus. Ik roep je op je aan te sluiten bij

mijn gebed dat deze unieke plek in de niet al te verre toekomst zal worden erkend en geëerd om zijn heiligheid en dat er voor eens en voor altijd een einde zal komen aan de verwoestende praktijk deze aan het oog te onttrekken en te beschadigen door het volstrekt overbodig plaatsen van stoelen.
Wereldwijd is er sprake van een groeiende labyrintbeweging nu de mensheid deze schitterende gelegenheid voor een lopend gebed dat rechtstreeks naar God leidt, begint te herontdekken. Bronnen op internet, waaronder labyrintspeurders, zullen je helpen bij je zoektocht naar een labyrint bij jou in de buurt. En mocht dat er niet zijn, dan moet je dat misschien beschouwen als een oproep om zelf een labyrint te creëren!
Terwijl ik zit te schrijven arriveert een van de bewaarders van de kathedraal voor zijn ochtendritueel en geloofsgelofte. Hij brengt dagelijks bloemen mee voor *Notre Dame*, en vandaag heeft hij ook bloemen voor mij. De geest van deze plek en van de zielen die hem hebben geschapen, leeft voort als een baken van licht voor wie ogen heeft om te zien en oren om te horen, en misschien zelfs voor wie dergelijke zintuigen nog moet ontwikkelen. Ik kom hier elk jaar, want mijn bezoeken geven me nieuwe kracht. Ik kom hier met de hoop althans iets van deze plek mee terug te nemen, om de wereld deelgenoot te kunnen maken van het besef tot hoeveel moois de mens in staat is. Ik kom hier omdat ik heb beloofd de verhalen die in de geschiedenis verloren zijn gegaan, te herontdekken en te vertellen aan een groot publiek – de waarheden die zo lang onder de oppervlakte verborgen zijn gebleven, in afwachting van het moment waarop ze weer onthuld zouden worden.
Dat moment is nu aangebroken. En er is op de hele wereld geen andere plek die zoveel onthullingen herbergt voor de menselijke ziel als Chartres. Dit boek is mijn monument voor al degenen die de inspiratie vormden voor deze heilige plek en die hem hebben geschapen, opdat we mogen proberen hen na te volgen, ieder op onze eigen manier. Ik bid dat ik hun met mijn werk recht heb gedaan en dat ik daarmee anderen mag inspireren op hun pad.

17 mei, 2008

# Dankwoord

Schrijven is een buitengewoon solitaire bezigheid, maar de totstandkoming van het daadwerkelijke boek is in hoge mate teamwork. Er zijn heel wat mensen nodig om tot publicatie te komen. Ruimte en tijd schieten tekort om iedereen persoonlijk te bedanken voor alle inspiratie, steun en aanmoediging waaronder ik ben bedolven tijdens de vaak zware weg naar de eindstreep. Tot al degenen die me hebben geholpen, zou ik willen zeggen: ik hoop dat jullie weten hoe dierbaar en belangrijk jullie voor me zijn geweest.

*De Tijd Keert Weder*, daar ben ik van overtuigd, en de volgende mensen hebben met hun magische, krachtige aanwezigheid in mijn leven en bij mijn werk daarvan het bewijs geleverd. Voor mij zijn ze de leden van mijn eigen 'familie van de geest'. En ik hoop dat ze mij in datzelfde licht zien. In de woorden van *Het Boek der Liefde:* 'Zij die de herinnering hebben bewaard en elkaar herkennen, zijn gezegend op een manier die ons bevattingsvermogen te boven gaat.' Mijn letterlijk eeuwige dankbaarheid gaat uit naar hen allen, want ze hebben me gezegend op een manier die ik nauwelijks kan bevatten.

In mijn privéleven draait alles om mijn familie, en het is mijn familie die dit werk in alle opzichten mogelijk heeft gemaakt. Mijn passie en waardering zijn voor mijn man, Peter, die altijd mijn eerste zal zijn: mijn eerste liefde, mijn eerste lezer en criticus (een vaak ondankbare baan) en de eerste bij wie ik steun zoek. Onze drie prachtige zoons zijn het levende bewijs van de macht van de liefde, en een eerbetoon aan God. Mijn ouders, die er altijd voor me zijn en die me alles hebben gegeven, ben ik innig dankbaar, net als mijn broers, Kelly en Kevin, en hun gezinnen. Ik hou van jullie!

Ik had dit boek niet kunnen schrijven zonder:

Larry Kirshbaum, die me zo geduldig en onvoorwaardelijk heeft gesteund dat ik me afvraag waar ik het aan te danken heb dat God me zo'n beschermengel heeft gestuurd. Woorden schieten tekort om uiting te geven aan mijn dankbaarheid voor zijn aanwezigheid – elke dag weer – in mijn leven.

Patrick Ruffino, die me telkens weer onbevreesd heeft herinnerd aan de waarheid; die daarin geloofde en ernaar leefde, en die in recordtijd heeft gezorgd voor de magische illustraties waarmee hij zijn eigen spirituele bijdrage heeft geleverd aan dit boek, zonder ooit zijn geduld te verliezen. En Julia, zijn geweldige vrouw, ben ik dankbaar omdat ze zo grootmoedig is hem met me te delen.

Larry Weinberg. Als hij in de tijd van Shakespeare had geleefd, zou de Bard zijn beroemde regel hebben moeten herschrijven tot: 'Om te beginnen doden we alle advocaten, behalve de verheven en edelaardige Larry Weinberg'.

Trish Todd, even geduldig als getalenteerd, die me heeft geïnspireerd tot mijn beste formuleringen en die me zo'n gevoel van veiligheid heeft gegeven dat ik al schrijvend volledig kon zijn wie ik moest zijn.

Woorden van dank schieten tekort voor:

Stacey Kishi, voor elk moment van de talloze jaren dat we samen deze weg hebben gevolgd, maar in dit geval in het bijzonder voor de ontdekking van de kleine madonna in Orval, en voor de schouder waarop ik kon uithuilen, na het lopen van alle nog bestaande labyrinten in Frankrijk. Ook haar mannen, Michael en Elliot, die bereid waren haar aan me af te staan, ben ik innig dankbaar.

Ampy Dawn, die me met haar grootmoedigheid en haar loyaliteit heeft geleerd dat God me geen biologische zusters heeft gegeven, omdat Hij wilde dat ik mijn eigen zusters zou kiezen. En ik koos haar.

Olivia Peyton, want nu De Tijd Wederkeert dank ik de Heer en Zijn prachtige vrouw dat ze ermee heeft ingestemd de weg die ik moest gaan samen met mij af te leggen. Mijn begrip schiet tekort om haar genialiteit te bevatten.

Mijn eigen Issie, Isobel Denham, die me zoveel heeft geleerd in zo'n korte tijd, niet in de laatste plaats dat prachtige lied in het Frans, het lied over de liefde, en wat het werkelijk betekent om een 'Volmaakte Ketter' te zijn, door haar liefdevolle werk met de vrouwen en kinderen in Bosnië.

Gary Lucchesi, die volkomen onverwacht (en met grote tegenzin) mijn muze werd door te dienen als levend voorbeeld van de nobele nalatenschap van Lucca. Ik ben hem dankbaar dat hij – althans, meestal – met ongebruikelijk Toscaans geduld de chaos te lijf ging die ik veroorzaakte.

Mijn nieuwste zusje, Boston Mary, die op de rijdende trein is gesprongen en haar eigen unieke bijdrage heeft geleverd aan het boek en aan mijn leven.

Een speciale vermelding is op zijn plaats voor Sarah Symons, oprichtster van The Emancipation Network, vanwege de manier waarop ze zich dagelijks inzet om een eind te maken aan de handel in mensen. Sarahs toewijding aan het menselijk welzijn is een van de grootste inspiratiebronnen in mijn leven. Ik probeer een voorbeeld te nemen aan haar inzet en doneer een percentage van de royalty's voor dit boek aan haar werk en aan de projecten die deze waardige zaak steunen. Ga voor meer informatie over de manier waarop Sarah en ik onze inspanningen combineren om vrouwen en kinderen te beschermen, naar www.madebysurvivors.com of www.kathleenmcgowan.com.

*Danke* zeg ik tegen Tobi en Gerda (mijn zuster van de equinox!) voor alle heerlijke uren in RLC, maar vooral omdat ze de belichaming zijn van de leringen van *Het Boek der Liefde*, door de manier waarop ze hun leven leiden. Ze zijn voor mij een enorme bron van inspiratie.

En over inspiratie gesproken: ik loop over van liefde en vriendschap voor Dave en Robin Zaboski, en natuurlijk voor hun dochter Grace, die regelmatig mijn muze was als het ging om de pittige en briljante, zesjarige Matilda.

De auteurs en kunstenaars die als mijn vrienden en lotgenoten de loopgraven bemannen en bevrouwen, dank ik voor hun kameraadschap en de gesprekken die voor ons, schrijvers, als zuurstof zijn. Ik heb van jullie allemaal veel geleerd, zowel door jullie werk als door onze contacten: Margaret Starbird, Jeffrey Butz, Ani Williams, Nancy Safford, Shannon Andersen, Flo Aveia Magdalena, Angelina Heart, Phil Gruber, Victoria Mary Clarke, Nick Nolan, Henry Lincoln. Terwijl ik de laatste hand legde aan dit boek, leed de wereld een groot verlies in de persoon van Jean-Luc Robin, bewaarder van Rennes-le-Château en schrijver van het standaardwerk over dit mystieke ketterse dorp. Ik bid dat Jean-Luc in de hemel de sleutel heeft gevonden tot alle mysteries.

In grote liefde en dankbaarheid gedenk ik het wonder van Destino, want in zijn naam ligt zowel lot als bestemming besloten. En natuurlijk Easa en Magdalena en Hun nalatenschap van liefde die de wereld eens veranderde en opnieuw zál veranderen.

Maar mijn dank gaat vooral uit naar jullie, mijn lezers, mijn broeders en zusters op mijn weg – verleden, heden en toekomst. Naar de duizenden die me vanuit de hele wereld hebben geschreven om steun te betuigen aan mijn werk en mijn research. Ik lees alle brieven, en bij de meeste krijg ik tranen in mijn ogen van dankbaarheid omdat er mensen zijn zoals jullie. Ik hoop vurig dat dit boek jullie helpt de herinnering levend te houden, want dat is een van de belangrijkste doelen van onze queeste, samen en ieder voor zich. Niets is zo opwindend als de herontdekking van ons verlangen om te zoeken, van de vurige drang om op zoek te gaan naar het mysterieuze, het goddelijke – en niets is zo opwindend als de verwonde-

ring die deze queeste ons brengt. Misschien ziet de Heilige Graal die wacht op ontdekking er voor iedereen anders uit, maar voor mij is de ultieme schat de waarheid van onze schitterende nalatenschap en geschiedenis als mensen. Deze queeste is het schitterende spel dat God ons heeft geschonken, en er schuilt oneindige vreugde in het besluit dit spel met ons hele hart, onze hele ziel te spelen. 'Wie zoekt, moet blijven zoeken tot hij vindt,' zei Easa. Zoeken is de bestemming, vinden het lot.
Ten slotte heb ik, als eerbetoon aan Vrouwe Ariadne, geprobeerd een 'aanwijzing' in mijn tekst te 'weven' die jullie zal helpen jullie weg te vinden door het labyrint. Als zodanig heb ik bij het schrijven van dit boek gebruikgemaakt van de oude techniek van de mysterieschool, het 'gelaagd leren'. Hoe vaker je het leest, hoe meer sluiers er zullen worden opgelicht, en hoe meer waarheden er zullen worden onthuld. Dus ik zou zeggen: ga terug naar de eerste bladzijde en begin opnieuw met lezen...
Voor mij blijft er na alles wat er is gezegd één waarheid waarmee ik wil besluiten:

*Ooit had ik je lief, net als vandaag,*
*en ooit zal ik je opnieuw liefhebben.*
*De Tijd Keert Weder.*

Voor wie oren heeft om te horen.

Kathleen McGowan

In hoofdstuk twee van *Het Boek der Liefde* zingt Maggie Cusack een traditionele christelijke hymne in het Iers. Mijn man, Peter McGowan, komt uit een dorp in Ierland waar volgens de legende Saint Patrick deze zelfde boodschap zou hebben gepredikt: honderdduizend maal welkom, Jezus. Zoals ik op de bladzijden hiervoor al heb aangegeven, geloof ik dat Patrick een afstammeling was van Jezus en Maria Magdalena en dat hij predikte uit de oorspronkelijke leer zoals opgetekend in *Het Boek der Liefde.* Vanuit die overtuiging hebben Peter en ik een lied gemaakt waarbij we gebruik hebben gemaakt van de woorden van Patrick zelf. Ook Saint Patrick was een Dichter-Prins, en naar onze mening vormen zijn woorden een schitterende illustratie van de vroege Leer.
Het refrein van de hymne is eeuwenoud en een weergave van de woorden van de heilige. Hetzelfde geldt voor de melodie. De hymne is in zijn geheel te horen op mijn website, www.KathleenMcGowan.com.

**Céad Mile Fáilte Rombat, a Iosa**

*I arise today through the strength of heaven's bliss*
*And the warm ray of the sun*
*To the splendor of fire, to the speed of lighting,*
*Through the swiftness of the wind I run.*

*This day I call to me*
*God's hand to uphold thee*
*So we will spread the truth that no one can deny.*

*Through a mighty strength, invocation of the Trinity,*
*I arise, I arise today*
*Through the belief in the Threenees,*
*De confession of the Oneness, to the Creator of alle Creation.*

*I believe, I believe*
*In predictions of prophets and preaching of the Way,*
*In the strength to direct me, in the power to sustain me,*
*In the wisdom to guide me, in the path before my eyes.*

*This day I call to me*
*God's hand to uphold thee*
*So we will spread the truth that no one can deny.*

*God's hand to guard on me,*
*God's wisdom to guide me,*
*God's ear to hear me,*

*God's eye to look before me,*
*God's might to uphold me,*
*God's word to speak through me,*
*God's love to sustain me,*
*God's shield to protect me.*

Céad mile Fáilte romhat, a Iosa

Lees nu ook alvast een fragment uit

# *Het Medici Mysterie*

*van Kathleen McGowan*

# Deel 1

*De Tijd Keert Weder*

Er bestaan vormen van eenwording
die uitstijgen boven al wat zegbaar is,
die sterker zijn dan de grootste krachten,
dankzij de macht van hun bestemming.

Zij die een dergelijke eenwording beleven,
zijn niet langer gescheiden.
Ze zijn één, het vleeslijk onderscheid ontstegen.

Zij die elkander herkennen,
ervaren de ongeëvenaarde vreugde
om samen in deze volheid te leven.

*Het Boek der Liefde,*
zoals bewaard gebleven in *Het Libro Rosso*

*Ik ben geen dichter.*
*En toch ben ik gezegend te mogen verkeren met de besten. Met de grootste dichters, de meest getalenteerde schilders, de lieftalligste vrouwen... en de geweldigste mannen. Allemaal zijn ze een inspiratiebron voor me geweest; in elk beeld dat ik schilder, is een deel van hun ziel, van hun wezen terug te vinden. Ik kan alleen maar hopen dat mijn kunst als een vorm van poëzie zal worden herinnerd, want ik heb geprobeerd om mijn werken stuk voor stuk een zekere lyriek mee te geven, om ze te bezielen met karakter en een diepere zin. Lange tijd heb ik geworsteld met de gedachte dat het misschien tegen de gedragscode van kunstenaars in gaat om onthullingen te doen over inspiratiebronnen, over de symbolen en de lagen in de werken die we scheppen. Maar Maestro Ficino heeft de bewijzen gevonden dat reeds in het eeuwenoude Egypte dergelijke codes in geheime dagboeken werden opgetekend, dus ik zal me beroepen op deze tijdloze traditie.*
*Als nederig lid van de Orde van het Heilige Graf heb ik me bij alles wat ik heb geschilderd, laten inspireren door de glorie van die goddelijke leer. Een leer die intrinsiek verbonden is met iedere figuur die ik schilder; die mijn kleurgebruik en compositie bezielt en bepalend is voor de vorm waarvoor ik kies. Al mijn werken, ongeacht de opdrachtgever, ongeacht of ze een wereldlijke bestemming hadden, staan in dienst van de leer van de Weg van de Liefde. Elk beeld is geschapen om de waarheid door te geven.*
*In de bladzijden die volgen, zal ik de geheimen achter mijn werk onthullen, opdat ze eens gebruikt mogen worden als leerinstrument, voor hen die ogen hebben om te zien.*
*Ik zei het al: ik ben geen dichter, maar een schilder. Een pelgrim. En behalve de kwast hanteer ik de ganzenveer.*
*Maar in de eerste plaats ben ik een dienaar van mijn Heer en mijn Vrouwe, en van hun Weg van de Liefde.*
*Onze Meester haalt graag de woorden aan van de eerste grote christelijke kunstenaar, de gezegende Nikodemus: 'Kunst zal de wereld redden'. Ik bid dat hij gelijk had, en op mijn manier heb ik geprobeerd een rol te spelen, hoe nietig ook, in dat waardige streven.*

*Ik blijf,*
*Alessandro di Filipepi*

Uit *De Geheime Dagboeken van Sandro Botticelli*

*New York City*
*Heden*

Maureen Paschal had haar activiteiten in New York met zorg gepland. Nadat ze onvermoeibaar had gewerkt aan de publicatie van haar nieuwe boek, hoopte ze zichzelf te belonen met een paar verrukkelijke, ontspannen uren in het Metropolitan Museum of Art. Kunst was haar op een na grootste passie, slechts overtroffen door geschiedenis, wat dan ook de reden was dat haar boeken zo rijk gekleurd waren door beide. Zelfs een paar uurtjes in een van de beroemdste musea ter wereld, waren al een balsem voor haar ziel.
Op deze stralende ochtend begin maart liet de lente zich van haar beste kant zien, dus Maureen was blij dat ze had besloten om te gaan lopen. Ze vond New York een heerlijke stad, en ze had zich dan ook voorgenomen om met volle teugen van deze dag te genieten en zich niet te laten opjagen door haar overvolle agenda. Vanaf Fifth Avenue liep ze Central Park in. Bij de noordelijke hoek van de vijver met bootjes stond de enorme bronzen sculptuur gewijd aan *Alice in Wonderland*, het meesterwerk van Lewis Carroll. Het beeld bezat een grillige schoonheid en magie die het kind in Maureen aanspraken. Een meer dan levensgrote Alice vierde haar verjaardagspartijtje, met om zich heen haar vrienden uit Wonderland. Op de sokkel van het beeld waren citaten gegraveerd uit het klassieke stukje kinderliteratuur dat het lievelingsboek van de kleine Maureen was geweest. Terwijl ze om het feestje van Alice heen liep, las ze de citaten uit het boek en uit het gedicht *Wauwelwok*. Haar eigen favoriete citaat, dat thuis aan de muur boven haar computer hing, stond er niet bij.

*Alice begon te lachen. 'Het heeft geen zin om het te proberen,' zei ze. 'Je kunt niet in onmogelijke dingen geloven.'*
*'Volgens mij heb je niet genoeg geoefend,' zei de koningin. 'Toen ik zo oud was als jij, deed ik het een halfuur per dag. Wat heet, soms had ik al vóór het ontbijt in wel zes onmogelijke dingen geloofd.'*

Net als de Witte Koningin had Maureen inmiddels geleerd om al vóór het ontbijt in wel zes onmogelijke dingen te geloven. En sinds de komst van Destino in haar leven waren het er vaak nog veel meer. De gedachte ontlokte Maureen een vluchtige glimlach, terwijl ze bewonderend opkeek naar het beeld. Haar leven deed nauwelijks onder voor de meest fantastische avonturen van Alice. Ze was een intelligente, ontwikkelde vrouw in de eenentwintigste eeuw, die op het punt stond om naar Italië te vertrekken, waar ze in de leer zou gaan bij een meester die zichzelf Destino noemde en die beweerde onsterfelijk te zijn. Ondanks dat aanvaardde ze – net zoals Alice dat vóór haar had gedaan – deze uitzonderlijke figuur als een bijna natuurlijke verschijning in het vreemde landschap dat haar leven was geworden.

Maureen gunde zichzelf nog een paar kostbare minuten bij het beeld, voordat ze ter hoogte van het Metropolitan Museum of Art terugkeerde naar Fifth Avenue. Haar tijd in het museum was beperkt, want ze moest zich voorbereiden op de presentatie van haar boek. Dus ze zou zich moeten concentreren op één afdeling en niet moeten proberen zo veel mogelijk te zien.

Nadat ze een kaartje had gekocht en de button van de Met op haar kraag had bevestigd, koos ze voor de afdeling Middeleeuwen. Haar onderzoek naar de beroemde *contessa*, Matilda van Toscane, had haar bezield met een hernieuwde fascinatie voor die periode. Bovendien hadden haar langdurige excursies naar Frankrijk een grote waardering voor de gotische kunst en architectuur bij haar aangewakkerd.

Het was een schitterende keuze. Ze nam uitgebreid de tijd en gaf elk kunstwerk alle aandacht waar het recht op had. Vooral de bijzondere houten sculpturen uit Duitsland, met hun ongeëvenaarde vakmanschap en verfijnde details, spraken haar aan. Een aantal van de schatten herinnerde haar aan de ingrijpende ervaringen in Frankrijk, die haar leven voorgoed hadden veranderd. Met een diepe zucht van tevredenheid liet ze alle schoonheid op zich inwerken en genoot ze van het korte respijt dat de kunst haar bood in haar jachtige leven.

Toen ze de tweede grote zaal betrad, beheerst door een enorm gotisch koorhek, werd haar aandacht getrokken naar een kunstwerk aan de uiterste rechterkant van de zaal. Bij het merendeel van de tentoongestelde kunst ging het om sculpturen, maar in dit geval betrof het een schilderij, dat rechts van de ingang hing. Terwijl Maureen erheen liep om het beter te bekijken hield ze haar adem in, en eenmaal voor het doek bleef ze als aan de grond genageld staan. Het was het mooiste levensgrote portret van Maria Magdalena dat ze ooit had gezien.

*Notre Dame*. Onze Lieve Vrouwe. *Mijn Vrouwe*. Voor Maureen was er geen ontkomen aan. Nergens. Nooit.

Er kwamen tranen in haar ogen, zoals zo vaak wanneer ze op een mooie beeltenis stuitte van deze bijzondere vrouw die haar muze en haar leer-

meesteres was geworden. Terwijl Maureen oog in oog met haar stond, besefte ze al snel dat deze voorstelling anders was dan de gebruikelijke iconische afbeeldingen. Deze Magdalena zat op een troon, majesteitelijk mooi in haar karmozijnrode gewaad en golvende, koperblonde haar. In haar ene hand hield ze de albasten kruik met de olie waarmee ze Jezus zou hebben gezalfd, in de andere, gekoesterd in haar schoot, een crucifix. Ze werd omringd door engelen, die met bazuingeschal getuigden van haar luister. Toen Maureen dichterbij kwam, liet ze zich door haar knieën zakken om het onderste gedeelte van het schilderij beter te kunnen zien. Aan de voeten van de Magdalena lagen vier mannen geknield, in smetteloos witte gewaden. Hun hoofd ging volledig schuil onder een kap, waarin slechts een smalle spleet was gemaakt voor de ogen. Hun aanblik had iets bizars, alsof ze deel uitmaakten van een sekte. Ze zagen er op z'n gunstigst merkwaardig uit, maar Maureen zou bijna zeggen dat ze iets sinisters hadden.
Ze voelde dat haar hartslag versnelde, terwijl ze zich tegelijkertijd bewust was van de vreemde sensatie van hitte rond haar slapen, die ze was gaan herkennen als een teken dat haar onderbewuste werd geprikkeld; een teken dat iets haar aandacht vroeg wat ze niet kon en mocht negeren. Dit schilderij was belangrijk. Buitengewoon belangrijk. Ze pijnigde haar geheugen, op zoek naar een eerdere vermelding van dit schilderij die ze tijdens haar onderzoek was tegengekomen, maar daar kon ze zich niets van herinneren. Bij het schrijven van haar boeken was ze vertrouwd geraakt met tientallen beeltenissen van Maria Magdalena, verspreid over de belangrijkste musea in de hele wereld. Dus ze vond het fascinerend dat de Met zo'n belangrijk werk in de collectie had, en dat zij er nog nooit van had gehoord.
Maureen boog zich naar het plaatje met de titel: 'Spinello di Luca Spinelli – Processievaandel van de Broederschap van de Heilige Maria Magdalena.'
De officiële beschrijving van het museum, die naast het doek hing, luidde:

*Tijdens de Middeleeuwen gebeurde het regelmatig dat leken zich aansloten bij religieuze broederschappen voor het deelnemen aan godsdienstoefeningen en het doen van liefdadigheidswerk. De kap over hun hoofd garandeerde anonimiteit, overeenkomstig de nadrukkelijk opdracht van Christus dat het de mens bij het verrichten van goede werken niet mag gaan om ijdele lof. Dit uiterst zeldzame doek werd rond 1395 vervaardigd, in opdracht van de Broederschap van de Heilige Maria Magdalena in Borgo San Sepolcro, en zou zijn meegedragen tijdens religieuze processies. Het toont de leden van de broederschap, knielend voor hun beschermheilige, die wordt toegezongen door een koor van engelen. Het symbool van Maria's kruik met olie siert de mouwen van het gewaad van de broederschapsleden. Het gezicht van Christus, minder krachtig van lijn dan de rest van het werk, is van recente datum. Het origineel werd verwijderd en bevindt zich in het Vaticaan. Voor het overige is het vaandel opmerkelijk goed bewaard gebleven.*

Er klopte iets niet aan die beschrijving, besefte Maureen intuïtief. De tekst was te zakelijk voor een schilderij dat er niet alleen mysterieus uitzag maar ook een mysterieuze uitstraling had. De mannen met de kap op hun hoofd, die aan de voeten van de heilige geknield lagen, waren niet alleen anoniem, ze waren ronduit angstaanjagend. De kap die ze droegen, vormde een wel zeer nadrukkelijk element, alsof het een zaak was van leven of dood dat hun identiteit geheim bleef. Toen ze nóg beter keek, zag ze dat sommige gewaden een opening op de rug hadden. Dat duidde erop dat de mannen penitenten waren. De openingen hadden tot doel dat de boetelingen zichzelf tot bloedens toe konden geselen om hun zonden weg te wassen.
Maureen had de praktijken van boetelingen in de Middeleeuwen altijd verontrustend gevonden. Ze was er vrijwel zeker van dat God niet wilde dat de mens zichzelf kastijdde tot Zijn – of Haar – meerdere glorie. En door haar uitvoerige bestudering van Maria Magdalena, de Koningin der Barmhartigheid en de grote leermeesteres in liefde en vergeving, was Maureen ervan overtuigd geraakt dat deze dergelijke praktijken nooit zou hebben goedgekeurd.
De compositie van het schilderij maakte het des te provocerender, omdat het een imitatie leek van sommige beroemde voorstellingen van de Heilige Drie-eenheid uit de vroege Renaissance. Bij dergelijke voorstellingen werd God de Vader afgebeeld op een troon, met in zijn handen een crucifix als verwijzing naar zijn zoon. De Heilige Geest was doorgaans boven dat alles te zien in de gedaante van een duif. Op dit doek was Maria Magdalena degene die op de troon zat en die Jezus op haar schoot hield, waarmee ze een positie van uitzonderlijk gezag bekleedde. Daardoor leken de figuren met de kap over hun hoofd haar te aanbidden als de Koningin van de Hemel, iets wat tot op de huidige dag gold als een ketters concept. In de Middeleeuwen zou een dergelijke aanbidding waarschijnlijk zijn bestraft met de dood.

En dan die merkwaardige zin in de beschrijving: 'Het gezicht van Christus, minder krachtig van lijn dan de rest van het werk, is van recente datum. Het origineel werd verwijderd en bevindt zich in het Vaticaan.' Er waren op het vaandel inderdaad sporen van vernieling te zien: op de plek waar het gezicht van Christus oorspronkelijk moest zijn afgebeeld, was er een lap op genaaid. Maar waarom was die oorspronkelijke beeltenis er uitgesneden, en hoe was die in Rome terechtgekomen? Waarom zou iemand een zeldzaam en buitengewoon fraai werk van een Italiaanse meester beschadigen?

Als Maureen één les had geleerd tijdens haar zoektocht naar de waarheid omtrent de geheime aspecten van de geschiedenis van het christendom, dan was het dat je nooit iets kritiekloos moest aannemen; en dat je nooit de eerste en meest voor de hand liggende verklaring moest geloven, zeker niet in de wereld van de kunstgeschiedenis die zo rijk was aan symbolen. Ze haalde haar mobiele telefoon tevoorschijn, zette hem op camera en maakte in segmenten foto's van de schildering, zodat ze zich daar op een later tijdstip nader in kon verdiepen.

De digitale klok op haar telefoon herinnerde haar er wreed aan dat de tijd begon te dringen. Dus ze stopte haar mobieltje weer in haar tas en richtte haar blik opnieuw onderzoekend op de beeltenis van Maria Magdalena. De vragen die al zo vaak bij haar waren opgekomen tijdens het natrekken van aanwijzingen die schilders en beeldhouwers in hun religieuze kunst hadden verwerkt, klonken opnieuw luid en duidelijk in haar hoofd.

*Wat kunt u me vertellen, Vrouwe? Wie heeft u zo geschilderd en waarom? Wat was uw werkelijke betekenis voor degenen die dit vaandel droegen?* En ten slotte de vraag die Maureen geen dag meer met rust liet: *Wat verwacht u van me? Wat wilt u dat ik doe?*

Maar Maria Magdalena deed er het zwijgen toe. Ze staarde Maureen slechts aan met een kalme autoriteit en een raadselachtige blik waar Leonardo da Vinci jaloers op zou zijn geweest. Deze Magdalena deed in niets onder voor de Mona Lisa.

Maureen keerde zich weer naar de officiële beschrijving. Opnieuw hield ze geschokt haar adem in. Want bij tweede lezing drong de verwijzing naar de oorsprong van het vaandel pas tot haar door: '... vervaardigd in opdracht van de Broederschap van de Heilige Maria Magdalena in Borgo San Sepolcro.'

Borgo San Sepolcro. Het Italiaans was maar al te duidelijk. De naam betekende letterlijk 'de Plek van het Heilige Graf'.

Maureen keek neer op de eeuwenoude ring aan haar vinger, de ring uit

Jeruzalem met het zegel van Maria Magdalena. Dat zegel was tevens het symbool van de Orde van het Heilige Graf; de Orde die de wereld Matilda had geschonken, de Orde die de bewaarder was van de zuiverste leer van Jezus en van *Het Boek der Liefde*, en ten slotte de Orde waarvan Destino de meester was en waarin zij, Maureen, zou worden onderwezen. Kon het echt zo zijn dat er in Italië een hele stad was, gewijd aan de Orde van het Heilige Graf, met Maria Magdalena in het hart daarvan?

Maureen had haar research en het schrijven van haar boeken vaak vergeleken met het maken van een collage. Er waren talloze kleine stukjes bewijsmateriaal, die elk op zich niet veel voorstelden. Maar wanneer je ze samenvoegde, wanneer je zag hoe ze in elkaar pasten en elkaar completeerden, ontstond er een geheel; sterker nog, een prachtig geheel. En wat ze hier had gevonden, leek een belangrijk stukje in de verbijsterende mozaïek die ze bezig was te creëren.

Ze keek om zich heen naar de andere bezoekers. Slechts een enkeling kwam naar deze hoek om een vluchtige blik te werpen op het processievaandel. *Zien jullie het dan niet,* zou ze hen willen toeroepen. *Deze afbeelding is misschien wel een van de sleutels tot de geheimen van de geschiedenis, en jullie kijken er amper naar!*

Misschien. Ze wist het nog niet zeker. Waar lag Borgo San Sepolcro? Wat viel er nog meer over de kunstenaar, Spinello, te vertellen dat hem en zijn meesterwerk mogelijk zou verbinden met de ketterse culturen van het middeleeuwse Italië? Nadat ze eerst zelf had geprobeerd antwoord te geven op die vragen, zou ze de deskundigen in Frankrijk en Italië bellen, benieuwd naar hun kijk op de zaak. Te beginnen met Berenger, natuurlijk. Ze hadden elkaar inmiddels weken niet gezien, en alleen al de gedachte aan hem was hartverwarmend. Ze miste hem verschrikkelijk. Met haar ogen dicht gunde ze zich een moment van overgave aan de verrukkelijke herinnering aan hun laatste samenzijn. Ze slaakte een diepe zucht, toen riep ze zichzelf tot de orde. Er tekenden zich nieuwe ontdekkingen af; ontdekkingen die nóg heerlijker zouden zijn wanneer ze die met hem kon delen.

Ze nam afscheid van de artistieke luister van de Middeleeuwen en liep terug naar de ingang, waar ze een vluchtig bezoek bracht aan de giftshop, benieuwd of daar een ansichtkaart van het processievaandel werd verkocht. Dat bleek niet zo te zijn. Sterker nog, het zeldzame werk kwam in de gids van het museum niet eens voor. Bij het doorkijken van de uitgebreide verzameling kunstboeken vond ze er een waarin Spinello Aretino, de kunstenaar die het vaandel had gemaakt, vluchtig werd genoemd. Het

laatste gedeelte van zijn naam betekende, aldus het boek, dat de kunstenaar afkomstig was uit de stad Arezzo, in Toscane.
Toscane. Als er één plek was waarvan Maureen zeker wist dat het er in de vroege Middeleeuwen had gewemeld van de ketterse geheimen, dan was het Toscane. Ze glimlachte, want ze begreep dat het geen toeval was dat er een vliegticket naar Florence in haar tas zat, en dat ze over een week op weg zou zijn naar het hart van de ketterij.

❂

Niets.
Er was op internet niets te vinden over het zeldzame en schitterende Magdalenavaandel in het Metropolitan. Zelfs op de website van het museum kostte het haar de grootste moeite althans enige informatie te vinden, en die bleek niets toe te voegen aan de beschrijving die ze eerder op de dag in het museum zelf had gelezen.
Twee uur zoeken op kunstsites naar Maria Magdalena leverde niets op. Wat ze ook intypte, Google kwam met niets wat ze niet al wist. Dus uiteindelijk koos ze voor een nieuwe invalshoek en besloot ze te zoeken op andere details uit de beschrijving: de kunstenaar, de achtergronden. Over de kunstenaar vond ze online inderdaad wat informatie waar ze later misschien iets aan zou hebben, en hetzelfde gold voor Borgo San Sepolcro. Ze schreef haar bevindingen op.

*SPINELLO ARETINO – doopnaam Luca (Lucas), net als zijn vader, die ook schilder was; naar de heilige naar wie het schildersgilde is vernoemd. 'Aretino' betekent 'uit Arezzo', een provincie in Toscane. Schilderde voornamelijk fresco's en werkte in Florence in Santa Trinità.*

Maureen dacht even na. Dus Spinello had aan de kerk in Santa Trinità gewerkt. Die gold als een gewijde plek voor de Orde van het Heilige Graf en was bovendien een van Matilda's bolwerken geweest. Dat leek haar een goed voorteken. Blijkbaar was ze op het juiste spoor. Haar mozaïek begon vorm aan te nemen. Ze las verder.

*BORGO SAN SEPOLCRO, het huidige Sansepolcro, werd gesticht in het jaar 1000 door pelgrims die waren teruggekeerd uit het Heilige Land, vervuld van eerbied voor het Heilige Graf en beladen met onschatbare relikwieën. Een van deze pelgrims stond bekend als Santo Arcano. Sansepolcro ligt in de provincie Arezzo en is de geboorteplaats van de grote frescoschilder Piero della Francesca.*

Maureen kon haar geluk niet op. Ze had het inderdaad bij het juiste eind gehad! Er was in Toscane een hele stad, gewijd aan het Heilige Graf. Maar het was vooral één zin die aanleiding was tot grote, acute opwinding:

*Een van deze pelgrims stond bekend als Santo Arcano.*

*Santo Arcano.* Maureen begon hardop te lachen. Dat klonk alsof de Kerk een heilige kende die Arcano heette. Maureen was weliswaar geen expert in het Latijn, maar ze kon zich aardig redden, en tijdens haar research had ze haar kennis van het Latijn regelmatig nodig gehad om tussen de regels door te kunnen lezen. Santo Arcano was geen verwijzing naar een onbekende Toscaanse heilige. Het betekende 'Heilig Geheim'. Als ze de tekst in begrijpelijk Engels zou moeten vertalen, kwam dat neer op: *Deze stad, genoemd naar het Heilige Graf, werd gesticht op het fundament van het Heilige Geheim!*

Dat begon erop te lijken.

Ze dacht even na over de implicaties van deze ontdekking en maakte opnieuw wat aantekeningen. Ze was vertrouwd met het werk van Piero della Francesca, want zijn iconische Magdalena was een van haar favoriete kunstwerken. Hij had haar geschilderd voor de *duomo* in Arezzo, een buitengewoon krachtige, majestueuze beeltenis die macht en leiderschap uitstraalde. Een Magdalena die in geen enkel opzicht aan een boeteling deed denken. Ze was duidelijk geschilderd door een kunstenaar die geen greintje geloof hechtte aan de zesde-eeuwse propaganda die Maria Magdalena presenteerde als een boetvaardige zondares. Met zijn fresco had Piero della Francesca haar leiderschap willen benadrukken. In Maureens werkkamer hing een ingelijste kopie van deze Magdalena aan de muur. Tijdens haar research had ze een studie gemaakt van Francesca's werk. Hij was een kunstenaar die haar boeide. Zijn fresco's in Arezzo waren buitengewoon levendig, menselijk en verhalend. Wanneer ze zijn werken bekeek, voelde ze een zekere verwantschap; Piero was, net als zij, een verhalenverteller. Zijn *Legende van het Ware Kruis* was rijk aan detail, *De Ontmoeting van de Koningin van Seba en Koning Salomo* was bezield door diepe godvruchtigheid. In al zijn werken klonk de heilige leer door van de Orde van het Heilige Graf.

Lezend over de Orde, besefte Maureen dat ze nog het een en ander moest regelen voor haar terugkeer naar Europa, want ze had in Parijs afgesproken met haar Franse uitgever om de publicatie van de vertaling van haar boek voor te bereiden. Het was nooit een opgaaf om naar Parijs te gaan. Ze hield van de stad, en Tamara Wisdom, haar beste vriendin en een onafhankelijke filmmaker, had er herhaaldelijk op aangedrongen dat ze er samen wat tijd doorbrachten. Peter Healy, Maureens neef en geestelijk raadsman, woonde momenteel ook in Parijs. Ooit was hij *father* Peter Healy geweest, maar hij was het Vaticaan ontvlucht, misschien wel voorgoed, en noemde zich niet langer priester; zijn witte boord droeg hij niet meer. Maureen keek ernaar uit om met hem te kunnen bijpraten.
Ze besloot om, nadat ze in Parijs aan haar verplichtingen had voldaan, samen met Tammy naar het zuiden te rijden, naar het Château des Pommes Bleues waar hun beider geliefden wachtten. Want ook Tammy was verliefd en verkeerde in de zevende hemel sinds haar verloving met Roland Gelis, de zachtaardige reus uit de Languedoc, tevens de beste jeugdvriend van Berenger. Ze woonden allemaal samen in de schitterende vallei van de Aude, een magisch deel van de Languedoc; daar stond het chateau, even buiten Arques. Als telg van een Schots geslacht, dat miljoenen had verdiend in de olie-industrie, had Berenger het chateau geërfd van zijn grootvader. Het was gebouwd als zetel van een geheim genootschap dat gevaarlijke, ketterse geheimen beschermde. Samen met het chateau had Berenger ook deze geheimen geërfd.
Het was te laat om Berenger nog te bellen, maar de volgende morgen – dan was het bij hem al middag – zou ze contact met hem opnemen en hem vragen haar van Arques naar Florence te vergezellen. Destino had haar geschreven dat hij vanuit Chartres 'voor eens en voor altijd' terugging naar Florence. Het had erg definitief geklonken, alsof hij verwachtte in Italië te sterven. Aanvankelijk was Maureen erg van streek geweest. Destino was – letterlijk – eeuwenoud, zijn dood was onvermijdelijk. Maar het zou een zware slag zijn om hem te verliezen, net nu ze had leren begrijpen en aanvaarden wie hij was en welke uitzonderlijke wijsheid hij de wereld te bieden had.
In zijn brief maakte Destino duidelijk dat hij Maureen heel veel moest leren, en dat de tijd daarvoor beperkt zou zijn. Dus hij verwachtte dat ze zich vóór haar komst naar Italië vertrouwd maakte met de inhoud van *Het Libro Rosso*. Want hij had geen tijd om haar te onderwijzen in de grondbeginselen van de Orde. In plaats daarvan had hij heel specifieke thema's waarin hij haar – en ook de anderen – moest inwijden, en waren er taken

die moesten worden uitgevoerd als voorbereiding op de missie die ze gezamenlijk zouden ondernemen. Wanneer het om 'de missie' ging, sprak Destino met grote stelligheid.

Tijdens de voorbereidingen voor haar reis naar Florence bevestigde Maureen opnieuw haar gedrevenheid om de leer van *Het Libro Rosso* tot zich te nemen. Ze had het boek in haar bezit, want Destino had hun allemaal een exemplaar gegeven: Maureen, Berenger, Tammy, Roland en Peter waren ieder voor zich bezig met het bestuderen van de Engelse vertaling van het heilige rode boek dat de grootste geheimen van het christelijke geloof bevatte. Maureen had die vertaling gebruikt bij het schrijven van *De Tijd Keert Weder: De Geschiedenis van het Boek der Liefde*. Maar het werd tijd om de teksten opnieuw te bestuderen en bepaalde passages in haar geheugen te prenten. Ze nam zich plechtig voor helemaal opnieuw te beginnen en elke avond een aantal bladzijden te lezen, tot ze het hele boek had doorgewerkt.

Dat was geen opgave die haar zwaar viel. Vanaf het moment dat ze met de leer van *Het Libro Rosso* had kennisgemaakt, had Maureen het de mooiste tekst gevonden die ze ooit had gelezen. Ze herkende de woorden als de waarheid, en ze had ervan genoten een boek te schrijven over de dappere zielen die alles in de waagschaal hadden gesteld om deze verbijsterende leer tweeduizend jaar lang te bewaren.

Maureen installeerde zich met het boek in bed. Uiteindelijk kwam het bij de leer altijd weer neer op de liefde als het grootste geschenk dat God de mens had gegeven. Maar hoe simpel dat ook zou moeten zijn, toch begon daar de controverse al. Want in *Het Boek der Liefde* werd God niet gezien als een patriarch; hij was niet simpelweg 'Onze Vader'. Hij was 'Onze Vader' in volmaakte eenheid met 'Onze Moeder'. Al op de eerste bladzijde stond Maureens favoriete passage:

✿

*In den beginne schiep God de hemel en de aarde.*
*Maar God was niet één enkel wezen, Hij regeerde het universum niet alleen.*
*Hij regeerde met Zijn metgezel, die Zijn geliefde was.*
*En aldus sprak God in het eerste boek van Mozes, genaamd Genesis: 'Laat Ons mensen maken naar* Ons *beeld, als* Onze *gelijkenis', daarbij sprekend tot Zijn wederhelft, Zijn vrouw. Want het wonder van de schepping bereikt zijn grootste volmaaktheid door de verbintenis van het mannelijke en het vrouwelijke.*
*En de Heer God zeide: 'Zie, de mens is een van* Ons *geworden.'*

*En het boek van Mozes zegt: en God schiep de mens naar Zijn beeld; man en vrouw schiep Hij hen.*
*Hoe ware het mogelijk geweest dat God de vrouw naar Zijn beeld schiep, als Hij geen vrouwelijk beeld had gehad? Maar dat had Hij wel, en de eerste naam waaronder Ze werd gekend was Athiret.*
*Later werd Athiret bij de Hebreeërs bekend als Asherah, onze Goddelijke Moeder, en de Heer werd El genaamd, onze Hemelse Vader.*
*En zo was het dat El en Asherah hun grootse en heilige liefde wilden beleven in een meer expressieve, fysieke vorm en die zegen wilden delen met de kinderen die uit hun verbintenis zouden voortkomen. Elke ziel die werd geschapen, kreeg een wederhelft, een gelijke met dezelfde kern. In het boek Genesis wordt dit verteld met de allegorie van Adams wederhelft die wordt geschapen uit zijn rib, zijn wezen, zodat zij vlees is van zijn vlees en been van zijn gebeente, geest van zijn geest.*
*En God zeide, zo wordt ons verteld door Mozes: 'En ze zullen tot één vlees zijn.'*
*Aldus werd de* hieros gamos *geschapen, het heilige huwelijk tussen vertrouwen en bewustzijn dat de geliefden verenigt tot Eén. Dit is het heiligste geschenk van onze vader en moeder in de hemel. Want wanneer we samenkomen in het bruidsvertrek, vinden we de goddelijke verbintenis waarvan El en Asherah wensten dat al hun aardse kinderen die zouden ervaren, in het licht van de zuivere vreugde en het wezen van de ware liefde.*
*Wie oren heeft om te horen, die hore.*

*El en Asherah, en de Heilige Oorsprong van de Hieros Gamos*
*Uit* Het Boek der Liefde
*Zoals bewaard gebleven in* Het Libro Rosso

Sinds de komst van Berenger in haar leven had Maureen haar best gedaan om de hieros gamos in al zijn vormen te leren begrijpen en ervaren. Haar ogen waren geopend voor een soort liefde waarvan ze nooit eerder had beseft dat die niet alleen in sprookjes en legendes voorkwam. Een dergelijke epische eenwording, een allesomvattende, koesterende liefde kon ook bestaan in het echte leven. Maureen had die zelf ervaren en was er een ander mens door geworden, waardoor ze wist dat zoiets voor iedereen was weggelegd. Berenger en zij waren ervan doordrongen dat dit deel uitmaakte van hun bestemming: anderen helpen om de liefde te vinden waarmee ook zij waren gezegend.
Maureen sloot het boek, tevreden met het idee te gaan slapen met visioenen van El en Asherah die door haar dromen dansten.

* * *

Helaas luisterden haar dromen niet naar haar verlangens.
Doorgaans droomde ze heel duidelijk en begrijpelijk; ze werd in haar slaap regelmatig ongevraagd bezocht door reeksen van samenhangende beelden. Die beelden bevatten altijd een belangrijke boodschap of verschaften haar dringende aanwijzingen die ze moest opvolgen. Maar die nacht ging het anders. Haar droom was chaotisch, hectisch, met flarden van beelden, geluiden, gevoelens, waarin de tijd en de plaats van handeling voortdurend veranderden. Sommige beelden leken verband met elkaar te houden, andere juist helemaal niet. Er was echter één constante factor. Ongeacht het beeld, ongeacht de tijd was er voortdurend sprake van één onveranderlijk element.

* * *

*Vuur.*
*Op het plein laaide het vuur hoog op. De pek die op het hout was gegoten om het sneller te doen ontvlammen en feller te laten branden, deed zijn werk. Honderden mensen omringden de brandstapel met daarop het slachtoffer. Of was het er meer dan een? Zweet stroomde over de gezichten van de toeschouwers terwijl voor hun ogen het vuur van de hel leek te razen. In het ene vluchtige visioen steeg er een gejammer op uit de menigte, in een volgend klonk er gejouw. Twee verschillende brandstapels. Twee verschillende steden. Nu eens de een, dan de ander, en dan weer terug. In de eerste stad zag ze de gezichten in de menigte. Ze stonden geschokt, verdrietig, vervuld van doodsangst. Het slachtoffer bleef voor haar verborgen, ze zag alleen de vlammen die hoog oplaaiden in het midden van het plein, in hun gruwelijke omhelzing van wat eens een mens was geweest. Tussen de gezichten van de huilende mannen en vrouwen in de menigte was er een in het bijzonder dat zich scherp aftekende in Maureens droom. Het gezicht van een man. Gezien zijn eenvoudige kleding zou hij een koopman kunnen zijn, maar iets in zijn houding onderscheidde hem van zijn omgeving. Hij stond kaarsrecht, met opgeheven hoofd, en hoewel hij duidelijk geschokt was, had hij de uitstraling van een vorst. Terwijl ze zag dat er een enkele traan over zijn wang rolde, voelde ze het intense verdriet – en het intense schuldgevoel – van deze man als gevolg van de tragedie die zich voor zijn ogen voltrok. Een plotseling stralend oplichten van het vuur trok haar aandacht weg van de man naar de plek waar de brandstapel had gestaan. Maar het waren geen vlammen die ze zag. In plaats daarvan*

*was er een verblindende eruptie van wit licht dat ten hemel steeg. De lucht werd donker, bijna zwart, terwijl het witte licht zich er vluchtig tegen aftekende en vervolgens verbleekte.*

*Onmiddellijk werd Maureen bestormd door beelden van een brandstapel in een andere stad, een andere tijd, met een ander slachtoffer.*

*In tegenstelling tot het eerdere visioen stonden de gezichten in deze menigte boos. En het waren louter mannengezichten. Tenminste, het waren alleen mannen die rechtstreeks rond de brandstapel stonden. Zij waren de bron van het gejouw dat ze had gehoord aan het begin van de droom. De ziedende menigte gooide van alles op het vuur – wat, dat kon Maureen niet zien – onder het slaken van woedende kreten. Er werd voortdurend een woord geroepen dat ze niet herkende; het klonk als een soort spreekkoor. Even meende ze 'varkensneus' te verstaan, maar dat leek te absurd, zelfs in een surreële wereld als die van de droom. Opnieuw kon ze het slachtoffer niet zien, terwijl hier de vlammen zelfs nog hoger oplaaiden dan in het eerste visioen. De sfeer was ook duidelijk anders. Dit slachtoffer werd veracht en degenen die waren gekomen om de terechtstelling te zien, waren erop gebrand de gehate veroordeelde op deze gruwelijke manier te zien sterven. De situatie was er een van gecontroleerde chaos, die elk moment uit de hand kon lopen, terwijl de vlammen steeds hoger en heter oplaaiden. Net toen Maureen merkte dat de beelden begonnen te verbleken en ze voelde dat haar bewustzijn haar terugriep uit de droom, kreeg ze nog een vluchtig visioen van de gruwelijke laatste terechtstelling. Aan de rand van het plein, zo ver weg dat ze geen gevaar liep, maar voldoende dichtbij om voorgoed te zijn getekend door wat zich voor haar ogen afspeelde, stond een klein meisje. Met haar donkere ogen wijd opengesperd keek ze naar het vuur en naar de woedende meute daaromheen. Het was een tenger kind met een fijngetekend gezichtje; ze deed Maureen denken aan een jong vogeltje. Ze leek niet ouder dan een jaar of vijf, zes, en ze was duidelijk ondervoed. Maar ondanks haar broze verschijning maakte ze een krachtige indruk, en haar gezicht verried geen spoor van angst. De onbevreesde blik in haar ogen zou Maureen nog lang na de droom bijblijven. Behalve de vlammen die zich erin weerspiegelden, zag Maureen in die ogen iets wat ze niet goed kon identificeren, maar waarvan ze wist dat het haar met afschuw vervulde.*

*De blik in de ogen van het kind had iets gruwelijks, iets wat grensde aan waanzin.*